Colaiste Oideachais Mhuire Gan Smal
Luimneach

SCRÍBHINNÍ BÉALOIDIS

FOLKLORE STUDIES

5

Curtha ar fáil le cúnamh airgid ó Bhord na Gaeilge

Seán Ó Cróinín

SEANACHAS AMHLAOIBH Í LUÍNSE

SEÁN Ó CRÓINÍN
a thóg síos

DONNCHA Ó CRÓINÍN
a chuir in eagar

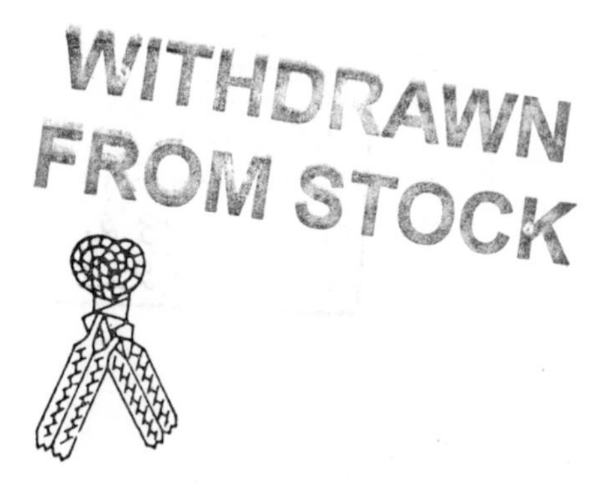

Comhairle Bhéaloideas Éireann
An Coláiste Ollscoile
Baile Átha Cliath
1980

ISBN 0 906426 04 9

Printed in the Republic of Ireland by
The Dundalgan Press, Dundalk
for the publishers
Comhairle Bhéaloideas Éireann
University College
Belfield
Dublin 4

LÉARÁIDÍ

As Cnuasach Lawrence (Leabharlann Náisiúnta na hÉireann) do na pictiúirí atá ar aghaidh lch. 256-7 agus 272. Ón Cork Examiner *a fuarthas an pictiúir atá ar aghaidh lgh. 273. Is é Leon Ó Corduibh a dhein an grianghraf de Sheán Ó Cróinín (1964).*

RÉAMHFHOCAL

Sa bhliain 1971 d'fhoilsigh an Cumann le Béaloideas Éireann *Scéalaíocht Amhlaoibh Í Luínse*, leabhar ina bhfuil insint Amhlaoibh ar sé cinn déag is daichead de scéalta idirnáisiúnta. B'é mo dhriotháir Seán a thóg síos iad ina ghnó mar bhailitheoir don Choimisiún Béaloideasa, agus ní raibh sa mhéid sin ach timpeall leath ar bhailigh sé ón seanachaí cáiliúil úd. Cuireadh scéalta Fiannaíochta an chnuasaigh i gcló de réir a chéile i m*Béaloideas*,[1] ach bhí deireadh na bliana 1977 ann sar ar fhéadas díriú ar an bhfuíollach a chur in eagar.

Abhar agus Eagar an tSeanachais

Bhí duainéis ag baint leis seo thar mar a bhain leis an gcéad leabhar toisc a ilghnéithí atá an t-abhar. I dteannta an tseanachais féin tá scéalta agus eachtraithe, amhráin agus ranna, seanfhocail, canúinní, téarmaíocht ⁊rl., agus iad go léir leata ar fuaid na LSS gan ord gan leanúnachas, puinn. Cé gur léir ós na cinnteidil atá thall is abhus gur dhein Seán a dhícheall ar *Láimhleabhar Béaloideasa* Sheáin Í Shúilleabháin a leanúint, is baolach gur mhinic a ghluais sruth na cainte ar a ábhar féin—mar ba cheart! Más gabhlánach an rud an scéalaíocht is gabhlánaí fós an seanachas, agus ní gá a rá nach in ord a chéile a deineadh cúrsaí a phlé, ach gur ar a uain a tháinig leis an mbailitheoir gach aon mhír eolais a bhreacadh síos. Ach chun go gcuirfí abhar an chnuasaigh fé bhráid an phobail i ndeilbh leabhair níorbh fholáir rialacha éigin d'imirt air, agus chuige sin ní raibh treoir ba nádúrtha dhom a leanúint ná an *Láimhleabhar* úd.

Tá formhór an abhair le fáil sa dá LS 913 agus 937 den chnuasach atá anois i Roinn Bhéaloideas Éireann. Tá míreanna eile le fáil sna LSS 938, 1165, 1527 agus 1704.[2] Ar dhul dom tríothu san á

[1] Iml. xxxii, 29 ff; xxxiii, 114 ff; xxxvii, 65 ff.

[2] Tá beagán eile LSS ina bhfuil nithe fánacha a thóg daoine eile síos ó AÓL, ach tá cloíte agam leis na hinsintí orthu a chuir Seán síos. In Aguisín B tá eagar curtha agam ar fhreagraí a scríobh Cáit Bean Í Liatháin, O.S., ó Amhlaoibh de thoradh Ceistiúchán ón gCoimisiún. In Aguisín C tá an méid a thóg Seán síos ó Dhónal Ó Luínse, driotháir d'Amhlaoibh: scéalta púcaí ar fad, geall leis. Tá bonn éigin chun comparáide anso mar le ceird na scéalaíochta; agus i dtaobh cainte dhe, féach gur 'dheaghaig' atá tríd síos ag Dónal, cé ná fuil oiread agus aon tsampla amháin de i gcaint Amhlaoibh!

rangú de réir an Láimhleabhair, fuaras go raibh breis agus míle mír le cur in ord a chéile. Níorbh aon doic scéalta nó eachtraithe nó amhráin, abair, a shocrú síos ina n-ionad féin. Ach níorbh amhlaidh sin don tseanachas mar bhí san leata ina bhlúiríocha ar fuaid sé cinn de LSS, agus ní altanna agus míreanna amháin ba ghá a sheoladh ó áit go háit ach abairtí aonair uaireanta. Dá réir sin, cé gurb í caint Amhlaoibh atá sa leabhar so, ní beag an suathadh nárbh fholáir a thabhairt don abhar chun é chur sa riocht ina bhfuil sé. I gcás caibidil 12 den Láimhleabhar ('Litríocht na nDaoine'), bhí an t-abhar chomh raidhsiúil agam gurbh éigin dom caibidlí fé leith a dhéanamh de na fo-ranna ann. Tá súil agam ná mothóidh aon léitheoir an t-anchor atá tugtha don bhunscríbhinn! Ach bhí Amhlaoibh chomh léirintinneach agus a ráiteachais chomh meáite go mba dheacair a aithint ná gur díreach as a chéile a thug sé uaidh an rud go léir. Cé go raibh fo-rud a tarraingíodh anuas breis agus aon uair amháin is rí-bheag arbh éigin dom a fhágaint ar lár i ngeall ar athrá. (An t-áireamh beag nithe atá tugtha fé dhó sa téacs agamsa is ag freagairt d'éileamh an Láimhleabhair é.)

Tá riail áirithe atá leanta agam sa tseanachas agus go mb'fhéidir nach chun leasa dhó ar fad é: nithe a chur in ord aibítire nuair a bhí sraith acu ann, e.g. Árthaí agus Úirlis, Saighseanna Tine, Saighseanna Tailimh. Dhealraigh an t-ord aibítire bheith ar an gceann ab oiriúnaí chútha, ach tharla anois is arís gur scaradh ó chéile ar an slí sin dhá rud a bhí ag leanúint a chéile go nádúrtha mar a rabhdar.

'N'

An comhartha N atá in úsáid ar fuaid na Nótaí agam ciallaíonn sé na leabhair nótaí inar scríobh Seán síos (le peann luaidhe) formhór ar bhailigh sé riamh den bhéaloideas. D'aon ghnó a deirim 'formhór', mar cé go raibh eideafón aige sna blianta tosaigh (1939-44) agus téipthaifeadán i ndeireadh bárra (1963-5), níor ghéill sé go hiomlán do na hacraí sin riamh. I mblianta an chogaidh bhí na 'fiteáin' chomh gannachúiseach le nithe ba ghátaraí ná iad, i gcás ná féadadh sé iad d'úsáid ach amháin chun scéalta fada a thógaint síos. Ach bhí rud eile, leis, ann: a mhéid seandaoine ná ligfeadh an scáfaireacht dóibh labhairt go nádúrtha i láthair an innill chainte! Ní bhíodh col ag éinne acu le peann is páipéar: is amhlaidh a thaitneadh leo bheith ag faire na cainte agus í á scríobh síos, mar ba mhór acu an urraim seo a bheith á thaispeáint dóibh féin agus don rud a bhí le rá acu. Agus ní gá dhom a lua gurbh usa an leabhar nótaí d'iompar ar phóirse anacair nó in aghaidh an aird ná eideafón mór meáchta.

Murab ionann agus an *Scéalaíocht*, níl ach an chaolchuid de théacs an leabhair seo nach leis an bpeann luaidhe a tógadh síos é.[1] Ach ní gá a mheas dá chionn san gur lú is iontaoibh é, mar d'ainneoin an tseanfhocail, bhí luas agus léire scríbhneoireachta ag Seán, agus pé lúb ar lár nó mionearráid atá le brath thall nó abhus san obair, déarfainn gur mhinicí a tharla sé san athscríobh ná sa chéad scríbhinn. Ar an dá rud a bhreithniú le cúnamh na Scéalaíochta is annamh ná gurbh fhéidir dom an ceart a dheimhniú ar phointí amhrais. In aon chás go raibh dabht fanta agam i dtaobh ní éigin tá san luaite agam i bhfoirm nóta.[2]

Tá rud eile a bhaineann le N a chuaigh chun tairbhe don téacs, i.e. go bhfuil mioneachtraithe, blúiríocha cainte, canúinní ⁊rl., sna leabhair nótaí nár dhein a slí isteach sna LSS.[3] B'é ba chúis leis sin, gur mhinic a choinnítí blúire éigin eolais siar ag faire ar chaothúlacht fháil chun cur leis agus go bhfágtaí gan athscríobh ar ball é trí dhearúd. Cuimhnímis go mbíodh cóipleabhair le líonadh go rialta, agus gur fé bhroid ab éigin an obair a dhéanamh. Níor bhroid gan ghá é, fóríor.

Is cuí dhom a rá anso nár thugas a cheart creidiúna don bhailitheoir bhocht nuair a dúrt roimhe seo gur chaith sé bliain ag obair le hAmhlaoibh.[4] Timpeall le hocht mí a chuir sé isteach leis, ó Dheireadh Fómhair 1943 go dtí Bealtaine 1944. Nuair a chuimhnímid ná bíodh d'aga chun na hoibre aige ach timpeall trí huaire a' chloig cúig oíche den tseachtain, ar a mhéid, ní beag ionadh ach ar éirigh leis a ghabháil ina líon: dóthain dhá leabhar den abhar is ilghnéithí. Mura mbeadh an bheirt acu bheith chomh mór i dtiúin le chéile ní bheadh an scéal amhlaidh, agus is mór an cradhscal gurbh éigin scur nuair a bhí an obair in aoirde a teas.

[1] Ar an eideafón a tógadh síos dosaen nó mar sin de na scéalta is sia.

[2] Cé go mba mhór an cúnamh dom leabhair an Ollaimh Brian Ó Cuív, *The Irish of West Muskerry* agus *Cnósach Focal ó Bhaile Bhúirne*, ba mhinic ab éigin dom dul i muinín mo bhreithiúntais féin—agus bíodh a mhilleán orm má táim amú in aon rud.

[3] Níl tagairt déanta sna Nótaí dhóibh seo ach mar ar mheasas gur thuilleadar é.

[4] *Scéalaíocht Amhlaoibh Í Luínse*, iii; *Scríobh* 4, 197.

Ní féidir a rá an mó leabhar eile a bhí in Amhlaoibh, ach ní móide go bhféadfaí a dheireadh fháil go brách. Cé go dtugann Clár an Abhair radharc ar an méid a coimsíodh i ngiorracht aimsire, ní gá ach súil a chaitheamh ar Chlár an *Handbook of Irish Folklore* chun a fheiscint cad a bhí fós le déanamh. Tá roinnt de chaibidlí an leabhair seo nár tugadh orthu ach ruthaill, cé gur deimhin nach díth eolais ba bhun leis an easnamh atá orthu. Ach is é feabhas a bhfuil ann a bhéarfadh do dhuine an t-easnamh a chásamh.

Is buan fear ina dhúthaigh

Ón uair go bhfuil trácht déanta cheana in áit eile agam ar thréithe an leabhair seo le chéile ní háil liom dul siar air sin arís anso.[1] Ach b'fhéidir nár mhiste scathamh a thabhairt ar an saghas duine agus ar an saghas saoil a bheir a leithéid de leabhar a bheith againn.

Ní móide go bhfuil ceangal is buaine ná is bunúsaí ann ná an ceangal a ghreamaíonn duine—nó aon ainmhí—d'fhód a dhúchais. Bhí cruinneolas ag Amhlaoibh Ó Luínse ar gach aon bhlúire dá cheantar dúchais agus bhí sé chomh báidhiúil leis agus dá mba cuid de Mhachaire Mhéith na Mumhan é. Is eol dó cad é an saghas ithreach atá i ngaortha áirithe ar imeall thoir na paróiste, mar bhain sé féar ann agus d'imir sé liathróid ann. Is cruinn géar é chun mianach tailimh a mheas agus chun leathchéad téarma ar shaghasanna tailimh a mhíniú. Tá sé ardeolgaiseach ar chúrsaí móna agus adhmaid. Tá cur amach ar aibhní agus ar iascaireacht aige. Ba dhóigh leat ná raibh éinní fé bhun a chúraim aige, dá mb'iad áraistí an tí féin iad.

Ach is cóir dúinn a thuiscint nach é Amhlaoibh amháin atá ag labhairt linn: tá a shinsear, leis, ag labhairt tríd ar an muintir a thóg tithe, a dhein páirceanna, a dhírigh clathacha teorann, agus a oibrigh leo go neamhchloíte i dtráth go raibh an saol dian go leor orthu, ' agus seó acu ar a ndícheall ', mar a deir sé. Ach ní dheineann sé gearántóireacht ná béal bocht, agus níl trácht ar ghorta ná ar ghátar aige ach amháin mar a bhfuil cur síos ar na hOlltaigh. Duine fé leith ab ea é, is fíor; ach chomh maith san, bhí sé ina bhall de phobal go raibh grá ceart acu dá dtalamh dúchais agus a chuir suas lena lán cruatain ar a son, rud a chuir saol in áirithe dá sliocht nár shamhlaíodar féin in aon chor. Ach is mór idir an dá shaol, ' pé acu lot nó leasú é '.

[1] *Scríobh* 4, 197 ff.

Dá mhéid a bhí ina cheann ag Amhlaoibh ní raibh sé tugtha do bheith ag bodhradh daoine lena thuairimí féin. Ach nuair a thugadh sé a thuairim mheáite ar rud éigin ba dheacair brabús fháil uirthi, e.g. ' Imeoig an gaol chun fáin ' (136). Meon Aesoip a bhí aige: bhíodh rann nó scéal nó seanfhocal éigin aige in oiriúint do gach aon ócáid, mar d'aithin sé go raibh ciall na seacht sua le fáil iontu san, agus an chuid ab fhearr den chaint.

Ar a shon go raibh féith láidir grinn in Amhlaoibh ní haon gháire ard a dheineadh sé ach meangadh beag séimh. Ar an gcuma san, leis, a bhraithimid an greann sna heachtraithe aige. Ach is eagal liom nach aon chomaoine air cúig is daichead dá scéalta grinn a locadh isteach i gcomhluadar a chéile. Dála na suáilcí uile, b'fhearr roinnte iad, fé mar a bhíodar.

Níl aon áit is fearr go bhfaighimid radharc ar ghreann Amhlaoibh ná sa chur síos atá déanta aige ar Tháilliúir na Samhna. Is fíor go raibh greann réamhdhéanta dhó in eachtraí an Táilliúra; ach is é féin a fhuaigh na píosaí le chéile agus a chuir culaith cheart ar an dTáilliúir. Mórchuid de na scéalta a bhí ag Amhlaoibh bhíodar ag daoine eile den pharóiste chomh maith, ach bhí seisean ábalta ar scéal a shocrú ar shlí go measfá gurbh é féin a cheap ar dtúis é. Ba nós leis scagadh a dhéanamh ar a raibh cloiste d'insintí ar na scéalta aige, sa chás go bhféadfaí ' eagrán críochnaitheach ' a thabhairt ar an rud a thugann sé dhúinn. Fiú amháin tugann sé *variae lectiones* dúinn fo-uair !

Ollscolaíocht Phoiblí

Is fiú aird fé leith a dhíriú ar an gcaibidil dár teideal ' Rann-scéaltha ', mar go léirítear ann cad é mar fheidhm a baineadh as an rann aonair i dtráth go raibh an fhilíocht in úsáid mar ghléas conbharsáide i measc an phobail. Bhí an rann chomh gonta, chomh tráthúil is gur choinnigh sé ócáid a cheaptha ina bheathaidh ó ghlúin go glúin, i dteannta go raibh sé ina sholaoid ar aicillíocht véarsaíochta agus ar chlisteacht chainte. Dála mórán eile, d'imigh san le cúlú na Gaeilge mar ná raibh an Béarla in acfainn freastal ar an gcúram san. Tá nithe ná fuil fulang ar aistriú acu, agus do chaolaigh sruth na filíochta de réir mar a chuaigh tobar na teangan i ndísc. B'fhéidir gur gá dhom a mhíniú anso ná háireofaí ina fhilíocht an uair úd aon déantús nár chloígh go cruinn le rialacha meadarachta: sráidéigse a thabharfaí air sin. Ach d'athraigh san, fé mar a gheall Mac Amhlaoibh an fheasa: ' Imeoidh an fhilíocht agus tiocfaidh an intleacht '. Cé gur beag ná go raibh smacht so na véarsaíochta chomh docht agus a bhí an dán díreach ina lá féin, bhí de thoradh air gur bhuanaigh sé múnlaí snasta liteartha in aigne na poiblíochta—rud a chuir a chomaoine féin ar ghnáthurlabhra na ndaoine, mar chúiteamh.

Mura mbeadh ar mhair den fhianaise, ba dheacair a chur ar a súile do lucht na haimsire seo cad é chomh buacach is a bhí an Ghaeilge ar fuaid Mhúscraí san 18ú céad, agus i leith go dtí lár an 19ú céad féin.[1] Bhí Dámhscoil na Blárnan ag an gceann thoir di agus Cúirt Éigse Bhaile Mhúirne i dTigh na Cille ag an gceann thiar, agus i dteannta a raibh d'fhilí aithnidiúla ann bhí na scórtha eile ná fuil dá dtuairisc againn ach na véarsaí uathu atá le fáil i lámhscríbhinní nó a mhair in aigne na ndaoine. Deirtí go raibh beirt as gach triúr den chléir ina bhfilí an uair úd. Le fírinne, níor mhiste ollscolaíocht phoiblí a thabhairt ar an saothrú so an léinn dúchais a bhí ar siúl cois Laoi agus Sulláin, agus siar isteach i nGleann Fleisce agus i nGleann na Ruachtaí.

Cé gur lagaigh ar neart na filíochta leis an aimsir, d'fhág sí séala agus blas liteartha ina diaidh ar chaint na ndaoine—an chaint chéanna a bhí mar arm ag an Athair Peadar nuair a oir rothaí a chur fén nuaphrós aimsir na hAthbheochana. D'ainneoin an tsaoil, d'fhan an séala agus an blas céanna san ar Ghaeilge na dútha anuas go dtí aimsir Amhlaoibh Í Luínse agus Dhónail Bháin Í Chéileachair.

An Birín Beo

Do mhair oiread den traidisiún liteartha trí bhascadh an Drochshaoil is gurbh fhéidir d'Amhlaoibh agus do dhaoine mar é an birín beo a choimeád ó dhul in éag. Tá ranna agus amhráin sa leabhar so atá le fáil i LSS chomh maith. Ach is mó rud a thug Amhlaoibh ina cheann leis ná fuil le fáil in aon LS. Bhí Mac Amhlaoibh trí chéad bliain fén bhfód nuair a thrácht an tAmhlaoibh eile seo ar a chúrsaí, agus tá sé ina steillebheathaidh arís againn—é féin agus seana-Chromaill! Tá roinnt de dhánta Liam Í Shuibhne na Buile le fáil i LSS, ach is fearr an radharc atá le fáil anso againn air. Cé gur fíor

[1] De réir Dhaonáirimh na bliana 1851 (.i. bliain is fiche sar ar rugadh Amhlaoibh Ó Luínse) bhí breis agus 300,000 de chainteoirí dúchais Gaeilge i gCo. Chorcaí—an cúigiú cuid de líon iomlán Ghaeilgeoirí na tíre san am san. Cf. Brian Ó Cuív, *Irish Dialects and Irish-speaking Districts*, 26.

d'Amhlaoibh é nuair a deir sé go raibh sé ró-thugtha don cháineadh, mar sin féin, pé acu ag guí nó ag mallachtaí dhó, bhí a cheard go smidithe aige: maith dóthain Eoghain Ruaidh féin.

Nuair a dhruidimid i leith isteach san 19ú haois tagaimid ar dhaoine eile fós—daoine bochta ná raibh ach ag stracadh leis an saol—go raibh an cheard agus an chaint chomh fuinte acu agus a bhí ag na filí a ghaibh rompu;[1] agus féach ná raibh de scolaíocht ná de thabhairt amach orthu ach an méid a phiocadar suas in ollscoil úd an phobail. Scaoileadh an scoil sin i ndúluachair an Drochshaoil agus níor tháinig sí chúithi féin ó shin.

Mura raibh Amhlaoibh Ó Luínse agus a chomharsain ar an ollscoil sin do casadh na hiarscoláirí orthu, agus níorbh olc na hoidhrí iad féin ar a dtáinig rompu. Más ait le rá é gur ag pobal tuaithe gan scolaíocht a mhairfeadh an teanga ina neart cuimhnímis gurb é sin an dúchas a thugadar leo ó ré *La Tène*, agus an tréith chéanna a luaigh Cæsar le Ceiltigh na Gaille: gan éinní á chur sa leabhar ach gach éinní á iompar sa cheann.

D'fhéadfaí Rann Bhríde (282) a lua mar shampla den tsíoraíocht a bhaineann le cuimhne na seanamhuintire. Is dócha gurb é seo an rud is ársa dá bhfuil sa leabhar so, agus uime sin ní haon ionadh cuid den chaint a bheith truaillithe. Ach is féidir a dhéanamh amach gur mó fé thrí de shinsearacht Bhríde atá le fáil ann ná mar atá i Leabhar Leasa Mhóir. Is dealraitheach go raibh an Rann so ar eolas ag daoine ar fuaid na tíre go léir, tráth, agus in Albain, leis, cé nár cuireadh i gcló ach cúpla blúire dhe. Le cúnamh an dá insint eile ó Bhaile Mhúirne atá tugtha sna Nótaí agam is féidir tuairim a thabhairt den chuma a bhí ar an bpaidir ó bhunús.

Abhar agus Insint

Pé acu sa Ghaeilge nó sa bhéaloideas is mó a bheadh dúil ag duine, comhshásamh atá le baint as an gcnuasach so, mar ba dheacair leabhar a shamhlú is fearr a léireodh an chothroime is dual a bheith idir abhar agus insint. Cé go bhfuil iníor ann don teangeolaí, tá níos mó i dteangain ná gramadach agus comhréir, agus cuimhnímis go bhfuil nithe bunúsacha ag baint léi ná fuil tomhas

[1] Is maith mar sholaoid leis seo an focal ***fine-chruth*** a thagair Donacha Bán Ó Luínse don Ridire Colthurst (301 *infra*), focal go ndúirt an tOllamh D. A. Binchy ina thaobh: '. . . it would appear to be one of the comparatively rare survivals of " legal " Irish in the spoken language. . . .' (*Éigse* xv, 320).

orthu ag teangeolaíocht ná ag teicneolaíocht. Taisce í ina bhfuil teacht againn ar mheon agus ar mhachnamh cine, ar a litríocht, ar a mbéascnaíocht agus ar a stair.[1]

Dheineas trácht cheana ar na príomhthréithe a bhaineann le caint Amhlaoibh,[2] agus is fearr fós a chítear na tréithe sin sa leabhar so, mar gur leithe a réim agus gur ilghnéithí an t-abhar ann. An éascaíocht insinte agus an ghreantacht chainte a chonaictheas sa *Scéalaíocht* táid anso arís againn. Fiú amháin sa chur síos ar thalmhaíocht nó ar mhóin nó ar iolar tí, mar a bhfaighimid atharrach rithime agus malairt téarmaíochta, níl tuisle ná stagarnaíol le fáil in aon áit. Tá tuilleadh fianaise anso ar a bhreáthacht d'arm aigne atá sa teanga Ghaeilge againn ach í bheartú mar ba chóir.

Le déanaí, tá daoine ag gearán ar an ndroch-chor atá á fháil ag an mBéarla ar na meáin chumarsáide, agus táid ag impí ar gach éinne cúram a dhéanamh den chruinneas, den díríocht agus den tsoiléireacht.[3] Ní lúide sin is gá an impí chéanna a dhéanamh ar son na Gaeilge, agus na dea-thréithe atá á moladh ag Béarlóirí táid mar a bheadh comhartha cille ar Ghaeilge Amhlaoibh. Ós rud é gurb é cumas na cainte an acfainn is uaisle dár deonadh don duine tá urraim ar leith dlite don té go bhfuil an cumas san thar barr ann. Níl urraim is mó a fhéadfaí a thaispeáint dó ná aithris a dhéanamh ar a dhea-thréithe.

' Máistir murainneach miochair agus oide múinte '

Is minic ráite é nár mhór do dhuine bás d'fháil sara bhfaigheadh sé an chreidiúint a bheadh ag dul dó, ach níorbh fhéidir san a rá i dtaobh Amhlaoibh. Ar feadh na mblianta bhíodh triall lucht léinn

[1] Cf. ' I cannot help feeling that many linguistic specialists, concerned as they are especially with the structure and growth of language, tend to regard it too exclusively as a servant of conscious reason, rather than of sentiment and imagination, and to treat it merely as a vehicle for conveying information. They thus neglect the subtle overtones of traditional association which each one carries for the native speaker, and in teaching a foreign language they rely too much on word lists '.—Harold Goad, *Language in History* (1958), 10.
Is baolach nach le ' foreign language ' amháin a bhaineann an teagasc san !

[2] *Béaloideas* xxxii, 6 agus *Scéalaíocht A. Í Luínse*, Brollach.

[3] Mar shampla: ' Language is in decline. Not only has eloquence departed but simple, direct speech as well. . . Since nothing is more important to a society than the language it uses—there would be no society without it—we would be better off if we spoke and wrote with exactness and grace, and if we preserved, rather than destroyed, the value of our language '.—Edwin Newman, *Strictly Speaking* (1975), 4, 18.

agus lucht ollscoile air mar bhí fhios acu go raibh rud aige nár lamháladh dóibh féin: an tAimhirgíneach, Tomás Ó Rathile, Gearóid Ó Murchú, Torna, an tAth. Pádraig Ó Duinnín, ⁊rl.[1] Níba dhéanaí, is ar chaint Amhlaoibh a bhunaigh an tOllamh Brian Ó Cuív a thuairisc ar *The Irish of West Muskerry* (1944), agus foghraíocht Amhlaoibh a chuir sé le formhór mór na gceannfhocal sa leabhar *Cnósach Focal ó Bhaile Bhúirne* (1947), gan trácht ar a bhfuil sna nótaí aige den bhreiseolas a bhailigh sé uaidh sa chúrsa úd roimh bás. Ní haon mhéalú ar a bhfuil le cur i gcló fós de chaint agus de bhéaloideas Mhúscraí a rá gur i gcomórtas lena bhfuil againn ón Luínseach a chaithfear é mheas.

Fáidh ina dhúthaigh féin

Ná níorbh é cás an fháidh ina dhúthaigh féin ag Amhlaoibh é: d'admhaíodh cách ná raibh aon bhuachtaint air. Comharsa dhó ab ea an tAth. Aindrias Ó Céileachair agus scoláire breá Gaeilge ina cheart féin, agus ba mhinic i gcóid-i-bhfaid le chéile iad ar phointí teangan. Tá rian Amhlaoibh le haithint ar *Quo Vadis?* agus b'iontach go deo leis an sagart mar a thagadh leis Béarla dá chastacht a chur go seolta i gculaith Ghaeilge agus nár chuaigh sé níos sia ná an scoil náisiúnta. Deireadh sé i gcónaí gurbh é Amhlaoibh an fear ab éirimiúla dár casadh riamh air.[2]

Críochnód le blúire de thuairisc a thógas síos deich mbliana ó shin ó chomharsa eile dhó, sidé an Suibhneach Meann:[3]

'Le titim oíche, bhuaileadh Fruí an póirse anuas agus treasna an bhóthair isteach inár dtighna. Shuíodh sé ar bosca ansúd in aice na tine agus ní dhúnadh sé a bhéal gan bheith ag insint agus ag eachtraíocht dúinn ar nithe a tharla, agus bhí sé de chumas agus de bhua aige rudaí úr-nua do cheapadh láithreach, ar a' spota. . . .

Bhímis a' déanamh rócáin, agus an rud a theipeadh ormsa bhí Fruí ábaltha ar an líne a chuir isteach. Abhfad sar ar tosnaíodh ar an b*Poc ar Buile* bhíodh amhráinín eile—*Poc ar buile* eile—agus do

[1] Dúirt an tOllamh Binchy liom gurbh é Amhlaoibh an cainteoir Gaeilge ba bhreátha dár casadh riamh air. Chuir an Binseach aithne air sa bhliain 1928 nuair a bhí na ceirníní cainte úd á ndéanamh ag an Acadamh Ríoga fé scéim Doegen (cf. *Scéalaíocht* xviii agus *infra*, 1.434).

[2] Blúire eolais a fuaras ó Mháire (Ní Chathasa), bean a dhriothár, sa bhliain 1970.

[3] Tá Pádraig Mac Suibhne féin ar chomhluadar na marbh ón mbliain 1976, gura maith an mhaise dá anam é.

dheineas féin agus Amhlaoibh véarsaí nua a ropadh isteach ann: ‘ Ba dheas an cailín Siobhán óg, ⁊rl.’ Ach do choinníodh Fruí an rud ag gluaiseacht go beo ó thosach go deireadh: níor theip rud riamh air. Ní fhéadfadh na daoine eile geataire giúise a choimeád dó. Bhí ana-bhua aige. Bhí an chluas go seóig aige, agus bhí mísleacht agus cneastacht ina ghlór. . . .

Filíocht ar fad a bhíodh ar siúl an uair sin ag na haon duine: prós fileata ar fad. Do líonfá na mílthe leabhar dá bhféadfá a thabhairt thar n-ais dod chuimhne na rudaí a dhein Amhlaoibh. D’fhéadfadh sé scéal a chuir le chéile gan aon réiteach a dhéanamh roim ré. Bhí sé féin ábaltha ar ceapadóireacht, agus dá bhfaigheadh sé an fráma in aochor bhí sé ábaltha ar na haon rud eile a líonadh isteach agus crot nua a chuir air ar fad ar fad. Agus thugadh sé píosaí desna scéaltha Fiannaíochta isteach ’na measc a dheineadh iad a mhaisiú agus iad a dheisiú go gleoite ar fad. Nuair a gheobhadh Fruí aon oscailt ba leor san: bheadh an rud socair aige féin. . . .

Do deineadh ‘ taidhreamh ’ dó agus do lean an taidhreamh san ar feadh seachtaine lán. Thug sé isteach muintir na háite sa taidhreamh, agus do leanadh an scéal trí oícheanta i ndia’ chéile nuair a cuirtí iachaint air an taidhreamh san d’aithris oíche scuraíochta!

Ba bhreá an comhluadar é. Ní éireofá choíche tuirseach dá chomhluadar ná dá chomhrá. Bhí ana-cheann air. . . .’

Is mian liom buíochas a ghabháil le Comhairle Bhéaloideas Éireann as an leabhar so a chur leis an sraith de leabhair bhéaloidis atá foilsithe acu; leis an Ollamh Bo Almquist, eagarthóir na sraithe sin, a chuir gach cóir orm chun na hoibre agus a bhí ina thaca agus ina chomhairleach dom ó thús deireadh; le lucht ceannais Bhord na Gaeilge as an gcúnamh fial airgid a thugadar chun go gcuirfí an gnó i gcrích; agus le húdaráis agus feidhmeannaigh leabharlann atá ag déanamh soilíos dom le daichead bliain, go háirithe lucht an Acadaimh Ríoga agus na Leabharlainne Náisiúnta.

DONNCHA A. Ó CRÓINÍN

I mBaile Átha Cliath dhom,
Lá le Gobnatan, 1980.

TREOIR DON LEABHAR

CLÁR AN ABHAIR

C. Cuireadóireacht

D. Beithíg agus Ainimhithe Feirme

Fiach agus Sealgaireacht

A. Fiach

(c) Deighleáil idir Bheoibh agus Maraíbh

5. AN NÁDÚR 150

(a) An Spéir agus an Aimsir

(b) Planndaí agus gach saghas Fáis

(c) Éanlaithe

(d) Na Treonna Baíll 152

6. LEIGHISEANNA NA NDAOINE 153

(*b*) Tuartha agus Côrthaí

(*c*) Rudaí go leanann Draíocht iad

(*d*) Ceárd na Draíochta

(*f*) Piseoga: Ceart agus Éigeart

(*g*) Laethanta ná fuil ann ach amháin sa chaint

9. SAMHLAÍOCHT I DTAOBH NITHE AGUS DAOINE 167

(*a*) Púcaí agus Sprideanna

(*b*) Saibhreas i dtaisce

10. SEANACHAS STAIRIÚIL 189

(*a*) An Creideamh agus an Eaglais

(*b*) Daoine fé leith

13. DIAGASÚLACHT AGUS TEAGASC 240

14. GAISCÍG AGUS GRUAGAIG 246

15. FIANNAÍOCHT 251

16. SCÉALTHA GEARRA ÁITIÚLA 253

25b. AGUISÍN B 403

25c. AGUISÍN C 412

1. LONNŪ AGUS CŌNAĪ

A

(i) TREABHCHAISÍ AGUS DAOINE

Muíntir Iarlaithe

Measann muíntir na p'róiste gur b'iad muíntir Iarlaithe an dream is ársa 'na measc. Níl puínn seanachais le fáil ar cad as n-a dtánadar, ach creidid siad gur aniar a shíolthaíodar ar dtúis: *iar-fhlatha.* Bhíodar táchtmhar go leor, agus ba leo Baile Mhúirne le chéile ar feag sínsireachta; agus nuair a bhíodar ar a dtitim b'shidé uair a fuair na Colthurstí greim ar Bhaile Mhúirne.

Ag taramuin Ghobnatan a bhí cónaí ar mhuíntir Iarlaithe. Bhí muarchuid sagart orthu. Filí agus lucht foghlama do b'ea iad. Ach nuair a thiteadar níor fhan puínn dá dtuairisc. Chuaig cuid acu go Ciarraí, agus is dó liom go bhfuil oiread dá dtreabhchas le fáil i gCiarraí is tá le fáil i mBaile Mhúirne fé láthair.

Nóra Dháth

Níl an ainm Dáth nú Daithí ar éinne do mhuíntir Iarlaithe anois—tímpal Bhaile Mhúirne go háirithe. Is cuín liom seanabhean do mhuíntir Iarlaithe bheith ar Carraig an Adhmaid. Nóra Dháth a thugaithí uirthi seo, agus b'shiní an phréamh dhéanach do mhuíntir Iarlaithe bhí i mBaile Mhúirne—muíntir na bhfilí agus na sagart. B'í seo máthair Dhónail na Gréine; do mhuíntir Chonaill a b'ea Dónal, agus thugaithí ' Dónal a' tSúig ' ar a' bhfear san, leis, ar chúis éigint. Dáth Ō hIarlaithe a b'ainm d'athair Nóra.

Muíntir Luínse

Tá sé ráite go bhfuil muíntir Luínse sa ph'róiste le muarán aimsire. Meastar gur ón nGaillimh a thánadar so, agus peocu fíor nú bréag deiridís gur bh'amhlaig a theicheadar do dheascaibh bruíonta a bhíodh acu insa Ghaillimh le dream éigint eile. Do ghéill-finn iarracht dò so, mar ní muar ná go bhfuil an rud céanna leanta acu i mBaile Mhúirne ![1]

[1] Fic ' Siar léi, a bhuachaillí ! ' lch. 253 *infra.*

Bhí sé ráite gur b'iad na háiteanna i mBaile Mhúirne gur chuir-eadar fúthu: Gort an Acra agus na hUláin; agus 'na dhia' san bhíodar scaipithe ar na Ceapacha, Cúm na Cloiche, Gort na Tiobratan, na Foithirí agus Baile Mhic Íre. (Bailthíocha fearainn iad so.) Bhí fear acu ar na Millíní, i gCúil Ao, agus ba leis an baile go léir.

D'fhanadar i mBaile Mhúirne agus táid siad ann ó shin.

Na Dónail

Bhí Dónal Ó Luínse éigint a' déanamh mustair as na Dónail nuair a bhí braon óltha aige: deabhraíonn an scéal go raibh na Dónail go seóig aimsir na mbruíonta. Ach bhí an fear so i Moch-romtha tráthnóna éigint. 'Táid na Dónail 'na mbeathaig fós!' ar sisean.

Bhí fear do mhuíntir Éalaithe ag éisteacht leis. B'sheo mar a duairt sé le mac Í Luínse:

'Mo mhairg!
Is táid na Dónail meata
Ó imig Dónal Shíle an mhaide,
Dónal Mháire in' aice,
Dónal an Áth Leacaig
Agus Dónal Beag na gCeapach.'

Do mhuíntir Luínse a b'ea iad so go léir. 'Dónal an Áth Leacaig': b'shiné mo sheanathair. Ar an Áth Leacach a bhí sé (ar na Millíní, baile fearainn i gCúil Ao).

Muíntir Thuama

Tá muíntir Thuama ana-chríonna san áit, leis, ach ní fheadar cad as n-ar phréamhaíodar san. Thosnaig bruíon idir mhuíntir Luínse agus muíntir Thuama agus do lean na bruíonta ar feag abhfad. Ach dhineadar síocháin sa deire, agus táid siad go síochánta ó shin.

Muíntir Shuínne

Tá muíntir Shuínne ársa go maith. Tá 'Mac' ag cuid acu san i n-inead 'Ó'. Iad so go bhfuil *Muracha* nú *Morgan* á leanúint tá an 'Mac' á leanúint, leis. 'Ó Suínne' athá ag an gcuid eile.

Ach ní fheadar cad as go dtánadar san ná cathain.

Treabhchaisí eile

Bhí muíntir Chaoramháin (Kirwan) i mBaile Mhúirne uair éigint, ach níl bith a dtuairisc anois. Ní hamhlaig go raibh puínn acu ann aon uair.

Bhí muíntir Mhathúna sa ph'róiste, agus táid siad imithe. Bhí muíntir Néill ann. Bhí bean acu i gCúil Ao—bean éigint ' do chine Ghórdail Í Néill '. Níl aon duine acu ann anois.

Agus muíntir Ghealabháin bhíodar ann. Bhí Maighréad Ní Ghealabháin ar seana-bhóthar Chúil Ao.

Bhí Seán Ó Scannláin ar Cúil Ao. Tá sé féin agus a thig ar lár agus a mhuíntir scaipithe. Agus bhí fear eile ann: Seán Ó Coileáin. Tá tig i n-inead a thí sin ag fear eile: Seán caillthe agus a chlann i Merice.

Sin mar imig na daoine seo go léir. Bhí níos mó daoine sa ph'róiste roimis seo ná mar atá anois. Imeacht thar lear fé ndeár cuid don rud so, seó daoine 'fanúint gan pósa, agus seó eile acu a' pósa ana-chríonna.

Do dhin gorta dísciú muar ar na daoine. Ach ar aon tslí, ní bhfaighfá aon lín-tí chó muar is bhíodh ann fiú caogaid bliain ó shin.

Daoine fé leith

Bhí tig ag Siobhán a' Ghabha ar Cúil Ao, thiar i gclós mhuíntir Shúilleabháin. Cailleag í féin agus a muíntir. Do mhuíntir Éalaithe a b'ea í, agus bhí sí pósta ag fear do mhuíntir Shúilleabháin.

Caitlín Shíomainn: bean a bhí i gCúil Ao fadó. Ní thuigim cadé an brí atá le ' Shíomainn '—agus ní dócha gur ' Éamon ' é.

Agus bhí Tomás na gCaereach ar Cúil Ao. Iníon dò san a b'ea Cáit na gCaereach a phós *Conny Mhichael* Ó Murachú. Tá iníon do Thomás i gCíll na Martara fós. Ach sin a bhfuil ann acu anois.

Bhí tig eile ag Barra Ó Laeire ar Cúil Ao. D'aistri sé soir thar Mochromtha. Maireann a chlann lastoir i n-aice Chorcaí agus na Druipsí: iad go saibhir, láidir. Aneas a tháinig Barra, ó Bhéalaithe'n Ghaorthaig: ní bhíodh aon ' Bharra ' againn anso.

Bhí Micil na Pinse (Ó Murachú) ar Cúil Ao. Tá a thig ar lár agus a mhuíntir scaipithe anois. Fear aerach a b'ea Micil na Pinse.[1]

Bhí Tadhg Phádraig Í Dhuinnín ar Cúil Ao. Tá a thig ar lár agus talamh tógtha agá chluínn i bp'róiste Chluan Droichead.

[1] Fic lch. 199 *infra*.

Tá ' Clós Dhonacha Mhuair ' anso againn féinig. Tá an tig ar lár agus an mhuíntir scaipithe agus caillthe le haos. Do mhuíntir Dhuinnín a b'ea Donacha. Ar Cúil Ao a bhí an clós san, leis.

Slí Beatha, Tithe, Seilbh

Feirmeoireacht is mó a lean gach dream acu san i mBaile Mhúirne; ach amach san aimsir d'úmpaíodar ar gach gnó: siopaithe, agus ceannach stuic, agus a lán gnóthaí eile. Do ráinig tithe táirne ag cuid acu, leis.

Tithe cínn tuí a bhíodh acu: ní raibh slínn ag imeacht i n-aochor san am san. Bhí cuid dosna tithe cúng, íseal, agus tuille acu farsiog, spéiriúil.

Ní raibh greim ceart dlithiúil ages na daoine ar a gcuid talúintí uim an am úd fé mar atá anois. Ní bhíodh a bhac ar na tiarnaí talúin iad a chuir amach aon tráth ba mhaith leo agus fear eile a scaoile isteach 'na n-inead. B'fhéidir go n-imíodh cuid acu so le fuacht agus le fán, agus tuille acu chuiridís fúthu i n-áit éigint eile.

(ii) An Baile

Teoranta

Na tiarnaí talúin a shocraig teoranta idir feirmeacha, sa dro-shaol.

Níl aon chúntas agam ar cathain a socraíog na bailthíocha fearainn mar atáid siad.

Clathacha is mó a dheighil na feirmeacha, agus aibhnní agus glaisí is mó a dheighil na bailthíocha. Ní hé sin ná go bhficfá claí anso is ansúd eatarthu, agus glaise idir dhá fheirm. Gheófá smut do theora a bheadh a' rith díreach, agus tuille acu ná fuil. Tá a lán dosna bailthíocha a' rith go habhainn óna dtaobh féin, agus a' leanúint cúrsa na habhann.

Glaise Choíll a' Chuma

Tá glaise thiar amach à Coíll a' Chuma (Cúm na nÉag). Tá sí idir an Lománaig agus an Doire Leathan mar theorainn, agus mar an gcéanna tá sí idir an Lománaig agus na Foithirí. 'Sí thá idir an Lománaig agus an Screathan.

An Dúglais

Gabhann glaise soir ósna Doirí: 'sí seo an teora idir iad féin agus Cúil Ao. Nuair a dhrideann sí soir seasaíonn sí mar theora idir

Ghort Í Raithille agus Gort na Scairte. 'Sí thá mar theorainn idir Chíll na Martara (p'róiste) agus Baile Mhúirne, chun go dtéann sí isteach sa tSullán. *Dúglais* a tugathar uirthi seo, .i. *Dubh-ghlaise.*

Glaisíocha eile

Tá glaise eile aniar ó Chúm Í Chlúmháin: 'sí seo an teora idir Bhárr Duínse agus an taobh thuaig don Screathan.

Tagann glaise eile anuas ósna Clocháin lastuaig de seo (na Clocháin: ar an Ínse Muair). 'Sí seo an teora idir an Ínse Muair agus Bárr Duínse. Agus tá abha bheag eile a' teacht anuas ó Chúm na Maoile, mar theorainn idir an Ínse Muair agus na Millíní: abha na hÍnse Muaire nú abha Dheansail Í Scanaill.

An Sullán

'Sí abha an tSulláin a sheasaíonn mar theora idir Dhoire an Chuilinn agus na Millíní, agus idir Chúil Ao agus na Millíní, agus idir Chúil Ao agus Doirín Álainn.

Tagann glaise eile anuas ó áit n-a dtugathar Crois an Átháin (ar an dTóchar). 'Sí seo an teora idir mhuíntir an Tóchair agus Cúil Ao, agus mar theora don Mhúirneach Beag agus Cúil Ao mar a' gcéanna.

Tá an *Abha Bhuí* a' rith anuas ó ghleann Dhoirín Álainn: 'sí an teora idir Doirín Álainn agus na Millíní. An Sullán thá mar theorainn idir an dtaobh theas do Dhoire na Sagart agus Gort na Tiobrait.

Tá abha eile a' teacht aniar lastuaig do Dhoire na Sagart, mar theorainn idir iad féin agus an Sliabh Riach. Sidí an *Abha Gharbh.*

Agus sin mar atá an scéal lastoir arís: an Sullán mar theorainn idir na bailthíocha go dtéann sí isteach go Mochromtha agus isteach insan Laoi.

Na Bailthíocha Fearainn

Cúil Ao: Deireadh cuid dosna sean-daoine gur thug Aodh Beag mac Fínn cúrsa éigint ann, agus deireadh tuille acu gur Aodh éigint eile a bhí ann. Is dócha go gcathfam é fhágaint mar sin. Ach níl éinne anois ann go dtugathar ' Aodh ' air.

Ní heol dom aon bhaile sa ph'róiste gur buineag de ach amháin Cúil Ao féin, agus buineag corraíocht is dathad acra do Chúil Ao agus do leogag leis na Millíní é. Bhí Cúil Ao a' dul síos go habhainn go dtí san.

Na Millíní: Ball clogach—áit go mbeadh seó cloch, déarfainn.

Gort na gCros: Crosbhóithre bheith ann.

Tóchar: Bhí ciseach árd ann.

An Múirneach Beag: Tá buint éigint ag an ainm seo le Baile Mhúirne, ach ní fheadar cadé féin.

Gort na Scairte: Scairt—mar a chuirfá i mbeárnainn.

Gort Í Raithille: Is ó dhuine do mhuíntir Raithille do glaog é, ach níl aon duine acu san ann anois agus ní raibh le céad bliain nú os a chionn.

Na Doirí: ' Na Doirí Dú ' adeiridís. Doire—coíll daraí. Níl aon dair san áit sin anois.

Na Foithirí: Ball go mbeadh craínn ann—cosmhail le *buthair* nú *cluster*. Buthairí nú foithirí. Déarfá ' na Foithire ' nú ' na Foithirí '; ' ar na Foithire ' nú ' ar na Foithirí '. Deireadh tuille acu gur ó shaghas éigint *fothairí*—fotharacha tithe—a glaog an áit, ach níl aon deabhramh air sin. Bhíodh na craínn ann go raidhsiúil.

Doire Leathan: Coíll dharaí agus í bheith farsiog.

Lománach: Lom-fhánach. *Fánach* ón bhfocal *fánaig*. Tá fánaig mhaith ann agus talamh árd i gcuid de.

Doire an Chuilinn: Coill dharaí arís, agus cuileann meascaithe tríthi.

Screathan: ' Screathan na ngamhan ' adeiridís: áit chruaig chlogach. *Clogach:* clocha go raidhsiúil ann.

Bárr Duínse: Bárr Dubh-Ínse déarfainn. *Bárr Dá Ínse* a mheasann tuille.

Cúm Í Chlúmháin: Sloinne eile atá imithe—muíntir Chlúmháin nú Clifford. Ní cuín liomsa éinne acu bheith ann ach bhíodar ann uair éigint.

Ínse Mhuar: Tá an áit sin farsiog go maith.

Doirín Álainn: Doire beag agus é go deas.

Doire na Sagart: Is dócha gur ó mhuíntir Iarlaithe do glaog é. Bhí na sagairt acu san.

Gort na Tiobrait nú *Gort na Tiobratan:* Tobar beannaithe. Tá an áit glaoite ón dtobar atá i n-aice na reilige—reilig Ghobnatan.

Cúil Iarthach: Iarthach nú iartharach.

Gort an Acra: Acra guirt éigin, is dócha.

Gort na Fuínsean: Fuínseog.

Cúil a' Mhuthair: Mothar nú buthair: craínn agus scartacha. Bhíodar go raidhsiúil ansan.

Cathair Ceárna: Buaileag cath ann fadó agus muíntir an bhaíll sin a bhuaig—bua isea ceárna. Ní déarfá ' Cathair Cheárna ' ach ' Cathair Ceárna '.

Seana-Chluain: Seana-mhúinéar.

Sliabh Riach: Glaoite ón sliabh a bheith riach.

Cúm a' Ghadhair: Níl aon chúntas ar an ngadhar.

Cúm na Cloiche: Ó chloich éigint do glaog é.

Na Ceapacha: Áit go mbeadh rud éigint curtha i gceap. Chuirfá cabáiste i gceap agus is dócha gur b'sheo mar a fuarag an ainm: cabáiste nú rud éigint a bheith curtha i gceap ann. Níor airíos ' Ceapach na Mianaí ' glaoite air. Chuirtí craínn i gceap, leis, chun go mbeadh uain agat iad a chur i gceart: iad a chuir fén bhfód i gcóir ná feochfaidís. Chuirfá i gceart ar ball iad.

Baile Mhic Íre: Ó dhuine éigint do glaog an áit. Ní dó liom gur ó mhuíntir Uír do glaog é.

Túnláin: Tá baile ar a' dtaobh thoir do Bhaile Mhic Íre ar a dtugathar Túnláin. Tagann an Dúglais isteach sa tSullán i dtaobh thiar don áit sin, i dtreo go mbíonn an *tún lán* ansan a' gabháil soir.

Cúil na Cathrach: B'fhéidir go raibh cathair ann uair éigin—lios muar daingean. Tá ceann acu ar Cathair Ceárna.

Na hUláin: Clocha éigint a b'ea na huláin.

Daingean na Saileach: Saileach a bheith ann.

Cnuic an Iúir: ' Cnuic ' a airínn agus ní ' Cnoc '. B'fhéidir go mbíodh craínn iúir ann. ' Crann úir ' adéarfá, nú ' craínn úir '.

Cúm Lomanochta: Leis na Foithire a ghabhann Cúm Lomanochta (i gCúil Ao), agus ní baile fé leith é.

' I n-Aon Chlós Amháin '

An Ínse Mhuar: Bhí tráth ann ná raibh aon tig ar an Ínse Muair, ach aon bhothán amháin ag fear a bhíodh ag aeireacht beithíoch agus caereach insan áit. Ní raibh aon tora ag éinne ar an áit an uair sin: sliabh cnuic a b'ea é. Gheófá móin go raidhsiúil ann, agus tá sí fós ann, leis.

Gleann Dhoirín Álainn: Tá ceathrar do mhuíntir Chéileachair i ngleann Dhoirín Álainn, beirt acu so is gach clós; agus tá beirt eile i n-aon chlós amháin ann.

Cúm Í Chlúmháin: Tá triúr acu geall leis i n-aon chlós amháin ann.

Doire an Chuilinn: Ní muar ná go bhfuil triúr i n-aon chlós amháin ann.

Gort na Tiobrait: Tá beirt ansan i n-aon chlós amháin—ar an Léan. Gabhann an Léan le Gort na Tiobrait, ach ní baile é. ' Micil na Léana '.

D'áireoinn i n-aon chlós amháin aon bheirt nú triúr nuair a chuirfeadh bean a' tí amach min nú coirce chun a cuid cearc go mbeadh cearca na muíntire eile sáite inti chó maith leo!

Gort na gCros: Tá beirt i n-aon chlós amháin ann. Is amhlaig a roinneag an áit sin. Nuair a dhéanfí dhá leath d'fheirm bheadh an bheirt i n-aon chlós amháin ansan. Is minic a dineag é sin, ach níl sé á dhéanamh anois: tá na feirmeacha ró-bheag.

Ní cuín liomsa tithe an bhaile a bheith i dteannta chéile i n-aon chlaid amháin, ná níor airíos go rabhdar mar sin.

Ón gCarta Dubh go hÁth na Croí: seanathithe

Bhí ceárta ag Crois an Átháin fadó (idir Tóchar agus Cúil Ao). Tá sé tímpal céad bliain ó bhí cheithre tithe déag le cóireamh i n-aon cheathrú mhíle amháin fan bhóthair ar an dtaobh theas do Chúil Ao; agus anois níl le fáil ar an méid seo slí ach trí nú ceathair do thithe.

Ní raibh aon bhóthar thuaig uim an am san. Laisteas a bhí an bóthar, ó Chiarraí go Corcaig.

Bhí sráidbhaile beag nú *village* ann. Bhí siopaí agus hocstaeirithe 'na measc. Ní raibh aon tséipéal i gCúil Ao an uair sin. Tímpal deich mbliana agus trí fichid ó shin a dineag an séipéal, mar athá sé anois, ar an mbóthar thuaig.

Theas a bhí Maighréad Ní Ghealabháin agus bean Ī Néill. Níor airíos cár ghoibh a thuille acu. Is cuín liom cuid dosna tithe bheith ann agus na tineontaithe. Ón gCarta Dubh go hÁth na Croí a bhí na seanathithe: ar Cúil Ao theas agus idir Chúil Ao agus Doire an Chuilinn. Ní fheadar cadé an brí athá le hÁth na Croí.

Tá glaise ann: Glaise Charraig Chinéide (Kennedy). Is ann a bhí an seanabhóthar a' crosa na habhann, agus ní raibh aon líntéir uirthi ná droichead.

(iii) AN FHEIRM

Suíomh na Feirme

Chífá mar mhola ar fheirm a bheadh le díol: ' Tá sí ar dheis na gréine '—sidé bheith a' féachaint ó dheas. Beireann teas na gréine ar na barraí. Is gnáthach go mbíonn sí níos fothanúla, mar is aduaig a thagann an ghaoth agus an cruadas aimsire is measa.

Beireann an sioc níos géire ar na háiteanna atá cúl le gréin, mar tá seó dosna ballaibh seo ná taithneann puínn gréine orthu ar feag laethanta gairid an ghîrig, agus ní théann an sioc chó muar i dtalamh ar na háiteanna go dtaithneann an ghrian i gcathamh an lae.

Má théann an sioc abhfad i dtalamh bogann sé an talamh, agus i dtaobh an tsneachtaig dhinidís amach gur mhuar an tairife muarán sneachtaig a thitim i gcathamh an ghîrig. Bheidís a' brath ar shamhra maith a bheith 'na dhiaig agus ná beadh aon tsneachta le fiscint. Is maith an côrtha ar an mbliain nuair a thagann sioc agus sneachta 'na n-am féinig.

Atharú Saeil

Trí fichid bliain ó shin bhí níos mó d'obair ráinne á dhéanamh. Is feárr na gléiseanna chun oibre anois. Tagann sé níos sadhráidí an obair a dhéanamh leo, agus is mó an obair á dhéanamh i bhfeirmeoireacht ná mar a bhíodh trí fichid bliain ó shin. Tá breis acu á chur ná bíodh an uair sin.

Is mó an stoc a bhíonn ar na talúintí anois ná mar a bhíodh an uair úd, mar tá muarchuid dosna dro-thalúintí saothraithe, agus breis cuireadóireacht á dhéanamh i gcóir stuic. An fheirm ná beadh uirthi ach dosaen bó trí fichid bliain ó shin tá ceathair déag nú cúig déag do bhuaibh le fáil iontu so anois.

Roint na Feirme

Ba mhinic a roinneadh feirmeoir a chuid tailimh, le dhá leath a dhéanamh de, chun é thúirt dá bheirt mhac. Ach do chathfadh toil an tiarna tailimh bheith leis an obair seo. Bhídís iarracht i gcoinnibh na hoibre, mar b'usa leo a gcuid cíosa fháil ó éinne amháin ná bheith a' d'iarraig é fháil ón mbeirt; agus 'na theannta san, dá dteipeadh an cíos a dhíol b'usa dhóibh éinne amháin a chuir as an seilbh ná bheith a' d'iarraig na beirte a chur aisti.

Is eolach dom trí feirmeacha i mBaile Mhúirne a roinneag ar an slí seo, tamall maith ó shin. Ach anois níl a lithéid á dhéanamh ann, mar níl siad farsiog a ndóthain chun iad a roint.

Nuair a bhíodh roint don tsórd so á dhéanamh ba ghnáthach go gcoinneodh an t-athair an leath a b'fheárr don mhac go mbeadh sé féin chun bheith istig 'na theannta, cé gur dhá leath chruinne a dintí don chíos.

Déanfaig an t-athair tig nó agus clóiseanna don fhear atá a' gabháil amach, sa leath eile don talamh. Do bhí tráth ann go dtúrfadh an bheirt mhac bliain insan tseanathig i n-aonacht, agus iad araon pósta, ach ní raibh anso ach a' fithamh chun go mbeadh tig nó déanta sa leath eile don fheirm.

'Talamh a leogaint'

'Talamh a leogaint ar feag aon mhí déag' ('to let the land'); 'Do leog sé a chuid tailimh ar feag aon mhí déag'—agus cé gur aon mhí déag an téarma, d'fhágaithí úsáid an tailimh ag an ndéirí chun go mbeadh an bhliain amù. Poínte dlí isea 'aon mhí déag': níl a thuille greama ansan ag an ndéirí. Ní bhfaighig an déirí an bhó ón bhfeirmeoir ach go dtí Lá Coille. Tógfaig an feirmeoir suas an bhó ansan. Beig an t-aoileach ag an ndéirí. Gamhnacha bheig ag an ndéirí ansan má thá sé chun imeacht sa Mhárta.

Lá le Muire na nAistrithe: an cúigiú lá fichead do Mhárta. Bhíodh na déirithe ag aistriú an lá san—iad so ná beadh réitithe acu i gcóir na bliana. Éinne acu fhanfadh ann ní thógfadh an feirmeoir na ba uathu san.

Bhí seó acu a' teacht agus ag imeacht fadó.

Rachtaireacht

Ní mar a chéile déiríocht agus rachtaireacht. 'Sé an saghas an rachtaire: fear a bheadh a' túirt aire nú a' féachaint i ndiaig stuic don fheirmeoir, agus bheadh cead aige cúpla bó leis féin a bheith ar a' dtalamh i n-aonacht le stoc an fheirmeora; agus 'na theannta san bheadh inead garraí aige, agus féar tirm dá bha féin, agus cúpla cuíora.

Tá déiríocht agus rachtaireacht imithe as an saol ar fad anso. Is mó an díobháil ná an tairife a dhéanfadh an déirí i n-aon áit 'na mbeadh sé. Ní bheadh aon mhaith isna buaibh nuair a bheadh an bhliain caite.

(iv) Talamh agus Teoranta

Páirceanna

Nuair a díríog teoranta do dhírig fear a pháirceanna féin amach fan na teorann so. Thug sé iarracht ar iad go léir a bheith amhlaig, ar an slí 'nar thosna sé fan na teorann—sidé, dá mbeadh an talamh ar chuma go mb'fhéidir iad do dhéanamh amhlaig.

Is gnáthach aon áit go mbeadh eirí tailimh gur síos suas athá an chuid is sia don pháirc, agus níos giorra ar a treasna. Má tá an talamh i n-áit shocair, libhéaltha, is féidir faid na páirce a thógaint ar gach slí, mar is féidir í threabha ar gach cuma go ngeófá chúithi agus ní mar sin do thalamh leacan: ní féidir é threabha treasna.

Bíd na páirceanna níos mó isna talúintí íseal ná mar a bhíd ar áit árd. Is gnáthach go ndintar breis clathacha isna baill árd, i gcóir fothana. Tá páirceanna muara le fáil isteach sa mhíntír nú sa talamh fónta: b'fhéidir go mbeidís ó deich n-acra go fiche acra nú os a chionn. Ach isna talúintíbh cnoc is anamh páirc níos mó ná chúig acra le fáil 'na measc, agus as san anuas go dtí leath-acra.

Clathacha agus draeiní

Tá muarchuid páirceanna anois i dtalúintí cnoc ná raibh ann i n-aochor go dtí aimsir an *Land League*. Ní raibh greim ceart ag na feirmeoirithe ar a gcuid tailimh go dtí san; agus an uair sin, nuair a fuaradar an greim ceart thosnaíodar ar an dtalamh a thriomú agus do shaothrú. Chuireadar clathacha air agus dhineadar páirceanna dhe: áiteanna nár bh'fhiú puínn suas go dtí san. Bhuineadar na páirceanna so amach à talamh garbh, fliuch, mar a mbíodh a lán cloch, agus tuille dosna páirceanna amach à cliathán an tslé'.

Roimis sin do thugadh an tiarna tailimh oiread san an péirse à draeiní nú clathacha don fheirmeoir a dhéanfadh na nithe seo. Ach níor chuir so an feirmeoir ag obair ró-mhuar: t'réis a mbíodh déanta aige ní raibh a bhac ar an dtiarna tailimh breith ar shoc is ar shúilibh air, aon lá ba mhaith leis, agus é chathamh amach ar thaobh an bhóthair, peocu bheadh cíos aige nú uaig.

Bheadh fear áirithe ag an dtiarna tailimh chun féachaint i ndiaig na hoibre seo bheadh déanta ag an bhfeirmeoir, agus de réir na hoibre bheadh déanta aige d'fhaigheadh sé locáiste 'na chíos.

Na clathacha: Claí singil cloch, nú claí dúbaltha le teilgean istig 'na lár agus aiteann a' fás 'na bharra nú scartacha—aiteann nú fál do shaghas éigint 'na bharra. Chun fothana a b'ea an fás so i mbarra an chlaí.

Na draeiní: Chaithidís seo bheith dhá throig ar leithead 'na mbarra, trí troithe guile ar doimhnneas, agus troig ar leithead i dtóin na draeine.

Clathacha Trioma

Dintí clathacha trioma le clocha, sidé dhá thaobh cloch árdú ar an gclaí agus clocha istig 'na lár. Ní thagadh so chó cruaig ar na daoine mar bhíodh na clocha a' teacht sa tslí orthu. Ach níor dineag puínn don tsórd san i mBaile Mhúirne. 'Sé an chúis ba mhó nár dineag an saghas so i mBaile Mhúirne: do bhí na talúintí ró-fhliuch. Chaití muarán dosna draeiní dhéanamh sa pháirc agus bheiridís seo leo frumhór na gcloch—i dteannta gur mhó d'fhoithin na clathacha eile n-a mbíodh an scairt nú an t-aiteann 'na mbarra.

Claí Singil Cloiche

Agus an claí singil cloiche: ní rabhdar so chó fothanúil sin, i dteannta gur bh'iad ba dheocra dhéanamh. Chathfá a dhá oiread don chlaí singil a dhéanamh ar an airgead céanna bhí as na clathacha eile.

Claí Fód

Claí fód: dintí an saghas so clathacha—fóid i ndá chliathán an chlaí agus teilgean istig 'na lár. Easpa cloch san áit fé ndeár an sórd so claí a dhéanamh. B'é an claí ba mheasa acu é: do leagfadh an bhó lena hadharca é, agus do raobfadh an tarbh beárna tríd, agus níor dineag puínn acu san.

Claí Cúil

Claí cúil: dhá thaobh an chlaí déanta le clocha nú fóid; is gnáthach gur le clocha. Cúl curtha leo so ón dtaobh eile: cré agus fóid. Cuirthar fál sceiche gile 'na bhfrumhór so. Is beag don tsórd so atá le fiscint i mBaile Mhúirne. Ní saghas maith é chun daingin mara bhfuil fál do shaghas éigint 'na bharra, mar d'fhéatadh bó nú beithíoch nú aon saghas ainimhí siúl anáirde ar thaobh an chúil de is é féin a chathamh isteach ar an dtaobh eile.

Claíochán

Claíochán: saghas claí déanta do chlochaibh, gan an iomad slaicht a' buint leis. Nú do thúrfí ar áit é go mbeadh claí ceart aistrithe as agus blúire dhe fanta 'na bheathaig anso is ansúd. Déarfí: ' Tá saghas claíocháin fanta ann '.

Fál

Is beag áit 'na mbíodh fál (hedge) mar chlaí nú mar dhaingean acu. *Ditch* a thugaidís ar an gclaí anso—ba chuma cadé an sórd claí é. Is anamh a thúrfadh éinne *fence* air. Agus thúrfá *hedge* ar aon saghas fáis má bhearrann tú é agus crot a chuir air.

Díg

Díg isea *dyke*. Bhuinfá díg chun í chuir isteach i lár claí dúbaltha. Nú bheadh díg ar thaobh an bhóthair.

Scúnsa

Scúnsa: is anamh a thugaimíd an ainm seo ar chlathacha. Ar chos portaig is gnáthach linn so do thúirt, nuair a bheadh sé rite ana-chaol—b'fhéidir chun cúig nú sé throithibh ar leithead. Thúrfaimís *scúnsa portaig* air seo. Is minic fhágfí ceann acu so 'na sheasamh ar na portaithe, agus b'fhéidir tráth éigint nuair a shaothrófí an seanaphort gur b'é an scúnsa so bheadh mar chlaí ar an bpáirc.

Páile Chloiche

Páile chloiche: i bhfuirm falla, a bheadh ar thaobh bóthair. Cuid acu so déanta trim, agus mairtaol i dtuille acu—dá mbeadh aon cheithearnach muar chun cónaig laistig díobh!

Ní thugaim ' páile ' ar stocáin adhmaid 'na seasamh sa talamh agus adhmad eile tárnáltha orthu. Ach tugathar ' paling ' orthu san sa Bhéarla.

Claí na Teorann á dhéanamh

Uim an am n-ar dineamh seó do chlathacha na teorann bhí fráma chun iad so do dhéanamh. Bhí so chúig troithe ar leithead 'na bhun, a' caolú fé mar a bhí sé ag eirí chun gur tháini sé chun cúig troithe ar aoirde. B'shidé saghas na teoranta a dineag. Ní raibh aon ní a bhuinfeadh le fál 'na mbarra so.

Na clathacha ar fuaid na feirme—sidé aon chlaí dúbaltha—bhíodar níos leithe, agus na cliatháin coinnithe níos seasamhaí i gcóir go mbeadh breis teilgin istig iontu chun fál nú aitinn d'fhás.

Bhí fear a' déanamh na dteoranta ar Cúil Ao: oiread san an péirse dho à iad do dhéanamh. Duine beag críonna do b'ea é, agus ba mhuar an trua san, mar níl aon áit don pháirc go seasódh sé fráma na gcúig dtroithe ná go bhféadadh rith chuige agus léimt dá dhruím.

Claí na Teorann á dhainginiú

Dhéanfaidís claí na teorann a dhainginiú i n-aonacht ar geachre bhfear (' man for man '), nú b'fhéidir go roinnfidís an claí le chéile agus leogaint do nach éinne acu a chion féin de a choinneáilt daingean. Bheadh aiteann a' fás ar chuid acu. Gearradh gach éinne an t-aiteann dá thaobh féin don chlaí, ach ní ghearrann éinne acu an t-aiteann do dhrom an chlaí: fágathar ann é chun daingin, chun go mbíonn sé chó láidir is go mbeadh sé a' faire ar mheath. Gearraid siad ansan é do thoil a chéile—nú is cuma ceocu acu a ghearrann é, mar ní fiú puínn é. Ach fásann aiteann óg in' inead. Bíonn so acu chun daingin arís ar feag na mblianta.

Strapa (Stile)

Dá mbeadh cosán i n-aobhal go mbeadh na clathacha so dá ndéanamh chaifí an claí a dhéanamh treasna an chosáin. Ach d'fhágfí strapa sa chlaí ar an láthair seo: leac caite isteach sa chlaí le smut di fágtha amach as a chliathán chun cisiú uirthi. Bheadh cúpla ceann acu san ar gach taobh don chlaí.

Strapa isea *stile:* slí fágtha i gclaí nú i bhfalla nú i bpáile do choisí chun dul thairis. Chífá a lithéidí sin go minic. Nú beárna chaol chun gabháil tríthi. Ní fhéatadh bó ná capall gabháil tríthi.

Crann i lár an chlaí

Crann i lár an chlaí: ar dtúis, cé chuir an crann? Measann pé fear a chuir é gur leis féin é. Ba chóir gur leis, ach do chuirfeadh an fear eile iachaint air é ghearra dá mbeadh an crann a' leatha amach os cionn a pháirce féin, agus a' déanamh an iomarca scáth os cionn a chuid beatha: is olc é sin.

Ansan tá crann eile ar an gclaí, a tháinig ann le nádúr, gan bheith curtha ag éinne. Réitíd siad le chéile 'na thaobh so: bíonn smut de age nach éinne acu—agus chó maith san, ba mhinic a lean toirmeasc a lithéid.

Ach an crann so thá curtha ag fear i ndrom an chlaí, má thiteann sé isteach thar claí i bpáirc an fhir eile is féidir don té gur leis é dul isteach sa pháirc, é ghearra ann agus do thúirt leis. Ach níl a bhac ar fhear na páirce seo i bhfuirm scot nú damáiste a bhuint de à pé díobháil a bheadh déanta ag an gcrann, nú à gearra an chraínn, 'na pháirc féin.

Teoranta a choisireacan

Níor airíos riamh éinní mar gheall ar theoranta a choisireacan. Ní hamhlaig ná go mbeadh sé riachtanach rud éigint dá shaghas a dhéanamh le cuid acu, mar bhíodar déanta go cam, claon, de réir mar a bheadh fabhar le duine éigint ag an muíntir a mharcáil iad!

Cluichí

Ní bhíodh cluichí d'aon tsaghas á n-imirt treasna na dteoranta anso.

Beithíg thar teorainn

Roimis seo, dá dtéadh ba thar teorainn ba ghnáthach go n-éileofí scot ar an té n-ar leis iad. Ach b'fhéidir gur ghairid go mbeadh cúiteamh ag an bhfear eile mar go raghadh a bha féin thar teorainn. B'sheo dro-chôrsanacht—bheith ag éileamh scuit mara mbeadh damáiste mhuar déanta do mhúinéar nú beatha. Choirtí don tsórd so oibre iad, agus b'é an deire thagadh air: nuair a raghadh rud thar teorainn ar dhuine ní dhéanfadh sé ach iad a chomáint uaig thar n-ais; agus b'fhéidir, a d'fhún a choda féin stuic a bheith a' fanúint age nach éinne, go dtúrfí ruthaill dhaingin ar a' dteorainn i n-aonacht.

Foghail agus Scot

Thúrfá *foghail* ar an ndamáiste a bheadh déanta ag beithíg a raghadh thar teorainn. Dhíolfá *scot* à foghail.

'Tá na ba i ndíobháil'; 'Tá na ba i gcrostáil': Ar do chuid féin a bheidís an uair sin—agus bíodh a mhilleán agat ort féin!

Dhíolfí scot de réir na damáiste. Ní leanfadh puínn scuit ba, nú pé áirnéis é, a raghadh thar teorainn ar thalamh garbh nú cnuic. Ach dá mbeadh damáiste déanta acu i ngort nú i ngarraí do mholfí scot maith don tsórd so. Ba mhinic a shocraíodh an bheirt an scot eatarthu féin gan aon dlí; agus mar a' gcéanna ba mhinic a ghlaoití mola beirte chun an scuit a shocrú: oiread san airgid a dhíol de réir na damáiste.

Ach tá an obair sin go léir marbh fadó. Níl aon trácht thar scot anois. Má théann rud thar teorainn is anamh aon dlí ná clampar os a chionn, ach iad a chomáint uait.

Molthóirí

Bhíodh molthóirí ann chun nithe don tsaghas so a shocrú: beirt, agus do ghlaofadh an bheirt seo ar an dtríú duine. Ba ghnáthach go mbeadh duine dosna molthóirí ag an mbeirt seo go mbeadh an t-acharann eatarthu: b'fhéidir duine muínteartha dhóibh féin age gach duine acu, agus do ghlaofadh an bheirt mholthóirí ar fhear iasachta éigint mar thríú duine: fear ná beadh aon bhuint aige le héinne don bheirt a bhí sa chlampar.

'Mola beirte' ba ghnáthaí thúirt air. Ach dá mbeadh a' teip orthu, nú dá mbeadh duine acu ró-bháigiúil, bheadh glaoite ar an dtríú duine. Don ph'róiste, nú b'fhéidir don bhaile, a b'ea iad so; nú do dhineadh sagairt an gnó san.

'D'imig mo chiall nuair imig mo chuid!'

Do ráinig go raibh fear saibhir táchtmhar i bp'róiste éigint. Pé clampar nú trioblóid a bheadh ann idir aon bheirt, b'é seo an chéad duine a ghlaofadh an sagart chun mola dhéanamh eatarthu. Ach amach san aimsir bhí an saol gofa 'na choinnibh: a shaibhreas a' luíodú agus gan eirí a choda leis. Níor fhan so amhlaig i gcónaí; ach an fhaid fhan, níor glaog air chun aon mholthóireacht a dhéanamh.

D'úmpaig an t-á air arís, agus ba ghairid go raibh sé chó saibhir, chó táchtmhar is bhí sé riamh. Bhí clampar éigint sa ph'róiste, agus d'iarr an sagart air dul agus mola a dhéanamh eatarthu. 'Ní dhéanfad,' ar sisean leis an sagart, 'níl aon bhrí liom anois. Ná feacaís gur imig mo chiall nuair imig mo chuid!'

Níor dhin sé a thuille molthóireacht dò as san amach.

Bóna

Má fhaigheann tú beithíg nú aon tsaghas ainimhithe ar do chuid tailimh agus ná beig fhios agat cé n-ar leis iad, caitear a lithéidí seo a chuir i mbóna má tá damáiste déanta acu.

Coinneoig fear a' bhóna iad so: an bónadóir, chun go dtiocfaig pé fear n-ar leis iad á n-éileamh. Tá oiread san scuit 'na gcoinnibh ag an té chuir sa bhóna iad. Díolfaig an té n-ar leis iad an scot so, agus airgead bóna 'na theannta. Más muar leis an scot athá á éileamh air ní gá dho dhíol ach an t-airgead bóna, agus leogaint don fhear atá ag éileamh an scuit dul chun dlí leis 'na thaobh.

Ní raibh aon bhóna anso i gCúil Ao lenár gcuíne. Is dócha go raibh ceann éigint acu sa Bhóna Bán (ar Gort na Tiobratan), ach ní féidir a rá cathain a bhí sé ann. Bhí bóna eile ag an Muileann (ar Sliabh Riach), agus ceann ar Charraig an Adhmaid (ar Baile Mhic Īre). Ach níl aon tuairisc orthu san anois.

Talamh cnuic

Do bhí teoranta do shaghas éigint acu isna talúintí i n-aice na dtithe, nú i n-aon talamh a bheadh i ndeabhramh chun ínnír, ach amach isna cnocaibh fiaine b'fhéidir go raibh fód ráinne buinte anso is ansúd. B'shin a raibh do theorainn eatarthu, agus níl san féin fanta anois mar tá na fóid seo t'réis líona isteach arís. Agus mar sin féin, tá fhios ag an muíntir n-ar leo na háiteanna so cá raibh na fóid seo buinte, agus féadaid réiteach le chéile ar an saghas so teorann. B'fhéidir go dtiocfadh carraig nú túrtóg i n-áiteanna agus níor ghá dhóibh ach a súil a leogaint orthu so chun fiscint cá mbeadh an teora eatarthu.

Cuimíní

Cuimín: talamh garbh cnuic nú slé', nú gleann. Déarfainn gur ón bhfocal *cúm* a thagann *cuimín*.

Do bhuineadar so le talúintí cnuic. Do bhí aon saghas tailimh mín nú talamh maith ínnéir teoranta: an méid sin ages gach feirmeoir. Ní raibh aon teora amach ar na cnocaibh. Níor roinneag na talúintí cnuic mar níor bh'fhiú iad a roint; agus cé ná bíodh teora ann do bhíodh teideal ages gach feirmeoir acu chun oiread san colpaí a chuir ar an gcnoc, de réir mar a bhí talamh acu nú cíos ar an gcuid eile dá dtalúintí. Tá an cíos curtha ort cois baile, agus ní raibh cíos an chnuic deighilthe ón gcuid eile i n-aochor.

Má chuireann duine acu so níos mó ná mar athá ceadaithe acu ar an gcuimín níl a bhac ar an gcuid eile cosc do chur leis, de réir dlí. Má thagann duine eile isteach ann lena bheithíg is féidir do mhuíntir an chuimín scot a chur air sin. Ach ní leóthadh éinne teacht isteach thar baile orthu.

Ní muar go bhfuil aon chuimín fanta i mBaile Mhúirne anois, nú *cuimín coitean* mar a thugaidís orthu sa tseana-shaol. Tá a chuid féin age nach éinne, geall leis. Ní raibh puínn don tsaghas san oibre ann lem chuíne-se.

Níl ach aon bhall amháin sa ph'róiste go bhfuil ' Cuimín ' mar ainm air: *Cuimín a' tSlé' Riaig*.

Ní cuín le héinne má bhí na talúintí tímpal na dtithe 'na chuimín agus có-chead age nach éinne chuige. Ní fios cathain a bhí so amhlaig. Ach bhíodar tamall go raibh na talúintí míne ana-mhuar trí chéile acu: páirc ag duine acu anso agus páirc ag duine ansúd. Do díríog teoranta agus do dineag roint eile: a chuid féin agus a chóngar féin a thúirt do gach duine chó maith is do b'fhéidir é. Tá san féin déanta le fada.

Talamh nách le héinne

Má tá píosa tailimh nách le héinne agus go dtosnóig fear áirithe ar bheith á úsáid, nú tig a dhéanamh ann—t'réis dosaen blian is leis do sheilbh dhílis é. Do bheadh an saghas so tailimh fanta i ndiaig duine éigint a bheadh dultha go Merice, nú imithe is gan tuairisc le fáil air. T'réis dosaen blian tá sé rite saor ag an té a dhin an tig ann, agus gan aon deifir curtha air 'na thaobh. Ní féidir é chuir as 'na dhia' san, ' dtaobh is go mbíodh bliain is fiche ag an dtiarna tailimh sara gcailleadh sé teideal os cionn a thineontaithe féin.

Na portaithe

I mBaile Mhúirne do choinnibh an tiarna tailimh na portaithe, agus ní rabhdar san 'na gcuimíní, nú má ráinig a lithéidí bheith isna cuimíní ba leis an dtiarna tailimh an mhóin a thiocfadh astu.

Ní raibh aon choíll ná talamh coille 'na chuimín anso.

Abha

Má tá an abha nú an tuile a' cathamh taobh don abhainn níl a bhac ar an bhfear athá ar an dtaobh san an áit a líona le clocha nú adhmad chun gan leogaint di a chuid féin a chathamh. Ach ní leóthaig sé dul ró-fhada isteach i leabaig na habhann, le heagla breis uisce a chuir amach ar thalamh an fhir eile treasna na habhann.

Níl a bhac ort gainimh a thógaint à leath na habhann: do thaobh féin di; ach ní fhéatair buint le cúrsa na habhann.

Bruach na habhann

Níl aon chuid do bhruach na n-aibhnní 'na chuimín anso; ach i n-a lán áiteanna bíonn an abha le chéile ages gach stoc chun dul isteach inti a' guíoll.

Iascaireacht

Iascaireacht ansan: ar do thaobh féin arís. I n-áiteanna beig iascaireacht ceannaithe ó fhear ar thaobh don abhainn, agus mara bhfuil an taobh eile ceannaithe ag an bhfear céanna ní leótha sé iascaireacht a dhéanamh ach ó aon taobh amháin di.

Tobar fíoruisce

Má tá tobar fíoruisce ar thalamh duine, agus go bhfuil na côrsain nú an mhuíntir i n-aice leis a' tógaint uisce as an dtobar so, ní chuirtear aon stop leo, mar ní féidir é. Fiú amháin dá mbeadh cosán acu trína chuid múinéir a' teacht a' d'iarraig an uisce seo, tá ceart acu chun an uisce agus chun an chosáin chó maith is tá aige féin. Ach an té ná fuil a' tógaint uisce ann do ghnáth, is féidir stop a chuir leis seo.

' Garraí stainncín '

Fear a chuireadh stráice gharraí ar an gcnoc, agus gan aon chlaí air. ' Canathaobh ná cuireann tú claí nú daingean air sin ? ' aduairt duine éigint leis.

' Ó,' ar sisean, ' garraí stainncín isea é agus buinfeadsa sásamh à daoine ! '

Garraí gabhann

Garraí i gcóir bóna isea garraí gabhann. Tá sé san amhrán: ' Mo bhólacht go deo ní seolfar i ngabhann '.

Mais an Scrithin

Mais isea talamh fliuch—*marsh*, is dócha. Tá mais thiar ar an Screathan, ' Mais an Scrithin ' agus ' Múinéar na Maise ': tá múinéar ann agus tá smut don mhúinéar so ag cúigear nú seisear. Le déanaí, is dócha go bhfuil fód ráinne nú rud éigint mar theora eatarthu, ach do bhí saol ann go mbuinidís an féar so i n-aonacht, agus é roint nuair a bhíodh cocaí déanta dhe.

Talamh scóir

Do gheódh an duine bocht ná beadh aon talamh aige inead garraí i bpáirc éigint ón bhfeirmeoir. Dhíolfadh sé as so de réir na páirce, agus de réir mar a chuirfeadh sé. Dá mbeadh an pháirc go maith chuirfí gearrachuid airgid air 'na diaig, agus dá mbeadh sí go holc thúrfí dho ar shuarachas í. Ní raibh aige le buint di ach an barra san. Ní raibh aon tsealúchas eile a' gabháil leis 'na dhia' san inti.

San áit go bhfaigheadh duine bocht talamh leasaithe, ciallaíonn san go gcuirfeadh an feirmeoir aoileach ar an bpáirc amach as a chlós féin, agus do threabhfadh lena chapall féin don duine bhocht. Bhíodh tímpal dhá phúnt an cheathrú ar an sórd so.

Tig fir oibre

Aon fheirmeoir go mbeadh aon ábhar gustail aige bheadh fear oibre aige, agus tig 'na chóir, agus ceann tuí ar an dtig. Ní thugaithí ' botháin scóir ' orthu i n-aochor ach ' tithe na bhfear oibre '.

Dá mbeadh tig ag fear oibre ar thalamh feirmeora is gnáthach gur don fheirmeoir sin a bheadh sé ag obair. B'iad so na nithe a bhí a' dul dò as a chuid oibre:

Dhéanfadh sé féin leasú i gcathamh an ghîrig. Chathfadh sé inead garraí fháil ón bhfeirmeoir chun an leasaithe seo a chuir air. Bhí ceangailthe ar an bhfeirmeoir an ball a threabha dho agus an leasú chuir amach.

' Na theannta san do bheadh féar gamhnaí ag an bhfear oibre le fáil ón bhfeirmeoir—fliuch is tirm i gcathamh an ghîrig. Ciallaíonn san go gcathfadh sé an féar tirm a fháil i gcóir an ghîrig; agus an féar fliuch: b'shidé an bhó bheith amù ar thalamh an fheirmeora.

Bhí cúpla lá don tseachtain ar an bhfear oibre i dteannta na nithe seo, agus bheadh pá dho ón bhfeirmeoir pé laethanta eile fhéatadh sé thúirt dò.

Is minic a bhíodh féar caereach ag duine acu, leis, agus cead portaig—dá mbeadh an portach ar an bhfeirm 'na mbeadh sé.

B'shiniad cúrsaí an tailimh scóir.

(v) Sean-Iarsmaí

Gallán; Cromleac

Níl aon ghallán i gCúil Ao. Níl aon chromleac ann, leis, ach saghas éigint atá anso againn féin ar an gcnoc. ' Leac an chruait-eacháin ' a thugaidís uirthi. Ba dhó leat ón ainm go rabhdar a' cruachtaint choirce uirthi, ach ní dó liom gur dineag riamh. Trí clocha curtha ar a gceann sa talamh agus an leac leogaithe anuas orthu: níl sí puínn níos mó ná troig ón dtalamh. Ní fheaca aon rud eile don tsórd so i gCúil Ao.

Leacht

Duine a mharófí i n-áit, gach duine a gheódh an treo so chuirfidís cloch san áit 'nar maraíog é, agus guíochtaint len' anam. Bheadh carn cloch ann sara gcuirfá puínn aimsire dhíot, agus go muar muar dá mbeadh sé ar thaobh bóthair nú i n-áit phoiblí. D'airínn go mbíodh fear éigint a' gabháil thar áit acu so agus gan aon chloch aige á chur sa leacht. Do labhradh an guth leis: 'Cuir cloch um leacht is do leas go ndeárnair!' Tá an nós san imithe le fada. Níl aon leacht anso anois.

Tulachán

Clocha ar fad a bhíonn sa tulachán. D'fhéatadh sé bheith an-árd. Do dhinidís tulacháin anáirde ar chloich mhuair istig i bpáirc: cloch ná féadfá chur as gan an iomarca dá dua fháil. 'Páirc na dTulachán'.

Clochán

'Thuas ar na Clocháin'—barra na hÍnse Muaire, i gCúil Ao. 'Sé an rud óna bhfuil sé glaoite: ball mar a mbíonn muarán cloch. Táid siad ann go raidhsiúil. Níl aon saghas eile clocháin againn.

Bullán: Tiarpa

'Is diail an bullán cloiche í'—bheadh sí muar meáchta, iarracht có-chruínn. Ní raibh aon saghas eile cloiche anso go dtúrfá bullán uirthi.

'Tiarpa cloiche'—an saghas céanna, puínn. Níl aon chlocha anso go bhfuil poll 'na lár, ach amháin thoir ag an dT'rus (i reilig Ghobnatan). Tá cúpla ceann acu ansan go bhfuil logán 'na lár. Chífá a lithéidí sin i n-áit 'na mbeadh t'rus.

Ula

'An Ula Thosaig', 'An Ula Láir', 'An Ula Mhuar Dhéanach': mar a dtugathar an t'rus sa reilig i mBaile Mhúirne. Tá an Ula Thosaig i dtaobh amù do gheata na reilige. Tá an Ula Láir i dtaobh istig don gheata. Isé an teampall an Ula Mhuar Dhéanach. Gheófá tímpal orthu so go léir nuair a bhefá a' rá na bpaidireacha. 'Bhí sé 'na sheasamh istig ag an Ula Láir'. Deirtear gur ansan do cuireag Naomh Gobnait. Tá saghas tuama ann, agus tá rud éigint i bhfuirm tuama ag an Ula Thosaig.

Carraig an Aifrinn

Tá Carraig an Aifrinn ar Ré na bPobal, i n-iarthar Bhaile Mhúirne, i ngear leath-mhíle do theora Chiarraí. Althóir a b'ea í sin. Bhíodh

Aifreann dá rá ann fadó nuair a cuireag tóir ar na sagairt, agus bhíodh an pobal ann ag éisteacht Aifrinn.

Leabaig Dhiarmada agus Leabaig Ghráinne

Tá Leabaig Dhiarmada ar Gleann Daimh (i gCluan Droichead), agus tá Leabaig Ghráinne treasna an ghleanna uaithi sin. I mbéilic charraige atháid siad.

Fulach Fia

Is gnáthach gur i n-aice portaig nú i n-áit éigint 'na mbíonn uisce atá na clocha so le fáil: clocha rua-dhóite. Mionchlocha isea iad, fé mar a bheadh briste agat le casúr i gcóir bóthair. Tá árdáinín beag có-chruínn mar a bhfuilid siad, agus clais bheag ina lár so. Tá dhá cheann acu anso againn féin. Déarfainn gur buineag fóid éigint mhóna i n-aice an bhaíll. Agus tá sruthán uisce i n-aice na cnupóige. Tá ceann eile físor-chóngarach di sin, ach tá sí sin raobtha amach agus páirc déanta san áit 'na raibh sí. An dá cheann i ngear cúpla céad slat dá chéile.

Ní fulach fia aon cheann acu, déarfainn: ann a dhineadh na Lochlannaig beoir, adeiridís. Ach ní réitíd siad le chéile mar gheall air sin. Deir tuille acu gur ann a bheirídís a gcuid feola: na clocha a thé agus iad a chathamh isteach san uisce. Ní fheaca aon cheann eile acu i n-aobhal anso. Déarfainn ná fuil aon bhuint acu so leis an bhFéinn.

Liosanna

Tá lios anso ar Cúil Ao, ar thalamh Aindriais Ī Scanaill. Rud éigint fé bhun cheathrú acra. Níl aon díg buinte ann, ach tá sé déanta i bhfuirm fáinne. Tá an poll dúnta le clocha, agus tóch i ndiaig coiníní.

Tá lios eile ar Doire 'n Chuilinn. An déanamh céanna atá air sin. Tímpal có-mhéad atáid siad. Tá lios ar an Múirneach Beag, leis, ar chuid Sheáin Ī Iarlaithe. Lios beag eile isea í sin. Níl aon lios eile tímpal Chúil Ao.

Níl ' lisín ' mar ainm ar aon áit anso, ach is dócha gur lios beag é sin. Tá an ainm sin ar áit atá thiar i n-aice Bheanntraí: ' Na Lisíní '.

Rian umairí

Chífá rian umairí amach ar chliathán an chnuic. Táid siad anso againn féin, i bPáirc an Aitinn. Cuireag seó don Chnoc Bhuí fadó (ar na Millíní, Cúil Ao). Bhí garraithe iontu so fadó. Níl aon chuireadóireacht á dhéanamh ansan anois, ach go bhfuil rian na n-umairí fanta ann. Chuiridís gach aon chúinne agus gach aon ladhar fadó.

Ladhar gharraí: istig i gcúinne. Na humairí ana-ghairid.

B

(i) An Tig Muíntire

Suíomh

Níor mhaith le sean-daoine tig muíntire a dhéanamh crosta na críche. Is dó liom go bhfuil an nós san 'nár measc fós. Is dó leo ná beadh aon rath ar an dtig a bheadh crosta na críche.

Níor mhaith le duine aghaig a thí a thúirt ó thuaig, agus ní raibh puínn acu déanta mar sin: cheapaidís gur aduaig a thagadh an ghaoth do b'fhuaire. Bhíodh dúil acu aghaig an tí a thúirt ó dheas dá bhfaighidís an áit oiriúnach chun a dhéanta. Muarchuid acu déanta lena n-aghaig soir, b'fhéidir buille beag soir-ó-dheas. Ach is beag na tithe ar fuaid an bhaíll seo go bhfuil a n-aghaig túrtha siar.

Ba mhaith leo aghaig an tí a thúirt ar an mbóthar, agus maran féidir aghaig an tí a thúirt ar an mbóthar beig pinniúir leis. Is anamh a chífar cúl an tí leis an mbóthar, ach thitfeadh a lithéid amach dá mbeadh an tig déanta roimis an mbóthar.

Bhíodh dúil ag daoine fanúint insan áit íseal leis a' dtig. Tuille acu bhíodh dúil acu iad a dhéanamh i n-áit árd: shamhlaídís gur mhuar an spéiriúlacht dóibh é. Ach nuair a thagadh lá na gaoithe bhídís a' formad leis an bhfear a dhin a thig i mball íseal éigint.

Nósanna

Ní dhineadh daoine aon iúna d'aon lá don tseachtain chun tosnú ar thig a dhéanamh, ach ba ghnáthach gur Dé Luain a thosnófí an obair.

Ní fheaca aon tig eile déanta chun fothana thúirt don tig muíntire ach póirse (porch). Dá mbeadh gaoth ghéar a' breith ar dhoras tí dhéanfí póirse. Lasmù don tsaghas so ní chuirtí aon tithe eile tímpal air chun fothana.

Leagaithí seanathithe i gcónaí, nuair ná bíodh aon ghnó acu dhíobh. Ach is dócha go bhfaighfá duine ná leagfadh: fear gur dhó leis go mbeadh na daoine maithe a' déanamh úsáide dhe istoíche.

Is mó tig nó atá déanta ar na seanfhallaí. Ba chuma leo cá mbeadh aghaig an tí nó.

Níor mhaith leo a dtig a dhéanamh ró-chóngarach ar fad do thig a gcôrsan—chun dul ó chlampar.

Ní dhéanfaidís an tig ar sheana-chosán dá mbeadh fhios acu a lithéid a bheith ann. Níor cheart aon tsaghas tí a dhéanamh ar chosán ach chó beag le tig muíntire. Agus ní bheadh an tig eiritheach dá dtôiseadh bean é lena haprún an fhaid a bheadh an obair á déanamh ages na ceárdaithe. Chun díobhála dhéanamh isea dhéanfadh bean an tôs so ar thig. Bheadh bean á leogaint uirthi go ndéanfadh sí a lithéid—mar spórt.

Mar a' gcéanna deiridís nár mhaith dhuit dá mbéarfadh éinne leis aon chuid don abhar a bheadh i gcóir an tí: sidé adhmad, slínn, taraingí, nú na nithe eile riachtanach. Níor bh'éinní iad so a bhreith uait dá mbeadh do chead leis; ach iad a bhreith uait i ganfhios: bhí so áirithe go holc.[1]

Dá mbeadh duine ag aistriú ó thig go tig eile níor cheart dò an seanachat a bhreith leis, ná salann a bhreith leis ach chó beag. D'fhéatadh sé piscín a bhreith leis, dá mbeadh a lithéid ann. Ní fheadar cadé an brí bhí leis sin.

Níor mhaith leo aistriú Dé Luain nú Dé hAoine. Is dó liom ná haistreodh lánú nó-phósta i gcathamh an Charaís.

' Aistriú Aoine ó thuaig is aistriú Luain ó dheas,
Mara mbeadh agat ach cuíora is uan níor dhual go
raghaidís leat '.

An tig a bhuala amach cruínn

Is minic a bheadh tig á dhéanamh i n-áit agus do theipfeadh ar na ceárdaithe é bhuala amach cruínn (to square it). Níor bh'aon chôrtha fónta leo é seo. Thosnóidís ar shlí eile féachaint conas eireodh leo: atharú ón gcuma go rabhdar á dhéanamh, agus chó luath is chuirfidís a dtôiseanna leis bheadh sé cruínn acu. Chaifí an tig a dhéanamh san áit seo dhóibh. Is dócha nár cheart an tig a dhéanamh san áit go mbíodh teipithe orthu é bhuala amach: ní fuláir nú bhíodh rud éigint á stop air.

[1] Fic lch. 160 *infra*.

Agus dro-chôrtha ar thig nuair atháthas á dhéanamh dá dtiteadh an siminé. Is cuín liom féin siminé a thitim mar sin nuair a bhí tig á dhéanamh. D'imig muíntir an tí sin le fuacht agus le fán. Másea, ní fheadar ar bh'é an siminé fé ndeár é.

Láthair nú Fuaimeat

Ba mhaith leo inead deas fháil chun tí a dhéanamh ann. Ní thaithneadh leo dá mbeadh fíoruisce i bhfuaimeat an tí, mar ba ghnáthach go mbeadh na fallaí úr uaig sin.

Dá mbeadh mianach gainí san áit níor bh'iúntaoibh leo fallaí a dhéanamh ar an ngainimh, sidé má theipfeadh orthu fuaimeat fháil ann.

Chífá sliogach anso is ansúd: fuaimeat go mbeadh mianach slinne sa chloich a bheadh ag eirí chút. Níor bh'aon díobháil é sin.

An Chloch Bhuínn

Nuair a bheadh tig á dhéanamh agus an chéad chloch cúinne curtha isteach, déarfí leis an té n-ar dho an tig: ' Tair anso is féach uirthi: tá sí curtha isteach '. Thiocfadh, agus bhí ceangailthe air airgead a chuir anuas ar an gcloich—chun dí thúirt dá raibh ag obair ar an dtig. B'fhéidir go ráineodh táirne i n-aice leo, nú mara mbeadh ní thógfadh sé puínn aimsire dul a' d'iarraig na dí. 'Sé seo airgead a chuirtí a' díol as an ndig. Gheallfainn dhuit ná fágaithí piuc de ar an gcloich ná i n-aobhal eile tímpal an tí.

Ní bhuinfeadh so le haon tithe eile ach le tig muíntire. Ní raibh sé mar nós acu aon airgead, ná éinní i bhfuirm airgid, a chuir sa bhfuaimeat ná sa bhfalla. Ná ní fheaca éinní eile curtha isteach iontu ach chó beag. Níor airíos go raibh a lithéid do nós againn aon uair.

Fallaí cloiche ar fad

Fallaí cloiche ar fad a bhíodh anso, déanta le mairtaol aoil is gainí. I ndéanamh an fhalla chuiridís gairbhéal mar mhairtaol ann, ach do dhéanfí é phlástráil nú é tharrac le haol is gainimh 'na dhia' san. Chuireadh cuid acu márla buí an i n-inead mairtéil i ndéanamh an fhalla. Ní raibh fallaí fód, cleathacha ná aon tsaghas adhmaid ar mh'eolas i n-aobhal 'nár measc.

Rudaí a fhliuchfadh falla

Na rudaí a fhliuchfadh falla ansan. An chéad rud: dá mbar mhaith leis é, an ceárdaí a bheadh á dhéanamh. Bíonn seó don fhliuchra a' buint leis an saghas cloch n-a ndintar é. Tá mianach cloiche ann agus dá mbuailtá istig i n-aice na tine í chuirfeadh sí saghas allais di nuair a thagann an úrmhaireacht amù. 'Siad na clocha is deise agus is breátha a dhineann na fallaí is fliche. Má tá fíoruisce nú aon saghas uisce fésna fallaí (sa talamh) is gnáthach go bhfliuchann so iad.

Tá seó don rud ar chuir na gcloch. Má thá cloch curtha sa taobh amù d'fhalla agus aon bheag nú mhuar do thitim isteach aici cathann an saghas so falla bheith fliuch. Agus an fear a bhíonn a' déanamh an taobh istig don fhalla, má chuireann so na clocha le hiarracht do thitim amach acu (sa bhfalla), tugann so ana-chúnamh chun é thriomú.

Clocha ná cuirtí i bhfalla

Ní ceart cloch gréine a chuir i bhfalla aon tí, fiú amháin tig muíntire ná beithíoch; agus chó maith san, deireadh na sean-daoine nár mhaith leo clocha tiníolach nú seana-chathrach (cathair leasa) a chuir a' déanamh a dtithe. Bhuailfeadh an saor le buille dá lían tu dá mbefá á chur i bhfalla. Ní fheadar canathaobh go rabhdar chó muar san 'na gcoinnibh—piseoga fé ndeár é, is dócha.

Ní bheadh a bhac ort clocha seana-thí a chuir a' déanamh tí nó, agus tá so go minic déanta 'nár measc. Ach níor mhaith leat na clocha a bheadh i n-aobhal tímpal an tsiminé a chuir a' déanamh fallaí nó, agus 'sé brí is mó a bhíodh acu leis seo: mar go mbíodh an sú a' teacht amach tríd an bhfalla nó.

An Gobán Saoir

Deirthar go raibh an Gobán Saoir ann—an saor a b'fheárr a bhí le fáil. Dhineadh sé caisleáin. Bhí an tsúil ana-chruínn aige agus níor ghá dho aon chúrsa thógaint ar fhalla, ach bheith á dhéanamh leis gan córda ná éinní eile chuir leis an bhfalla, ach a shúil. Saor a b'ea an mac, leis, ach deirthar ná raibh sé chó maith lena athair. Níor airíos gur dhineadar aon obair tímpal an bhaíll seo (i mBaile Mhúirne).

Thúrfí 'Gobán' nú 'Gobán Saoir' ar shaor go mbeadh an cheárd go maith aige—nú thúrfí ar dhro-shaor diail é, mar leasainm.

' Gobán *Saoir* ' adeiridís i gcónaí: ní deiridís ' Gobán *Saor* ' i n-aochor, is dó liom.

Saor a b'ea Séamus Muar Ó Muíneacháin, an file (ó Ghort Í Raithille, Baile Mhúirne); agus saor a b'ea Diarmaid 'ac Séamuis 'ac Crothúir, file eile a bhí i mBaile Mhúirne.[1] Bhíodh an bheirt ag obair i dteannta chéile go minic. Is dó liom go raibh an cheárd go maith acu, ach níor airíos ' Gobán Saor ' túrtha ar éinne acu.

Bhí a lán daoine a fhéatadh saoirseacht a dhéanamh: cuid acu go maith agus cuid acu go holc. Is deocair an saghas san oibre dhéanamh i gceart: na clocha do chuir i gceart.

' Cloch ná fuil aon chur uirthi '

' Sin cloch ná fuil aon chur uirthi,' adeireadh saor: bhíodh an chloch go holc. ' Tá cur uirthi sin,' adeireadh saor eile. Deireadh an chéad duine arís ná raibh aon chur uirthi. ' Tá cur uirthi sin fós,' adeireadh an tarna duine. Bhíodh sí trialtha ar gach slí [ag an gcéad duine]: ' Tá sí teipithe orm—ní fhéatainn aon chur fháil uirthi.' ' Tá cur uirthi,' adeireadh an fear eile—' í chur síos don scafall ! '

' Saor saor ó shaoirseacht '

' Ní saor ceart é à saoraibh, ach saor saor ó shaoirseacht ', aduairt duine éigint. ' Saor ceart à saoraibh ': tagaithe ó shaoraibh. Bhí amhrán air sin ach níl agam.

Tig Nó

Chathfadh stróinséir bheith sa tig nó acu an chéad oíche, chun collata leo. Bhíodh an nós san ann, pé brí bhí leis. Agus lá nú dhó t'réis aistrithe bheadh Aifreann acu sa tig. Níl sé ceart agat dul isteach i dtig nó gan rud éigint a bhreith leat. B'fhéidir go mbeadh oíche mhuar rínnce an oíche aistreofí isteach i dtig, agus tadhscán pórtair: is minic a bhí. Ach gach éinne raghadh isteach bhéarfadh sé rud éigint leis i gcóir mhuíntir an tí. Bhíodh fir agus mná a' teacht. Thugadh na mná arán leo, agus b'fhéidir té nú siúicre. Thógadh na fir fód móna amù sa chruaich agus bheiridís leo isteach an fód. Deireadh seanabhean éigint i gceann dosna tithibh nó: ' Geallaim 'uit gur mó tháinig isteach dosna fóid móna ná dosna feidhre aráin ! '

[1] Fic lch. 309 *infra*.

Seilbh

Dá mbeadh duine a' fáil seilbh tí tugann an té thá a' túirt na sealú dho ruidín don chré nú don mhairtaol à falla an tí, agus an eochair dá mbeadh sí ann. B'shidí seilbh an tí aige.

Má thá talamh a' gabháil leis an dtig—ladhar don fhéar ghlas a statha, nú lán dorainn di, agus é thúirt don té thá a' fáil na sealú. Tá an maraga déanta roimis sin, agus sidí an tseilbh. 'Túrfar seilbh dom a lithéid seo lá': ní bheadh seilbh cheart agat go dtí san. Bheadh sé roint laethanta sa tig, ach níl seilbh aige go bhfaighe sé na nithe sin.

Seilbh fholamh

'Ní raibh aige ach seilbh fholamh'. Bhíodh rud éigint mar gheall ar sheilbh fholamh (vacant possession), ach ní fheadar cadé féin.

Lóistín oíche do thuínncéir

Bhíodh an-eagla ar dhaoine lóistín oíche thúirt do thuínncéir go mbeadh mannga nú *budget* ar a mhuin aige, mar deiridís ná raibh a bhac air fanúint agat oíche is fiche ansan, de réir na dlí. Ní chreidim é seo—mar ná beadh sé ar do chumas tuínncéir a choinneáilt oíche is fiche, pé bréaga dhéanfá air. Bíonn fún taistil orthu san, agus ní thúrfaidís ach scathamh i n-aon áit.

Seilbh a bhuint do dhuine

Caitear tine mhúcha chun seilbh a bhuint do dhuine: teacht isteach agus uisce chathamh ar an dtine, nú a lithéid. 'Múchag tine agus fiche ar an Múirneach Beag aon mhaidean amháin,' adeireadh na sean-daoine. Bhí seó daoine chun cónaig ann an uair sin.

Agus de réir deabhraimh an scéil, dá mbeadh tine adaithe agat i dtig, i ganfhios nú gan chead an té n-ar leis é, go mbeadh seilbh tógtha agat; ach ní sheasódh an tseilbh seo buan i láthair na dlí. Ach níor bh'fhéidir duit breith ar shoc is ar shúilibh air chun é chuir amach le lámh láidir: chathfadh an dlí an tseilbh a ghlana dhuit.

Is minic a dhin duine díobháil don tig nuair a bheifí ar thí é chuir amach: na saileàcha (joists) a ghearra nú iad a dhó, nú cláracha an lochtaig—go mbeadh tine déanta aige dhíobh. Do bhuinfeadh an dlí díol fiach as an obair seo—ach conas a chuirfá giorré as an dtor ná beadh sé? B'fhéidir nár bh'aon mharc an mhuíntir a dhineadh an obair seo—agus bheadh fhios acu féin é.

Botháin, Bothóga, etc.

Bothán: Féachann an bothán ana-sh'lach agus déarfainn gur fraoch a chuid dín, mar is minic airíos ' bothán fraoig '. D'fhéatadh sé bheith muar nú beag.

Bothóg (shanty): Níl an focal ' shanty ' againn anso ach amháin sa Bhéarla: ' an old shanty '. Bothóg a thúrfá ar shanty sa Ghaoluinn. Tigín ana-bheag isea é. B'é a locht a luíod: b'fhéidir go mbeadh sé coinnithe go deas ar a shon san.

Ceamalach: Ceamalach tí—tig go mbeadh cuid don cheann titithe isteach air, níos ísle ná an chuid eile: drún muar láidir 'na dhrom. Bhí tig don tsórd san i mBaile Mhúirne. Thugaithí ' Tig an Droma Bhriste ' air.

Ré rasaig: ' Ré rasaig do thig '—tig muar fada ainnis. ' Tá an áit 'na ré rasaig '.

Speidhlán: Speidhlán tí—tig caol árd, níos aoirde ná mar ba cheart. Thúrfá ar dhuine nú ar chapall é: ' Airiú, níl ann ach speidhlán '—caol, árd.

Scailp: Daoine bheadh ag obair a' déanamh bóithre abhfad ó bhaile do dhéanfaidís saghas scailpe gan an iomarca dá dua fháil. B'fhéidir go gcoinneodh sí cith dhíobh, nú dul isteach un chun a gcuid bíg a dh'ithe. Le maidí is mó bheidís déanta, i gcoinnibh claí nú carraige. Thugaidís ' scailp ' ar a lithéid sin.

Daoine a chaití amach as a dtithe agus talúintí dhinidís scailp ar thaobh an bhóthair, nú ar thalamh dhuine éigint dosna côrsain. Bhíodh an scailp seo déanta go maith, mar ní bhíodh fhios acu cadé fhaid fhanfaidís inti. Bhídís a' súil le socrú agus dul thar n-ais arís 'na sealúchasaí féin. Do bhailíodh na côrsain tímpal orthu: 'siad a chabhraíodh leo chun na scailpe seo dhéanamh.

Cobhalthach: Fallaí an tí 'na seasamh, an ceann titithe agus na pinniúracha titithe: ní cobhalthach í go dtagann na fallaí ar libhéal fallaí a' chliatháin. ' Tá sí i n-aoirde na cobhalthaí againn '—tig nó á dhéanamh: bheadh na fallaí ar libhéal an uair sin—iad go léir.

Fotharach: Bheadh fotharach sa chlós, nú sa chnoc. Tigín beag, gan puínn slaicht a' buint leis. Tugathar fotharach uirthi agus an ceann buinte dhi, leis. ' Fotharach folamh isea é '.

Fallaig: Fallaig na muc, fallaig na ngéann, fallaig na lachan. Ní déarfá ' fallaig na gcearc '. Bhíodh an fallaig clúdaithe le leacacha muara, leogaithe anuas ar na fallaíbh, le cré agus scrathacha ar dhruím na lice. Níl puínn acu le fiscint anois.

Úrlár an Tí

Leacacha san úrlár, nú b'fhéidir úrlár cré. Is minic a chonac ceann acu san, leis. Márla buí nú gairbhéal liath. B'fheárr an márla buí: ba rogha leis na daoine é, mar ní imeodh sé chó muar leis an scuabachán.

Dá mbeadh úrlár leacach agat á chur isteach chuirfí seana-stáineanna fúthu i gcóir go mbuinfeadh rínnceoirí fuaim níos binne astu. D'fhágfí slí mhaith dhóibh seo thíos. Ní raibh aon ní eile le cuir fésna leacacha, ná aon phiseoga a' buint leis na stáineanna. Ní chuirtí aon saghas cuirp fén úrlár.

Bhí sé mar nós an t-úrlár a scuaba agus an tig do stúáil roim dhul a cholla, chun go mbeadh sé glan i gcóir na ndaoine maithe—agus uisce glan a bheith istig i gcóir na hoíche agus i gcóir na ndaoine maithe. Mar a' gcéanna bhí coiscithe dá mbeadh uisce cos ann é chathamh amach istoíche.

Deiridís nár cheart banbh ná aon rud marbh (dá mbar luch í) do chathamh amach istoíche: fág ann iad go lá.

Clais nú logán i n-úrlár

Is minic a chífá clais nú logán i n-úrlár cré. Bhefá a' cuíneamh canathaobh gur fágamh ann é; ach b'fhéidir i lár do chuínimh go gcaifí tadhscán uisce isteach un agus go scaoilfí lachain óga amach à bosca éigint ar fuaid an tí chun cead snáimh a bheith acu sa lochán. Níor bh'eolach dom aon bhrí eile le clais a bheith i n-úrlár.

Côrthaí clagair

Nuair a bheig an t-úrlár fliuch nú úr, côrthaí clagair isea é. Úróig leacacha chó maith le húrlár cré.

Ceann an Tí

Rachtaí nú *cúplaí* (rafters). Ar na seana-thithe cínn tuí—*rachtaí* a bhíodh iontu so. Thugaithí *cúplaí* orthu, leis. Pionna adhmaid a bhíodh anáirde 'na mbarra arna dtugaidís *an pionna buaic*.

I lár baill ar an gcúpla bhíodh smut eile adhmaid treasna a' coinneáilt an chúpla le chéile: pionnaí adhmaid tríd seo agus na rachtaí. *Maide snuím* a thugathar air seo—an ' collar-brace '.

Ar na tithe slinne, bhíodh cúplaí muara orthu so: ' principals '. Do bheadh na tadhbháin a' rith ar dhruím na gcúplaí seo, agus lasmù don tadhbhán isea bhíodh na rachtaí arna gcuirtí na lataí slinne. *Tadhbhán* nú ' purloin '.

Giúis is mó chuirtí mar cheann ar thithe cínn tuí, agus tá muarchuid giúise mar cheann ar thithe slinne, agus mar bhíomaí i gcóir lochtaig: 'joists' nú *saileàcha*. Bluic mhuara láidre giúise a b'ea iad. Tugathar *bíomaí* orthu san, leis. 'Tá bagún ar na saileàcha aige'.

Maide dhroma an tí: ridge-board. Nú thúrfí ar fhear a' tí é: 'Siné maide dhroma an tí'—'The breadwinner of the house,' nú an té dhéanfadh an chuid ba mhó don obair.

Wall-plate: Ní raibh an wall-plate ins na tithe cínn tuí i n-aochor: ar an bhfalla bhíonn sé. Níor airíos aon Ghaoluinn air sin.

Ní raibh aon *hip-roof* le fiscint fadó, ná aon ainm acu 'na chóir. Ná ní fheaca riamh tig có-chruínn déanta. Ní dó liom go raibh a lithéidí anso.

An Díon

Do bhíodh cuid dosna seanathithe go mbíodh tuí cruinneachtan curtha orthu ón dtaobh istig, fuaite amach tríd an ndíon le snáthad adhmaid agus córdaí. Muarchuid eile acu ná raibh le fiscint istig ach tadhbháin agus scrathacha fén ndíon.

Bhíodh díonadóir ann chun tuí a chuir suas. Bheadh lá maith oibre déanta aige dá mbeadh dhá bhá curtha suas aige: an dréimire aistrithe aige dhá uair. Obair ana-mhall isea í. Tuí choirce bhíodh acu anso, mar ní raibh an chruinneacht anso. Dá mbeadh, b'fheárr abhfad an chruinneacht ná an coirce. Ach dhineadh gach éinne saghas díonadóireacht dò féin. Bhí feabhas ag cuid acu ar an gcuid eile. Is cuín liom go mbíodh m'athair á dhéanamh—beannacht Dé len' anam.

Bheadh scian ag an ndíonadóir agus scuilb: na scuilb a bheith bioraithe 'na chóir. Aghaig an scuilb a bheith i gcoinnibh an chnuic sa díon: dá mbeadh sé ar mhullach a chínn leogfadh sé isteach braon. Tá na scrathacha anuas ar na tadhbháin agus raghaig na scuilb tríd. Fágathar an seanadhíon fén ndíon nó ó am go ham.

Bhíodh fraoch acu i gcóir dín, ach b'anamh ar thig muíntire é. Dhéanfadh sé an gnó i gcóir tithe lasmù. Nú luachair ar na tithe lasmù. Nú eileastrom: i gcóir tithe lasmù arís. Bheadh sé go maith ach gan é chuir suas chun go bhfeochfadh sé. Bhíodh sé 'na bhilleoga breátha fada muara.

Agus chuirtí díon ar thithe le fionnán, agus uaireanta ar thig muíntire. Ach ní bhíodh sé buan.

Dá mbeadh buaic an tí lochtach nú íseal chathfadh an díonadóir breis tuí a chuir 'na bharra a d'fhún é ghéarú, ach ní cuín liom go raibh aon ainm acu 'na chóir sin.

Dá mbeadh slat láidir agat gheófá dhá scolb aisti le hí scoltha. Bheadh méaróg thuí casta tímpal ar an mbirtín scolb: iad anáirde ar an dtig ag an ndíonadóir, ar a thaobh clé.

Dórnán tuí sa t'rus a chuirfí ar an dtig. Dhéanfadh trí nú ceathair do dhórnánaibh leithead an bhá. Chathfadh an tuí seo bheith ana-ghlan ó choirce nú mara mbeadh do bheadh geamhar glas agat amach tríd an ndíon, agus na héanlaithe a' scríoba chun teacht ar an gcoirce.

Scíol (eave)

Níor ghá an scíol a bheith ró-fhada amach, ach díreach i dtreo go gcuirfeadh sé an braon go glan amach thar falla. Ach ó am go ham, fé mar a bhíonn an tig á dhíonú bíonn an scíol so a' dridiúint amach chun go mbeadh sé amach 'na bhínse, ar chuma go bhféadfá seasamh istig fan an fhalla agus ná leogfadh sé braon ort.

An Siminé

Do bhíodh leacacha curtha isteach sa tsiminé acu, agus titim an bhraoín amach acu so. Chaifí bheith an-aireach chun an dín a chuir fúthu le heagla an bhraoín a dhul isteach. Ní raibh aon cheangal eile ach scuilb ann, agus ceann don scolb isteach fén lic.

Ní fheaca aon órnáid orthu, ná ní bhíodh sí anso. Ní bhacaidís le haon díonadóir; dhinidís féin é—agus ní raibh an cheárd go maith ag éinne acu.

'Díonadóir fliuch'

'Díonadóir fliuch nú síoladóir fánach'—bhíodar san go holc. An díonadóir fliuch: b'fhéidir ná cuirfeadh sé a dhóthain don díon air; nú ar chuir na scolb go mbéarfaidís isteach an braon dá mbeadh a gceann ró-mhuar le fánaig.

Níl aon tig cínn tuí anso anois—fiú na tithe lasmù, tithe an chlóis, tá slínn orthu san anois. Ach bhí na tithe cínn tuí ana-chluthar.

Lochtaí Cliaithe

Bhíodh lochtaí cliaithe ar sheanathithibh cínn tuí. Chuiridís prátaí anáirde ar na cliathacha so. Bhídís ana-dheas le n-ithe nuair a chasaidís: *caistíní* a thugaidís orthu ansan. ' Béile chaistíní '. Amach san earrach a bhídís 'na gcaistíní.

Ní bheadh an lochta so ar an dtig go léir. Os cionn na cistean ba ghnáthaí dho bheith, agus is minic adéarfadh seanduine dá mbeadh eagla air an iomarca meáchaint dosna prátaí bheith curtha anáirde: ' Brisfig an chliath ! '

Ní raibh aon staighre ceart a' dul anáirde ach dréimire. Is anamh i n-aochor a théití anáirde ar na lochtaí seo. Ní bhíodh aon leapacha ansan anáirde.

An Chistin agus an Párlús

An chistin; an párlús nú ' *an seomra* ' nú ' *tóin an tí* '. Thugaidís ' tóin an tí ' ar an bpárlús. Is minic a bheadh dhá sheomra ann agus cistin. Thúrfaidís ' an seomra beag ' ar cheann acu san: ní bheadh sé chó muar leis an bpárlús (nú le ' tóin an tí ').

Falla nú Deighilth

Fallaí cloiche is mó bhíodh idir na seomraí; nú do bheadh *deighilth* (partition) eatarthu: iad deighilthe le hadhmad. Bheadh dhá sheomra déanta d'aon tseomra amháin. ' Bhí deighilth eatarthu '. Ní fheaca aon deighilth déanta le slata, ach bheadh sé déanta le hadhmad, agus le lataí beaga giúise agus iad plástrálltha le mairtaol. Ní thógadh sé suas oiread slí agus thógadh an falla.

Leapacha sa chistin

Is anamh a bheadh aon leabaig sa chistin, 'sé sin mara mbeadh an tig ana-bheag. Nú tig nú bothán beag a bheadh ag duine bocht, ná beadh ann ar fad ach cistin.

Ní fheaca aon *settle-bed* anso, ná aon saghas eile ach an sórd leapan a bhíodh againn go léir. Ach chonac *settle-beds* i n-áiteannaibh eile, agus ' *leabaig i gcupúrd* ': *press-bed.*

Ba agus capaill sa chistin

Bhíodh an capall acu sa chistin istoíche. Ní bheadh sé istig i n-aochor i gcathamh an lae. Bhíodh staic curtha sa bhfalla 'na chóir, thíos i n-aice an staighre—dá mbeadh an staighre ann.

Chomáinidís na ba isteach chun iad a chrú sa chistin. Bheidís ceangailthe istig an fhaid a bheifí á gcrú. Bheadh cúpla bó nú trí sa t'rus acu istig: iad san a chomáint amach arís agus trí cínn eile a chomáint isteach. Bhíodh staic curtha sa bhfalla 'na gcóir sin chó maith; ach ní bheidís istig i gcóir na hoíche i n-aochor. Do bhíodh cró i gcóir na mbó sa chlós an uair sin. Bhídís sa chró i gcóir an ghîrig. Ní fheadar canathaobh gur sa chistin a chrúidís iad: is minic a bhím a' cuímeamh air. Ach ní fhicfá capall ná bó ná cearc sa chistin anois.

Do bhíodh an chráin mhuice istig nuair a bhíodh na banaí aici, ach ní dhéanfá aon iúna dhe sin. Tá an nós san ag imeacht as an saol anois, leis. Fágathar an chráin amù 'na cró féinig nuair a bhíonn banaí aici.

Cúb na gcearc agus Faoilín na lachan

Bhíodh *cúb* na gcearc sa chistin ansan, agus *faoilín* na lachan fén gcúib. Ní fheadar i n-aochor canathaobh go dtugaidís 'faoilín na lachan' ar inead na lachan. Thugaidís faoilín ar *wheel-barrow*, leis, ach ní raibh aon bhuint ag an dá rud le chéile.

(ii) TRIOSCÁN AGUS ÁRTHAÍ AN TÍ

Trioscán

Trioscán: furniture. Cathaoireacha, búird, seitli, cupúird, cathaoir shúgáin, túrann, driosúr: siúinéirí dhineadh iad go léir.

Giúrléadaí: Dá mbeadh smut do nach aon tsaghas bailithe agat—corcáin, fuairmíní, cathaoireacha—déarfí: 'Bailig chút isteach sa turcail na giúrléadaí go léir.'

Seitli

Seitli do ghiúis: ní raibh aon bhall eile trioscáin déanta do ghiúis, lasmù d'árthaí. Agus an baraille nú meadar an ime, bhíodh so déanta do ghiúis; agus tubáin, i gcóir bia bó nú muc.

Tá seitli anso againn-ne le céad agus deich mbliana fichead, is dó liom, agus níl aon locht uirthi fós. I n-aice na tine bheadh an seitli: ba chuma ceocu taobh don tine, ach is gnáthach gur le falla dhrom an tí a bheadh sí. Bheadh finneoga ar an dtaobh eile, nú bheadh pléar ann.

Suístín

Bhíodh an suístín déanta do thuí. Bhídís siúd déanta go deas: ní hé gach éinne fhéatadh iad a dhéanamh. Tímpal chúig órla déag ar aoirde a bhídís. D'fhéatadh duine suí air, ach ba ghnáthach gur b'í an tseanabhean a choinníodh seilbh air, cois na tine. Tá suístíní imithe as an saol le fada.

Thugaidís ' suístín tobac ' ar rolla muar tobac. ' Thug sé suístín tobac leis '. Bhíodh sé casta go breá ar a chéile an uair sin. Chuirfeadh sé suístín i gcuíne dhuit.

Cathaoir shúgáin

Chífá cathaoir shúgáin, leis. Bhíodh ceann acu san ins gach aon tig, geall leis. Féar ba ghnáthach a bheith orthu so, agus tuí i gcóir an tsuístín. Ach chífá tuí ar chathaoir shúgáin, leis. Is beag duine fhéatadh súgán a chuir ar cheann acu san anois. Bhí ceárd un. Dá mbeadh sé socair i gceart mhairfeadh an chathaoir sin ar feag muarán blianta.

Mála lócháin

Bhíodh mála lócháin i n-aice na tine ag cuid acu chun suí air, agus dáltha an tsuístín, 'siad na seana-mhná is mó choinníodh seilbh air seo.

Bloc adhmaid

Bheadh bloc adhmaid i n-aice na tine, leis: a cheann curtha síos isan talamh, agus ceann breá leathan fágtha anáirde air chun suite air. Do bhíodh *pillín* ar chuid dosna bluic seo—cushion. An pillín déanta un féin, agus é bhuala anuas ar an mbloc. Suíochán breá a b'ea a lithéid. Déarfainn go bhfaighfá fós iad i n-áiteannaibh.

Stól agus Fuairmín

Bhíodh stól acu, leis. Bheadh cheithre cosa fé dá mbeadh sé fada. *Fuairmín* a thugaidís ar an gcuid bhig na dtrí gcos, fé mar a bhíodh acu a' crú na mbó. Ach chífá ceann acu san i gcistin uaireanta, chun suite air cois na tine. ' Fuairmín na dtrí gcos ' a thugaidís ar an saghas san, ' three-legged stool '.

Bórd seasaimh

Gofa ar an seitli a bhíodh an *bórd seasaimh:* é leogaint amach nuair oirfeadh duit, nú é dhéanamh beag nú muar. Bhí *tuislí* i lár baill n-a mb'fhéidir an bórd a dhéanamh níos sia leo, dá mbeadh breis chúnamh 'na thímpal. D'fhéadfá an bórd san a dhúbailt nuair ná hoirfeadh duit ach a leath. *Claimpíní* air seo i gcóir na gcos. Is deocair an saghas san búird a fháil anois, déarfainn. Clár déil a bhíodh á ndéanamh. ' D'fhanfadh sé ag ithe an fhaid a sheasódh cosa fén mbórd! '—duine go mbeadh goile úntach muar aige.

Bhíodh an bórd eile acu, leis, a sheasaíodh ar an úrlár, agus cheithre cosa fé; ach ba dheise leo an bórd seasaimh. Bheadh so níos cóngaraí don tine. Ar an mbórd eile a chuirtí salann ar mhuicfheoil, nú ar aon saghas feola.

Ní chollaíodh éinne ar an mbórd—istoíche go háirithe. Ach thitfeadh a cholla ar dhuine ar bhórd isló. Is minic a shín duine ar an mbórd mar sin, dá mbeadh tuirse air, nú dá mbeadh an iomad ite aige.

Ní ceart bróga nó chuir anuas ar an mbórd: bheadh bruíon nú troid sa tig mar gheall air sin, deirthar. Piseog isea é sin.

Tá crotha lámh nú buille dhorn nádúrtha treasna búird, is dó liom. Agus dhinidís é, leis. Is minic a buaileag duine treasna an bhúird.

Ceann cláir: ceann an bhúird

Ceann cláir: ceann an bhúird: an taobh don bhórd is cóngaraí don tine. Bhíodh a áit féin ag gach duine don lín-tí ag an mbórd, agus ní bhídís sásta le haon áit eile—dáltha an linbh. Agus tá an scéal san amhlaig fós. Ach dá mbeadh a thuille cúnaimh a' suí chun búird i n-aonacht leo ní dhinidís aon iúna do pé aistriú a dhinidís.

Ag ceann an bhúird a bheadh fear a' tí, agus ba mhinic a chuireadh fear a' tí an stróinséir ar ceann búird. Agus an bhean: a' siúl ar fuaid an tí, a' tarrac bíg chun na coda eile; agus i ndeire bárra ní bhíodh aon phaor aici cá suífeadh sí!

Driosúr

Bhíodh an driosúr déanta do ghiúis, agus ba throm é; ach tá a bhfrumhór déanta d'adhmad ceannaíochta anois—aon chuid acu atá déanta laistig do thrí fichid bliain. Is gnáthach gur i gcoinnibh falla dhrom an tí a bhíodh an driosúr. Bheadh sé os do chôir amach nuair a bhuailfá an doras isteach.

Bhíodh an driosúr acu i gcóir árthaí, agus i mbun an driosúra ba mhinic a chuiridís bainne isteach un—galún nú mias bainne—

mar chrá ar an gcat: ní fhéatadh sé teacht air. Bheadh dhá chôla adhmaid le bun an driosúra.

Cliabhán

Cliabháin adhmaid is mó bhíodh acu fadó: ba chuma cadé an saghas an t-adhmad. Bhíodh fo-cheann acu déanta do thuigíos nú do shlataibh, fíte.

Chaifí iasacht chliabháin fháil don chéad duine cluinne. Ní raibh sé ceadaithe ceann nó a dhéanamh 'na chóir, ná é cheannach nó. Ba chuma i dtaobh na coda eile ansan. Agus nuair a raghadh duine a' lorg cliabháin ar iasacht ní bheadh ceart aige an cliabhán so thúirt leis mara gcuirfeadh an té bheadh á thúirt dò sop sa chliabhán chuige sara n-aistreodh sé é. Chífá duine a' teacht le cliabhán agus é lán do shop!

Bheadh *ceann* ar an gcliabhán, mar a mbeadh ceann an linbh. *Luaisceáin* fé chun é luasca orthu san: dhá cheann acu.

Dá mbeadh cliabhán fáltha ar iasacht agat, níor cheart é bhuint díot chun go mbeadh an leanbh so a' fágaint an chliabháin. Dá n-oirfeadh an cliabhán don té thug dò é gheófí iasacht cliabháin eile thúrfí dho.

Cupúrd, Clóiséad

Bheadh cupúrd beag nú clóiséad déanta isteach sa bhfalla. Bhídís cois na tine. Bheadh côla bheag leis an gcupúrd san: côla adhmaid, nú cúpla pána gloine. Bheadh té agus siúicre agus nithe eile istig ann.

Mata

Mata dorais, nú mata leapa: déanta do thuí. Bhídís fíte, platted. Ní raibh ann ach iad. Ceathair-chúinneach a bhídís. Dhéanfí mata do chroicean gabhair, nú do chroicean bruic.

Clog

Bhí clog muar acu go mbíodh slabhraí agus meáchaintí ar sile as. Le hais siminé an phárlúis is mó bhídís. Théadh teas go maith dhóibh. Chathfá na slabhraí a tharrac gach aon oíche. Níl puínn acu san le fiscint le dathad bliain. Go dtí san ní raibh ann ach iad.

Tháinig saghas eile ansan a chrochfá ar an bhfalla: 'clog seachtaine' nú 'eight-day clock': níor ghá é thochrais ach uair sa tseachtain. Tá seó acu san le fiscint fós, agus bhíodar ana-mhaith, ana-chruínn. Agus do bhuailidís.

Tháinig rud beag ansan i bhfuirm sáspan: alarm-clock nú '*clog na glaoití*'.

Bhíodh uaireadóirí ag daoine, leis. Chífá uaireadóir óir go minic, agus uaireadóir airgid. Bhíodh ana-mheas orthu san.

Peictiúirí

Chífá cúpla peictiúir beannaithe ar crocha i seomra an tí. Ní bhíodh puínn peictiúirí ag éinne an uair sin.

Árthaí agus Úirlis

Anncaire (anker)

Árthach beag adhmaid. Bhíodh so déanta do ghiúis. Fúnsaí iarainn air. Abhfad níba lú ná tubán. Choinneodh sé bainne nú uisce. Cúipéir a dhineadh iad san. Bhíodh cluasa air. Thúrfá bia do bhuin ann. Ní fhicfá aon cheann acu anois. 'An t-anncaire'. 'Faig an t-anncaire beag'.

Bácús (bastable)

Bhíodh so réig 'na bhun. Bhíodh ceann beag ann; thugaidís *Mahony* air sin, nú *Crothúr Ó Mathúna*. Buineann sé le ganachúis, mar ná raghadh puínn bíg isteach ann. Nú thúrfá ar ocras é: 'Crothúr Ó Mathúna'. 'Bhí Crothúr Ó Mathúna acu'—ganachúis bíg. 'Cuir síos *Mahony:* déanfa sé an gnó' (Vide *Scilléad*).

Baraille

Baraille i gcóir feola, nú baraille i gcóir ime dhéanamh. Dá mbeadh baraille titithe as a chéile le triomacht, déarfí: 'Cuir na stanga san i gcimeád; cuirfar an baraille sin le chéile arís'. *Stanng* = stave. 'Tá an t-adhmad a' stanga'—warping. *Fúnsa* = hoop. *Fúnsa cruinnithe*—a bhíonn ag cúipéir: an chéad fhúnsa a raghaig ar thubán nú ar bharaille, chun a thuise thógaint. *Ura* an bharaille = groove. Bíonn sé 'na bharra. Agus bíonn sé 'na bhun. Má thá dhá cheann le cuir air caithfig ura bheith ar gach ceann. 'An t-ura'.

Dual = peg. Dualacha (adhmaid).

Bior crua (punch)

Nú 'bior na bhfúnsaí', chun na bhfúnsaí a pholla. Ní pholl-faidís éinní ba threise ná san gan dul i gceártain.

Bodhrán (dildurn)

Cháití an coirce leis an mbodhrán lá gaoithe.

Boscaod (basket)

Ní bheadh an boscaod ró-mhuar: i gcóir obh. Boscaod lâ, a bhéarfá leat. Bhíodh lámh shlat air. Bhéarfá leat é ar do chuislinn.

Ciseán

Is mó an ciseán ná an boscaod. *Úmpair* a bhíonn sa chiseán: déanta do thuí nú d'fhéar, nú do sheana-mhála; nú píosa do théad ruainneach.

Cliabh

Tugaimíd cliabh ar an gciseán, leis. Nú an rud a bhíonn fén ndroichead nuair a bhítar á dhéanamh ('centres and sheeting'): cliabh arís—cláracha.

Cadhain

Cadhain bata: árthach adhmaid, mórnán. 'Is cuma liom ceocu gheóinn mo chuid i gcadhain bata nú i sáspan', adeireadh duine. Ní raibh aon lámh ar an gcadhain, ach breith ar bholg air. Raghadh piúnt sa chadhain. 'An cadhain'. 'Bolg an chadhain'. 'Cuid an chadhain seo sa chadhain eile'—seanfhocal ['robbing Peter to pay Paul']. Thúrfá cadhain ar an árthach gloine go mbíonn an subh ann, nú aon árthach mar é.

Canna

Bhíodh canna adhmaid acu: fúnsaí iarainn air. Bhíodh lámh air. Is minic a bhíodh aistriú fada ag mnáibh orthu san, anáirde ar a gcínn, a' dul abhfad ó bhaile a' d'iarraig uisce nú bainne, agus *pillín canna* ar a gceann—gan aon lámh aici ar an gcanna. Is gnáthach gur ar a cromán a bhéarfadh bean canna folamh léi, agus do bheadh an galún 'na láimh aici. Bheadh galún agus canna ag imeacht aici: lámh aici sa channa agus é ar a cromán chó maith san. Buineann sé le deabhramh gur b'é an galún an *callán*. Níor airíos an ainm callán riamh ach ins na hamhráin: 'Bhí callán crúite aici 'na glaic'. Bhíodh an canna acu sa chró, agus fé mar a chrúfí ón mbuin, é úmpáil isteach sa channa ón ngalún. An galún a bhíodh acu a' crú. Nú do chrúfí le muga.

Casúr

Casúr. Casúir = hammers. Dhineadh na gaibhnní iad san.

Ceaig

An cheaig. 'Ceaig phórtair'. 'T'réis na ceaige ól'.

Ceaintín nú *Sáspan*

Bhíodh ceaintíní stáin ann. Is gnáthach gur páistí go mbíodh na ceaintíní acu. 'Ceaintín an linbh' nú 'sáspan an linbh'. Dhineadh na tuínncéirí iad.

Cíléir: vide *Pic.*

Ciotal

Ciotal iarainn nú miotail. Sara bhfuarathas aon chiotal dhinidís té as na corcáin.

Cis ['kitch']

Tá an dial le méad air sin. Chuiridís gamhna marú isteach iontu á gcur go Corcaig. Mharaídís gamhna óga fadó: iad a mharú sa bhaile. Chuirfá a lán acu isteach i gcis, lom slán.

Clár

Clár adhmaid a bhíodh acu chun cístí fhuine: an clár a bhuala chút ar an mbórd.

Cliabh: vide *Ciseán.*

Coc (tap). 'Coc an tiarsa'.

Cooler

Bhíodh árthach gloine acu i gcóir ime. Bhíodh so ar an mbórd. Thugaidís 'cooler' air: níor airíos aon Ghaoluinn air.

Corcán dá fheircín

Bhíodh corcán muar acu, an corcán ba mhó sa tig. ' Corcán dá fheircín ' a thugaidís air. Chathfadh beirt bheith chun é seo thógaint don tine, nú duine diail láidir.

Corn (jug)

Jug muar nú jug beag. Ní fheaca aon cheann acu so déanta d'adhmad. Bhídís acu i gcóir uisce. Árthach cré nú ware. Is minic a bhéarfaí ceann acu amach le deoch a' triall ar spealadóirí nú lucht oibre. Bhíodh cuid acu go maith muar. ' Juga punch '. D'fhéadfá ' corn punch ' a thúirt air; nú d'fhéadfá corn a thúirt ar an juga i gcóir an bhainne, agus bheadh an ainm cheart agat á thúirt air.

Cóthra

Chest nú bin. Bheadh ceann acu i dtig feirmeora, agus i dtithibh eile, leis. I gcóir mine coirce is mó bhídís acu. Bhíodh clúdach air sin: côla adhmaid. Bhíodh éadaí iontu san, leis. ' An chuilt atá insa chóthra '.

Crann aráin

Os côir na tine amach a chuirtí é. D'adhmad a bhíodh so déanta. Nú dhéanfadh fuairmín an gnó—agus fuairmíní a bhíodh acu 'na chóir go minic.

Criathar (sieve)

I gcóir mine coirce. Miotháin a bhíodh i dtóin an chréithir nú an roilleáin: iad fíte ar a chéile.

Crúsca (jar)

Crúsca nú crúiscín. Árthach cré. Bhídís gach aon taidhse: tímpal chúig galúin an ceann ba mhó chonac. I gcóir fuiscí is mó a bhídís sin. Ach d'aistreofí pórtar nú bainne leo, leis—go dtí an port, ⁊rl.

Daigh (bath)

Bath i gcóir bathroom. ' An daigh ' adeiridís, agus chiallaíodh so slí chun dearbhaithe a bhíodh ag págánaig.

Dromhlach

Tubán muar. Nú thúrfí ar chiseán mhuar é: ' seana-dhromhlach ciseáin '. ' Seana-dhromhlach seanduine '—seanduine muar, leathan, láidir, go mbeadh bolg aige.

Dual: vide *Baraille.*

Eochair na sróinín (key for pig-ring)

Na gaibhnní dhineadh iad. Agus b'iad a dhineadh na sróiníní.

Feircín (firkin)

Feircín adhmaid. Fúnsaí adhmaid air, fáiscithe le tuigíos. Iontu bhíodh an t-ím á chur go Corcaig.

Fleasc (flask)

Fleasc i gcóir fuiscí, ⁊rl.

Fúnsa: vide *Baraille.*

Préamh truím a bhíodh acu a' deisiú miasa adhmaid, agus ní fheadar cad ba bhrí leis seo, mar ní préamh ruín í.

Galún

Galún adhmaid, túrnáltha. Bhíodar gach taidhse, ach thúrfá galún i gcónaí air. Ní bhíodh aon fhúnsa orthu so. Túrnóir a dhineadh na galúin agus na mugaí agus na píosaí, d'aon phíosa amháin adhmaid: à bloc.

Cuigean ladhaire: Dhinidís cuigean ladhaire le galún. Chuiridís an clúdach ar an ngalún; nú bheadh cúpla cipín id láimh agat, agus bheith á dhéanamh leat leis na cipíní.

Gimilimín gleo: vide *Meadar.*

Gloinithe: vide *Meadar.*

Greideall (frying-pan)

Bhíodh greideall iarainn nú miotail acu. ' Bhí feoil ar ghreideall acu '. Nú císte greidill.

Leac nú *Líog*

Bhíodh leac nú líog acu i gcóir bácála: arán coirce nú steaimpí. Ní bhácálaidís aon saghas eile císte leis. Leac slinne is mó bhíodh acu. An taos a chuir ar an lic. Chuirfí an leac 'na seasamh os côir na tine, agus an crann aráin lena drom chun í choinneáilt gan titim. Bhácálfadh an císte go breá mar sin.

Máinléad (mallet)

Adhmad ar fad. Cos de féin, dáltha an tuairgín. Bhíodar ar dhá shlí: cos curtha ann, uaireanta. Siúinéir is mó oibríonn leis—chun siséal a chomáint trí adhmad.

Maol

Thugaidís ' maol ' ar fheircín, uaireanta. Thôisidís prátaí iontu chun a ndíoltha, agus thôisidís coirce iontu. ' Feircín coirce ' adeiridís, agus ' maol prátaí ': deabhraíonn an scéal ná beadh na prátaí piuc os cionn an fheircín. Ní chuirtí aon chruach air.

Meadar

Ní fheaca meadar i n-aon phíosa amháin, déanta à bloc admhaid, fé mar a bhíodh an galún déanta. Stanga bhíodh ann mar a bheadh i n-aon bharaille. Ní thúrfainn ' meadar ' ar bharaille an ime.

Meadar sheasaimh: árthach déanta ag cúipéir. Bhuailfá 'na suí ar an úrlár í. Níor bh'fhéidir í seo a chasa mar a dintar leis an mbaraille a tháinig 'na diaig.

Caipín na meidire: d'fhéatadh sé bheith d'iarann nú d'adhmad lag.

Clár na meidire: an clár go mbíodh sáfach na gloinithe a' dul tríd síos.

Gloinithe: ' gloinithe ' is mó adeireadh sean-daoine, is dó liom. Is anamh airínn ' loinithe ' á thúirt uirthi. Churn-dash isea gloinithe. ' An ghloinithe '.

An gimilimín gleo: an rud a bhíodh anuas ar an gclár chun gan leogaint don uachtar bheith a' spreachall ort nuair a bhefá a' buala.

Miothán: vide *Criathar.*

Mórnán

Árthach adhmaid. Bhí breis is cárt ann. Ar a shon san, is dó liom go rabhdar gach taidhse. D'óltí pruiseach as an mórnán; nú ba mhinic a chífá mórnán i n-aice tobar fíoruisce: is leis a líonfí an canna as an dtobar. Bhí lámh ar an mórnán. Déanamh corcáinín bhig a bhí air.

Muga

Árthach adhmaid arís. Déanamh an ghalúin ach bheith níos lú: caol, árd. Tímpal pota nú trí cáirt a théadh isteach iontu san. Bhí lámh ar an muga, leis.

Oighean

Árthach cré. ' An t-oighean '. Bhídís gach taidhse. Ní thiocfadh blas ná balaithe ar ím an fhaid a bheadh sé ann. Chuirtí rudaí ar salann san oighean.

' Mo chara thu go deimhin,
a ghaol na dtrí dTadhg
do bhuineadh an broc à faill
is an bradán à línn dhoimhinn,
ní bheiríodh é gan oighean
is ní itheadh é gan roint. . . .'—

Blúire do chaoine éigint. Ní fheadar cé dhin é, ná cé dho gur dineag é.

Painnéir

I gcóir srathrach fhada.

Pic nú *Cíléir* (keeler)

Árthach adhmaid. Tôs isea pic, agus níl aon tôs a' buint le cíléir. Pic mhine = dhá chloch mine coirce. Chuirtí an leamhnacht sa phic nú sa chíléir, chun go mbeadh sé le sciomáil. ' Adhmad na pice '. Bhíodh cluas ar an bpic: ceann ar gach taobh. Agus do bhí picíní beaga acu: *pic bó cínn* a thugaidís uirthi sin: ní raghadh inti ach bainne aon bhó amháin—bó cínn. Bhíodh sí ag lucht gamhnach go seóig: iad so ná bíodh acu ach aon bhó amháin.

Mias stáin (milk-pan)

D'imig an phic agus tháinig an mhias stáin. Is usa iad so choinneáilt glan ná na piceanna. Chaití bheith a' scóláil na bpiceanna le huisce fiuchaig agus *sop pice*. Fraoch mín a b'ea an sop so.

Agus roimis an scóláil do chuirtí uisce eile insa phic chun rian an bhainne a bhuint di le *stoca na saithí*—seana-stoca is mó bhíodh acu. ' Ní bheinn a' déanamh stoca na saithí dom theangain leat! ': isé bhuineann an chéad sh'lachar don phic.

Pigín

' Pigín adhairce '. Bhí lámh ar an bpigín: 'sí an lámh an adharc. Díreach mar a bheadh ' peter ' (sáspan stáin nú iarainn agus lámh air). Ach ní fhéadfá pigín a chuir ar an dtine i n-aochor. Choinníthí bainne insa phigín: is dócha go raghadh cárt ann.

Pillín: vide *Canna.*

Píopa

Píopa fíon. ' Púinsiún fuiscí nú píopa fíon '. Árthach diail muar éigint a b'ea an píopa.

Píosa

Píosa adhmaid. Is leo a chuirtí an t-ím ar salann, nú is leo a dhinidís an t-ím a ní t'réis é thógaint as an meidir. (Cf. *Scimín.*)

Plána = plane.

Púinsiún (puncheon)

Thagadh a lithéid fé shiúicre fadó. Raghadh tonna siúicre i gcuid acu: baraillí muara.

Roilleán (riddle). I gcóir coirce. (Cf. *Criathar.*)

Sá = saw. *Sáibhéireacht* nú *sáil* = sawing.

Sathach: vide *Pic.*

Scíothóg

Chun prátaí a phiuca ar an umaire, nú chun iad a scaga tríthi nuair a bheidís beirithe. Déanta do shlata. ' Scíothóg phrátaí '.

Scilléad (skillet)

Corcán beag. Bhíodh cuid acu níos mó ná a chéile. Thugaidís ' Mahony ' ar cheann beag.

Scimín

Thugaidís *scimín* nú *sciméir* ar an b*píosa*, leis. Is leis a dhintí an sciomáil ar na piceanna.

Scriú = screw.

Scuab

Scuab fraoig: an fraoch is mó bhíodh á úsáid acu. Dhinidís scuab beithe (birch) nú scuab ghealcaí [giolcach, ' bisom ']. Níor ghá bheith a' croma dá mbeadh scuab beithe agat.

Síonán

Croicean caereach, agus fráma adhmaid air: i gcóir síl a chrotha. Ní fhicfá anois iad.

Siséal = chisel.

Slis

Tá dhá thaobh libhéaltha ar a' slis, agus cos di féin arna mbéarfair.

Sop pice: vide *Pic.*

Sróinín: vide *Eochair.*

Stanng: vide *Baraille.*

Stráinnín (milk-strainer)

Bhíodh ceann ruainne acu agus adhmad tímpal air. ' Scag an bainne ' adéarfí. Scagaidís maothal trí phunainn coirce: an stráinnín is glaine a chonaicís riamh.

Suisúr = scissors.

Tiarsa, leath-tiarsa = [tierce, half-tierce].

Tiocóid (peg)

Tiocóidí an ghréasaí. Bheadh sí 'na tiocóid ar aon saghas taidhse. ' Taidhse na tiocóide '.

Tionàchair nú *Priúnsúir* = pincers, nú pliers.

Tuairgín (pounder)

Bhíodh tuairgín acu chun lín a bhuala. Tá an tuairgín có-chruínn: aon phíosa amháin isea é. 'Chó daingean agus tá an chos insa tuairgín'. Bíonn dhá cheann libhéaltha ar an máinléad, agus déanamh an bhuidéil a bhíonn ar an dtuairgín.

Tubán (tub)

Bhíodh sé acu i gcóir níocháin. Fúnsaí air sin; déanta ag cúipéir. Bíd siad gach taidhse.

Umar nú *Trach* (trough)

Umar na muc = *trach na muc; trach na gcearc.* Bhí an focal san ann riamh, agus Gaoluinn isea é: 't(o)ràch; déanamh an toraig'.

Umar na muc: adhmad an gnáthrud chun gur tháinig an chuid mhiotail; ach trach nú umar iarainn nú miotail a bhíonn anois acu i gcóir na muc. Chífá ceann fada caol, nú ceann a bheadh go maith leathan: thiocfadh na muca tímpal air.

Trach na gcearc: trach adhmaid is mó bhíodh acu i gcóir na gcearc. Is gnáthach go mbeadh so caol, fada, íseal. Chífá trach stáin le déanaí.

Umar cloch-aoil: dhinidís umar na muc do chloich-aoil, le casúr agus siséal—fé mar a dhineadh an túrnóir an galún.

(iii) Dóirse agus Finneogacha

Leacacha Fárdorais

Leacacha a bhíodh os cionn dóirse agus finneogacha. *Leacacha fárdorais* a tugaithí orthu so. Mhairfidís ann an fhaid a mhairfeadh an tig.

An Doras

Is anamh roimis seo a bhí aon chúl-doras le fáil ar na seanathithe, agus fós tá cuid dosna tithe nó-dhéanta i dtúrtaoibh le haon doras amháin. Tugathar iarracht ar an ndoras so do choinneáilt chó fada ón dtine agus is féidir, mar do dhéanfadh gaoth an dorais deatach ar fuaid na cistean. Ní thairrigeann an siminé chón maith dá mbeadh an doras ró-chóngarach dò. Níl acu ach an doras so chun gabháil isteach agus amach.

Méad an dorais

Tímpal sé troithe, nú sé troithe agus trí hórla, a bhíodh isna dóirse: bhí an méid seo ' solais ' iontu. ' An muar an solas a fhágfad sa bhfráma ? ' adéarfadh an siúinéir, a' tagairt d'aoirde dorais nú finneoige. Agus bheadh sé trí troithe ar leithead ó fhalla go falla, nú corraíocht.

Corp á thórramh

Roimis seo, dá mbeadh corp á thórramh anáirde ar lochta is ann a chuirfí i gcôrainn é: ní thúrfí anuas an staighre an chôra, ach í chuir amach tríd an bhfinneoig. Ach dá mbeadh corp á thórramh sa chistin gheófí an gnáthdhoras amach leis seo. Bhí saghas éigint piseog a' buint leis; ach tá deire leis an obair seo, geall leis.

Bhí rud eile: dá gcaillithí duine amù níor mhaith leo é thúirt isteach i dtig muíntire chun é thórramh. Dintí a lithéidí seo a thórramh ar lochta sciobóil, nú i dtig éigint lasmù.

Ní bhíodh aon chosc acu ar fhear tí, dá ráineodh a lithéid amhlaig, é seo a thúirt isteach i dtig na muíntire chun a thórramh.

Leatoras

Bhíodh doras agus leatoras acu. Bhí an leatoras áiseach. Dhúnfá an leatoras agus bheadh fuíollach solais isteach dá dhruím; agus nuair a bhíodh an chlann ag eirí suas is minic a bhídís á dtôs féachaint cathain a bheidís chó hárd leis an leatoras.

Scolpán

Scolpán: leatoras déanta do shlataibh. Ní raibh ann ach é sa tseanaimsir (ach bhíodh an doras muar acu, déanta d'adhmad).

Nú an rud a chuirfá i mbéal cruaiche na móna chun é choinneáilt tirm: scolpán a b'ea é seo, leis—déanta do shlataibh.

Côla

Côla. Cláracha na côlann. ' Côla ' is mó adeireadh na seandaoine. ' Dún an doras ', ' oscail an doras ': b'shiné an poll. Ach déarfaidís ' côla dhorais ', ' i n-aice na côlann '. ' Is diail an chôla fir é '—fear leathan láidir. Bheadh drom leathan aige.

Treastáin: ledges, na píosaí théann treasna na côlann ón dtaobh istig.

Bíonn *laiste* ar an gcôlainn, agus *bollta* nú *samh.* Nú bheadh *glas cip* air (stock-lock). Siné an saghas gluis is feárr i gcóir côlann. Nú thúrfaidís *glas bollta* ar an nglas cip. Bollta isea é a théann isteach sa bhfráma. Féatair an glas a chuir air ón dtaobh amù nú ón dtaobh istig, agus a bhuint de arís leis an eochair. Nú bheadh *lúb* ón dtaobh amù ar an gcôlainn agus padlock air; ach b'fheárr an glas cip.

Samh: barra iarainn treasna an dorais istig, 'na stad ar dhá bhacán a bhíonn comáinte isteach isna frámaí. Chífá a lán acu san fadó. Ní bhíodh an glas cip chó muar an.

Adhmad na côlann

Red deal nú pine i gcóir côlann. Pine an t-adhmad is feárr: isé is buaine chun caithimh. Ach bheadh an deal go maith, agus isí is mó atá i dtithibh tuatha. ' An clár bog déil '.

Glas ar an ndoras

Ní raibh sé mar nós anso an doras fhágaint gan glas aon tráth don bhliain, sidé mara mbeadh duine éigint don lín-tí lasmù is go mbeifí a' tnúth le hé theacht isteach.

Áisiúlacht na côlann

Dá mbeadh lá buailthe le sean-innill na gcapall d'oirfeadh côla nú dhó tímpal na hoibre, i gcóir ná befá a' tóch an tailimh i n-áit go mbeadh an coirce a' teacht amach, agus chun na tuí a chimeád amach à páirt don inneall go mbeadh sí a' dul i n-acharann an.

Nú is minic a thógfadh duine côla chun í chuir mar leabaig i dturcail dá mbeadh muca aige á bhreith chun aonaig; agus mar a' gcéanna bhuinfeadh sé anuas côla chun í chuir lasmù do ghamhain óg i gcúinne tí éigint lasmù.

Duine go mbeadh rud éigint imithe air—abhfad uainn an t-olc—agus ná féatadh siúl, agus ná féatadh fulag le hé chorraí, geall leis, d'aistríthí a lithéid seo ar chôlainn.

Nú dá ráineodh duine bheith marbh amù d'aistríthí an corp ar chôlainn, á thúirt fé dhéin an tí. Agus má tá corp á thórramh i leabaig cuirtear côla fé anso. Ní rabhthas á dtórramh i leapacha sa tseanaimsir: ar bhórd ba ghnáthach iad a chur.

Dá dteipeadh bórd a fháil chun cluiche cártaí, ba mhinic a chonac roint chearrúch agus côla dhorais mar bhórd imeartha acu.

Crú chapaill ar chúl na côlann

Ní bhíodh aon mharcanna ar na dóirse, ach amháin go mbeadh crú chapaill ar dhoras stábla, mar órnáid, pé áit sa chlós 'na mbeadh so.

Ní bhíodh an coileach os cionn na côlann nú os cionn fráma an dorais anso, ach anáirde ar an gcúib istig sa chistin, nú bheadh sé istig sa chúib imeasc na gcearc.

I n-áiteanna, bhíodh crú chapaill tárnáltha ar chúl an dorais (na côlann), le piseoga, nú chun rathúnachais éigint. Chonac san déanta, agus tá sé amhlaig fós.

Finneoga

Bhí na finneoga ana-bheag, agus gann. Ní bheadh ach aon fhinneog amháin sa chistin, agus í sin beag. Is minic adéarfí: ' Fág a' solas uaim! '—dá ráineodh duit bheith idir bean fúála agus an fhinneog. Gach taidhse finneoige ó throig go dtí dhá throig, agus is fo-cheann a bheadh níos mó ná san. Ba mhó an aoirde ná an leithead i gcónaí is gach finneoig. Cheithre phána gloine iontu, agus dá mbeadh sé do chrosa go mbrisfí ceann acu so do luíodódh so an solas ar feag tamaill, mar smut do sheana-mhála nú ceairt a bheadh sáite ann chun go bhfaighfí pána eile.

Bhí cáin ar na finneoga sa tseana-shaol: de réir taidhse na finneoige. Ní cuín linn é sin.

Cuid dosna finneogacha socair sa bhfráma, agus tuille acu ag oscailt isteach agus amach.

Sara dtáinig aon ghloine bhíodh côla bheag adhmaid acu, *côla na finneoige:* í sin a oscailt isló agus í dhúna i gcóir na hoíche. Níor airíos go raibh a mhalairt acu.

Finneog gan piseog.

Níor airíos aon phiseog mar gheall ar fhinneoig nú gloine, ná aon phiseog a' buint le bheith a' faire isteach trí fhinneoig: béas gránna, mailíseach a thugaidís air. Ach d'airíos nár cheart leogaint do leanbh féachaint i scáthán. Ach do dhinidís—nuair a bhíodh an leanbh crostáltha. Ní raibh ansan ach piseog.

Ach tá duine t'réis taom breoiteacht stopaithe ar fhéachaint isteach i scáthán—i gcóir ná ficfeadh sé olcas 'o shnó a bhí sé. Ghéillfinn dò san.

(iv) LEAPACHA

Leaba, Leabaig

D'airíos an dá fhocal ráite anso: *leabaig* agus *leaba*. ' Leaba ' adeireadh Micil na Pinse (Mícheál Ō Murachú, a bhíodh i gCúil Ao). ' An ar leaba athá muíntir an tí seo ? ' adéarfadh duine thiocfadh isteach ar maidin. ' Nár mhairfead ar maidin má chuirim éinne at leaba ! ' aduairt baintreach éigint nuair a bhí an fear á chur.

Suíomh na leapa

Na leapacha a chuir ar a bhfaid de réir fhaid an tí. Níor mhaith le daoine iad a chuir ar a dtreasna, agus is gnáthach gur ar a bhfaid a bhídís. B'olc an rud leapacha chuir ar a dtreasna sa tig: thúrfadh san mí-á ar an dtig. Bheidís le falla éigint nú le deighilth. Ba chuma cá mbeadh do cheann ná do chosa. Dá mbeadh an leabaig i seomra ná beadh siminé ná tine agus go mbeadh duine breoite inti, b'fhéidir go dtúrfí an leabaig seo i n-aice tine i seomra eile, mar mhathas don té bheadh breoite agus don mhuíntir a bheadh ag áirneán leis. Ar aon tslí eile ní dhintí aon aistriú orthu, chó fada agus théann mo chuíne.

Leabaig an téastair (camp-bed, ' taster '-bed)

Sé troithe gnáthfhaid na leapa, agus trí troithe guile ar leithead. Dá ráineodh cheithre troithe nú níos mó i n-aon leabaig acu *Leabaig an Acra* a tugaithí uirthi seo.

Bhí na leapacha go léir clúdaithe os a gcionn fadó: an téastar á gclúdach. Bhíodh tímpal dhá throig do chlár libhéaltha i mbarra an téastair. Cruitíní ar an dtaobh amù, agus tuille acu go mbíodh côileanna leo i gcóir an ghîrig. Bhíodh cláracha orthu arís ón dtaobh istig. Is amhlaig a bhí an téastar tárnáltha ar an leabaig, agus d'fhéadfá é bhuint de. Bheadh barra an chnaiste trí troithe ó libhéal an úrláir. Do líontí tuí is tocht isteach iontu. ' Túir chúm beart tuí i gcóir na leapa,' adeireadh seanabhean. Tuí choirce bhíodh acu i gcóir na leapacha. Ba ghnáthach go gcaithidís an seanathuí amach insa bhfôr nuair a bhíodh tuí na bliana san acu.

Leapacha adhmaid a b'ea iad san go léir. Tá drom istig le leabaig an téastair, agus raca ar a' ndrom chun léine bhuala anáirde, nú pé rud ba mhaith leat.

Níl aon tuairisc ar na leapacha san anois: níl aon cheann acu i mBaile Mhúirne, déarfainn. Agus ní rabhdar go maith, leis. B'olc an rud bheith dúnta isteach i n-aon leabaig. Bhuineadar na téastair díobh go léir. *Leabaig mhaol* a thugaidís ar an leabaig ná bíodh an téastar uirthi. Táid siad go léir maol anois.

Leapacha adhmaid ar fad a bhíodh acu fadó, geall leis. Ba bheag na leapacha iarainn a bhí le fáil ar an dtuath an uair sin. Agus b'fheárr leo na leapacha adhmaid: is mó an teas a bheadh iontu.

Giúis a bhíodh i gcosaibh na leapa. Tá na cheithre cosa fúithi. ' Ag cosa na leapa ': pé áit go mbeadh cosa an duine (a bheadh sa leabaig). ' Ceann na leapa ': an taobh eile thuas.

Cnaiste: Na cliatháin atá ar an leabaig. Tá an ainm chéanna a' dul don cheann istig, le ceart. ' Idir chnaistí na leapa '—idir na cliatháin. ' Bhí sé amù ar bhruach na leapa '—ar an gcnaiste nú fíor-chóngarach dò.

Tocht: Bheadh tocht sa leabaig, líonta do chlúmh géann. Agus b'fhéidir go mbeadh tocht lócháin déanta i gcóir an bhacaig.

Leabaig chlúimh: An leabaig go mbíonn tocht clúimh inti. B'shiní an saghas leapa a b'fheárr. ' Leabaig chlúimh fína cúm ', aduairt Máire Bhuí.

Locas: ' Ní clúmh atá inti sin ach locas ', adéarfí, 'sé sin *down* (down quilt, etc.). Ní bheadh leabaig di sin go brách agat.

Peiliúr: bolster, pillow. *Pocaod:* saghas éigint peiliúir, peiliúr gairid. ' Pocaod peiliúra '.

Barlín: sheet. ' Barlín lín '. ' Barlín geal don líon '.

Plainncéad: blanket. *Cuilt:* quilt.

' Cóirig an leabaig ': ' dress the bed '. Is anamh adéarfadh éinne ' make the bed ', ach stróinséir.

Leabaig an Bhacaig

Ar an seitli bhíodh na bacaig: shocraíthí leapacha dhóibh ann; agus dá mbeadh bacach ainnis ann go mbeadh eagla ar dhaoine go dtitfeadh sé don tseitli shocrófí leabaig dò so ar an dtínteán, i n-aice na tine. Nú sa tsamhra ba chuma leis cadé an áit ar fuaid an úrláir go socrófí leabaig dò. Ba mhinic a bhíodh sop féir nú tuí mar leabaig acu.

'*Shake-down*': Leabaig a shocrú ar an úrlár, nú anuas ar na cláracha. Is minic a chonac a lithéid déanta. Ní fheaca aon leabaig go mbeadh clocha fúithi.

Leabaig na dTuínncéirí

Dhineadh na tuínncéirí leabaig dóibh féin. Bata maith fháil: staic éigint maide, nú cuaille. É chuir 'na sheasamh ar a cheann. An leabaig a cheartú tímpal air seo—díreach fé mar a bhefá a' tosnú ar stáca dhéanamh. Do luífeadh fiche éigint duine acu sa leabaig seo. Bheadh a gcínn amach agus cosa gach éinne isteach i gcoinnibh an mhaide bheadh 'na sheasamh.

Ní raibh aon éadach leapa oiriúnach di seo, ach seana-chasóga agus seálanna a bheith mar éadach leapa acu. Bheadh an saghas san leapa déanta sa chábán acu féin, nú i bpáirc—i n-aobhal mar sin go mbeidís.

Fear lár a' tsúsa

' " Tairrigíg ó chéile é ", arsa fear lár a' tsúsa ': canúinn a bheadh acu dá ráineodh triúr i leabaig agus ná beidís a' réiteach i dtaobh an éadaig le chéile. An bheirt a bheadh ar na himill bheidís á tharrac ó chéile, agus déarfadh an fear lár baill: ' Tairrigíg ó chéile é. . . .' Ní bheadh aon bhaol air seo: pé tarrac a bheadh ag an mbeirt eile bheadh an t-éadach os a chionn féin i gcónaí. Ach tráth éigint, bhí an tarrac chó láidir is gur strac an bheirt ó chéile é, agus d'fhágadar fear lár a' tsúsa gan ruainne don éadach!

Súsa: Súsa isea *couch* nó *sofa*. ' Cailleach an tSúsa ': seanabhean éigint a bhíodh ar shúsa, is dócha.

' He got out of the wrong side of the bed in the morning ': Duine gur dhó leat go mbeadh speabhraoidí éigint aige i gcathamh an lae; ní dhéanfadh sé éinní mar ba cheart.

Leabaig d'inín a phósfadh

Gheódh an iníon tocht clúimh agus éadaí leapa óna máthair [nuair a phósfadh sí]. Chuirfí i ndiaig na hiníne iad go dtí pé áit go mbeadh sí pósta; agus dá mbeadh an pósa ann tímpal Máirt Inide bhí cosc ar an leabaig (na héadaí agus an tocht) a chur a' triall ar an inín chun go mbeadh an Caraíos caite.

Agus ní leóthadh éinne amháin d'imeacht leis an leabaig gan an tarna duine bheith i n-aonacht leis. Ní dhéanfadh sé an gnó d'fhear iad a bhuala isteach i dturcail: chathfadh bean dul i n-aonacht leis. Ní dhéanfadh an tarna fear an gnó i n-aochor: chathfadh sé bean a bhreith leis i gcónaí. Ní fheadar cadé an brí bhí leis sin—ach nós a b'ea é.

‘ An leabaig is áisí acu ’

Ghoibh file éigint isteach i dtig i gcóir na hoíche. Is dócha go raibh sé go dro-héadaig agus gur dhineadar amach gur bacach é. Fuair sé tuí mar leabaig. D'fhéach sé ar an leabaig agus b'sheo mar aduairt sé:

‘ 'Sí mo leabaig-se an leabaig is áisí acu:
Leabaig ná cnagfadh na táinte í,
Leabaig don ghaige, don scraiste is don ghnáth-mhuíntir,
Don mhuic, don mhadara, is don chapall dá mbar ghá dho luí inti ! ’

(v) Láthair na Tine

An Siminé

Bheadh cuid dosna siminéithe i lár an tí agus cuid acu i gceann an tí. Bhídís ar gach slí, ach is mó bhídís i lár baíll ná i gceannaibh an tí. Agus b'fheárr i lár baíll iad: ba mhó an teas don tig an siminé bheith i lár an tí. Bheadh cistin agus dhá sheomra isna tithe seo (nuair a bhíodh an siminé i lár an tí): cistin i lár baíll agus seomra ar gach taobh. Chífá tig ná beadh ann ar fad ach cistin. Ní raibh puínn don tsórd san ann. Bheadh a lithéid ag duine bocht nú ag fear oibre.

Bíonn an siminé cruínn idir na fallaí cliatháin: i lár baíll. Caithfi sé bheith mar sin chun déanamh cruínn anáirde ar bhuaic an tí. Is mar sin a bhídís anso lem chuíne-se, agus níor airíos go rabhdar ar aon chuma eile.

An Pléar (Pillar)

Na tithe go bhfuil na siminéithe i lár an tí, tugathar *pléar* ar bhlúire falla thá déanta chun an chlabhair a leogaint air. Tá an ceann eile don chlabhar a' dul isteach i bhfalla chliatháin an tí. ‘ An pléar ’, ‘ déanamh an phléir ’—*pillar* isea é.

Tosnaíthar falla an tsiminé anáirde ar an gclabhar ón dtaobh buiniscionn leis an bpléar—an taobh thiar. 'Sé ainm a thugathar ar na clocha oibríthar os a chionn so: *clocha* nú *leacacha daona* (feather-edged). Ní oirfeadh aon chlocha deasa chun na hoibre seo, ach clocha bheadh iarracht béal-cham. Bheidís ar druím a chéile a' teacht isteach chun go gcúngófí an siminé.

Ní raibh aon ainm acu dosna fallaí eile ach *fallaí cliathdáin* agus *pinniúracha*. *Pinniúir:* gable, gable-end, pen-end.

Drom an tsiminé, 'sé sin cúl an tsiminé: an áit go n-imíonn an tine; agus tugathar *brollach* an tsiminé ar an gcuid athá déanta anáirde ar an gclabhar.

An Clabhar (Chimney-breast)

Píosa giúise ba ghnáthach a bheith un. Dá mbeadh bun an tsiminé ró-leathan ba chúis deataig é. B'fheárr caol é ná leathan aon lá. Dá mbeadh an clabhar ró-fhada isteach thúrfadh san deatach duit.

'Scor a chuir sa chlabhar': tá so tógtha ón mbata scóir. Fear ná tiocfadh abhaile le solas lae ón aonach agus go dtiocfadh sé chút i lár an lae uair éigint, chuirfeadh san úna an domhain ort agus déarfá gur cheart scor a chuir sa chlabhar—mar mharc ar an ngníomh a bheadh déanta aige. Ach mar sin féin, ní cuín liom go gcuirtí aon scor sa chlabhar. Ní raibh ann ach caint nú maga.

Déanamh an tsiminé

Tá leithead an tsiminé ag an gclabhar tímpal deich troithe. Tá sé a' cúngú as san anáirde go barra an tsiminé, agus 'na bharra bíonn sé tagaithe chun tímpal chúig órla déag ar leithead. Puínn có-fhaid có-leithead isea béal an tsiminé anáirde. Tímpal dhá throig guile nú dhá throig naoi n-órla a bhíonn ón gclabhar isteach go falla. Leanann sé mar seo có-leithead anáirde go dtí *stoc* an tsiminé, san áit go gcuirthar isteach cheithre chúinne chun siminé dhéanamh de.

Cúl-lochta

Ins na seanathithe cínn tuí bhíodh an cúl-lochta, déanta do shlataibh, ar dhá thaobh an tsiminé. Tugann sé breis tharrac don tsiminé, i dteannta go gcoinníonn sé anáirde cuid don tsú gan bheith a' titim i n-aice na tine. Agus dá mbeadh adhmad i gcóir tine agat is é bheith anáirde ar cheann acu so ar feag roint leathanta bheadh sé ana-thrim, agus b'uiriste tine adú lena lithéid.

Tá ceárd mhaith ar shiminé a dhéanamh i gceart. Ní fuláir an tarrac ceart nú an oscailt cheart fhágaint aige isna pointí athá riachtanach. Bíonn eolas ar na ceárdaithe chun na nithe seo dhéanamh, agus mara bhfuil is baolach go mbeadh an scéal 'na dheatach ar fuaid an tí!

An tIarta (Hob)

Thugaidís *iarta* ar an ' hob ' ansan. Bíonn an t-iarta déanta do chlocha deasa agus mairtaol. Coinníonn so an falla eile gan dó. Má bhíonn an t-iarta ró-leathan cuireann sé an deatach amach ar fuaid an tí. Ach dineann sé a chion féin ar shlí eile, mar coinníonn sé teas na tine amach fén dtínteán seochas dá mbeadh an tine istig i gcoinnibh falla dhrom an tsiminé.

Cábús: Bíonn poll beag deas fágtha san iarta nú insa phléar, nú i n-aobhal tímpal an tsiminé. *Cábús* nú *cábúisín* a thugaithí air. Is féidir sáspan an linbh nú píopa an tseanduine chuir isteach ann.

Cleibhí

Cleibhí: an clár os cionn an chlabhair gur féidir nithe bhuala anáirde air, agus go háirithe nithe oirfeadh a choinneáilt ó úrmhair-eacht nú taiseacht.

An Cliabh

Is minic gur b'é an rud a bheadh os cionn an chlabhair ná rud déanta do shlata. Is air seo thugaidís an *cliabh*. 'Sé bhíodh i mbrollach an tsiminé: plástráltha le cré nú saghas éigint mairtéil. Féna bhun so a bhíodh an cleibhí. Deabhraíonn an scéal gur ón ainm ' cliabh ' do tháinig ' cleibhí '. Ach ' cleibhí ' adeireadh na seandaoine: ' anáirde ar an gcleibhí '. Agus cleibhí adeiridís sa Bhéarla.

An Tínteán

Is minic a bhíodh inead na tine trí nú ceathair d'órlaí níos aoirde ná an t-úrlár. Thugadh so breis ghaoithe don tine chun dearga nú lasa seochas dá mbeadh sí síos ar libhéal nú i bpoll.

Leac an tínteáin: An leac is giorra don tine, leac mhaith mhuar; agus ' leacacha an úrláir ' a thúrfá ar an gcuid eile ansan, as san síos.

Tugaim tínteán ar trí nú ceathair do throithe amach ón iarta, de réir méid na lice arna dtugaimíd ' an leac tínteáin '. ' Sheasaimh sé ar lic an tínteáin '.

Poll na luatha: Bhíodh poll doimhinn sa talamh i n-aice chúinne an iarta. Dá mbeadh an iomarca luatha fén dtine bhaileoidís uaithi cuid di isteach sa pholl so—*poll na luatha.*

Poll an iarta: Bheadh poll eile isteach ansan san iarta—*poll an iarta.*

An siminé a scuaba

Is gnáthach go ndineadh gach éinne a siminé féin a scuaba. Ní bhíodh na siminéithe árd isna seanathithe. Cuileann a chur ar bharra bata; agus ar theacht na Nollag isea is mó a dintí an scuabachán. Bhíodh na ' Sweeps ' ag imeacht an uair sin, ach ní fhaighidís puínn le déanamh an uair sin anso.

An Chroch

Bhíodh maide nú smut iarainn curtha isteach treasna sa tsiminé, gearrathamall anáirde, agus air seo bhíodh *an chroch.* An gabha dhineadh an chroch: slat mhuar láidir iarainn do b'ea í. Thíos i n-aice na tine bhíodh rud eile iarainn le poíll ann, agus caibín air chun na gcorcán a chrocha air: *raca na croiche.*

Tuille acu 'na seasamh síos sa talamh, nú i gcloich i n-aice na tine, agus gofa ar an gclabhar 'na barra le píosa iarainn. An raca socair uirthi seo chun na gcorcán nú nithe eile a chrocha air, fé mar a bhí ar an gcroich eile. Tá an saghas so ann le trí fichid bliain ar aon tslí.

Gatha na gcorcán ansan (pot-hook); an gabha dhineadh iad.

Píosaí feola a chrocha anáirde sa tsiminé

Dá mbeadh píosa bagúin ná beadh deighbhlasta chrochfí anáirde sa tsiminé é, gan bheith ró-árd anáirde, agus t'réis tamaill ann thúrfadh sé atharrach blasta ar fheabhas. Nílim á rá dá mbeadh an píosa feola so go holc—an-olc—go bhféatadh an siminé aon ábhar tairife dhéanamh dò. Mar a' gcéanna chuirfí anáirde píosaí feola ná beadh aon locht orthu: dhineadh bagún níos deise dhe. Deiridís go dtugadh an deatach blas níos deise dho, deatach na móna go háirithe.

Croiceann caereach: Chuirfí croicean caereach an chun é thriomú chun bodhrán a dhéanamh de.

Ní fheaca aon ní eile curtha anáirde ann.

Úirlis i gcóir na tine

Builg: Bhíodh builg acu—builg leathair—chun na tine shéide. Dhá chlár adhmaid mar chliatháin, agus píopán iarainn le poll un amach as na builg. Ní raibh aon mheaisín acu mar atá anois. Is feárr meaisín ná builg i gcóir tine shéide, mar tagann an séide fén dtine.

Ursal: Tugaimíd *tlú*, leis, air; ach ursal ár ngnáth-ainm.

Tionàchair: Tongs an ghabha.

Sluaistín na luatha. Ní raibh aon poker ann.

(vi) Tine agus Abhar Tine

An Tine

An tine a lasa

Bhíodh *steel* agus *flint* acu fadó sara dtáinig na lasáin sa tsaol.

Spúnc: billeoga an spuíng—é seo a lasa. ' Chó trim le spúnc '. Chathfá *saltpetre* fháil agus uisce, agus an spúnc a thuma ann agus é thriomú arís. Níor airíos aon Ghaoluinn i gcóir ' flint ' ná i gcóir ' saltpetre '. Tá na nithe sin imithe as an saol le fada. Ní rabhdar ann lem chuíne-se. Bhíodh sméaróid acu amù sa pháirc chun a bpíopaí dhearga i gcathamh an lae.

Canúinní

' Tá a' teip orm aon spríos a chuir inti '—sa tine.

Dá mbeadh an tine déanta ag duine éigint agus í dúr dorcha 'na dhiaig: ' Sidé saghas mná bheig agat! ' adéarfí leis—bean dhúr dhorcha.

Ach dá mbeadh an tine go maith grianach déarfí: ' Is deas grianach an tine atá déanta agat—agus sidé saghas mná bheig agat! '

Coigilt na tine

Choigilídís an tine istoíche. Chuiridís roint d'fhódaibh fliucha agus sméaróidí beaga dearga le chéile: iad so chlúdach leis an luaith. Agus d'fhágfí tuille don tine dheirg amù as an gcoigilt i gcóir pé daoine a thiocfadh isteach (i gcathamh na hoíche)—agus is minic nár fágag. Dhineadh frumhór na sean-daoine mar sin é. B'fhéidir ná tiocfadh oíche isna deich mbliana go raghadh an choigilt i n-éag: bheadh spré éigint inti rôt ar maidin.

' Chua sé i n-éag mar a raghadh an choinneal '—duine gheódh bás. Ní déarfí ' mar a raghadh an tine ': ní raghadh an tine i n-éag chó tapaig san.

' To rake the fire '—an tine a choigilt. Ba chuma cé choigileodh an tine. Is gnáthach gur b'iad na mná a dhineadh é, ach choigilíodh na fir an tine go minic.

Paidir choigilthe na tine

Níor airíos go mbíodh aon phaidir acu nuair a bhídís a' coigilt na tine, ná nuair a bheidís á hadú ar maidin; ach chreidfinn go maith go mbíodh a lithéid ann.[1]

Luaith fén dtine

Má thá an iomarca luatha fén dtine tairriceofar isteach í i bpollín na luatha—nú í chuir amach sa chlós. Tugann so gaoth mhuar don tine chun dearga nú lasa.

Chífá peictiúirí sa tine nuair a bheadh sí go maith dearg, grianach: ach ní bhuinidís aon bhrí as san.

' Dlí luatha '

' Dlí luatha athá agatsa! '—Bheadh daoine a' caint mar gheall ar rud éigint a bhuinfeadh le dlí, cois na tine, agus déarfí le duine: ' Dlí luatha (nú dlí cois tine) athá agatsa! ' Ní dhéanfadh an saghas san dlí an gnó sa chúirt.

Aighneas i dtaobh tine

Ní réiteodh aon bheirt le chéile chun tine d'adú nú do shocrú; agus is anamh a théann bean i n-aice na tine ná go gcuireann sí rop éigint inti—peocu lot nú leasú dhineann sí uirthi!

' Is maith an t-iománaí an té bhíonn ar an gclaí '—is dó leis gur feárr abhfad a chuirfeadh sé féin chun na hoibre ná an té bhíonn ag adú na tine.

An cúinne is daingine sa tig

' Bhí sé 'na shuí cois tine, sa chúinne is daingine sa tig ', adéarfí: pé cúinne is cóngaraí don tine. An suíochán nú an t-inead is feárr a fhéadfí thúirt dò, nú ' seat of honour '.

[1] Fic an nóta ar lch. 423 *infra*.

Côrthaí clagair ón dtine

Nuair a bhefá a' coigilt na tine istoíche, dá mbeadh dath gorm nú uaithne ar an luaith b'shin côrtha clagair. Is feárr a chífá é dá mbeadh an solas íseal, nú dá mbeadh an tínteán dorcha nú breac-dhorcha.

Nú deatach a' gabháil amach fén dtig agus gan an siminé a' tarrac mar ba ghnáth leis: côrtha eile fearthainne—an ghaoth aistrithe.

Nú tón an chait leis a' dtine: tá san go holc.

Sú a' titim: côrtha clagair—nú triomacht. Is minic a tháini sé anuas roime thriomacht, leis.

Splanncracha

Dá mbeadh tóirthneacha agus splanncracha ann chrochfí corcán uisce os cionn na tine chun go mbeidís imithe, mar samhlaíd na daoine go dtairrigeann an siminé an splannc—agus is minic a chífá siminé buailthe ag ceann acu. Deirid siad go sábhálfadh an corcán uisce an tig.

' Tine mhadaruaig '

Mara mbeadh piuc ach deatach le fiscint sa tínteán déarfí: ' Níl agat ach tine mhadaruaig ! '

Bheadh duine a' socrú na tine agus déarfadh sé: ' Ō 'uise, beig tine mhaith anso uair éigint, cé ná fuil inti ach tine mhadaruaig anois '. Nuair a bhí a mhún déanta ag an madarua d'eirig gal as. D'fhéach an madarua air. ' Beig tine mhaith anso fós ! ' ar sisean.

Tine a chuir i n-éag

Ní chuirtí tine i n-éag i n-aochor, mara mbeadh muíntir an tí go léir a' dul i n-aobhal à baile i gcóir lae nú dhó. Sin ar airíos mar gheall uirthi.

Tine a dhul i n-éag

Níor airíos aon ní mar gheall ar thine dhul i n-éag—go mbeadh aon bhrí leis sin.

Dá mbeadh duine ann go raghadh an tine i n-éag air tríd an oíche agus ná beadh aon spríos aige ar maidin, gheódh sé sméaróid nú tine ó dhuine dosna côrsain: sidé mara mbeadh dro-hainm nú dro-húntaoibh aige as an nduine a bheadh á hiarraig—go mbeadh sé a' gabháil do phiseogaibh.

Saighseanna Tine

Adhmad rua-dhóite: embers.

Béiltheach thine: tine mhaith mhuar.

Bladhm thine.

Buthair: nuair a bhíonn bladhm solais ag eirí as an dtine—'Chonac ana-bhuthair sholais ann'. Nú thúrfá ar chraínn nú ar ghasaibh é—aon rud a bheadh a' fás go saibhir, láidir: buthair chrann, buthair ghas, buthair geamhair; buthair dheataig—deatach muar.

Cuíorthaíol thine: tá níos mó teas a' buint le cuíorthaíol thine.

Gread-thine: greada maith. (Cf. *Meath-thine*).

Gríosach, Luathghríosach: sméaróidí a bheadh leath-chaite, ach go mbíonn teas muar astu 'na dhia' san. 'Fén luathghríosaig': iad féin agus an luath dultha trí chéile.

Meathalachán: 'Níl ann ach meathalachán': tine nú duine, nú beithíoch, a bheadh suarach.

Meath-thine: tine bheag ná beadh ró-láidir—

'Meath-thine do bhaighreán agus do mhaothail,
Gread-thine do bholacán agus do bhainne caereach'.

Roidhleán thine: 'ana-roidhleán thine'—tine ana-mhuar. Ach is gnáthach gur b'í tine go dtugathar uirthi í: an tine bhíonn ag gabha a' cur iarnaí ar rothaí.

Spiuchaid: ruidín ana-bheag go léir—cúpla fóidín nú trí.

Splannc, Spré, Sprìos: 'Ní raibh splannc (spré, sprìos) don tine rôm'='ní raibh piuc . . .'

Tine ghrianach: 'Tá tine ghrianach sa tínteán'. 'Bhí sé á bhreaca féin leis an dtine' nú 'á ghriana féin'.

Puth deataig: deatach beag lag, puff; 'puth gaoithe'; nú 'puth dá ineáil' (breath).

'Is beag orm beagán tine luath-mhuair!' aduairt an bacach leis a' gcaillig nuair a bhíodar a' troid.

Abhar Tine

Móin

Na portaithe

Do choinnibh tiarna tailimh an bhaílł seo na portaithe aige féin, agus nuair a tháinig aimsir Coimisinéirí agus cíosanna á socrú acu d'fhiafrófí don tineontaí a' dtógfadh sé port nú ná tógfadh. Thóg a bhfrumhór é. Do chuir so púnt breise sa mbliain ar a chuid cíosa; ach an té go mbíodh an port ar a chuid tailimh agus na tineontaithe eile a' buint mhóna ann, ní bhíodh orthu puínn a dhíol le fear a' tailimh. Bhí an mhóin ceannaithe acu ar an bpúnt ón dtiarna tailimh, agus ní bhíodh orthu díol ach à scrath an tailimh, nú an damáiste dhinidís don fhear eile.

An té n-a raibh portach ar a chuid tailimh féin do roinneag a chuid féin chuige seo, díreach fé mar a dineag leis na daoine a fuair a gcuid móna ar a chuid tailimh. Fuaradar acra portaig nuair a cheannaíodar amach a gcuid talúintí: fuair gach tineontaí acra dhe, nú mar sin. Tá cuid dosna hacraí seo caite, dóite, ag an muíntir a fuair iad, agus caithfig a lithéidí seo port fháil arís; ach b'fhéidir go mbeadh sé níos aistrí ná an port a bhí acu. Sin mar athá an scéal anois.

I mballaibh eile níor choinnibh an tiarna tailimh aon ghreim ar na portaithe. D'fhág sé iad ag an muíntir n-a rabhdar ar a gcuid tailimh—agus níor bh'aon dó iad so, mar chathfá ceannach go daor uathu.

Bhí seó portaig i mBaile Mhúirne trí fichid bliain ó shin. Bhí na portaithe seo ana-chóngarach dosna bóithre; ach táid siad so caite agus is éigint dosna daoine eirí amach ar na cnocaibh fiaine chun móna fháil ann anois.

Mar a bhfuil an mhóin

Bheadh iarracht fraoig a' fás mar a mbeadh an chuid is feárr don mhóin. Is fén bhfraoch atá an chuid is glaine dhi. Áiteanna eile 'na mbíonn ruilleogach, gall-luachair, nú gút: tá móin le fáil insna baill seo, ach is gnáthach go mbíonn sí trom, briosc, s'lach—an iomad do mhianach na cré inti, cé go mbíonn sí chó te leis a' móin eile chun tine a dhéanamh.

Ansan, do bhíodh móin ré ann: fód nú dhá fhód. Bhíodh cuid di go maith, ach níl puínn di sin fanta anois anso.

Aoirde an phortaig

Bhí seó dosna portaithe seo an-árd: tímpal sé nú seacht d'fhódaibh ar aoirde, cé go mbuintí móin chó maith léi à portaithe ná beadh ach ó thrí go cúig fóid ar aoirde un. Ach tríd is tríd, bhí móin le fáil i mBaile Mhúirne chó maith leis na háiteanna eile muar-tímpal nú níos feárr. Tá sí fanta ann fós, amach i mburraí na gcnoc, agus muarán di á gearra ann ó thosnaig coga agus ó stop an gual.

Dá mbeadh port íseal ann chathfá é ghearra breis leithead. Ach dá mbeadh sé fóid ar aoirde ann thiocfadh ceap breá móna amach as, seacht nú hocht d'fhódaibh ar leithead. Mara mbeadh do dhóthain portaig agat agus go mbeadh slí amù chun í leatha níor mhiste é bhuint níos leithe—nú níor mhuar é bhuint níos leithe.

An port a ghlana

Dintar an port a ghlana, sidé croicean an tailimh a bhuint de, le scian féir, nú le capall is céachta mara bhfuil an ball ró-bhog—go mbeadh eagla go raghadh an capall ar lár ann. Leagfar isteach sa pholl é sin: glana an phortaig, go slachtmhar, le taobh an fhéir anáirde dhe, mar i gcionn tamaill, fé mar a bhíonn an port a' cathamh agus poll an phortaig a' leathnú, ní théann an mhóin go léir amach anáirde i gcois: caitear cuid di a leatha istig sa pholl, agus dá bhrí sin bíonn an poll libhéaltha go maith acu chun í leatha ann.

Mithal

Is mó saghas mithile ann: mithal bheag, mithal mhuar, nú leath-mhithal. Thúrfí mithal bheag ar chúigear fear, agus dá mbeadh deichniúr fear ann thúrfí leath-mhithal uirthi; agus éinní as san suas go dtí fiche fear: mithal mhuar. Agus dá dtéadh an mhithal os cionn fiche fear—dial mithile! ' Trí mhithal fhear ', ' dhá mhithil '. ' Bhí mithalacha acu a' buint mhóna '.

Sleán

Adharc an tsleáin: Ar an dtaobh dheas a bhíonn an adharc ar an sleán a bhíonn againn anso, agus *an chiscéim* ar an dtaobh céanna. Ar an dtaobh clé a bhíonn sí i gCiarraí; agus deir file Bhaile Mhúirne nuair a bhíonn sé a' cur órdú ar an ngabha i dtaobh an tsleáin a dhéanamh dò:

' Ná bíodh adharc an tsleáin ró-árd ná íseal
ar dheis mo lâ—agus ná din Ciarraíoch díom ! '

Sleán iarainn agus sleán crua

'Siad na gaibhnní dhineadh na sleáin roimis seo, ach gheófá sa tsiopa anois iad. Dhinidís sleáin iarainn agus dhinidís sleáin crua. Do ghlanfadh an sleán crua leis an obair, agus an sleán a fhanann glan is deise d'arm é. Ní fhanfadh an sleán iarainn glan: d'fhanadh ruidín tímpal a' bhéil aige agus as san suas. Bheadh an ceann eile chó glan le scilling—an eile phiuc de. Bhíodh na sleáin a dhineadh na seana-ghaibhnní níos deise, níos cúmtha, ná na sleáin a dintar anois isna muilthe.

Sáfach

Fuínseog ba ghnáthach bheith iontu so, agus pé saghas adhmaid ba mhaith leat sa chiscéim. Liomhán is mó a chuireadh siúinéirí i gciscéim ráinne nú sleáin.

Buint na móna

Dá mbeadh seisear a' buint, trí sleáin a bheadh acu—sidé dá mbeadh an leatha cóngarach. Ach dá mbeadh leatha aistreach agus an mhóin le cuir abhfad amach níor mhuar dhá phíce ós gach sleán, agus ní fhéatadh seisear fear ach an dá shleán a choinneáilt ag obair. Agus an té athá a' buint an bhun-fhóid, ní bhfaighig so éinne chun leatha uaig: caithfi sé í leatha as a shleán. Is gnáthach gur istig sa pholl a fhágann sé í.

Portaire

Bíonn portaire acu i gCiarraí, sidé ní chuireann fear an tsleáin an fód amach ar an bport: tá fear píce 'na sheasamh ar an gceap istig 'na dhiaig a' cathamh na móna amach ar an bport uaig.

Lá ar shleán

Bheadh geachre dtamall acu ar an sleán, ach is minic a chathfadh an fear céanna fanúint lá ar shleán dá ráineodh an iomarca garsún nú daoine críonna sa mhithil. Má thá port breá bog sadhráideach un níl aon doic un níos mó ná aon obair eile. Ach má tá port ruín ann obair chruaig go maith isea lá thúirt á bhuint so. Bheadh cluig ar do dheárnacha uaig.

Fód: caol nú téagartha

Má tánn tú a' buint i bportach atá fliuch ní miste an fód a bheith cuíosach téagartha: caolaíonn sé leis an dtriomacht, nuair a bhíonn an t-uisce imithe as. Agus dá mbeadh an sórd so fóid buinte caol agat ar dtúis, nuair a thriomódh sé ní bheadh do thaidhse ann ach mar a bheadh cloch speile.

Má tá fód cruaig ruín agat á bhuint ní gá é bhuint ró-ramhar, mar ní théann sé fé bheiriú leis a' dtriomacht, cé go dtriomaíonn sé go maith: fanann sé iarracht taidhseach.

Níor mhiste lán an tsleáin don bhun-fhód, le heagla go mbrisfeadh sé nuair a thriomódh sé: fanann sé níos sláine le breis téagair a bheith ann á bhuint.

Saighseanna Móna

Móin dhubh: Isí is feárr i gcóir tine.

Móin dhonn: Móin ana-dheas isea í. Níl sí ró-dhubh ná ró-bhán; ach is feárr an mhóin dhubh i gcónaí.

Móin bhán: Móin bhán a thugathar ar an mbarra-fhód. Bíonn so éadrom, bán, dimbuan sa tine.

Níl an mhóin dhonn ruín ná briosc: fanann sí slán gan brise. Is gnáthach gur b'iad an dá bharra-fhód ar an bportach is ruíne agus is báine. Na fóid eile féna mbun 'siad so arna dtugaim an mhóin dhonn, chun go dtéim go dtí an bun-fhód, agus air seo a thugaim an mhóin dhubh.

Tá fód ruín un ná lúbfaig fén sleán: seasó sé, ach go bhfuil sé deocair an sleán a chuir tríd.

Cloch-mhóin: móin ana-dhubh, ana-chruaig. Rogha na móna: geall leis chó maith le gual.

Smiorcalach: móin chruaig dhubh, ana-thrim, a lasfadh mar a lasfadh smior na gcnámh. Ní fhéadfá buachtaint ar an saghas so móna 'gcóir tine.

' Seana-chat marbh '

Tá fód ruín eile an: fliuch, ruín—a lúbann síos fén sleán. ' Seana-chat marbh ' a thugaid siad air seo. Tugaid siad ' old hen ' air sa Bhéarla. Is olc an saghas é seo.

' Gruaig an tseana-bhuachalla '

' Gruaig an tseana-bhuachalla ': sin saghas eile. 'Sé an áit 'na mbeadh sí: síos isna bun-fhóid, dá mbeadh an mhóin glan. Bheadh scailp anso is ansúd tríd i bhfuirm mar a bheadh gruaig, agus bheadh so a' ceangal ar bhéal an tsleáin agat, i dtreo go mbeadh doic ort an sleán a chuir síos.

Spairt: móin bhán dhro-mhianaig agus í fliuch, agus uiriste a fhliucha. Nú *spairtealach.* ' Níl inti ach spairt ', nú ' spairtealach '—mar a chéile iad. Ach isé uair is mó a thugathar spairt nú spairtealach uirthi: nuair a bheadh sí fliuchta agus fanta thar bhliain. Nú thúrfá spaid uirthi sin, leis.

Spaid: an saghas céanna, puínn.

Suasán: seana-mhóin chlûch, fhéasógach, bheagmhathasach. ' Níl inti ach suasán '. Tá an saghas so móna dimbuan i dtine. Ritheann an solas tríthi nú ritheann an duíre tríthi. Aon mhóin a bhíonn dimbuan tagrann an focal san di: ' ritheann an duíre tríthi '—bladhmann sí, ach sin a bhfuil inti.

Fora-mhóin: móin thar bhliain: móin na bliana anuirig á dó agat anois.

Fionna-mhóin: ní móin í sin i n-aochor. Rud i bhfuirm cúnlaig isea fionna-mhóin, ach é seo bheith i leith na báine. Ní dintar aon úsáid de seo i gcóir tine. Anáirde i gcroicean an tailimh atá so le fáil. ' Túrtóg fionna-mhóna '. Chuirfeadh préachán práta i bhfolach ann. B'fhéidir go mbíodh so acu i n-inead móna i n-áiteannaibh eile, ach bhí an mhóin anso dá héamais.

Radalach: Tá saghas eile móna againn, fód go dtugaimíd radalach air: fód bog fliuch, a bheadh a' brise agus a' titim as a chéile—seó scoiltheàcha tríd anso is ansúd. ' Níl inti ach radalach '.

Carta: ' Bog-stuff '. Dro-mhóin. ' Níl inti ach carta ': móin ná fanfadh aon chuma ná rian sleáin ar an bhfód, ach nuair a chuirfá amach ar an bport é é a' titim as a chéile, mar a bheadh carta nú bogach suaite. *Bogach suaite* isea ' bog-stuff ', leis.

Móin fhuinte

Ní raibh aon mhóin fhuinte anso. Bhí cothrom portaig acu dá héamais. D'airíos go mbíodh sí acu i n-áiteannaibh eile agus go raibh sí ana-mhaith.

Gual móna

Dhineadh na gaibhnní saghas guail don mhóin: móin dhubh, ghlan—ní leóthadh aon mhianach cré bheith inti. Bheadh poll déanta sa phortach, agus nuair a bheadh an mhóin ana-thrim í líona isteach sa pholl so; tine chur inti, agus nuair a bheadh sí rua-dhóite—í go léir t'réis dearga—í chlúdach le carta fliuch ar chuma ná geódh solas ná deatach amach aisti. Mhúchfadh so í. Agus 'siad na sméaróidí rua-dhóite a bhíodh mar ghual ages na gaibhnní: dhinidís iarnaí a ghora leo san. Ach bhí sé mall. Chathfadh sí bheith 'na buthair: an carta is fliche fhaighidís 'sé a bhíodh acu á chlúdach. Ní cuín liomsa é sin, ach ba chuín lem athair é. *Gual móna* a thugaidís air sin. Ní raibh a mhalairt ann fadó.

Téarmaíocht

' Turf ' a thugaidís ar an móin i mBéarla. ' Cutting turf, turning turf, footing turf, reeking turf '. Fód móna: a sod of turf.

Barra-fhód: an fód uachtarach don phort.

Bun-fhód: an fód íochtarach don phort.

' Let the top sod stand! '

Bhí fear ó Albain ag an Rudaire i mBaile Mhúirne. Bhí mithal ag an Rudaire lá a' buint mhóna. Chuaig an stíobhard ó Albain siar. Bhí na fir a' gearán go raibh an barra-fhód ana-ruín. ' Well ', arsan tAlbanach, ' why not cut the others and let the top sod stand ? ' Níor thuig sé piuc i dtaobh portaithe.

An bun-fhód is teo

'Sé an bun-fhód is teo. Is dócha go mbíodh sé go maith chun bácála. Seo mar adeireadh duine éigint:

' Coinneom an bun-fhód, 'sé is briosca 's is teo,
I gcóir tine do Shíle chun císte 's bruthóg '.

B'í Síle bean a' tí.

Brus, bruscar nú *brúscar* a thagann as an móin; nú aon mhóin a bheadh imithe ró-mhion: ' Níl inti ach bruscar '.

Cadhrán: leath an fhóid nú féna bhun. ' Dhá fhód agus cadhrán isea dhineann tine don bhochtán '. Bhí san suarach go maith.

Cláirín: rud a gheárrfá fan an phuirt. Tá sé ró-mhuar chun leogaint dò imeacht in' fhód. Tá fód buinte agat, agus tá tímpal leath an fhóid istig fan an phuirt: is air seo a thugaid an cláirín. Cláirín isea an fód san, nú an leath-fhód. ' Tá sí imithe 'na cláiríní puirt ' adéarfí: an mhóin buinte ró-chaol ag fear an tsleáin.

Gréisc: cadhráin dhú a bheadh piucaithe as an mbruscar, gan ach oiread cloigean píopa is gach ceann acu. Tine dhéanamh díobh so, agus nuair a dheargódh sí bheadh lasair agus teas inti mar a bheadh à gréisc a chathfá i dtine, 'sé sin gréisc na feola.

Tiarpairí: ' Tánn tú á buint 'na tiarpairí '—ró-ramhar ar fad, ró-théagartha. Is minic aduairt an té bhíodh a' leatha le fear an tsleáin: ' Ní fhéatainn í thógaint uait: tánn tú á buint 'na tiarpairí! '

Nithe eireodh chút i bportach

Is minic eireodh blúire giúise chút i bportach: smól dóite air, t'réis bheith i dtine, gan dabht.

D'eireodh feircín nú árthach adhmaid éigint lán do gheir nú d'ím, agus bheadh so chó folláin leis an lá cuireag ann é. Fuair fear éigint feircín geire i bportach i mBaile Mhúirne, agus do dineag coínle don gheir seo.

Ní fheadar i n-aochor canathaobh gur cuireag geir ná ím i bportaithe—ach do bhídís ann.

Ní fheaca riamh aon chnâ i bportach, ná éinní i bhfuirm ua.

Leatha, Úmpáil, Cruca, Cruacha

An mhóin a leatha: ' to spread the turf '.

An mhóin a úmpáil: ' to turn the turf '.

An mhóin a chruca: ' to foot the turf '.

Ba chóir go mbeadh sí trim ansan, leis a' méid seo; ach dá dtagadh dro-bhliain níor bh'fhuláir í ath-chruca: ' second footing '. Agus ba mhinic a tháinig bliain ná triomódh sí 'na dhia' san, leis.

Cruca: cruiceoga a dhéanamh di; dintar níos mó í leis an *ath-chruca.*

Síogóga: t'réis í ath-chruca, mara mbeadh sí trim—abraim go mbeadh cuid di trim agus tuille dhi fliuch—mhéadófí arís í: sheasóidís an chuid ba thrioma dhi ar an dtalamh agus an mhóin fhliuch a chuir anáirde uirthi seo. Bheadh so déanta níos mó ná an t-ath-chruca, agus na cruiceoga níos sia. Bheidís ana-chaol. *Síogóga* a thugaidís orthu so. ' Dhin sé síogóga dhi '.

Stuacán: rud a bheadh árdaithe go maith ach ná beadh ró-fhada.

Carn: bheadh san i n-áit go leagfá an mhóin—leagaithe an-fhada, ainnis—agus thiocfá agus d'árdófá agus chúngófá ón dá thaobh é: aoirde fir, b'fhéidir. Ní bheadh aon chaiseal ar an gcarn mar a bhíonn ar chruaich.

Cruach: bíonn *caiseal* ar an gcruaich. Is mó an chruach ná aon cheann acu. Do chuid móna go léir chuirfá i n-aon chruaich amháin í, dá mbar mhaith leat é. Itheann an chruach na cruiceoga, na síogóga, na stuacáin agus na cáirne.

Cruach na móna

Bíonn *láithreach* nú *leabaig* i gcóir chruach mhóna i n-áit éigint i gcóngar na dtithe ages na daoine; agus an té chruachann a chuid móna amù ar an bport ní bhíonn aon láithreach ná inead socair 'na cóir seo, ach í dhéanamh ar thaobh an bhóthair nú anuas ar an mbán i n-áit éigint. Ach le déanaí tá sciobóil nú tithe (turf-sheds) i gcóir móna déanta ag frumhór na ndaoine. Níl acu ach í chathamh isteach iontu: ní gá dhóibh bheith a' cailliúint aimsire le caiseal ná díon.

Inead i gcóir cruaiche

Clocha ar an dá thaobh; b'fhéidir go mbeidís seo trí troithe ar aoirde. Istig eatarthu dhéanfá an chruach, agus nuair eireofá ar libhéal na gcloch ins na cliatháin sidé an uair a thosnófá a' cur an chaisil. Bhíodh na clocha so leogaithe díreach, agus chathfadh an caiseal imeacht dá ndréir. Do sháidís blúiríocha gairid adhmaid—giúis nú aon tsaghas eile—isteach sa chruaich: choinníodh so an caiseal ó thitim. Nú do chuiridís géagracha crann inti: ceann na craoibhe don ghéig istig sa chruaich agus an ceann eile amù ar aon dul leis an gcaiseal. B'iad so a b'fheárr chun í choinneáilt 'na seasamh: bheadh greim maith acu istig.

Caiseal: clamp. ' To clamp the turf '—caiseal a chur ar an móin. ' A' cur caiseal ar a' móin '.

' Caisleoir Chíll Úir '

Dá bhficfí duine a' déanamh dro-chaisil—' Eirig as ', adéarfadh seanduine leis, ' níl ionat ach Caisleoir Chíll Úir ! '; agus b'é saghas é seo: an méid a dhineadh sé isló do thiteadh sé istoíche !

Díon ar an gcruaich

Chuiridís díon ar an gcruaich: luachair, nú tuí (choirce), nú fionnán, nú eileastrom, nú seisc.

Chathfá ceann an dórnáin a chur isteach i n-áit éigint tríd an gcaiseal fé mar a thiocfadh oiriúnach chút. Chathfá an fód a bhoga chun an ruda so dhéanamh, ach ní leagfadh san an chruach, mar ní leogfadh an díon agus na súgáin di titim. Chuirfí na súgáin uirthi: ceann anáirde ar dhrom na cruaiche; trí nú ceathair do shúgáin ar gach cliathán, fé mar a bheadh aoirde inti, agus súgáin treasna—fite ar na súgáin cliatháin.

Móin na bliana

Má tá dro-mhóin bhán dhimbuan agat, dóifir tímpal deich fichead éigint do chruibeanna; agus b'fhearra dhuit fiche cruib do mhóin dhubh, nú do mhóin mhaith éigint go mbeadh buanadas a' buint léi, agus b'fheárr do thine bliana dhuit í ná na deich cruibeanna fichead do dhro-mhóin. Ach san áit go mbíonn móin ganachúiseach agus aistreach ó dhaoine, dinid siad so an gnó le deich nú cúig déag do chruibeanna móna.

Ciseán nú scíothóg

Bhíodh ciseán acu i gcóir na móna chuir amach ar an bport. Bheadh ciseán agat chun í thúirt isteach ón gcruaich (sa chistin). Nú is minic a tugag isteach scíothóg nú mála móna. ' Túir chúm scíothóg móna '.

Cúil na móna

Bheadh cúil i n-áit éigint sa chistin i gcóir móna, nú chuirfí isteach fén *settle* í, cois na tine. Do bheadh cúil i n-aice an phléir, ar an dtaobh eile dhe ón dtine. Agus ní fhaighidís aon locht ar mhóin fhiscint fén staighre; nú bheadh sí sa chiseán.

Bia ar an bport

Min choirce agus bainne, nú arán agus bainne beirithe, an bia bhíodh acu ar an bport. Níor chuín liomsa prátaí ná bia braimilleoige fhiscint a' dul riamh ar port. Déarfainn gur leite mine buí an bia braimilleoige—siné airíos. Aon bhéile amháin a bhíodh acu—an dínnéar i lár an lae—tímpal a haon do chlog.

Is anamh a bhíodh aon phórtar acu, mara mbeadh mithal a' buint ag fear táirne; nú b'fhéidir dá mbeadh fear a' buint mhóna agus go mbeadh táirne 'na chóngar: bhéarfadh so crúsca pórtair chun na bhfear. Ní hé ólfaidís i lár an lae i gcóir dínnéir—bheadh a mhalairt acu—ach deoch a bhuint as.

Móin a dhíol

Ní dhíoladh na daoine puínn móna: ní leogfadh an tiarna tailimh dóibh í dhíol i n-aobhal lasmù don estát: agus bhí an cosc céanna ar ghiúis. Agus dá mbeadh fear sa tsráid (Mochromtha) go mbeadh beann agat air agus gur mhaith leat cruib mhóna a chur chuige, chathfá í seo bhreith leat i ganfhios.

Fód móna a bhreith go Merice

Bheireadh cuid acu fód móna leo go Merice, agus bataí druín duibh chó maith.

Balaithe íle

Dá mbeadh balaithe íle an lampa nú púdair nú éinní mar sin ód lâibh: iad a chur os cionn an deataig. Thógfadh so an balaithe dhíobh. Níl an côcht so ag deatach guail: deatach móna a dhéanfadh é.

Móin úmpaithe ag mucaibh

Chonac móin úmpaithe ag mucaibh. Tadhscán coirce (tímpal leath–chloch) a chrotha trí chois mhuar mhóna: na muca chomáint isteach inti. Bheidís a' lorg an choirce agus ag úmpáil na móna lena sróin. Níor airíos éinní mar gheall ar ghiorré.

Coínleoir

Bhíodh fód móna mar choínleoir ag daoine: poll déanta ag sciain ann agus an choinneal 'na seasamh sa pholl.

Solas iascaireacht nú scuraíochta

Fód bog bán; bior iarainn a shá tríd; íle an lampa a chuir air, pé méid don íle a shúfadh an fód; solas breá chun iascaireacht a b'ea é.

Agus ba mhinic a dhineadh sé solas scuraíochta do dhaoine oíche dhorcha, agus níor ghá aon íle chuir air chun rith idir dhá thig dá mbeadh an oíche gaofar, mar do choinneodh sí seo an fód ar lasa dhuit.

' Buinimse dhíotsa, a chruaichín mhóna '

Bhíodh cleas ag páistí sa luaith. Dhéanfí carainnín don luaith. Sheasófí cipín i lár an charainn. Gheódh gach páiste cipín agus bheadh sé a' scríoba na luatha as an gcarn, agus seo mar adeiridís:

' Buinimse dhíotsa, a chruaichín mhóna,
Laistiar síos d'árd do thóna,
Airgead scuit is airgead bóna,
Is airgead stocaí do Sheán a' Reótha.'

Pé duine go mbeadh do chrann air an cipín a leaga bheadh pionós éigint le cuir air seo ag an gcuid eile.

Ní fheadar cér bh'é Seán a' Reótha. Ach thugaidís ' muíntir an reótha ' ar mhuíntir Ríordáin.

Adhmad

Is beag an t-adhmad a dhóidís anso mar bhí an mhóin níos sadhráidí agus níos raidhsiúla, cé go raibh seó adhmaid anso i mBaile Mhúirne. Is beag an t-adhmad a bhí ag éinne 'na chuid féin: bheadh cúpla crann, nú as san suas go dtí deich gcínn. Níor mhaith leo iad san a ghearra mar b'fhéidir go mbeidís a' déanamh fothana. 'Sé an tiarna tailimh a dhíoladh an t-adhmad, mar ba leis na coíllthe go léir i mBaile Mhúirne.

Adhmad tine

'Sí an fhuínseog is tugtha chun tine thógaint, ach ná fuil sí buan.

Tá dair go maith chun tine, ach mall le dearga. Ach beireann an ghiúis bárr orthu go léir, mar is mó an íle thá inti.

Tá liomhán go holc i gcóir tine: tá sé trom, mairbhiteach. Níl aon fionn a' buint le liomhán—tá sé go léir donn, dea-mhianaig.

Dro-hadhmad tine isea cárthan, sidé mara mbeadh sé geárrtha agat le bliain—triomaithe. Dá mbeadh adhmad abhfad geárrtha, agus é trim, siné an uair is feárr a bheadh sé. Dhófadh aon saghas adhmaid ach aimsir a thúirt dò nuair a bheadh sé geárrtha.

Níor airíos cosc ar aon saghas adhmaid a dhó—ach tá cuid de agus níor bh'fhiú bheith a' d'iarraig é dhó!

Aiteann feochta

Dhóidís aiteann feochta. Buachaill óg éigint a thugadh raol d'fhear siúil. 'Sidí an raol is feárr a chuiris riamh', ar sisean, 'agus anois túrfadsa côirle dhuit: pé uair a bheir a' déanamh cleamhnais nú beartaithe ar phósa, nuair a bheir a' dul go tig an chailín beir leat isteach sa tig cochall muar d'aiteann feochta. Las istig ar lár a' tí é. Má tá aon dro-shláinte inti tosnó sí ar chasachtaig. Fág ansan í. Bí a' cuir díot—agus fiú amháin ná fan leis a' scothán a mhúcha!'

Ní sheasódh tor aitinn aon fhaid sa tine, ach amháin go ndéanfadh sé bladhm.

Brosna: cipíní laga adhmaid. Ní hadhmad a scoilthfí le tuaig ná le díng é: bíonn sé ró-lag. 'Cipín brosnaig'.

Ruaim: an t-adhmad a bhíodh acu i gcóir buínn na gcleags. Bheadh sé dearg.

Bácáil

Bhíodh aiteann feochta ag mnáibh chun bácála, uaireanta. Bhí fraoch láidir go hálainn chun a dhéanta, leis. Sa tsamhra, nuair a bheadh sé trim, bheadh sé go maith: fraoch maith láidir.

Dintí cístí a bhácáil le seana-mhála, nú le tuí, le línn gátair. Dhéanfaidís an gnó.

Dhéanfadh bualthaí na mbó an gnó, leis, dá mbeidís trim. Gheófá go breá trim sa tsamhra iad. D'airíos go mbíodh san acu i n-áiteannaibh eile; ach níor airíos aon ainm á thúirt orthu ach ' bualthaí '.

' Greada tine gan bhia a bhíodh acu i n-iarthar Bhaile Mhúirne ! '

Adhmad Portaig

Giúis

Bhí muarchuid cathaoireacha giúise agus maidí giúise le fáil i bportaithe Bhaile Mhúirne. Do bhí giúis tímpal cúig nú sé d'fhódaibh móna os a cionn. Agus bhí tráth gur b'é an tiarna tailimh a thógadh na maidí go léir as na portaithe agus bheireadh leis iad, i gcóir a úsáide féin. Chathadh na tineontaithe dul agus na maidí thógaint dò.

Maide a thógaint

Bhuinidís an mhóin os cionn an mhaide. Chuiridís slabhraí treasna fé thíos: slabhra muar fada a thagadh aníos go barra an tailimh chútha. D'fhágaithí ansan é chun go líonadh an poll d'uisce. B'shidé uair a thógaidís an maide le spéicí a chuir ar na slabhraí. Thugadh an t-uisce ana-chúnamh dóibh chun é thúirt aníos. Agus do ghearraidís cuid dosna maidí i n-aice an phortaig. Bhí clais sálach (saw-pit) socair acu chun a dhéanta i n-aice na bportaithe 'na mbíodh raidhse dosna maidí le fáil.

D'fhaighidís na maidí ar maidin leis an ndrúcht: ní bheadh aon drúcht os cionn an mhaide sa phortach.

Liam na Buile agus an Rudaire

Bhí na tineontaithe a' tógaint bata giúise don tiarna tailimh lá. Bhí an Rudaire ann. Bhí an bata geall leis teipithe. Pé cuma gur thóg an Rudaire a cheann chonaic sé Liam na Buile (Ó Suínne)[1] a' teacht. ' Sea ', ar sisean leis na fearaibh, ' tá an file buile chúinn anois, agus b'fhéidir go ndéarfadh sé rud éigint a thógfadh an maide dhuinn '.

D'airig Liam cad duairt sé. Tháini sé mar a rabhdar. ' Sea, a Liam ', arsan Rudaire, ' tá an bata so a' teip, agus a' ndéarfá éinní dhuinn a thógfadh é ? '

' B'fhéidir go ndéarfainn ', aduairt Liam:

' Caithfimíd feasta ár gcuid tailimh do shíor-fhógairt,
Tá an Rudaire ceannais ár leaga chun mí-dhóchais,
Tá fir agus capaill agus maide ar gach muíng tógtha,
Agus cuiríg chun reatha—níl seasamh le síor-ghnó agaibh ! '

' Sea, ná habair a thuille ', arsan Rudaire.

Téarmaíocht

Cathaoir ghiúise: Nílid siad go léir có-mhéad. Do bheadh trí nú ceathair do throithibh aoirde i gcuilithe na cathaoireach. Dá mbeadh cathaoir mhaith ghiúise ann bheadh an aoirde sin inti. Bheadh cathaoir eile ná beadh a cuilithe chó hárd san, ach seó cos aisti, agus í leata amach níos mó ná an chathaoir go mbeadh an aoirde inti. Caithfir í úmpáil síos suas chun í scoltha.

Creachaill ghiúise: Smut muar giúise, ach ní bhíonn aon chuilithe air. Thúrfí creachaill ar smut giúise nuair a bheadh sé scoilithe nú geárrtha anuas agat do chathaoir. ' Sin ana-chreachaill buinte dhi anois ', adéarfí.

Drail: Seana-bhloc ná beadh puínn cuma air, ach ana-chas, cruaig—deocair a ghearra le tuaig. Bíd siad so gach taidhse.

Maide nú *bata giúise:* Bheadh so go breá fada réig, mar a bheadh maide coille, i dtaobh is gur minic a gheófí maide i bport agus seó fadharcán air.

Meanaithe giúise: Do gheófá meanaithí giúise i bportaithe: tímpal ó sé hórla go dtí dhá throig ar faid. Ní bheadh aon rian tua ná faoír orthu; poínte ar gach ceann díobh. ' Meanaithí ' a thugaidís orthu so.

Préamh: Bíd na préacha fásta amach as an gcathaoir, agus uaireanta gheófá préamh ná beadh aon bhuint aici leis an gcathaoir.

[1] Fic lgh. 183, 201, 203, 305 *infra*.

Sail: Cheithre cínn déag do shaileàchaibh giúise: fuarathas iad so i bportach i mBaile Mhúirne. Iad sé fóid móna síos. Bhíodar tímpal dosaen nú trí déag do throithe ar faid. Iad ullaithe le tuaig; leogaithe ar libhéal fé mar a bheadh lochta le cur orthu, agus iad go cruínn có-fhaid óna chéile; agus tímpal troig guile a bhí eatarthu. Bhí fód eile móna fúthu.

Sceatachán nú *geaitire:* Bheadh sceatacháin i ndiaig siúinéara bheadh ag obair le tuaig; *greamanna tua* nú *sceatacháin.*

Scolb: Rud beag isea an scolb, ach tá sé ana-réig; i bhfuirm meáchaint a fhéatadh fear úmpar. Bíonn a lithéid seo ana-dheas i gcóir geaitirí, toisc go bhfuil snáth réig air.

Smailc nú *smulcán.*

Spriúta: Ní bhíonn an spriúta muar. Saghas smulcáin isea é, caite leis féin, gan aon saghas eile giúise ceangailthe dhe.

Cailleach: Is dó liom go dtugaithí ' cailleach ' ar ghiúis, leis. ' Seana-chailleach bháite '. *Cúil na gCailleach:* portach atá thoir i gCluan Droichead—cailleach ghiúise, b'fhéidir.

Saileach bháite: Ansan tá *saileach bháite* ann (i bport). Níl aon mhaith inti: tá sí báite ansúd.

Dair phortaig

Tá dair phortaig lofa, geall leis, agus is anamh a bhíodh sí acu i gcóir tine; ach chífá dair phortaig curtha sa tine, leis.

Dá n-eiríodh maide maith daraí i bportach ba mhinic a chonac scoilithe é, le díng nú le tuaig, chun é chur mar thadhbháin ar sheana-thithe cínn tuí. Nuair ná béarfadh a thuille don fhliuchra air choinneodh sé an scrath agus an díon amach.

Déil

Tugaimíd *déil* ar ' larch '. Bheadh sáfach déil go deas i sluasaid. Thugaidís ' bog-*déil* ' agus ' ver ' ar ghiúis: ' a piece of ver '.

Bloc Nollag

Bhíodh bloc acu d'adhmad éigint i gcóir na Nollag. Ba chuma cadé an mianach é; ach i mballaibh eile deiridís gur b'é an bloc ceart le cuir ann: bloc iúir.

D'fhanaidís suas déanach Oíche Nollag, agus do bheadh an bloc dóite, nú geall leis, an oíche sin.

Nuair a chífí tine mhuar aon tráth, déarfí: 'Tá tine mhuar na Nollag agat!'

Bíonn bloc éigint ag daoinibh fós i gcóir Oíche Nollag.

Tua ghiúise

Bhíodh tua áirithe i gcóir giúise: tua ghiúise ('ver-hatchet'). Ní raibh aon tua eile chó trom léi seo. Bhí sí fada caol. Ní raibh béal leathan aici. Cabhail nú súil ana-láidir, agus neart dá réir ag bun na cabhlach. Gaibhnní dhineadh iad so cois baile. Ní rabhdar á ndíol isna siopaithe fadó. Sheasódh sí blianta dhuit. Ní raibh éinní níba bhaolaí dhi mara mbeadh go n-osclódh an tsúil. Sáfach ana-ramhar, ana-láidir. Bheadh súil na tua níos mó ná súil piocóide, agus an tsáfach níos ruîre níos treise, do mhuarán, ná sáfach piocóide: tímpal có-fhaid le sáfach na piocóide. Fuínseog a bhíodh mar sháfach iontu. Bhíodh dair i gcuid acu, ach másea ní bhíodh aon mheas orthu: ba throm leo iad.

Snáth

Is feárr an t-eolas a bhíodh ar na sean-daoine chun giúise do bhrise ná mar a bhíodh ar an muíntir óig. Bhíodh fhios ag an nduine críonna conas ba cheart gabháil chúithi. Do leanadh sé snáth na giúise chó maith is d'fhéadadh, agus d'eireodh sí chuige go sadhráideach 'na smailcíní nú 'na leadhbracha breátha.

Ní mar sin don duine óg: b'fhéidir go mbeadh sé a' gearra i gcoinnibh an tsnáth, agus b'sheo doic; ní eireodh leis ró-mhaith. Ach dá dtugadh sé tamall a' féachaint ar an nduine críonna a' gabháil di ba ghairid go mbeadh an cheárd aige—agus é níos feárr ná an duine críonna, mar do bhíodh an neart san óige. 'Sé a dhháltha céanna é ag an gcloich, á brise leis an órd. Caithfir í bhuala de réir mar athá gráinne na cloiche ag imeacht, nú mara ndinir níl aon tora ag an gcloich ort, agus tu ad mharú féin léi. Ach taithí a dhineann máistreacht i gcónaí.

Gual

Níor dóg puínn guail i mBaile Mhúirne go dtí le déanaí. Ní raibh aon tora acu air.

Ní dheargódh práta an píopa!

Chuaig fear isteach i dtig éigint chun a phíopa dhearga, agus b'é a bhfuair sé do spríos sa tínteán ná dhá chnaist phráta. B'shin a raibh a' coinneáilt na tine. Ní rabhdar so beirithe: iad ann mar a bheadh bruthóg, agus smól dearg orthu—cé gur theip air a phíopa lasa leo!

2. SLÍ BEATHA NA NDAOINE

AN FHEIRMEOIREACHT

A. TALAMH AGUS TÉARMAÍOCHT

(i) Saighseanna Tailimh

Bán. Talamh bán. Páirc bháin: páirc ná beadh 'na hithir, bawn, lea.

Bogach. Páirc bhogaig: a boggy field. Mianach an phortaig inti. Portach a b'ea an áit uair éigint. Ní cré í sin.

Bun tailimh: ciallaíonn san ísleacht tailimh.

Cailleach bháite. 'Tá sí 'na cailleach bháite' nú 'tá sí 'na gailleach bháite': páirc a bheadh imithe caillthe fliuch, ag imeacht gan mhaith. Swamp. D'airínn an dá fhocal: *cailleach* agus *gailleach.*

Caol: sin ball portaig i n-áit íseal n-a mbeadh sruthán a' rith trína lár. Is minic aireofá 'Páirc a' Chaoíl' mar ainm ar pháirc.

Carragán: bheadh clocha ana-thiubh ar a chéile ann—gach taidhse. An áit lán ar fad leo. 'Ní raibh ann ach carragán ar fad', 'A lithéid do charragán cloch!'

Clochán: ball 'na mbíonn seó cloch. Ní bheadh an talamh san ar fónamh, leis.

Clochar: ball chó líonta do chlocha is nár bh'fhéidir iad a chuir as.

Cluain: bhíodh an focal 'cluain' ann agus múinéar isea í. 'Seana-Chluain' (baile fearainn i mBaile Mhúirne); 'Cluain Droichead' (p'róiste); 'Cluain Fada': ar an dtaobh so do Mochromtha. 'Cluain Fada' adeireadh na sean-daoine: ní déarfaidís 'Cluain Fhada'. Ach déarfá 'an Chluain Fhada'. 'Fear a bhí thoir ar Chluain Fada', 'muíntir Chluain Fada', 'nuair a bhí Cluain Fada cuardaithe agam'; ach 'nuair a bhí an Chluain Fhada cuardaithe agam'.

Cluain isea bob nú cleas, leis.

Cnocán: áit go mbíonn eirí thailimh. 'Anáirde ar an gcnocán'. 'Rith sé suas i gcoinnibh an chnocáin'. Tugathar cnocán ar thalamh beatha, ach d'fhéatadh sé bheith fiain go maith, leis.

Cúil, cúilín: bheadh cúilín i n-áit go mbeadh cúil ann—cúil isteach idir dhá chnoc. Ainm áite isea cúilín, nú cúil: Cúil Ao. Tá cosmhalacht ag an bhfocal le *cúm:* eirí chun gabháil amach as ag a' gceann eile dhe, agus raghair isteach ann as a' libhéal.

Cúnlach. Talamh cúnlaig. 'Tá an áit rite chun cúnlaig': ní bheadh sé go maith an uair sin.

Fásach: áit go mbeadh ínníor maith nú fosaíocht. 'Iad a sheola amach fén bhfásach'—beithíg.

Féarach: féar isea féarach—fosaíocht. 'Beithíg a chuir ar féarach' nú 'ar féar'. Bhuinfeadh san le nach aon saghas tailimh. *Féaránaig* isea an stoc: na beithíg.

Fionna-mhóin: cúnlach bán fliuch a fhásfadh i n-áit fhliuch. 'An fhionna-mhóin': bheadh do chosa a' dul síos tríd. Níl éinní fónta ag an áit sin á fhás.

Gaortha: tá an gaortha níos aoirde agus níos trioma ná an *ínse.* D'fhéatadh gaortha bheith 'na thalamh beatha chó maith le bheith 'na thalamh ínnéir. Is mísle an t-ínnéar a bhíonn ar ghaortha ná ar ínse, cé gur féidir talamh beatha thúirt ar chuid dosna hínseacha. Thúrfí ínse nú ínseacha ar pháirc nú ar pháirceanna socra fan abhann. Tuille dosna hínseacha fásaid siad luachair agus gall-luachair, lena n-úrmhaireacht. Tógaimís *Bárr Duínse:* ciallaíonn so 'barra na hínse duí', agus tá gach saghas luachra le fáil san ínse seo; agus anso is ansúd i n-áiteanna tríthi, mar a bhfuil eirí sa talamh agus triomacht a' buint leis, *gaorthaí* thugathar ar na háiteanna so. Agus cuireann an file síos orthu:

'Ar ghaorthaíbh míne féar is coirce agus muarán stuic ar fásach'.

Ní dhineann sé aon tagairt do luachair iontu. Tá áit siar ó dhroichead an Áth Leacaig arna dtugaidís 'An Gaortha Bán'. Buintear beatha as an áit seo agus níor bh'fhéidir 'Gaortha Bán' a thúirt air dá mbeadh luachair un. Tá áit eile soir fan na habhann i n-aice an tséipéil arna dtugaid 'An Ínse síos ón Séipéal'. Bíonn clúthairt air seo i gcónaí i gcathamh an tsamhraig. Ní luíd na ba ró-mhuar air lena sheiríocht agus lena úrmhaireacht. Is eol dom áit eile i n-aice na Dúglaise, ag bun Ghort an Imill: 'Gaortha Mhichíl Í Thuama' thugaidís air. Ba mhinic a bhuineas féar anso, agus mar a' gcéanna d'imirinn liathróid ann. Ball breá trim isea é, agus níl luachair d'aon tsaghas le fiscint ann.

Tá aithne agam ar áit eile 'dir thig Dhónail Bháin agus an abha: 'Gaortha Dhonacha Bháin' a thugaithí air seo fadó. Nuair a cailleag Donacha Bán 'Gaortha Pheaidí Bháin' a thugaithí air, agus anois 'Gaortha Dhónail Bháin' is ainm dò. Agus ar a' dtaobh eile don abhainn uaig seo tá áit arna dtugathar 'Gaortha Dhiarmaid a' Reótha'. Talamh maith ínnéir isea iad so, agus níl an iomarca úrmhaireacht a' buint leo.

Gaorthaí nú ínseacha fan abhann: tá san áirithe chun bheith níos feárr do thalamh ínnír i gcathamh an tsamhraig ná na páirceanna. Agus aimsir Coimisinéirí d'fhágadar níos mó ar an saghas so tailimh ná ar na páirceanna (níos mó cíosa).

Gort. Páirc ghuirt: tá coirce nú arúr inti.

Ínse: fan abhann. Talamh socair. Tugathar ínse uirthi peocu tá sí 'na páirc nú gan a bheith. Cathann sí bheith socair nú iarracht libhéaltha. Is gnáthach go mbíonn gaortha níos trioma ná ínse. Tugathar ínse ar áit ná bíonn ana-thirm i n-aochor, agus tugathar gaortha ar thalamh árd a bheadh i n-aice abhann, agus bheadh so ana-thrim. Níl 'Gaortha' mar ainm ar aon áit anso i mBaile Mhúirne.

Ithir: soil. *Páirc ithrach:* tillage field, nú *páirc dhirg.* 'Tá an pháirc aige á dhearga'.

Latarach: talamh úr fliuch an féin, ball a bheadh a' fás saghas gall-luachrach. 'Latarach gall-luachra isea é'. Is gnáthach go mbuintí féar don tsaghas so áite, cé ná bíodh sé ar cosaint. Bhíodh clúthairt mhaith air. Ní luíodh na ba ró-mhuar air toisc bheith chó searbh. 'Féar fé chosaibh bó' a thugaithí ar an bhféar so. Théadh sé go maith don tsaghas so áite speal a chimilt de, mar do bheadh an fásach níos mísle i gcóir na haith-bhliana. D'airínn 'slatarach' á thúirt air, leis, ach is mó adéarfí 'latarach'. 'Is dána gach madara ar a lataraig féin'.

Leaca: talamh árd. *Páirc leacan:* cathann titim bheith sa talamh san i gcónaí—eirí mhaith inti. *Ré-eirí* thúrfí uirthi mara mbeadh sí ró-árd; agus *ré-fhánaig* a thúrfí ar an ndul síos inti, chó maith.

Mais: ball úr eile isea mais. Buintear féar dá lithéid seo. Is gnáthach go mbíonn so insa chuid is ísle don talamh. Tá áiteanna mar a mbíonn mais mhuar roinnthe idir fheirmeoirithe an bhaile, agus buineann gach duine acu féar dá gcuid féin. Tá 'Mais an

Scrithin ' ann, thiar ansan ar Screathan na nGamhan (tuath-bhaile i n-iarthar Chúil Ao).

Meán: talamh idir an gcnoc fiain agus an talamh i n-aice an tí. Tugaithí ' meán ' air seo toisc ná raibh sé go maith ná go holc. Bheadh saghas éigint botháin ar an meán chun beithíg sheasca chur isteach ann i gcóir an ghîrig, agus bhéarfá féar chútha ins na botháin seo ó thig na muíntire. Do théadh na ba bainne ar an meán i gcóir an tsaosúir, agus go minic insa ghîre. Is minic a crúití ann iad i gcathamh an tsamhraig. Ní raibh puínn don obair sin ar siúl i mBaile Mhúirne aon uair. 'Sé an áit is mó go mbíodh sé ar siúl: san áit go mbeadh farsinge tailimh. Bhíodh meán ar Cúm na Cloiche, i mBaile Mhúirne; ach ní raibh so abhfad ó thig na muíntire.

Tá an meán i gcónaí ages na ba bainne, ach ní crúitear ann iad le fada. Tagaid siad go tig chun a gcrúite. Ní raibh aon saghas tí acu ar an gcnoc ach tig i gcóir na mbeithíoch. Chuirfí na ba bainne ar an meán Lá Beallthaine, agus thógfí don mheán iad tímpal na Samhna, nú níos túisce dá mbeadh an aimsir go holc. Leanann breis fothana an meán seochas an cnoc fiain amach.

Níl ' Buaile ' ná ' Meán ' mar ainm ar aon áit anso ach amháin ar an Lománaig (i gCúil Ao): tá ' An Athbhuaile ' ann. Tá talamh garbh agat sa bhuaile: bheadh sé go maith chun ínnír.

Buaile: áit go mbeadh stoc agat. Talamh garbh isea é.

Tuar: páirc isea tuar. Ní haon pháirc an bhuaile.

Móinteán: saghas athá go maith cruaig. ' Móinteán bogaig ': mianach bogaig an. Nú ' móinteán cré ': chífá a lithéid go minic. Tugathar móinteáin orthu so do dheascaibh ná dintar iad a chur. Ní páirceanna iad so ach talamh maith ínnír.

Múinéar: páirc a bheadh cóngarach don tig. Páirc isea múinéar. Ní dintar é seo chur: fágtha i gcónaí chun féir. I n-aice an tí a bhíodh na múinéaracha agá bhfrumhór go léir, mar bíonn uiscíocha éigint a' fágaint na glcóiseanna a dhineann iad so leasú ó bhliain go bliain.

An múinéar garbh: is gnáthach go mbíonn an saghas so múinéir fliuch agus gall-luachair a' fás trína chuid féir.

Muíng, múngacha: is mó bhíodh *Jack o' the Lantern* isna portaithe fliucha, nú múngacha. Deirthar go mbíonn a chuínncín ar lasa agus é a' d'iarraig é mhúcha: áit fhliuch a bhíonn uaig i gcónaí! Ach is dócha ná fuil ann ach scéal.

Plásóg: cathann so bheith iarracht có-chruínn. D'fhéatadh sé bheith i n-aon saghas tailimh agat—talamh garbh nú sa pháirc. Ní gá é bheith árd ná íseal. ' Plásóg fhéarmhar '. Gheófá amù i gcnoc ceann acu, i n-aon áit go mbeadh mianach cré fé. ' Táid siad a' fanúint anáirde ar an bplásóigín sin i gcónaí ' (na ba).

Plásóg nú *plásán:* déarfainn go gcathfadh plásán bheith ar libhéal. ' Plásán deas libhéaltha ': áit go gcuirfí daoine ag iomarascáil.

Ré: ar libhéal a bheadh sí. 'Na dro-thalamh—i leith na fliche: oiriúnach do philibín míog. Ré an Bhóna Bháin, Ré Dhoire na Sagart, Ré an Mhúirne Bhig (iad go léir i mBaile Mhúirne).

Riascach: áit go mbeadh mianach na muinge ann. Bheadh dath rua air. ' Riascach fhliuch '. ' Má thriall an Dubh ar riascaig fhlich ' aduairt Liam na Buile. (Bó dhubh.)[1]

Scót nú *Sloigeadal:* beárna chaol, nú scót, a bheadh a' rith idir dhá chnoc. ' Scót mhachaí Chrosaig ', ' Faill mhachaí Chrosaig ': táid siad anso ar Cúil Ao (talamh mhuíntir Mhurachú). ' Scót na Ré ' (ar Cúil Ao). ' Scót mhachaí Chrosaig ': gan ann ach slí na mbó idir dá charraig. ' Páircín mhachaí Chrosaig ': duine éigint a b'ea an Crosach, déarfainn. Tá ' Páircín a' Mhachaig ' agus ' Carraig a' Mhachaig ' 'na haice (talamh mhuíntir Mhurachú anso 'nár gcóngar). Ba le gabha an áit sin fadó, agus chuireadh sé garraí ann. Siné an fear go mbíodh an ' garraí stainncín ' aige, i bhfuirm go mbeadh scot aige, mar ní raibh aon chlaí air![2] ' Scót a' Choill-theora ': tá an scót san ar Cúil na Cathrach (i n-oirthear Bhaile Mhúirne). Mhair Donacha Ó Cróinín ann: coilltheoir a b'ea é.

Talamh screagach: áit ar ná beadh aoirde mhuar ithrach. Ní bheadh agat air ach an fóidín anáirde, agus bheadh rud éigint chun tu stop ansan: clocha nú gairbhéal.

Screalm chloch: áit a bheadh lán do mhion-chlochaibh fé thalamh. Déarfá: ' The place was paved with stones '. D'fhéatadh gearra-ithir bheith air ach iad so bheith fé. Is feárr é ná talamh screagach: ní chiallaíonn screalm clocha muara, ach mion-chlocha.

Stéig. ' Stéig áite ': ball fuar, árd, dro-mhianaig. Is measa é seo ná talamh screagach: bíonn an stéig árd i gcónaí, agus fuar. ' Stéig chnuic '. ' Ar mhullach na stéige '.

Stéig isea croicean bó, leis: seithe bó.

Tuíng-ar-boga: áit a shúfadh tu, swamp. Croithfi sé fút.

[1] Fic lch. 201 *infra*.

[2] Fic lch. 19 *supra*.

Tún nú *tobar:* paiste fliuch i bpáirc, áit go mbeadh fíoruisce. Do bheadh draein briste nú stupaithe ann.

(ii) Mianach an Tailimh a Mheas

Dro-thalamh

D'aithneofá é le féachaint ar chroicean a' tailimh. Má thá talamh a' tiospeáint ruibe luachra: dro-chôrtha é sin, gur talamh marbh, trom é; nú má thiospeánann sé fraoch: talamh cruaig, bocht isea é. Nú má bhíonn an chré a' ceangal dod bhróga a' gabháil trí pháirc cuireann so i n-úil go bhfuil an chré trom, agus ná beadh sí go maith. Ach is gnáthach go n-aithneó tú ar scéimh nú ar chroicean a' tailimh caidé saghas mianaig athá ann.

Cúnlach

Chífá cúnlach ar thalamh mhaith ach bheith dultha chun boichte le heaspa leasaithe, nú bheith ró-fhada gan cur. Ach bheadh sé ar dhro-thalamh, leis. Thiocfadh sé le heaspa cirt go minic.

Uisce

Dineann an iomarca uisce díobháil don talamh. An iomarca uisce a leogaint ar pháirc go bhfuil úrmhaireacht a' buint léi cheana—tá san go holc. Is amhlaig a dhineann so márla dhi. Ach téann uisce go maith do pháirc thirm, dhea-mhianaig.

Fíoruisce: ní côrtha ró-mhaith fíoruisce a bheith ag eirí i n-áit: caitear draeiní dhéanamh ann. Gheófí tobar fíoruisce i dtalamh mhaith, leis; ach cathann clocha nú gairbhéal bheith cóngarach dò, mar is gnáthach gur anso eiríonn fíoruisce.

Márla buí

Bíonn an talamh san go holc. Is deocair feabhas a chuir air, mar níl aon tsú ag an márla. Stadann uisce i bpáirc mhárlúil.

Márla glas

Tá márla glas go holc, leis, agus tá saghas mianaig ann agus fé mar a bhuinfir scrof de agus caithfir uait amach é led shluasaid bíonn sé ag at chút aníos arís. Teipeann a lithéid seo d'áit a dhoimhinniú.

Ruilleogach

Talamh bogaig go mbeadh ruilleogach ann. Ní fhásann ruilleogach istig i bpáirceanna ach amù i móinteáin bogaig. Bheadh a lithéid seo do thalamh go maith chun beatha dá ndintí é shaothrú.

Feochadáin, Druíon dubh

Aon áit go bhficfá feochadáin a' fás tiospeánann so go bhfuil an chré éadrom, géar, dea-mhianaig. Agus an áit go bhficfir an druíon dubh a' fás is gnáthach go mbíonn ithir árd dhea-mhianaig ann. Ní fhicfá puínn feochadán anois: tá an talamh a' dul i bhfliche; agus chífá brobh luachra anois i n-áit ná raibh sé i n-aochor fadó.

Raithineach

Ar ínseacha fan abhann is mó fhásann raithineach, i dtalamh go bhfuil mianach mótúil ann, agus má fhágathar an saghas so tailimh ró-fhada gan cur líonann sé don raithinig chois dubh. Tá raithineach eile fhásann amach as a' gclaí: an raithineach mhín. Ní fhásfadh sí i n-aon áit fhliuch duit.

'Tá ór fén raithinig, airgead fén luachair agus an gorta fén bhfraoch'. Nuair a oireadh do dhaoine é áiteamh ó phóinte leasaithe: iad so a chuir amach mar leasú, deiridís 'Tá ór fén aiteann . . .' agus tá so fíor, mar tá aiteann go maith mar leasú.

Cupóg

Ní fhásfadh cupóg ar dhro-thalamh, leis. Níor bh'olc an cômtha í seo fhiscint ann.

Talamh portaig

Tá an talamh portaig agat nuair a bheig cúpla barra buinte agat as: bíonn sé a' dul i bhfeabhas. Dá dtagadh bliain bhreá thirm d'fhásfadh prátaí go maith ann, ach dá dtagadh dro-bhliain ní bheidís ró-mhaith. Bogach breá rua: sidé is feárr chun na beatha, nuair a triomaíthar é.

Ach an áit ná bíonn air ach fóidín éadrom bogaig, ní bhíonn so ar fónamh. Ní hé a rogha chun coirce i n-aochor é. Ní ró-mhaith aibíonn an coirce ann, agus síneann sé. Tríd is tríd, ní hé a rogha chun beatha é, ná ní talamh maith fosaíochta é; agus an féar a bhuintear de leis an speil, chun é shábháil, níl sé chó maith leis a' bhféar buinte don talamh chré.

Talamh gainí

Dro-thalamh beatha isea talamh gainí. Má thagann bliain thirm, má thá sí ana-thrim feochaid na barraí i dtalamh gainí. Bíonn sé go maith dá dtagadh bliain fhliuch; ach ní talamh féarmhar aon saghas bliana é.

Cré dhubh

Má thá an chré ró-dhubh is olc í. Is olc í ró-dhearg nú ró-bhuí. Cathann sí bheith iarracht i leith na duí, agus is feárr i gcónaí an ithir a bheith doimhinn. Agus is gnáthach gur doimhnne an ithir ar áiteanna cúl le gréin ná ar na háiteanna ar dheis na gréine. Is truime an ithir ar a' gcliathán so do Chúil Ao; agus is mó a bhfuil do mhion-chlocha sa taobh theas tríd a' gcré.

Mion-chlocha

Díobháil a dhéanfadh an iomarca acu san. Dhéanfaidís tairife san áit go mbeadh an ithir throm, agus díobháil san áit go bhfuil sí éadrom.

Ínseacha

Bíonn na hínseacha go maith. Bíonn cuid acu níos dea-mhianaig ná a chéile.

' Gach mathas le fánaig ach—'

Talamh árd nú íseal. Is olc é ró-árd, ach is maith a' bhail ar thalamh iarracht d'eirí bheith aige, nú ré-eirí. Dineann sé chó maith nú níos feárr ná an talamh ar an libhéal, mar is minic a stopann uisce ar libhéal tailimh.

' Gach mathas le fánaig ach árdáin Dhúth' Ealla ', adeireadh na sean-daoine: isna háiteanna is aoirde ar Dúth' Ealla atá an talamh is feárr, mar, san áit íseal, tá sé 'na spaid—ana-mharbh, ana-throm.

Móta

Móta: cré mharbh ná beadh aon chlocha tríthi, stuif mhín sh'lach. Is anamh a chífá í. Cois aibhnní is mó athá sí le fáil: idir bheith 'na gainimh agus 'na móta. ' Páirc mhótúil '.

(iii) Fiaileacha

Tá an chupóg go holc. Bíonn siad raidhsiúil. Tá brealla gorma, athair thalúin agus feochadán; buacallán, nú buacallán buí; agus nuair a bhí an gárnóir a' dul chun báis—' Táim a' mathamh don tsaol go léir ', aduairt sé, ' ach amháin an t-eireabal caitín, mar nuair a staithinn é seo istoíche bhíodh sé fásta arís ar maidin! ' Is dócha nách aon tsaghas fónta fiaile é seo.

Ansan tá pruiseach bhuí, crobh phréacháin, bramfhéar, glúinín-each, caochneanntóg agus brioscalán; fuilig; agus ní mhaithfinn féin don neanntóig. Bheadh caochneanntóg i gcoirce nú i ngarraí nú i dtornap.

Fuilig: leathann sí amach ar an umaire. Níl ach aon phréamh amháin aici. Tá samha go holc, agus deirthar gur côrtha bocht ar thalamh é. Tá caisearabhán nea-dhíobhálach, agus is amhlaig sin don chaisearabhán cos dearg. Agus tá an mismín ann: do mhathfá dho san mar tá balaithe breá uaig!

Tá saghas eile ann: fliúiteanna. Níor airíos riamh orthu ach ' fliúiteanna '. Rud caol árd go dtagann síol muar anáirde air, agus préamh dhiail síos uaig; agus tá poll a' rith tríd istig ann. D'aireofá ' fliúit ' túrtha ar dhuine, i mBéarla: ' Yerra, he's an old flute! '—gan aon bhrí leis. Tá na fliúiteanna a' neartú go diail le déanaí, agus na cupóga, leis.

Fiaileacha a dhó

Túir leat na fiaileacha ó phréimh, más féidir é. Dóig iad ansan, nú cuir i n-áit éigint iad ná beig caé acu ar leatha ar fuaid an tailimh le huisce ná le gaoith: bhéarfadh an dá rud san chun siúil iad.

(iv) Piastaí

Során: piast a ghearrann gais na bprátaí i dteorainn na cré. Piast ghairid mar a bheadh cnuimh ana-mhuar. Tá sé dorcha un féin—riach. Níor airíos éinní le déanamh dò. Gheárrfadh sé seó gas.

Wireworm: itheann an wireworm geamhar. Oibríonn sé láith-reach t'réis é theacht aníos. Ní dó liom gur airíos aon Ghaoluinn air sin.

Piast chabáiste: tá piast chabáiste i gcóir an chabáiste. Dá gcroth-tá aol tirm ar an gcabáiste mharódh sé iad: leighfeadh sé iad.

Seilithide: dá neachuise fhéachann an seilithide itheann sé seó tornapaí t'réis iad a theacht aníos—as san chun go dtanaíthar iad. Dineann sé an dial ar fad i n-aice chlathacha orthu. Agus d'íosfadh sé cabáiste mara mbeadh tornapaí aige. B'fheárr leis tornapaí ná cabáiste.

Turnip-fly: tá an turnip-fly ann, pé Gaoluinn atá air. Rud i bhfuirm dearnaite isea é. Dath dubh nú gorm air. Dá gcuirteá na tornapaí ar boga i n-íle an lampa sara gcuirfá iad ní fhéatadh sé buint leo nuair a thiocfaidís aníos. Níor ghá dhuit ach iad a thuma san íle agus d'fhéadfá iad a shíolthú nuair a bheidís trim.

An colúr: itheann an colúr cabáiste. Loitfidís ar fad é. Ach má mhaireann an croí sa phlannda cabáiste fásfa sé arís.

B. TREABHA AGUS RÔR

(i) Treabha

Céachtaí Iarainn

Bhí *céachta báin* un, agus *céachta síoltha* (seed-plough). Thugaidís *céachta gaelach* ar chéachta a thiocfadh isteach eatarthu san go gcuirfí síol leis, nú go dtreabhfá fód báin leis. Bhí sé níos truime ná an céachta síoltha agus níos éadroma ná an céachta báin.

Páirteanna an chéachta iarainn

Béim an chéachta: the beam. An bhéim.

Na hannlaí ar an gcuid siar: the handles.

Clár [mould-board] agus *soc* [sock].

Cros an chéachta, arna gcuirtear an soc. An chros.

Collthar: coulter. *Raca:* rack.

Cluas an chéachta: the head.

Soleplate: níor airíos aon Ghaoluinn i gcóir 'soleplate', ach déarfainn go dtúrfaidís *leabaig* ar rud don tsórd san. Thúrfainnse *clár-leabaig* air.[1]

Cuínn [whittle-tree], cuinneàcha. Bheadh méaróg i gcóir ná beadh na cuinneàcha beaga a' titim amach as a' gcuínn mhuair: féar nú tuí, nú smut do sheana-mhála. Ba mhinic a thitfeadh cuínn bheag do cheann na cuinne muaire nuair a bheadh capaill a' casa isteach i gceann tailimh.

[1] = más *Cn. F.*

Buinneáin: na hiarnaí bhíonn ar cheann na gcuinneàcha. Thúrfí buinneán ar dhuine: duine go mbeadh do sheasamh air, nú go mbefá a' brath air. Bhefá a' brath ar bhuinneán na cuinne.

An *treathadóir:* an fear ar na hannlaí.

An *giolla:* an fear a bhíonn a' tumáint na gcapall.

Goibh agus *gléas*

' Goibh na capaill ': ' tackle the horses '—goibh fén gcéachta iad.

' Gléas an capall ': 'sé a ndineann san—an chluith a chuir air.

' Tá an capall gléasta agam ': níl sé gofa fé thurcail ná fé chéachta.

Céachta maide

Ní fheaca aon cheann acu san. Bhíodh clár adhmaid orthu—clár truím—agus soc iarainn. Adhmad ana-chruaig isea trom.

Seisreach

Bhíodh sé capaill acu fadó gofa fén gcéachta maide. Bhídís go léir i ndia' chéile, agus fear à ceann gach capaill. Bhíodh fear thiar ar na hannlaí, agus fear eile amù agus greim aige ar bhéim a' chéachta á choinneáilt síos. Deireadh cuid acu go mbíodh fear eile a' luí ar a dhrom san, ach níl aon chrot air sin—mar ní dhéanfadh sé aon tairife.

Do liúdh fear an chéachta: ' Coinníg chúibh iad ! ' nú ' Coinníg uaibh iad ! '—'sé sin isteach nú amach, chun an fhóid a leanúint sa cheart. Agus is minic gur b'é an freagra fhaigheadh sé ó lucht na gcapall: ' Sín do shoc chuige ! '—i bhfuirm dá mbeidís dultha ruidín isteach nú amach ná raibh a bhac air sin a shoc a shíne, á leanúint.

Is uaig seo a glaog *an tseisreach:* sé capaill. Tá san imithe ó imig an céachta maide, agus thúrfí anois seisreach ar chapall aonair: ' Bhí cúpla seisreach aige '—agus gan aige ach capall. Agus dá mbeadh dhá chapall aige tugathar seisreach orthu, nú pé méid acu bhíonn ceangailthe fén gcéachta. ' Obair na seisrí; fuair sé locht ar a' seisrig '.

Gad, gadrach

Gad a bhíodh acu a' ceangal na gcapall eatarthu. *Gadrach* a thugaidís air sin. Nuair a bhrisfeadh an gadrach bhí an tseisreach a' scarúint ó chéile. ' Seisreach faid an ghadraig ' adeiridís: an fhaid a sheasódh an gadrach.

Port feadaíola

Deiridís go n-imeodh seisreach ní b'fheárr duit le port feadaíola a chasa—agus is minic a dhinidís. Agus ba mhinic airíthí port breá feadaíola ag treathadóir i ndiaig feidhre capall. Is anamh aireofá amhrán ag treathadóir: tagann sé abhfad níos crua ná an fheadaíol. Tá a áit féin i gcóir an amhráin: nuair a bhefá ar do shuaineas istig i dturcail nú i seana-bhota.

Bean

Ní eiríonn treabha ró-mhaith leis an dtreathadóir aon lá go ngeódh bean treasna na páirce roimis an seisrig: níor bh'éinní gabháil treasna 'na ndiaig. Agus bhíodh sé ráite dá gcrosadh bean an speal ort ná féadfá aon bhlúire faoír a chuir suas.

Treabha: téarmaíocht

An caol-fhód: fód singil, an fód déanach le cliathán don umaire. Is ana-dheocair caol-fhód a thógaint. Ní hamhlaig a bhíonn sé níos caoile. Tá an fód eile á ghearra amach agat ón mbán chun na humaire chríochnú. 'Ní treathadóir go caol-fhód': caithfig an obair go léir bheith de réir an chaol-fhóid—cam nú díreach.

Taobh-fhód: an fód a bheadh a' críochnú na humaire, ar an dtaobh buiniscionn leis a' gcaol-fhód. Dá mbefá chun stop t'réis an fhóid sin, sin *leath-chlais*. Ní bheadh ach an bán ar a' dtaobh eile.

Claon-fhód: fód a bheadh agat á úmpáil iarracht i gcoinnibh an chnuic—gur mó bheadh sé a' titim at choinnibh.

Grua: the brow; gruanna na humaire: the two brows of the ridge.

Cineard: a headland. 'Leithead an chineaird'.

Cros-treabha: cross-ploughing.

Bhíodh céachta idir bheirt go minic. Is anamh airíos idir thriúr é.

Deiseal agus tuathal

Bíonn an tseisreach a' casa ar gach slí—deiseal agus tuathal. D'fhéadfá iad a thúirt isteach ón dtaobh dheas: tagann sé níos sadhráidí. Ach dá mbeadh umairí agat á dhéanamh caithfir iad a chasa ar gach slí.

Sioc nú báisteach

Má thá sioc sa talamh níl an fód ag eirí i gceart chút: bíonn sé ró-chruaig. Agus obair ana-sh'lach isea bheith a' treabha ar bháistig.

An Cam-Chéachta

An Cam-Chéachta sa spéir: The Plough—tá sé cruthantaiseach go maith.

(ii) Rôr

Lá diail oibre!

Rôr le *ráinní earraig* (spring spades). Bhíodh mithalacha a' rôr fadó: chathfadh triúr bheith ann chun umaire dhéanamh, idir a' dtriúr, do gach ucht. D'úmpódh beirt dhá fhód agus d'fhágfaidís cnámh 'na ndiaig, agus bheadh fear eile ag úmpáil an chnâ: agus b'shiní an umaire déanta le cheithre fóid. Ní raibh an rôr san doimhinn: de réir mhianach na páirce. Dá mbeadh cré throm mharbh inti rôrfí níos doimhnne í ná páirc go mbeadh cré anamúil inti. Dáréag a thógadh sé chun acra báin a dhearga: ochtar ag oscailt agus ceathrar ag úmpáil na gcnámh. Agus b'shin lá oibre: lá diail cruaig oibre!

Seanagharraí

Thosnófí arís agus rôrfí san áit go raibh an chlais sa tseanagharraí, agus bheadh an chlais ansan san áit go raibh lár na humaire cheana. *Seanagharraí* a thugaidís air sin. Bheadh an garraí ansan i gcóir na haith-bhliana arís. Dá mbeadh páirc ana-sheannda ann dhineadh sé ana-bhoga agus leasú uirthi í chuir an aith-bhliain; agus chuirfí seanagharraí le ganachúis tailimh, leis.

A' cur chré

Bhuinidís an chéad chré agus an aith-chré le ráinní earraig. 'A' cur chré': casting earth. 'Cur na cré'; 'a' cathamh na chéad chré'. 'A' cur chré' adéarfá leis an aith-chré: tánn tú á chur leis na gasaibh. Níl ach í thaosca amach an chéad uair: ní bhíonn puínn suime acu conas a dhéanfí í bhuint, leis.

Clais agus *clasa* an gharraí. 'A' buint na claise', 'a' buint na gclas'.

Rôr chun cabáiste

Umaire leathan i gcóir cabáiste. Bheadh san níos leithe ná umaire garraí go muar. Bhogaidís an talamh go seóig i gcóir cabáiste. Bhíodh seanagháirdín a' gabháil le gach aon tig an uair sin. Is anamh a chífá cabáiste curtha i n-aon pháirc lasmù don tseanagháirdín a bheadh a' gabháil leis an dtig. Obair chruaig a b'ea rôr chun cabáiste.

Coirce i n-umairí

Cuirtí coirce i n-umairí, leis. Bhíodh na humairí coirce go maith leathan: fiche troig nú os a chionn. An coirce a chrotha anuas ar a' mbán, agus clasa a bhuint i ngear dosaen nú fiche troig dá chéile agus an chré a chathamh amach anuas ar a' síol. Chrothaidís an teilgean amach ar na humairí le sluasaid: níor ghá aon bhráca. Bheadh sé 'na *ré-leathana* nú 'na *réanna* acu, 'sé sin 'na *leandanna*. ' Curtha 'na n-umairí ' nú ' curtha 'na ré-leathana ' (' lands '). Ó fhágann sé umaire ré-leathan isea é, go dtí pé leithead is maith leat idir na clasa. Dá mbeadh aoileach á chur amach i mbotaí déarfí: ' Leag 'na réanna é ' (in ranks). Ré isea rank ansan. ' Curtha 'na réanna ', nú ' curtha 'na ré-leathana ' (in lands). Déarfá ' curtha 'na ré-umairí ', leis. ' Ré aoilig ': rank (row) of dung. ' Sé ré aoilig '.

Umairí garraí

Dhinidís leathan iad. Bhíodh umairí sé bhfód acu, agus ansan thánadar go dtí chúig fóid, agus as san go dtí cheithre fóid, agus d'fhanadar mar sin. A' *piocáil* (hacking) a bhítí leis an umaire gharraí.

Aoileach an chlóis

Ní raibh aon aoileach acu fadó ach aoileach an chlóis. Bhíodh níos mó aoil á chur ar thalúintí cnoc an uair sin ná mar atá anois.

Má théann an t-aoileach tá an tairife imithe as—nú má théann cruach na tuí níl sí chó maith chun aoilig: imíonn an íle aisti. Is minic a chífá cárnaoile agus deatach as. Ach is anamh a théifeadh aoileach mion: aoileach sop is mó a théann (go mbeadh seó sop tríd). Ní théifeadh carta dá mbeadh sé agat mar aoileach, nú dá mbeadh puínn cartaig tríd a' sop ní leogfadh sé dho té. B'fheárr an cárnaoile fhágaint beag, íseal.

Carta

Chuiridís garraithe le carta. Ach ní haon chabhair carta chuir isteach iniubh agus é chuir amach amáireach: dá fhaid a bheadh sé ann b'é a bhuac é.

Bíonn aoileach earraig go maith—nuair a bhíonn na ba t'réis bertha.

'Mo chuid aoilig mo chuid airgid', adeireadh an seanduine, agus bhí an ceart aige.

Cárnaoile agus *Carn aoilig*

'Tá an coileach amù ar a' gcárnaoile'—an 'dung-heap' sa chlós. 'Aoirde an chárnaoile'.

'Tá carn muar aoilig amù ar a' bpáirc aige'. 'Aoirde an charainn aoilig' (sa pháirc).

Ciseán nú *Srathar fhada*

Thairrigídís an t-aoileach le ciseánaibh fadó, ar a ndrom. Dá mbeadh an t-aoileach fliuch chaithfidís seana-mhála chuir ar a ndrom; ach bhíodh muarchuid don aoileach ana-thrim agus gan puínn súlaig a' teacht as. Thairrigídís aoileach le srathar fhada go tiubh.

(iii) Grafa

Grafaíocha Dóite

Chuiridís grafaíocha dóite (prátaí). 'Tá sé a' grafa'—i gcóir riastála. *Clais riastála* nú *clais béiteála*.

Cruiceog béiteála: dhinidís cruiceoga muara dosna scrathacha chun iad a dhó. *Cruiceog grafaig* nú *cruiceog béiteála*. Bhíodh fiaileacha sa chruiceoig, leis, agus aon rud go bhféadfí luaith a dhéanamh de nuair a bheidís dóite. I ndeire an Abaráin nú i dtosach na Bealtlthaine bhídís a' gabháil dò. Ní chuiridís na grafaíocha dóite go dtí mí na Bealtlthaine. Ní dhinidís ar pháirceanna i n-aochor é, ach amach isna cnuic. 'Chuir sé an grafa dóite'.

Aiteann: dhinidís grafa dóite chun aitinn a chur—an síol a chrotha ar a' dtalamh is an luaith mar theilgean air. Agus bhíodh sé ana-mhaith. Bheadh an grafa déanta acu um Bealtlthaine agus dhóidís ar ball é. Chuiridís an t-aiteann tráth éigint sa bhfôr.

Aon áit go mbeadh grafa déanta ní bheadh éinní le grafa san áit sin ar feag blianta arís: ní bheadh aon scrath láidir ar a' dtalamh.

Níl aon ghrafa á dhéanamh anois, ná le blianta.

Umaire críche

Chífá rian na gclas amù isna cnuic mar a raibh grafaíocha dóite curtha. Nuair a buineag iad san níor dúnag na clasa i n-aochor, mar ná raibh a thuille cuireadóireacht le déanamh 'na n-inead. Ach tá na clasa san a' dúna i ndia' chéile leis an aimsir, agus bheidís seo dúnta trí huaire roim dheire an tsaeil, deirthar.

(iv) Úirlis Feirme

Ráinní

Rán: a spade. *Sáfach ráinne:* spade-tree. *Satailth:* step, treader. ' Caithfir satailth a chur leis a' ráinn '. Satailth nú *ciscéim*. D'airíos *bacán* túrtha air, ach is anamh riamh airíos an focal. *Bachall:* an chuid don tsatailth atá amach thar chliathán na ráinne. ' Bachall na ráinne '.

Blocáil: nuair a théadh daoine a' blocáil le ráinní féachaint ceocu ba chrua, nú gheárrfadh an ceann eile, thugaidís iarracht ar na bachaill a chathamh dosna ráinní le faor a ráinne féin. Is minic a bhíodh so ar siúl aimsir prátaí a bhuint, nú ages na cábóga a ghabhadh soir amach.

Rán earraig: a spring spade. Bhí ráinní muilinn leis ann. Ní dhineadh gaibhnní aon ráinní i gcóir prátaí bhuint. Thugaidís *rán leathan* uirthi sin. Tá an béal níos leithe orthu ná ar na ráinní earraig.

Ciopóg: seana-rán a bheadh caite go maith, agus i bhfuirm a' teacht chun guib. ' Seana-chiopóg ráinne '. Dhineadh gaibhnní tosach a chuir ar a lithéidí sin, leis. Sháidís sciolláin leo. Is minic adéarfadh duine: ' Níl inti ach go mbuinfeadh sí na putóga à gabhar! '

Feac: ' Chuir sé an iomad feac ar an ráinn '. ' Chuireas mo rán i bhfeac '—bhriseas í. ' Strain ' isea feac.

Bhíodh saghas eile ráinne ann, nár bh'fhéidir aon obair a dhéanamh leo i dtalamh cré. Bhíodar ró-leathan chuige seo. Bhíodar go maith chun díogracha a ghlana nú a dhéanamh i bhféitheacha fliuch bogaig. Gheófá le ceannach iad. I muilthe dintí iad: ní dhineadh na gaibhnní iad. Bhí rud eile a' gabháil leo: gheárrfí an fód leis an saghas so ráinne, agus bhí rud eile acu arna dtugaidís *rácam* chun na bhfód a tharrac amach an an ndíg.

Rácam: rud i bhfuirm gaibhle a b'ea é seo: trí nú ceathair do bheannaibh air. Bheidís seo lúbtha ar shlí gur b'amhal a bhuailfí buille dhi ar a' bhfód agus é tharrac at dhiaig. Dhineadh an gabha an rácam. Sé troithe éigint do sháfaig ann, agus thairriceófá fóid amach leis sin à háit ná féadfá seasamh ann lena fhliche. ' Faid an rácaim '.

' Rúcam rácam and rácam's mother '—bhíodh rud éigint mar gheall air sin. Ní fheadar cadé féin, maran cleas é bhíodh ag páistí.

Talamh a thôs

Bhíodh maide geárrtha acu chun talamh a thôs: chúig troithe guile ar fhaid. Thôiseadh daoine lena gcosa é, 'na ráinní, ach ní bheadh an tôs san ró-chruínn. Is dócha go mbíodh an rán acu 'na chóir uair éigint.

Dúthracht d'fhear na ráinne

Aon saghas oibre athá ar siúl agat le ráinn, nuair athá an obair críochnaithe agat túir isteach an rán, sáig fén dtine í, agus téann ar bhean a' tí í tharrac amach agus dúthracht éigint bíg a thúirt duit, toisc na hoibre bheith críochnaithe. Ní sháidís aon arm eile fén dtine. Ní hamhlaig go bhfeaca riamh déanta é, ach d'airíos go ndinidís fadó é.

Nós ná raibh againn

Ní dhinidís aon chros os cionn ua le ráinn agus sluasaid anso. Ní raibh an nós san acu.

Ní raibh aon tsluaiste á dhéanamh cois baile: cheannaídís iad san isna siopaithe.

Úirlisí eile

Rinnear: a crowbar. Rinnear iarainn a bhíodh acu. ' Ana-rinnear fir a b'ea é '; ' ana-rinnear capaill '. Níor ghá dho bheith téagartha ach 'na chnâthartach fhada láidir.

Spéice: d'oibrídís spéicí, leis, ar chlocha. Maidí isea iad san. Ba mhó go muar an côcht a bhí ag spéice. Bheadh an fhaid air agus thógfadh triúr nú ceathrar fear ana-charraig leis. Bhíodh cuid dosna spéicí seo go mbíodh iarann amù ar a mbarra, d'fhún go bhfaigheadh sé greim ceart ar a' gcloich. Bhíodh dhá leicineán ann agus dhá bhollta tríd agus cnó orthu.

Piocóid: cheannaídís na piocóidí isna siopaithe, leis. Nuair a bheidís caite nú maolaithe chuirfeadh gaibhnní ceártan tosach orthu (' laying ').

Leasú: ' aicsturaí turcaile a leasú '—' to lay an axle '. Ní déarfá leasú leis a' bpiocóid.

Grafáin: dhineadh na gaibhnní iad san.

Bradán an ghrafáin: dro-chôrtha ar a' ngrafán isea clais i n-inead an bhradáin ('na lár). Bíonn an bradán níos treise agus neartaíonn sé an t-arm. Bheadh sé ar an ráinn, leis—an rán a dhéanfadh an gabha, dá mbeadh an gabha go maith. Ach ní bheadh aon bhradán ann ag cuid acu, agus ba mhinic a bhuineadar díobh é. Bheadh sé fan lár na ráinne nú an ghrafáin.

Órd: a sledge. *Lámh-órd:* a sledge-hammer. *Lámh-órd gabha:* an ceann a bhíonn ag an té bhuaileann don ghabha. Nú ' drill-hammer ' isea lámh-órd. *Ceap-órd* a thugathar ar chasúr an tsaoir. Bíonn soc ar thaobh de: i bhfuirm scian air chun cloiche scoltha.

Gaibhl: a dung-fork. ' Na gaibhleanna '. Dhineadh na gaibhnní iad. Gaibhl trí mbeann nú gaibhl trí phéac: b'shiné an déanamh a bhíodh orthu. Bhíodar ana-ghránna tútach chun oibriú leo. ' Leithead na gaibhle '.

Pící: dhinidís pící agus bhídís tútach; dhá bheann ar a' bpíce. Gheófá pící trí phéac anois agus bheidís go seóig i gcóir móna leatha.

Péacáil nú *priuca*

Péacáil nú priuca: le gaibhl. Chuiridís coirce le gaibhleacha i bpáirc ithrach. Ceathrar fear chun acra tailimh agus bheadh sí go néata, libhéaltha, curtha 'na ndiaig, gan gráinne ar barra, gan bráca ná éinní. Chríochnóidís an obair leis an ngaibhl, agus ní bhíodh aon mhoíll orthu páirceanna bogaig a chur léi. Bhíodh an talamh bogaig ana-shadhráideach chun é chur le gaibhl.

' Bhíodar a' péacáil ' = ' Bhíodar a' priuca '.

Bráca: a harrow. Bráca adhmaid: ní raibh ann ach é fadó. Fiacla nú pionnaí iarainn un. Bráca singil agus bráca dúbaltha. *Balc:* harrow-bar, an píosa adhmaid. Bheadh cheithre bhalc ar cheann singil, agus b'fhéidir a dhúbailt sin sa bhráca dúbaltha. Nú ba mhinic a chífá bráca singil go mbeadh chúig bhalc un. D'oibreodh aon chapall amháin leis seo, ach níor mhuar duit dhá chapall do bhráca dúbaltha.

Brácáil: harrowing. Ní thúrfainn fuirse air sin.

Fuirse: ' Bhí sé a' fuirse leis '—ag obair.

Speal: Téarmaíocht

Crann na speile (scythe-tree). Fuínseog i gcóir crann na speile. Na *dúirníní* (the ‘ dúirníns ’). Thugaidís ‘ sneds ’ orthu, leis. *Díng* na speile (wedge). *Cláirín*—chun faoír. *Cloch* speile (scythe-stone)—chun faoír. *Slea* (spear) i ndeire an chraínn: tarainge nú bior ná leogann don chrann sleamhnú nuair a bhíonn an speal os cionn do ghualann a' cuir faoír ar a barra. Agus tá *biana* curtha air sin (ferrule).

Speal a ghabháil

Tôs: Cuir *úrla* na speile isteach fét uscaill, sín do lámh amach ar an gcrann, agus ar fhaid do lâ isea chuirfir an dúirnín tosaig. Cuir pointe t'uilleann ag an ndúirnín sin agus sín arís, agus pé faid a raghaig barra do mhéireanta sidé fhaid n-a mbeig an dúirnín deirig. Tugathar *faid an chnáimh ruîr* air seo. Cuir do lámh amach ón ndúirnín tosaig go barra na speile agus tu á gabháil, agus ná cuir aon phiuc níos sia amach uait í ná barra do mhéireanta go barra na speile: tá sí gofa air sin. Nuair a chuireann tú uirthi an cláirín ní bhrathann tú ceann na speile chó trom: dineann meáchaint an chláirín í thógaint iarracht ón dtalamh.

Speal a thúirt isteach

Chathfá an speal nó a thúirt isteach: dhéanfadh an gabha é. Í dhearga sa tine. Blúire beag don lúidín a ghearra dhi agus í chasa isteach le roint bhuillí chun í dhéanamh oiriúnach d'imeacht an chraínn.

Faghairt (tempering)

Speal a bheadh ró-bhog, dá mbeadh sí curtha isteach i gcúib na gcearc agus leogaint dosna cearca bheith á cosaráil chun go mbeadh sí clúdaithe leis an s'lachar, ní chuirfeadh an s'lachar so aon mheirg uirthi agus bheadh sí ana-chruaig i gcóir na haith-bhliana—le hí fhágaint ann go dtí san. Chuiridís i bhfíoruisce iad, leis (sruthán fíoruisce), ach b'fheárr an chúb. Chuirfeadh an t-uisce meirg uirthi.

‘ A' bhfuil an rán déanta agat ? ’ adéarfí le gabha. ‘ Tá sí críochnaithe agam ach í fhaghairt ’. ‘ Tá sí faghartha ’.

‘ Duine beag cruaig faghartha a b'ea é ’. ‘ Bhí faghairt 'na shúilibh ’—a shúile ar lasa.

Speal a thogha

Scilling a bhuala ar a' mbórd. Faor na speile anuas uirthi. Luí beagán uirthi. Cheanglódh sí do bhéal na speile dá mbeadh an speal go maith. Nú smulóg don mhéir láir a bhuala ar phláta na speile: má thá sí bínn seo dea-chôrtha. Ach má dhineann sí fuaim stáin, rith uaithi!

' Gheárrfadh sí loca ar loich '—loca gruaige: speal a bheadh go seóig. Ach ní gheárrfadh sí aon loca ar loich: ní raibh ann ach caint, nú mola.

Faor púca

Cuir faor ar a' speil nuair a stopfair t'réis an lae: dá gcathadh an púca bheith a' buint léi i gcathamh na hoíche ná beadh ceadaithe dho aon fhaor a chur dá mbeadh faor curtha agatsa uirthi t'réis obair an lae.

Faor mín don tslándus

' Faor garbh don fhéar mhín agus faor mín don tslándus '. Dro-fhéar isea slándus (rib-leaf). Ní déarfainn ' slánlus ' ach ' slándus '.

Speal a' ruiseáil

' Tá an speal ruiseáltha agat '—an faor casta. Dá mbeadh an speal ruiseáltha, dá bhfaighfá cloch mhín gréine agus í chimilt fan faor na speile do chuirfeadh so buiniscionn í le bheith a' ruiseáil.

Corrán (reaping-hook). Cheannaídís na corráin isna siopaithe. Bhíodh cuid acu go maith, agus tuille acu ná raibh ró-mhaith. Bhíodh *cír* sa chorrán.

Buannaí clé agus corrán tuathail

Dá mbeadh buannaí clé un chathfadh an chír bheith ar a' dtaobh eile don chorrán aige: ní dhéanfadh sé an gnó é bheith ar an gcuma eile. ' Cé leis an corrán tuathail ? ' adéarfí, dá mbeadh a lithéid sin do chorrán ag duine.

Do bhuinidís sceacha agus aiteann leis an gcorrán, leis—easair agus seó rudaí. Ach an corrán i gcóir aitinn bheadh cír gharbh un. Is mó a gheárrfadh sé le sáibhéireacht.

Buineag féar le corráin fadó. Chonac féar corráin á bhuint i gcúinne páirce ná féadfí speal a chuir ann. Ach tá an speal ann le fada riamh.

Corráinín na speile: dhéanfadh an gabha corráinín speile dhuit. Faghairt ana-mhallaithe a chuir un chun éinní bhuint do speil.

Cot: a billhook, furze billhook. Thugaidís ' cleaver ' air, leis; ach bíonn *clíbhéir* ag an mbúistéir. Ní mar a chéile clíbhéir agus cot. Bheadh cot agus gabhlóg agat a' gearra aitinn. Ní bheadh aon bhaol ort dá mbeadh gabhlóg fhada agat. *Cot; coit* (a lán acu). ' Faor an choit '.

Súiste. Colpa an tsúiste. Colpa agus *buailtheán* ceangailthe ar a chéile le h*iall* nú le gad. *Gad tuigís* a bhíodh acu fadó. Croicean capaill a bhíodh acu i gcóir éille. Ba chuma cuidé an saghas adhmaid a bheadh sa cholpa. Do bheadh buailtheán fuínseoige go maith, buailtheán daraí nú buailtheán cuilinn. Ach b'í an fhuínseog an buailtheán b'fhuinniúla. Bheadh an dair nú an cuileann ana-throm ort. *Caipín* nú *cáibín:* an méid a bhíonn os cionn na héille—an ceann.

' Lán tí mhnáibh agus ná cuirfeadh éinne acu gad i súiste ! ' Fear a bhí ar a nó-phósa agus ní fhéatadh sé gad a chuir i súiste. Bhí na mná istig sa chistin agus bhuail sé isteach chútha. D'fhiafra sé dhíobh a' bhféatadh éinne acu é dhéanamh agus duaradar ná féataidís. B'shin mar aduairt sé leo !

Súgán. ' Faig cipín is cas súgán dom ', adéarfí. Cipíní a bhíodh acu. Ní thugaidís orthu ach ' cipíní '. Ach bíonn *crúicín* acu 'na chóir, leis: rud i bhfuirm ' brace '. Tá láimhín fanta air. Dhéanfá an obair ana-thapaig leis a' gcrúicín.

Turcail. Ba chuma leo cadé an dath a bheadh ar an dturcail. Dath dearg a chífá ar a bhfrumhór (red lead). *Rothaí* na turcaile. An dá *leath-ladha* nú an dá *charra.* ' Faid an leath-ladha ' nú ' faid an charra '. Na *gárdaí* (guards). *Runaeirí* (runners): ar an leath-ladha.

Cruib (a crib). *Ráil* (a rail). Níor airíos aon Ghaoluinn ar an ' setlock '.

Drae nú *carra sleamhnáin:* a dray.

Faoilín: a wheelbarrow. ' Roth an fhaoilín '.

C. CUIREADÓIREACHT

(i) PRÁTAÍ

Tuar

Pé páirc a bheadh le cur fé gharraí nú tornapaí do bheadh an stoc coinnithe istig sa pháirc seo gach oíche i gcathamh dheire an tsamhraig agus amach sa bhfôr. Bheadh dath dubh úmpaithe uirthi le tuar: í chó leasaithe sin go dtúrfadh sí barra maith le fíor-bheagán aoilig. Ach anois ní chuirtear i n-aon tuar iad: tugathar cead a gcos dóibh i gcóir na hoíche, agus dá bhrí sin caitear breis leasaithe d'aoileach clóis a chuir ar na páirceanna a bheadh á gcur.

' Beig na ba a' tuar ann ': a' déanamh aoilig.

' Poll Tuair ': ainm ar pháirc.

Túirín: tá an focal so tógtha ón dtuar. ' Túirín na nÉan ': tá an áit sin i mBéalaithe 'n Ghaorthaig, agus tá ' Túirín na Lobhar ' i nÍnse Gíleach.

Prátaí

Do bhíodh garraí ag daoine de réir mar a bhí acraí do thalamh beatha acu. Acra nú acra is ceathrú ag feirmeoir beag; cúpla acra ag slat-fheirmeoir (idir bheith beag is muar), agus bheadh as san go dtí cheithre acra ag feirmeoir muar.

Bhí sé ceapaithe go ndéanfadh acra garraí seisear muirín do chothú ó cheann ceann na bliana, i dteannta síl a bheith i gcóir acra eile. Ní raibh a malairt le n-ithe ag daoine roimis seo, ach pé tarrac a bhuinidís à min choirce. Bia do mhucaibh is do bhuaibh a b'ea na prátaí, leis—fuar, te nú beirithe.

Saighseanna prátaí

Bhíodh *Black Bulls* ann, *Minionsaí*, *Currys* Riacha, *Tolands*, *Horse*anna Bána, *Stagger-the-Beggar*, *Forty-Fours* agus tuille nách iad.

B'iad na *Forty-Fours* na prátaí ba mheasa acu. Bhíodh garsún éigint agus d'fhaigheadh sé teinneas 'na bholg t'réis iad so a dh'ithe. ' Ó mhuise ', adeireadh sé, ' leighe na bliana ar *Forty-Fours!* '— agus seo focal atá fanta 'nár measc riamh ó shin. Agus nuair a bheimís a' tagairt do dhro-phrátaí déarfí: ' Is measa iad ná na *Forty-Fours* '.

Thúrfá isteach i mbeart leat na *Horse*anna Bána, d'fhásaidís chó fada san is chó muar. 'Na ndiaig seo ansan do tháinig na saighseanna eile: *Champions, Dates,* agus na saighseanna san.

Bhíodh *Englishí* Dearga ann: bhíodar san roimis na *Champions*, agus d'fhanadar tamall i dteannta na *Champions*. Bhíodh *Flounders* ann agus bhíodar go maith. Bhí *Brown Rocks* ann agus *Leather-coats*.

Bhí na *Black Bulls* agus na *Minions*aí go maith. Prátaí luatha a b'ea na *Currys* Riacha: bhíodar maith go leor. Bhí na *Tolands* ana-fhliuch: bhídís muar a ndóthain. Níor ghearánta ar na *Horse*-anna. Is dócha go raibh *Stagger-the-Beggar* go maith: bhídís ana-mheáchta. Bhí práta eile ann nár chuíníos air ó chiainibh: '*I-won't-grow-some-year*' a thugaidís air—bhíodh sé blianta go maith agus blianta eile go holc.

Téarmaí

Cailleach, cailleacha: práta ana-fhliuch isea cailleach. Ní féidir é dh'ithe, agus ní bheadh sé ar fónamh chun síl. Dhéanfadh caill-eacha do phrátaí fhágfí gan corraí chun go mbeadh an iomarca curtha amach acu. 'Bhíodar thuas ar an lochta agus dhin cailleacha dhíobh'.

Caldar: thúrfí caldar ar phráta ana-mhuar. 'Ní fheaca a lithéid do chaldar riamh'. 'Is diail na caldair iad san agat'.

Cnaist: práta muar. *Cnaistirní* nú *cnaistirí*.

Criochán nú *geamhairí* nú *caogaidí:* prátaí ana-mhion. Nú tornapaí a bheadh ana-bheag thúrfí geamhairí orthu.

Croíleacán: an chuid don phráta a bhíonn fágtha nuair a bhíonn an sciollán buinte dhe i gcóir síl. 'Déanfaig na croíleacáin na muca'.

Fadhbairne; fadhbairní: prátaí muara.

Gionán: thúrfainn gionán ar chriochán—gionán nú caogaid. Agus caogaid isea cloch an phaidirín, 'a stone of the bead'.

Leath-phráta: idir bheith beag is muar, 'middle-size'.

Práta abhraithe: práta a bheadh curtha i gcorcán os cionn na tine agus ná beadh tosnaithe ar fhiucha. 'Níl na prátaí sin abhraithe fós'. 'Ní raibh an císte beirithe: ní raibh sé ach abhraithe'.

Práta caoch: práta nár bh'fhéidir aon tsúil fháil un oiriúnach ar sciollán a bhuint as.

Práta gréine: an práta amù san umaire go mbeadh bertha ag an ngréin air. Ní bheadh aon mhaith ann.

Sciollóg: cuid do phráta. Gheárrfadh an rán iad san umaire agus thúrfí sciollóga ar a lithéidí sin. 'Ca bhfuil an leath eile don scioll-óig sin?' adéarfí. 'Níl piuc agat ach sciollóga t'réis an lae'.

Stagún seaca: práta go mbeadh an sioc t'réis é bhoga. Bogann an ghrian é nú an aimsir nuair a théann an sioc ann.

Thugaidís na criocháin agus na leath-sciollóga dosna buaibh agus dosna mucaibh—agus práta dubh, dá ráineodh a lithéid.

Práta Clutharacáin

Cnupóigín go mbíonn déanamh criocháin air a fhásann fé phlannda bheag go dtagann bláth bán air: amù ar fuaid na bpáirceanna nú isna clathacha a gheófá é. Ní fhásann na prátaí clutharacáin muar ach déanfaid siad gnó an chlutharacáin—cé ná feaca riamh é. Ach airím ná fuil an duine ró-thaidhseach!

Bruthóg

Bruthóg rósta: prátaí rósta. Níl aon bheiriú orthu ach iad a chathamh isteach fén luaith-ghríosaig. Is minic a dineag bruthóg sa gharraí, le hais an chlaí. Sa luaith is feárr a dhineadh an bhruthóg.

' Coinneom an bun-fhód, 'sé is briosca 's is teó,
I gcóir tine do Shíle chun císte 's bruthóg '.

Císte steaimpí

Prátaí fuara a ní agus do thriomú agus do ghrátáil. Tá an stuif seo mar a bheadh pruiseach agat ansan. Cathfar é fhásca trí éadach éigint glan canafáis. Chuiridís stairs na bprátaí tríd an gcíste á fhuine, agus mara mbeadh na prátaí ana-thrim ní bheadh puínn stairs agat astu. An stairs a chur tríd agus é fhuine. É shocrú ar lic slinne nú ar chlár 'na sheasamh os côir na tine: agus cathann an tine bheith go deas dearg. Fé mar a bhíonn sé a' bácáil bíonn sé a' boga don lic nú don chlár, agus nuair a bhogann sé ar fad di úmpófar an taobh san de leis an dtine arís ar feag tamaill chun go mbíonn sé bácáltha. Dá bhfaighfá ím is leamhnacht leis ansan d'íosfá beagán éigint de—cé nách ithe ró-dheas é!

Úlla garraí

Côrtha maith ar rathúnachas na bliana muarchuid acu so fhiscint ar ghasaibh na bprátaí. Dá mbeadh an bhliain go holc nú dá mbeadh an garraí go holc ní fhicfá i n-aochor iad. Bhídís ann roimis seo go seóig.

Mil mar annlan

Bhíodh mil mar annlan acu leis na prátaí fadó, agus déarfá gur ghreanúr an t-annlan é. Agus bhíodh ana-dhúil acu ím a dh'ithe le prátaí, agus inniúin a dh'ithe leo. Is dócha gur b'é an t-ocras an t-annlan is feárr: ' Is maith an t-annlan an t-ocras '.

D'íosfá breis le hiasc ná déanfá le feoil. ' Garraí agus feoil, dhá gharraí agus iasc, agus d'íosfadh an tuire an saol! '

' Á n-ithe tur ': ní bhíonn braon bainne agat an uair sin. ' Cuir baic ar do phráta chun sáile breá leamhnachta ', aduairt garsún le garsún eile. Leamhnacht agus gráinne salainn: b'shiné an *sáile*. ' Dip ' isea é.

B'sheo mar adeireadh seanduine éigint lena mhnaoi:

' Sólaistí an domhain, a Shiobhán níon Ao—
an braoinín bainne 'na ndiaig go léir! '

Cur na sciollán

Chuireadh daoine sciolláin ga haon tráth ó Lá le Pádraig go dtí an tarna lá déag d'Abarán: siné an lá deireanach don tseana-Mhárta. Leanann an seana-Mhárta go dtí an tarna lá déag d'Abarán. Is minic a cuireag sciolláin amach sa Bhealltháine agus d'fhásaidís go maith, agus d'airíos fear á rá gur chuir sé sa Mhithamh iad agus gur fhásadar go maith. Tímpal an tarna lá déag d'Iúl a thosnaídís ar iad a bhuint: níos tráthúla ná san cois farraige nú i dtalúintí teo.

' Mí ó chur go gas—'

Tá prátaí luatha ag imeacht anois ná raibh aon trácht orthu roimis seo: ní bhíonn siad abhfad a' fás. ' Mí ó chur go gas, mí ó ghas go bláth, agus mí ó bhláth go práta '. Tá sé túrtha síos go dtógfadh sé rátha: ní bheadh sé aibig go dtí san.

Píoca

Is feárr an sciollán muar ná an sciollán beag, agus is feárr ná san an práta slán. Dá mhéid a bheid siad isea is mó an bia a bhíonn acu chun píoca agus teacht tríd an bhfód. ' Táid siad a' píocáil ' nú ' táid siad a' cuir amach ' adéarfí (sprouting). Nú déarfí ' táid siad a' goba ' nuair a bheidís a' goba tríd an bhfód. *Píocairí* a thúrfainn ar na ' sprouters '. Ní raibh aon trácht orthu fadó. Tá buntáiste á leanúint mar bheidís agat ana-luath agus ní gá iad a chur luath. Dhéanfadh aon tráth amach go dtí tosach na Bealltháine an gnó. Caithfir bheith an-aireach gan an péac a bhrise.

'Rath Dé sa mbliain chúinn!' adéarfí nuair a bheadh na prátaí nó buinte nú curtha ar an mbórd.

Síol-dearúd

Síol-dearúd: smut d'umaire d'fhágaint gan cur. Bhíodh sé ráite go mbeadh an barra go holc an bhliain sin. Is mó a thagrann so do phrátaí. D'airínn daoine á rá go dtitfeadh mí-á an domhain ar an té dhéanfadh síol-dearúd, nú ar mhuíntir a' tí ar fad, agus go bhfaigheadh duine acu bás. Is dócha ná raibh ann ach piseoga. Ní chreidfinn focal de.

Buint na bprátaí

B'fhéidir go mbeadh beagán buinte acu roim Shamhain, agus aon tráth amach go dtí lár na Samhna ní bhíodh aon eagla seaca orthu. Sa tseana-shaol, nuair ná raibh aon dubh, d'fhanadh na garraithe gorm i mí na Samhna. Chuir an dubh deire leis sin, agus níl na prátaí chó maith anso agus do bhídís.

Bhí sé do nós acu smut d'umaire d'fhágaint gan buint: bhuinfí an smut so i gcóir prátaí Nollag.

Mithalacha

Bhíodh mithalacha acu a' buint na bprátaí, agus mná á bpiuca—agus is minic a bhíodar agus á mbuint.

Poll prátaí

Poll prátaí: a pit. Puíll a bhíodh acu i gcóir na bprátaí. Ba mhaith leo an poll a dhéanamh san áit ba thrioma don pháirc, nú pé áit ba chothromúla do chapall chun teacht á n-iarraig. Fionnán nú tuí a chuir anuas ar na prátaí sa pholl agus cré ansan. Is minic a chonac scrath curtha orthu, ach níl sé á dhéanamh anois.

An ithir

Ithir mhaith go leor throm a b'fheárr chun prátaí dá dtagadh bliain thirm, agus ithir éadrom dá mbeadh an bhliain fliuch. Is feárr na druileanna ná na humairí, i dteannta go mbíonn sadhráid 'na gcur agus 'na mbuint. Tá an umaire chó maith leo i dtalamh trom. Buineann barra prátaí as a' dtalamh go maith mara mbeadh talamh ana-mhéith ann.

Aoileach

Gach aoileach trí chéile: aoileach bó, aoileach stábla agus aoileach muc a shuatha trí chéile. Oibríd siad ana-mhaith ar an slí seo.

(ii) Cabáiste

Ithir

Pé ithir is leasaithe bheadh agat isí is feárr chun cabáiste, i dtalamh cuíosach trom. Ní hí an chré éadrom is feárr chuige. I ndeire an Mhárta nú i dtosach an Abaráin a chuiridís cabáiste. Bhíodh ana-mhola ar chabáiste geal i gcóir bó: chó torthúil do bhia agus fhéadfá thúirt di.

Cabáiste mar chlúdach ar ím

Chlúdaídís barra fheircíní an ime le cabáiste nuair a bhídís á chuir go Corcaig. Bhíodh na billeoga istig fé cheann an fheircín. Isé a chuiridís go léir air: ní raibh a mhalairt acu. Nú dá mbeadh boscaod nú mias ime a' dul go dtí maraga cois baile chlúdófí le billeoga chabáiste é. B'iad so a b'fheárr a choinníodh an teas de.

Téarmaí

Tor cabáiste. Cabáiste geal. Cabáiste glas. An stúmpa nú an lorga, na billeoga agus an croí. Tá cnámh a' rith trí lár na billeoige agus tugathar *strupóg* ar a mbíonn ar gach taobh don chnámh so. ' Bhíos a' strupáil chabáiste '. Níor mhuar duit dhá leath a dhéanamh don bhilleoig chun í bheith 'na strupóga.

Crann cabáiste: tor a fhásfadh bréagach, an-árd; lorga fhada fé.

Miúrach: planndaí beaga gan mhaith isea miúrach: geall leis ró-mhion chun iad a chur. ' Níor thug sé leis ach an mhiúrach '. ' Níor thug sé leis ach céad miúraí '. Bíonn a leath 'na mhiúraig ar an maraga: istig 'na lár. Féachann sé go maith láidir ón dtaobh amù.

' Cabáiste ' adeirimíd-na; ' gabáiste ' adéarfadh an Ciarraíoch.

Cabáiste cnag: an cabáiste a bheiriú agus é ghearra mion; inniúin agus piobar agus salann agus uachtar a chuir tríd. Siné an rud arna dtugaithí ' cabáiste cnag '. Bhíodh sé mar dhúthracht ag daoine go minic.

Cabáiste scrabhaiste: an cabáiste a dh'ithe amach as an uisce go mbeireofar ann é, le gráinne salainn a chuir air, gan a thuille sólaistí tríd. Chonac é, ach níor itheas riamh é. Déarfainn ná beadh sé ró-dheas.

Céad cabáiste

Cóireamh fada nú *cóireamh muar* ar chabáiste. Céad is fiche plannda, sin céad cabáiste. Agus gheófá cóireamh fada dá mbefá a' ceannach slinne.

INNIÚIN

Chuirimís cúpla saghas. Chuirimís an t-inniún agus chuirimís síol inniún. B'fheárr an chuid a bhíodh againn ar na hinniúin ná ar an síol. Sa Mhárta chuiridís iad. Bhí sé ráite gur cheart iad a chur an lá is giorra sa mbliain agus iad a statha nú a bhuint an lá is sia sa mbliain. Ach ní réiteodh an sórd so oibre le talúintí cnoc, mar do bhéarfadh a' sioc leis iad idir chorp ceairt.

BARRAÍ EILE

Tornapaí. Tornapaí buí. *Swédesí*. Meaingilí. Meacain (parsnips). *Starters*.

' Bhí sé a' tanú thornapaí '.

(iii) COIRCE

Síol coirce

Cheannaíodh daoine síol coirce ar an maraga agus bhíodh ana-dhúil acu atharú go minic. Ach níl aon choirce fónta acu le déanaí. Ní haon chabhair bheith a' ceannach ná a' malartú coirce le déanaí: ní bheadh ann ach ' malairt an dá ghabhar riacha '.

Cur luath

Chuiridís an coirce go luath. Aon choirce raghadh níos déanaí ná Lá le Pádraig gan cur ' coirce cuaiche ' thugaidís air seo. Pé breáthacht a thiocfadh an t-earrach d'fhanfaidís go dtí tosach a' Mhárta, mar do bhíodh eagla seaca orthu. Is minic a tháinig dro-shioc diail tímpal Lá le Pádraig.

Chuirfá acra tailimh le mála do choirce mhaith a dhéanfadh tímpal dhá chéad guile meácháint. Téann sé go holc dò bheith á chur agus an talamh fliuch.

' A sheacht oiread a theacht '

' Ní teacht agus ní meath ', adeireadh na sean-daoine, ' a sheacht oiread is chuirfá a theacht '. Ní thugaidís teipithe air, ach ní bheidís leath-shásta leis. Chuir m'athair feircín síl (coirce) aimsir an droshaoíl agus bhuin sé cheithre feircíní déag glan amach as.

Síoladóir tiubh agus síoladóir fánach

Síoladóir fánach don talamh mhéith, agus síoladóir tiubh don talamh bhocht: sidé mara bhfuil sé imithe ar fad le tiúcht! Beireann an talamh bocht breis síl leis. Má chuireann tú ró-thiubh sa talamh mhéith é lobhafa sé ar fad ar ball.

Nithe thá go maith

' Beagán uaisle i dtír, beagán síl i dtalamh mhéith,
Beagán muc i gcró agus beagán bó ar mhuarán féir '.

Féar

Ní chuiridís síol féir i bpáirc ghuirt. D'fhágaidís 'na choínleach dhearg é t'réis an arúir a bhuint de: leogaint do rud éigint fás ann uaig féin. Thagadh sé chun croicin amach sa tsamhra: féar, luíneacha agus smut do nach éinní fásta aige. Deiridís gur bh'fheárr an talamh ínnír é le gan aon tsíol féir a chuir un, ná an barra so a ghearra dhe.

Aonach an fhôir

Ní cheannófí aon speal go dtí aonach an fhôir (an Lúnasa). Bhíodh an t-aonach so tímpal an tarna lá déag do Lúnasa; agus i Meán Fhôir bhíodh seó dá gcuid féir gan buint. Bhíodh an féar agus an t-arúr a' teacht i n-aonacht orthu.

Fionnán

Ghearraidís fionnán amach ar na cnocaibh i gcóir bó, agus thugaidís leo 'na bheartaibh é. Ní fhéadadh aon chapall dul amach mar a mbíodh sé geárrtha acu. Ní bhíonn sé ar na cnocaibh anois, ach is minic a chonac buille breá dhe á bhuint ar chnoc. Choinneodh sé stoc seasc 'na mbeathaig duit i gcóir an ghîrig.

(iv) Côrthaí Aimsire agus Ratha

Sioc agus sneachta: tairife

Ba mhaith leo titim mhuar shneachtaigh tráth éigint tríd an ngîre: bheidís a' brath ar shamhra breá 'na dhiaig. Deiridís go ndineadh sneachta tairife nuair fhanadh sé 'na bhrat ar an dtalamh.

Bhogfadh sioc láidir an talamh i gcóir an tsamhraig. Chuirfeadh san feabhas ar an dtalamh; agus mar a' gcéanna, cheapaidís go maródh sé seó piastaí a bhíodh díobhálach do bheatha. Ach ní thagann aon sioc láidir anois.

An talamh gorm tímpal na Nollag

Bheidís a' tnúth le hearrach ana-chruaig scallaoideach dá mbeadh an talamh a' féachaint ana-ghorm tímpal na Nollag. Déarfaidís: ' Cuirfig an t-earrach so chúinn a mhalairt do dhath ort! '—agus ba mhinic a chuir, mar do ruafadh sé le sioc agus sneachta an earraig.

' Soineann gach síon go Nollaig '. ' Ní fuacht go hearrach agus ní teas go fôr '.

Côrthaí dro-bhliana

Côrtha dro-bhliana: aiteann a fhiscint fé bhláth idir dhá Nollaig.

Uan dubh i dtúis na bliana: dro-chôrtha—ní bheadh an bhliain eiritheach leat, deiridís.

Agus bhuinidís ana-tharagaireacht à Lá Sun Pól: an cúigiú lá d'earrach.[1]

Dá bhfanfadh caortha ar a' gcuileann amach san earrach, b'shin dro-chôrtha.

Cloich-shneachta fhiscint idir an dá Dhardaoin saoire: ní thaithneadh so leo.

D. BEITHÍG AGUS AINIMHITHE FEIRME

(i) Téarmaíocht

Ál: éanlaithe nú muca (clutch, litter). Ál sicíní. Ál banbh nú ál muc. Leanann an ainm leo chun go scarfar leis na banaíbh.

Scata: scata géann, turcaithe, lachan, cearc, capall.

[1] Fic lch. 157 *infra*.

Scuainthe: ar chearcaibh nú géanna—muarán acu. Nú *scaoth:* go háirithe géanna fiaine, a chífá ag imeacht sa spéir.

Stoc bó: a herd of cows, beag nú muar, fé mar a bhe' sé. *Bólacht:* na ba bainne.

Stoc seasc nú *seascaíg:* beithíg sheasca, dry stock. *Beithíoch:* a heifer. Ní thúrfainn beithíoch seasc ar tharbh ná ar bhullán. Gamhain buineann nú tarbh: a heifer or bull calf. Ach áireofar taraí agus bulláin ar bheithíg.

Caoraíocht: tá an focal caoraíocht mar ainm ar stoc, leis. Ansan déarfí ' Tóg díom aghaig do chaoraíochta '—aghaig bhéil. B'fhéidir gur ón stoc a tháinig san, leis, nuair a bheidís bradach.

Tréad caereach: a flock of sheep.

(ii) Ceangalacha

Buarthach (spancel): i gcóir bó—dá mbeadh eagla ort go mbuailfeadh sí an fhaid a bhefá á crú.

Corneasc: ' crobh-neasc ' isea é; ar adhairc na bó agus ar an gcois tosaig.

Éadanán: don ghamhain. Chathfadh sé bheith déanta do thuí nú d'fhéar; nú ceangal seana-mhála. Tímpal an mhuiníl a théann sé.

Lainncis (fetters): bheadh lainncis ar chois deirig agus ar chois tosaig.

Ruchall: ar an dá chois tosaig a bheadh an ruchall, ar chaoiri nú ar ghabhar. Dhéanfá ceann acu d'fhéar nú d'fhionnán a bheadh sábhháltha agat.

Neasc: bhíodh bata ó fhalla go falla i gcró na mbó agus slabhraí agus buarca air sin. Ar an maide seo a thugaidís neasc. Ní raibh aon ' stall ' ann an uair sin. Níor airíos aon Ghaoluinn ar ' stall ', mara dtúrfá neasc air sin arís.

' Fé bhráid na mbó ': ón gcois tosaig go dtí an falla isteach. ' Tá fuíollach féir féna mbráid '.

(iii) Beithíg a Mharcáil

Ba: Chuireadh an ceannathóir marc le saghas éigint dathúcháin, nú b'fhéidir le suisúr: an clúmh a ghearra. Agus cörsain ansan, nú feirmeoirí bheadh a' ceannach eatarthu féin, chuirfidís a' maide sa lathaig agus ruidín don lathaig a bhuala anáirde ar an mbuin: bhí sí marcáltha air sin. Ach dá mbeadh an scéal 'na bhrothall níor ghá aon mharc, ná ní bhuailidís, leis.

Caoire: Breasal is mó chífá ar an aonach acu. Bhíodh plúirín acu, leis: saghas gorm éigint, agus tarra. Bhíodh poll tríd an gcluais mar mharc orthu, leis.

Uain: Is minic a cuireag gráinne coirce i sliasaid an uain. Bhí sé ráite go mbéarfá ar bhithúnach leis sin, ach ní fheadar ar bh'fhíor é.

(iv) Ba

Cró na mbó

Ba ghnáthach cró na mbó bheith cóngarach do thig na muíntire—nú ceangailthe dhe, go minic. Bheadh sé déanta do chlochaibh. Bheadh slínn ar chuid acu; tuí nú fraoch nú luachair roimis sin. Gairbhéal mar úrlár (mar leabaig dosna buaibh), agus leacacha sa tsinéal (channel) laistiar díobh. Clocha ar a bhfaor faid leabaig na mbó, agus b'fhéidir péibheáil sa tsinéal. Clocha abhann a bhíodh acu i gcóir péibheála. Thúrfá 'púróga' orthu. Ana-chloch isea púróg. Thúrfá púróg chloiche ar 'paving-stone'.

Easair: easair aitinn nú luachra nú tuí. Ach chathfá aiteann a chlúdach le rud éigint mín. Bhíodh fionnán acu, leis.

Ainmneacha ar bhuaibh

Bléineann.

Brici: ón bhfocal 'breac'.

Clárach: éadan leathan.

Cúbach: na hadharca a' cúba isteach aici.

Deirgeach nú *Deirgín:* ón bhfocal 'dearg'.

Dobhainní: ón bhfocal 'donn'.

Druimeann.

Giodàch: gead ar a ceann—an chuid eile dhi dearg.

Maol: bó mhaol. Sidé a dóthain d'ainm!

Réithíneach: ón bhfocal 'riach'.

Roilleàch: bó go mbeadh riastaí ar a croicean.

Smólach: thúrfá 'Purty' ar a lithéid sa Bhéarla; ó dheiseacht na bó a thagann sé. Bhíodh 'Purty' agus 'Lady' acu go minic, ach is gnáthach go mbíodh na hainmneacha glaoite ó dhath na bó, nú ón gcuma go mbeadh adharca na bó.

Stuaicín: na hadharca ag eirí anáirde.

Dath na bó

Níor mhaith le daoine ba bána a cheannach, mar go mbeidís níos leice ná aon dath eile. Deirthar go mbíonn na ba dú ana-thorthúil. Dath dearg nú crón-dearg: bhíodh ana-dhúil acu un. Shamhlaídís gur bh'iad ba thorthúla bainne. Ach anois is maith leo iarracht liath iad.

Pointe na hadhairce

Tá pointe na hadhairce i leith na duíocht, ach ní fhéatainn aon réasún a thúirt leis sin. Níor airíos aon bheannaitheacht curtha i leith na bó.

Galair agus aicídí

Fuil sa bhainne: dá mbeadh bó t'réis bertha ní dhéanfá puínn úna d'fhuil sa bhainne, ach nuair ba cheart dò bheith glanta dhéanfí úna ansan de. Bheadh fuil sa bhainne dá luídís ar shiongáin: cealg fé ndeár san.

Úth cruaig: le saghas éigint gortú a thagann san, go minic.

Piast eireabail: an phiast ag ithe chnámh an eireabail. An t-eireabal a ghearra: geárr ar a fhaid é le sciain agus cuir salann isteach ann. Maraíonn san an phiast.

Ceathrú dhubh: ar na beithíg nú ar na gamhna is feárr a thiocfadh san. Ní raibh aon leigheas 'na chóir fadó.

Builg (blisters): thiocfaidís ar aon saghas bó. Ní thagaidís ar ghamhna. Dhinidís amach gur aimsir dhubh ghaoithe a chuireadh orthu é. Stracaidís na builg agus leogaidís an ghaoth astu. Bíonn ronnaí leis an mbuin an uair sin.

Bearrabóir: beithíoch a íosfadh eireabail na coda eile. 'Tá dial bearrabóra ann!' Beithíg a íosfadh bróga, clocha, agus mar sin: bran a thúirt le n-ithe dhóibh.

Gairbhéal: thiocfadh gairbhéal ar chrúib na bó—thiar sa tsáil, san áit bhog. Ghlanfá amach é le sciain. Ó bheith a' siúl ar dhrobhóithribh crua a fhaigheann na ba é. *Sál-bhrú* isea é.

Fiacla maola: tá talamh gainí go seóig chun fiacla bó a mhaolú. Gabhann gainimh amach ar na hínseacha le tuilthíocha agus fanann sí amù. Téir a' buint le speil ann agus ní fhanfaig aon léas faoír agat.

Seana-nósanna

Oíche Bhealltháine: chuiridís glas ar dhoras chró na mbó Oíche Bhealltháine le heagla a gcrúite ag aon lucht piseog, agus ar an seomra chó maith (mar a mbeadh an bainne). Níor airíos dóirse á smeara le bualthaí aon tráth.

Beannacha: ' Bail ó Dhia ar an mbuin '—nú ar an nduine, nú ' Dia á beannacha '—duine nú bó nú capall. Tá sé ráite ar an dá shlí le gach saghas acu.

B'fheárr leo gan na ba bheith i radharc na ndaoine: chun mille nú mothú a chimeád uathu.

Mille, poc míllthe: dhéanfadh mille ciorrú ar rud; mille nú poc míllthe. ' Ciorrú ort ! ' adéarfí, le gadhar nú cat nú rud don tsórd san.

Ba mhinic gabhar nú asal i dteannta na mbó: chuiridís rath ar an stoc.

Dhinidís an ghruaig ar úth na bó a dhó nuair a bhéarfadh sí. Coinneal bheannaithe bhíodh acu 'na chóir sin.

Crú na bó: tá sé ráite nách ceart aon tsrabh a chrú anuas ar a' dtalamh ón mbuin. Faig bucaod nú rud éigint, fiú amháin nuair a bhíonn sí a' dul i ndísc. Mná is mó a chrúdh na ba sa tseana-shaol; is anamh a chrúdh na fir iad.

Bainne bheadh doirtithe: ná bac leis sin. Ná faig scuab chun é ghlana. Fág ansan é. Ní fheadar canathaobh.

Agus ná nig do lâ amù. Tair isteach agus nig istig iad. Piseoga fé ndeár san.

Bata sceiche gile nú scuab: ní ceart aon ainimhí a bhuala le bata sceiche gile ná le scuaib—ná duine a bhuala le scuaib.

Clais na hÍomhá

Bó nú beithíoch a bheadh imithe ar strae—t'réis aonaig, nú aon tráth—dá gcasadh éinní isteach iad i gclais tailimh atá idir reilig Bhaile Mhúirne (ar Gort na Tiobratan) agus Faill na gCórdraíz (i mbarra an bhaile): Clais na hÍomhá a thugathar ar an áit seo: agus len' fheabhas chun bó ní fhágfaidís é chun go gcuirfí as iad le maide. Agus deireadh na sean-daoine nuair a bheadh bó nú beithíoch imithe uathu: ' Cathann sí bheith i ndíg nú i bpoll éigint, nú i gClais na hÍomhá, a rá nár tháini sí '. Agus do luíodh an Ghlas Ghaibhnneach féin ann: ' Clais na hÍomhá cois Cille '.

An Ghlas Ghaibhnneach

Is minic a bhíodh trácht ar bhuin n-a dtugaithí an Ghlas Ghaibhnneach. Ní fhéadadh na daoine ínsint i gceart cá raibh sí, ná cad as go dtáini sí. Ní raibh a lithéid eile le fáil: ní raibh teora lena gcrúdh sí do bhainne. Deiridís gur mhaith an ceart di sin, mar gur b'anamh riamh a chuir sí a béal ar dhro-thalamh.

Bhíodh trí áit go n-itheadh sí a dóthain, de réir na sean-daoine, agus do luig sí is gach áit acu so:

'Carraig an tSeann-Tí Chluthair,
Curraithín Eilíse Bige, agus
Clais na hÍomhá cois Cille.'

Deirthar go bhfuil na trí áit seo i mBaile Mhúirne. Is eol dom dhá áit acu, ach ní fhéatainn a rá canad ann go bhfuil Carraig an tSeann-Tí Chluthair. Ar Cúil Ao athá Curraithín Eilíse Bige (ar ár gcuid tailimh-na anso), agus i n-aice reilig Naomh Gobnatan atá Clais na hÍomhá.

Ní fhéatadh éinne rá gur leis féin an bhó so. Do bhíodh oíche anso agus eadartha ansúd aici, agus ba chuma cé chrúfadh í. Éinne go mbeadh gátar bainne air níor mhiste dho déanamh uirthi agus í chrú.

Bhí sí crúite ag bean éigint, agus t'réis a crúite ní raibh an bhó ag imeacht uaithi as an gclós. 'Imig ort anois, a bhudóigín,' ar sise. D'imig an bhó agus ní fheacathas riamh ó shin í!

Deireadh na daoine nár bh'fhéidir aon ainm eile ba tharcaisní ná budóigín a thúirt ar bhuin, is gur b'shidé cúis gur imi sí gan fille níos mó.

An Bullán Óg agus an Bullán Críonna

Bhí bullán óg agus bullán críonna a' treabha i gcliathán cnuic. Bhí an seanabhullán ag obair go breá, socair, réig, agus an bullán óg lán do thiospàch is do mhisneach. Deireadh sé leis an seanabhullán: 'An é an cnoc úd thall a bheig againn á threabha nuair a bheig an cnoc so treafa againn?' 'Treabhaimís an cnoc so rôinn', adeireadh an seanabhullán.

Do lagaig an treabha misneach an bhulláin óig agus níor mhair sé chun an chnuic a bhí acu á threabha a chríochnú. Agus tá an focal so againn riamh ó shin. Dá mbeadh duine á rá: 'Nuair a bheig a lithéid seo nú a lithéid siúd déanta againn, an é seo bheig againn á dhéanamh?' 'Treabhaimís an cnoc so rôinn' adéarfí leis.

Leadhb leathair: Bhíodh bulláin a' treabha fadó. Ní bhíodh aon choiléar orthu san ach leadhb leathair: seithe na bó. Ní bheadh so leasaithe.

(v) Gamhna

'Sé an gamhain is luatha sa mbliain an gamhain is feárr: tímpal na Nollag. Tá so tógtha agat i gcóir na Bealltlaine, agus déanfa sé dho féin as san amach. Bheadh gamhain an Mhárta go maith, agus gamhain an Abaráin agus gamhain na Bealltlaine. Ach tá gamhain an Mhithimh go holc: bíonn sé lag. B'fheárr luath iad ná déanach.

Lao biata: gamhain ramhar.

(vi) Capaill

'Capall le ceannsacht': is feárr a thúrfá chun lâ an capall le ceannsacht. Ach faig bata don bhuin, agus oibrig é!

'Is amhal a chuirfir chun an-chínn é': bheith a' gabháil ar an gcapall. 'Ná cuir an iomad ualaig air nú ragha sé chun an-chínn ort': chuirfeadh sé stailc suas.

Nuair a chuireann an capall sraoth as deirthar 'Sláinte chút!' Déarfí 'Fáinne ort!' le capall nuair a bheadh sé ag obair go maith. Nú déarfí le duine é: 'Fáinne óir ort!' 'Fáinne óir ort níos ruî ná corp asail!' Is minic adéarfí é ag imirt chártaí.

Cnó capaill (chestnut): tá sé ar dhath muarán dosna capaill. 'Rí gach datha donn, nú capall buí go mbeadh síog 'na dhrom—agus capall maith ar gach dath'.

Ainmneacha ar chapaill

D'airíos 'An Bhuarthach' túrtha ar chapall: capall ruín, mall. D'aireofá 'Pet' agus ainmneacha don tsórd san. Ach ní raibh puínn ainmneacha orthu san.

Téarmaí

Dogairne capaill nú *cnaoiste* capaill: capall a bheadh ana-dhéanta, garbh, téagartha, cruínn. Ach bheadh an dogairne iarracht dúr.

Capall coiníollach: kind, willing.

Gillín capaill: capall a bheadh go breá beathaithe.

'Siorrach na deigh-lárach': bheadh an mianach go maith un. Nú thúrfí siorrach na deigh-lárach ar dhuine, dá mbeadh sé go maith, agus gur dhual dò bheith amhlaig: 'a good strain handed down'.

Cuiripe: an pointe árd idir dhá ghualainn an chapaill, the wether, the shoulder-blade.

Brat bóinn: choinnídís brat bóinn (brat siorraig) sa stábla, caite anáirde ar an maide crosta, nú i n-áit éigint. Dá mbeadh céad siorrach agat do bheadh céad brat agat. Tá an nós san ag daoine fós.

Cos an chapaill

An chrúb: the hoof. *Teora na crúibe:* mar a dtosnaíonn an clúmh.

An chlaidhin: the fetlock. *Claidhin an tslabhra:* an rud a théann ar chois an chapaill. *Claidhiní.*

An lorga: go glúin, agus *an bhéim:* go cabhail.

Cuisle: bíonn na cuisleanna ar an dá chois tosaig, ar an dtaobh amù. Cnupóga isea iad. Côrtha maith ar chapall isea é sin: ní bheidís ar dhro-chapall. Ní bhíonn siad ar an dá chois deirig. Bíonn an capall san láidir. ' Tá cuisleanna maithe aige '.

Briosc bruan

' Tá an chrúb ag imeacht 'na briosc bruan ': crúb an chapaill a' titim as a chéile. Nú le duine: ' Thit sé agus dineag briosc bruan dá chnâ '—miota beaga.

Fárthan, fárthain

Saghas éigint warble isea an fárthan a bhíonn a' crá na gcapall.

' Ruidín a bheadh i súil capaill '

Duine ana-bheag: chathfadh sé bheith imithe ar fad le luíod agus le suaraí. ' Airiú, níl ann ach ruidín a bheadh i súil capaill '. D'fhéachfá ana-bheag i súil an chapaill.

(vii) Muca

Canúinní

' Ar muin na muice ': dá mbeadh post maith fáltha ag duine déarfá ' Tá sé ar muin na muice ', ' He's on the pig's back now '.

' D'áiteodh sé muc ar shagart ': duine bheadh i gcónaí ag áiteamh.

' Aghaig na muc is na madaraí ' nú ' íde na muc is na madaraí '. 'Thug sé aghaig na muc is na madaraí air ': íde béil.

' Coínsias muice i ngarraí ': gur chuma léi cad a dhéanfadh sí ann.

' Gotha na muice bradaí ': croma.

Bia do chráin Dé Domhnaig

Dá dtúrfá bia don chráin mhuice i gcorcán Dé Domhnaig raghadh sí go dtí an collach gan mhoíll—bhíodh san ráite. Le piseoga dhinidís é sin, agus níor mhaith liom a lithéid a dhéanamh.

An galar cam

Thagadh galar ar mhucaibh fadó: an galar cam a thugaidís air seo. Do bhíodh saghas leighis acu air, nú ar aon tslí do chreididís go ndineadh an rud so é leigheas.

Thúrfadh duine acu leis an mhuc n-a mbeadh sé uirthi treasna pé abhann ba ghiorra dhóibh, agus sheasódh duine eile acu ar an dtaobh don abhainn ónar tugamh an mhuc. D'fhiafródh sé uaig treasna na habhann d'fhear na muice: ' Caidé sin agat ? ' D'fhreagródh eisean: ' Galar cam agus muc '. Déarfadh an fear eile: ' Fág thall an galar cam agus túir anall an mhuc '. Bhéarfí an mhuc anún treasna arís abhaile mar a raibh sí. Bhraithidís go gcuireadh so cosc leis an ngalar.

Ach do ráinig go raibh déirithe i n-aice an tSulláin. Do bhí an galar so ar mhuca acu. Bhí duine acu luath-bhéalach, ná tagadh leis éinní rá, geall leis, mar ba cheart. Chuir sé a dhriotháir treasna na habhann leis an muic, agus d'fhan sé féin ar thaobh an bhaile don abhainn.

' Cadé sin agat ? ' ar sisean leis an ndriotháir.

' Tá ', ar sisean, ' galar cam agus muc '.

' Cath anall an galar cam ', ar sisean, ' agus fág thall an mhuc ! ' Bhí an port go léir loitithe aige, pé cuma gur ghoibh an leigheas 'na dhia' san.

Ní leogfí dhuit an leigheas so do thriail ná a dhéanamh ar do mhuca mara ráineodh go mbeadh do chuid tailimh ar dhá thaobh na habhann. Ní leogfadh fear eile dhuit bheith a' cathamh nú a' fágaint an ghalair seo aige féin—sidé mara ndéanfá i ganfhios dò é.

Atharrach bíg

Ní thagann an galar cam ar mhucaibh anois—do dheascaibh atharrach bíg ná bíodh acu an uair úd. Prátaí agus cabáiste agus caisearabhán is mó thugaidís dóibh an uair sin. Ní rabhdar so leath chó maith leis an min bhuí. Ach do bhí rud eile ann an uair sin a chabhraíodh leis an saghas so bíg: b'shidé bainne na pice, rud ná fuil againn le fáil anois.

Gráinníní

B'shin rud eile a leanadh muca an uair úd: gráinníní—is dócha do dheascaibh an bhíg. 'Muc na ngráinnín'. Féna dteangain a thiospeánadh an rud so, agus dá mbeadh sé le fáil ansan ba ghnáthach go mbeadh na gráinneacha trína cuid feola go léir.

An uair úd do leagadh na ceannathóirithe na muca ar na haontaí le heagla go mbeadh gráinníní iontu, agus d'oscaladh a mbéal chun fiscint a' rabhdar. Dá mbeidís, bhefá chun deirig go muar 'na luacht.

Do bhíodh ceóchán ar na muca go mbíodh na gráinníní iontu, agus deiridís go mbíodh an fheoil seo ana-dheocair a shábháil, pé salann a chuirfí uirthi.

Ceann muice ar bhannrín

Deireadh na sean-daoine go raibh ceann muice ar Bhannrín Eilíse! Is dócha ná raibh ansan ach scéal—ach deiridís é.

(viii) Gabhair

Gabhar. Mínseach: gabhar bliana. *Colla-phoc:* gabhar fireann. *Mionnán:* mionnán isea é go dtéann sé bliain.

Triomacht a thaithneann leis an ngabhar. Deireadh Micil na Pinse gur bh'é an dial a dhin an chéad ghabhar ach gur bh'é Dia a chuir an t-anam ann!

Tréithe an ghabhair

'Má cheannaíonn tú gabhar ceannaig gabhar an ath-ghabhair, mar is mó tréith a bhíonn sa ghabhar. Má bhéiceann an gabhar ná tréig an gabhar, agus má screadann an gabhar ná ceannaig an gabhar!

Leanann muar-thréithe an gabhar: bíonn an adharc chun ceoil, a ingine chun drapadóireacht, a phutóga chun sranga agus a chroicean chun bodhráin'.

Ní fheadar cé duairt an méid seo.

Ath-ghabhar: an tarna ceann, .i. mionnán.

(ix) Caoire

Nú *ath-chuíora:* an tarna ceann, .i. uan. *Fóisc:* cuíora bhliana. ' M'uan diail breá bán bliain buineann ! ' adeireadh duine éigint.

Aicídí

Fachaillí: rud éigint a thagann ar shúilibh na caereach.

Galar dearg: thagadh galar dearg ar chaoiribh, ach ní fheadar conas oibríodh sé. Tá fhios ag muíntir na gcnoc é.

(x) Cearca

Sicín circe: a pullet; *sicín coilig:* a cock (cockerel). Níor airíos aon ainm eile i gcóir ' pullet ' ach sicín circe.

Circín na bpluc: go mbeadh pluic uirthi. *Grágalach* na gcearc: t'réis bertha (craking).

Obh nide: nest-egg; *glugar:* obh lofa.

Uí chuir ar gor

Ba mhaith le daoine uí chuir ar gor sa Mhárta. Bheadh sicíní maithe acu an tráth san don bhliain. Agus bheidís go maith sa bhfôr—sicíní fôir: bhéarfaidís go luath.

Níor mhaith le daoine uí chuir ar gor Dé Domhnaig. Ná níor mhaith leo uí mhalartú: beir leat airgead agus díol astu. Is dó liom go mbíodh eagla orthu go gcuirfí galar na gcearc chútha.

B'olc an rud, deiridís, nead obh fháil gan bheith á lorg. Ní fheadar canathaobh.

Brobh féir nú tuí ar eireabal na circe: côrtha go dtiocfadh stróinséir éigint.

Cearc a' glaoch: dro-chôrtha é sin—bheadh mí-á éigint chút.

Choisricídís iad féin nuair a ghlaodh an coileach ar maidin (i ndeire na hoíche, le teacht an lae).

Airgead na gcearc

Deirthar nách maith an rud bheith rafar le cearca, pé cúis é. Agus rud eile: dá bpósadh cailín do mhuíntir a' tí gheódh na cearca bás an bhliain sin. Deirthar go dtiteadh san amach.

'Na dhia' san, dintar amach go mbíonn an rath ar airgead na gcearc. Deiridís gur mhaith an rud bó a cheannach leis an airgead san dá mbeadh na ba a' gabháil at choinnibh.

(xi) Gadhair

Déarfainn go bhfuil an radharc go maith ag an ngadhar. Tá an-éisteacht aige agus balaithe. Ach is minic a bheidís caoch i ndeire bárra. Trí bliana déag athá túrtha síos don ghadhar, de réir cirt, nú de réir mar a bheadh obair déanta ag an ngadhar. Dá mbeadh an saol go maith aige do mhairfeadh sé níos sia ná san: b'fhéidir go mairfeadh sé bliain eile nú dhó. Téann an gadhar i mairíocht de réir mar a bhíonn sé a' dul i gcríonnacht; agus téann an cat i mairíocht: ní bhíonn aon dúil i n-obair aige.

Gadhar a' gol

Gadhar a' gol: côrtha báis adeireadh cuid acu. Do ghoilidís i ndiaig coileán. Nú dá mbeadh duine imithe ón dtig agus go mbeadh aon chion ag an ngadhar air ghoilfeadh an gadhar 'na dhiaig. Goileann gadhar aonair: is minicí a bhíonn níos mó ná cat a' gol. Dinid siad cruthantaiseach go maith é, mar a ghoilfeadh duine. ' Bhí sé chó cruthantaiseach do ghol agus airig éinne riamh '—deabhraitheach: mar a ghoilfeadh duine.

Amhastrach: bark, ' an gadhar ag amhastraig '.

Glam: ní hamhastrach glam. Is mó chuirfeadh sé glam as le buille thúirt dò. ' Chuir an gadhar glam as '. ' An gadhar a' glamaíol '—gur lean sé uirthi (long bark). Dá mbeadh gadhar ceangailthe agus go n-oirfeadh dò é scaoile, a' glamaíol a bhíonn sé. ' Ag éisteacht le guth gadhair is glam coileán ' aduairt file éigint. Is dócha gur glam a bhíonn ag an gcoileán ar dtúis.

Ál: ál coileán (a litter of pups).

Lathairt: ' Bhí lathairt mhuar choileán aici '—seó acu, i dteannta chéile.

Tóirneacha

Chuiridís an gadhar amach nuair a bhíodh tóirneacha ann. Bheadh eagla ar an ngadhar féin agus níor mhaith leis gabháil amach.

Saighseanna gadhar

Gadhar stuic (cattle-dog); gadhar caereach (sheep-dog), nú sípéir; gadhar gunna (setter); cú, coin (greyhound); gadhar madaruaig (foxhound); gadhar fiaig (hunting-dog); agus gadhar chun madarua thúirt amach as na poíll (fox-terrier); gadhar chun madaruisce (otter-hound); gadhar i gcóir fia (stag-hound), agus gadhar a thúrfadh chút seilg t'réis a lâite (retriever). Chífá gadhar beag i gcóir franncach: ' an gadhairín beag ' (terrier).

Madara geárr: common dog, terrier, gadhar ná beadh aon fholaíocht ann.

Spaniel: deirthar go bhficfeadh spaniel púca nú sprid. Bheadh sé ag amhastraig ar rud éigint agus ní fhicfirse an rud san i n-aochor. D'aireofá ' Hulla, Hulla ' ag lucht caereach i ndiaig na gcaereach. Is minic adéarfadh lucht fiaig an rud céanna (leis a' gcoin) nuair eireodh an giorré.

Gadhar an daíll

Gadhar an daíll ansan: bíonn sé ana-chiallmhar. Bhíodh dall a' d'iarraig déarca agus an gadhar roimis amach. Théadh sé isteach an doras. Bhuaileadh duine éigint cic ar an ngadhar. Thiteadh an rud céanna amach sa chéad tig eile. Bhí an gadhar bocht a' dul isteach sa tríú tig. ' Come back,' aduairt an dall. ' I think you're getting more kicks than halfpence ! '

' Ní raibh saol gadhair aige ' nú ' Ní raibh saol madara aige ': dro-shaol, ' He hadn't a dog's life '. ' Hunger and ease: a dog's life '.

Duine símplí

Ní chuirfig an gadhar is measa sa dúthaig aon speic ar fhear ná fuil cruínn (fear símplí), nú fear leathchruínn. Ach mara ndinid, do leanfadh gadhair an bhaile é. Leanaidís Mícheál na Buile i gcónaí (fear a bhí anso ar Cúil Ao: bhí sé iarracht símplí).

Agus ní bhuailfeadh an tarbh is measa sa dúthaig é: d'fhéatadh sé dul isteach sa pháirc 'na mbeadh an tarbh agus breith ar eireabal air.

Scaoileag cloch mhuar le fánaig an chnuic uair éigint. Bhí fear símplí a' gabháil suas agus bhí an chloch a' déanamh isteach air. Ní raibh aon chiall aige agus níor chorraig sé as an slí. Do liúig cuid don mhuíntir a bhí thuas—go raibh sé marbh. Ach ní raibh. D'imig an chloch 'na dhá leath os a chôir amach !

Cailín deas crúite na mbó

Chuir sagart éigint a mhallacht ar an amhrán san. Bhí sé a' dul ar ghlaoch ola istoíche agus d'airi sé amhrán ar siúl. D'fhéach sé thar claí agus chonaic sé gadhar dubh. B'é an gadhar an t-amhránaí. Dro-bhuachaill a b'ea an gadhar: bhí sé a' d'iarraig é mhoilliú.

Ní aireofá an t-amhrán san i n-aochor anois. Is dó liom gur airíos cuid de uair éigint, ach níl sé agam. D'aireofá ' Cailíní ' eile ach ní mar a chéile i n-aochor iad. Dineag seó dosna hamhráin sin.

Bachall agus Buicín

Bhí beirt fhear i mBaile Mhúirne. Bhí leasainm ar gach duine acu: Bachall ar dhuine agus Buicín ar dhuine eile. Do bhí gadhar ag Buicín arna dtugadh sé Buachaill. Bhí caochshrónaí un, agus nuair a bhíodh sé a' glaoch ar an ngadhar: ' Buachaill—Buachaill—Bochaill—Bachaill ', ba dhó le héinne bheadh ag éisteacht leis gur ' Bachall—Bachall ' bheadh aige á rá.

Lá éigint do bhí Buicín amù a' glaoch ar an ngadhar agus do bhuail bligeárd éigint isteach a' triall ar Bhachall. ' Cadé an chúis athá ag Buicín ort iniubh go bhfuil sé at spídiú amù ansan ar a' bpáirc ? ' [aduairt sé]. Amach le Bachall. D'airig sé Buicín a' glaoch air: ' Bachall — Bachall — Bachall —'. ' Buicín — Buicín — Buicín ! ' ar sisean. As san do dhrid an bheirt le chéile agus chuireadar fuil ar a chéile sarar scaradar.

(xii) Cait

' Iascaireacht an chait ar an dtráig thirm '. Thúrfá é sin ar dhro-hiascaireacht aireofá déanta ag duine, agus ar obair éigint eile ná beadh déanta sa cheart. Dhéanfadh cat an saghas san iascaireacht. Ní fhéatadh sé iascaireacht níos feárr a dhéanamh.

Dhineadh gadhair iascaireacht ar bhradáin. Dá mbeadh gadhar láidir un thúrfadh sé amach bradán chút à háit ná beadh ró-dhoimhinn, nuair a chífeadh sé ar a' scairbh iad: sin áth beag éadrom.

' Leog sé an cat as an mála ': rún a scaoile nú rud dá shórd, ' to let the cat out of the bag '.

' Bíonn an tionóisc os cionn an chait '. Dá mbefá a' tagairt do thionóisc bheith os cionn beithíg nú duine: ' Cadé an iúna é ? Ar nóin, bíonn an tionóisc os cionn an chait '.

Rud a bheadh teipithe fháil nú dhéanamh, déarfí: ' Do riug an cat ar an lochta leis é '.

Téarmaí

Múinéar an chait: an leabaig. 'Ca bhfuil Tadhg?' 'Tá sé i múinéar an chait'—sa leabaig.

Galar na gcat: tá sé un, pé saghas é. Bhíodh an focal ann mar shaghas eascaine. Tagann galar éigint ar na cait, a mharaíonn iad.

Mara-chat: d'airínn an focal 'mara-chat' agus ní fheadar cadé féin. 'Seacht seana-chat, seacht mara-chat'.

Fia-chat: bhíodh ionga i mbarra eireabail an fhia-chait, pé brí bhí léi sin. N'fhicfá i n-aochor anois iad. Do chonacsa cait go raibh ionga i mbarra a n-eireabail. Mianach an fhia-chait a bhí iontu, gan dabht; agus ana-chait a b'ea iad san.

Máthair na gcat: an cat is sine sa chlochar nú sa charraig (san áit 'na mbíonn fia-chait).

Ainmneacha áiteanna

Clochar na gCat: tá an ball san ar na Millíní. Tá *Carraig na gCat* ar an Ínse Muair. (Bailthíocha fearainn i gCúil Ao iad san.) Is dócha go mbíodh fia-chait tímpal na mball san.

Fuil chait dhuibh

Bhí sé ráite go raibh focail éigint a scríí le fuil chait—ní raibh un ach chúig focail—agus léidís ar gach aon chuma dhuit. Chathfá é scrí le cleite fiach duibh agus le fuil chait dhuibh. An blúire páipéir a chuir i n-áit éigint os cionn an dorais (ar a' dtaobh istig). Éinne thiocfadh isteach an doras an fhaid a bheadh an páipéar so os a chionn thosnódh sé ar rínnce, peocu bheadh rínnce aige nú uaig, agus níor bh'fhéidir é stop chun go dtógfí anuas an páipéar. Sidiad na focail, chó fada agus is cuín liom:

S O T O R
O R A P O
T A N A T
O P A R O
R O T O S

Cat is dá eireabal

Cearúll Ó Dála a dhin an cat is dá eireabal. D'adhmad a dhin sé é, is dó liom.

Caschaint

'Cat crith-bhagarthach glas is é a' gabháil trí Mhá Seanaglais amach'—an mó uair fhéadfá é rá gan t'ineál a tharrac ? (I n-aice Mochromtha atá Má Seanaglais.)

'Chuaig mo chat-sa go tig chat Gharsail.
Do ghoibh cat Gharsail ar mo chat-sa.
Cár chóra dom chat-sa gabháil ar chat Gharsail
ná do chat Gharsail gabháil ar mo chat-sa ? '

An rud céanna: páistí bheadh a' gabháil don tsórd san.

(xiii) Ainimhithe agus Éanlaithe a ghlaoch chút nú a ruagairt

Bó	Sop, sop	Hagha bhó; buail amach
Gamhain	Suc, suc	———
Capall	Pet, pet	———
Muc	Hurrais, hurrais	Scuitseá (á cuir uait) Staití (chun í chuir amach)
Cuíora	Siuain, siuain	———
Cearca	Tiuc, tiuc	Hagha cearc
Lachain	Fín, fín	Síoc
Géanna	Bead, bead (Tugathar 'beadaí' ar ghé)	Hagha gé
Turcaithe	Píní, píní	———
Gadhar	Buachaill, Prince, Hector, Fan (Pé ainm a bheadh air: ainmneacha Béarla ba mhó bhí orthu san.)	———
Cat	Pís, bhís, bhís; Pussy; Murainn, Murainn, Murainn	Cuit; hagha cat

FIACH AGUS SEALGAIREACHT

A. FIACH

(i) GIORRAITHE

Nuair a bhí tiarnaí talúin i gceannas i mBaile Mhúirne bhí na daoine fé dhaorsmacht acu. Coir mhuar a b'ea an uair sin dá mbéarfí ar dhuine a' marú ghiorré; agus bhí tráth dá mbéarfí ar thineontaí nú ar éinne dá chluínn a' marú giorré ar a gcuid tailimh níor bheag so chun iad a chuir amach as, buileàch glan. Thúrfadh an tiarna tailimh daoine uaisle eile leis chun sealgaireacht: ní raibh aon chead ag éinne eile le fáil uaig. Coir crochta a b'ea gadhar a scaoile i ndiaig giorré; agus dá mbeadh gadhar agat gur dhó leis na huaisle rith a dhóthain a bheith aige chun breith ar ghiorré chathfá an gadhar so a mharú, nú é chuir amach as an estát i n-áit éigint eile.

Pé áit ba ghéire bhíodh cosanta ag an dtiarna tailimh, ann a bhíodh na giorraithe. Bhíodar flúirseach go leor i mBaile Mhúirne. Nuair a bhuailfá amach maidean chóireofá cheithre cínn déag acu istig i n-aon pháirc amháin. Dhinidís ana-dhíobháil do bheatha na ndaoine, ach ní leóthaidís smiug a rá nú chuirfí amach as a gcuid talúintí iad.

Giorraithe sa bhóna!

Do ráinig feirmeoir i n-áit éigint suas Cúm na Cloiche. Ní raibh tornap ná gort ná garraí fágtha aige gan bheith ite ages na giorraithibh. Tháini sé anuas a' triall ar a' dtiarna tailimh agus d'fhógair sé na giorraithe dho, ach má dhin b'é an rud aduairt an tiarna tailimh leis ná iad a chuir sa bhóna!

Bhí san go maith, agus ar maidin larnamháireach bhí trí cínn dosna giorraithe istig sa bhóna ag an bhfeirmeoir seo agus lainncisí curtha fúthu! Má bhí, do chuaig an tiarna tailimh—nú a lucht leanúna—suas agus níor fhágadar bó ar a' dtalamh ag an bhfeirmeoir gan tógaint agus iad a chuir isteach sa bhóna. Agus gheallfainn dhuit, as san amach pé rud a íosfadh na giorraithe ar fheirmeoir ná rabhdar chun breith orthu agus lainncisí chuir fúthu ná iad a chuir i mbóna—nú dá ndinidís b'é an cleas céanna bhí le himeacht orthu: a gcuid stuic a chuir isteach sa bhóna, nú iad a chuir amach buileàch glan as a gcuid talúintí.

Fiach giorraithe

Giorré an Bhóna Bháin (i mbarra Ghort na Tiobratan): bhí san ar an ngiorré a b'fheárr rith i mBaile Mhúirne. Agus bhíodar go seóig ar na Doirí.

An tráth a b'fheárr chun é fhiach: ar maidin, nuair athá an giorré lán t'réis na hoíche. Ba dheocra breith ar an ngiorré eireodh chút um thráthnóna ná ar cheann na maidine.

D'eireodh ana-ghiorré chút ar fuaid an bhaile, agus ba dheocair teacht suas leis, seochas an giorré a bheadh amach ins na mullaí fiaine. Níl an cothú orthu amù ar an gcnoc seochas iad so thá i mbun baile.

Ní fhiceann an giorré puínn roimis amach: tá a shúil ar an gcoin i gcónaí. Do rithfeadh sé isteach chút gan tu fhiscint dá mbeadh cú 'na dhiaig.

Bheadh fiach maith i gcúpla míle, agus do bheadh cúpla míle déanta acu agus gan imeacht as do radharc. Is minic a thiocfadh an giorré thar n-ais san áit chéanna arís. Ba mhaith leis aghaig a thúirt ar an gcnoc: tá sé go seóig i gcoinnibh an chnuic. Ach dá mbeadh cú mhaith agat, agus taithí aici ar iad d'fhiach, ní leogfadh sí dho dul i gcoinnibh an chnuic, mara mbeadh an cnoc roimis amach: ní leogfadh sí dho casa.

Do stadfadh giorré go hobann agus d'imeodh an chú amach thairis. Chasfadh an giorré ansan.

Giorré bán nú giorré dubh

Is olc é an giorré bán, deirthar, ach is anamh a fhiceadh éinne ceann acu san. Bhíodh ceann acu i gCiarraí: thiar ar Túirín a' Ghiorré (i gCíll Gharbháin). Chath fear clocha leis: bhí sé roimis ar chosán, ach ní fhágfadh sé an áit dò. B'é an rud imig ar an bhfear, gur thug sé sé seachtaine déag sa leabaig 'na dhiaig. Dro-shaghas a b'ea an giorré san.

Bhí sé ráite go mbíodh a lithéidí sin ann, pé rud a thug ann iad. Agus bheadh eagla ar ghadhair rómpu. Nú giorré dubh: bhí san go holc, leis, agus níor mhaith le daoine ceann acu fhiscint. Is anamh a chífá, leis. Bheadh cuid acu i leith na duíocht seochas an chuid eile.

Giorré an Chnuic Bhuí

Bhí giorré sa Chnoc Bhuí agus bhí teipithe orthu é mharú. Bhí sé ann blianta. Theipeadh ar na coin aon lámh a dhéanamh de.

D'fhiachaidís é agus d'imíodh sé uathu i gcónaí. Tugamh cú ó Shasana féna dhéin: an Rudaire a thug leis í. D'imi sé ar lorg an ghiorré, é féin agus buachaill a bhí aige. Ba ghairid gur eirig an giorré chútha. Siúd 'na dhiaig an chú. Bhí fiach muar fada acu, agus do ghoibh an giorré trí pholl claí. Do léim an chú an claí, agus bhí ar an dtaobh eile roimis. Ní fheacaig na fiagaithe a thuille iad chun gur thánadar mar a raibh an poll sa chlaí, agus nuair a fhéachadar ar an dtaobh eile dhe bhí an giorré agus an chú marbh ann rómpu! Níor bh'éinní saoltha an giorré bhí marbh ann—mar níor bh'aon ghiorré é. Ach do chuir an Rudaire an leabhar ar an mbuachaill gan a ínsint choíche cad a chonaiceadar marbh ann.

Giorré an Bhóna Bháin

Ní raibh éinní mí-nádúrtha a' buint le giorré an Bhóna Bháin, ach togha reatha bheith aige. Do chuir an seana-Rudaire fiche púnt gíll ar a shon le duine uasal ó Shasana go raibh feidhre con aige. Tháinig so agus thug leis a choin. Bhí ceadaithe dho an dá chú a leogaint i ndiaig an ghiorré.

Thosnaíodar ar bheith á lorg: na coin ar éill ag fear. Bhíodar a' cuardach síos i n-aice glaise i mbun an Mhúirne Big. D'eirig giorré chútha. 'An é sin é?' arsan duine uasal leis an Rudaire. 'Ní hé', arsan Rudaire, 'ní hair sin athá an geall curtha againn i n-aochor; ná leog uait na coin.'

Ba ghairid gur eirig giorré eile chútha. 'Sidé mo ghiorré', arsan Rudaire, 'scaoil uait anois iad'.

Do scaoileag an dá chú 'na dhiaig. Dhineadar soir suas ar mhullach an Bhóna Bháin le chéile. Bhí radharc acu orthu ar feag míle shlí, ach ní raibh aon chasa buinte as an ngiorré ar a' bhfeag san—ach mara raibh bhí breis shlí aige á chuir orthu. D'fhág sé ansan iad, buileàch glan. B'shin fiche púnt buaite ag an Rudaire!

(ii) Madaraí Rua

Bhí an Seana-Chúm go maith 'na gcóir, Doire Leathan, Doirín Daingean (ar Doire an Chuilinn), agus Cúil Ao; an Cnoc Buí (ar na Millíní), Coíll na Claise (ar Doire na Sagart), agus Coíll na Corra (ar Seana-Chluain). Tá talamh acu isna háiteanna san go léir. Nílid siad chó hiomarcach agus bhíodar. Táid siad marbh ag nimh agus ag lucht gunnaí, agus tá an uaisleacht dultha chun deirig. Níl aon fhiach madaruaig anois san áit seo.

Clis an mhadaruaig

Bhí an madarua go maith chun é féin a chosaint, ach ní hamhlaig a bhí sé ró-mhaith chun reatha. Bhéarfadh an chú air gan mhoíll. Ach is mó cleas a bhíonn ag an madarua ná bíonn ag an gcoin i n-aochor.

D'imeodh madarua fé dhéin fuelle nú carraig árd éigint nuair a bheadh gadhar 'na dhiaig. Dá ráineodh go bhfaigheadh an gadhar greim air i mbarra na carraige seo chathfadh an madarua é féin le fánaig agus an gadhar i n-acharann un. Do bhuinfeadh an titim seo a mheabhair as an ngadhar, i dteannta bheith bascaithe. Bhíodh an madarua ullamh ar an gcleas d'imirt: ní dhineadh sé aon bhárthan dò féin, agus ba mhinic ná féadadh an gadhar é leanúint níos mó.

Ní bhíonn rith muar ag an madarua nuair a bhíonn sé a' beathú na coda óige: bíonn siad lag an uair sin.

Fiach ar an nDomhnach

Théadh daoine a' fiach ar an nDomhnach fadó. D'fhiachaidís coiníní agus madaraí rua, nú d'imeofí fan na n-aibhnní a' marú madaruisce.

Dhíolaidís croicean an mhadaruaig—nú é féin, nú coileán. D'airínn iad á rá go bpiucfadh teanga an mhadaruaig dealg, nú fiú amháin snáthad.

Téarmaíocht

Trap (trap). *Súil ruibe* (snare): i gcóir choiníní, agus giorraithe, dá bhféataidís é dhéanamh i ganfhios. Tá préamh aitinn ana-ruín. Is minic a dhinidís súil ruibe dhe chun breith ar choinín nú ar ghiorré.

Líontán (net): bheadh líontán ag fear firéid.

Faghlachas (poaching); *fear faghlachais:* a poacher; *lucht faghlachais:* poachers. Bhí fíneáil ana-mhuar á leanúint, nú oiread san príosúin i gcoinnibh na fíneála.

Póitséir: déarfí ' póitséir ' agus ' póitséirithe ', leis.

Fianna

Ní bhfaighfá aon fhia anso (i mBaile Mhúirne). Thagaidís ann uaireanta: ó Chíll Áirne is mó thagaidís. Bheadh lá muar ar cheann acu san, agus thúrfí an dial d'fhiach dò. Bhíodar coinnithe i Mochromtha, leis—ag Hedges. Bhriseadh ceann acu amach anois agus arís.

B. SEALG

Cearca fraoig

Bhí cearca fraoig flúirseach—chó flúirseach is go dtagaidís isteach isna clóis i n-aonacht leis na cearca eile. Bhíodar ar na cnuic go léir tímpal Bhaile Mhúirne. Bhíodar go seóig i gCúm na Cloiche agus ar Gort Í Raithille.

Naoscaig

Bhí an dúthaig díobh san ann, mar is mó áit a bhí oiriúnach dóibh an uair sin. Ach tá na baíll sin triomaithe ó shin, agus ní bhfaighfí puínn acu san anois.

Creabhair

Agus na creabhair: bhí an áit lán díobh. Bhí na coíllthe go léir i mBaile Mhúirne an uair sin: iad lán do chreabhraibh. Thúrfadh mithal fhear caidhcíos istig ar fuaid na gcoíllthe seo, á mbuala dosna huaisle: iad so amù ar na himill a' lâch na gcreabhar fé mar a chuireadh na buailtheoirí amach chútha iad. Bhídís i gCoíll a' Chuma (Coíll Chúm na nÉag, idir Bhaile Mhúirne agus Cíll Gharbháin) aimsir sheaca. Téid siad so sa choíll leis an sioc.

Coilig feá

Coileach feá (pheasant). Bhí na coilig feá anso ar feag roint bhlianta, mar bhíodar á ngor agus á dtógaint ann. Ach d'imíodar arís.

Piotraiscí

Bhíodar san raidhsiúil go maith, tamall, ach ní bhfaighfá aon cheann acu anso anois. I gcoínlí nú i bpáirceanna go mbeadh tornapaí isea is mó bhídís seo.

Fiodóga (Golden plover)

Bhíodar san ann, ach ní luanaidís i n-aon áit amháin: bhíodh oíche anso agus eadartha ansúd acu.

Géanna fiaine

Thagadh géanna fiaine mar chôrtha dro-haimsire. Ach 'na dhia' san, is anamh a chífá iad.

Pilibín míog

Agus an pilibín míog—an ceann dubh—seilg a b'ea é sin, leis.

Sealg do b'ea iad san go léir agus bhí ceannach orthu. Ní raibh sé ceadaithe do dhaoinibh aon rud a bhuin le seilg do lâch, ná do mharú ar aon chuma eile.

A' marú lon

Théadh daoine a' marú lon istoíche, le solas: lanntaeir nú geaitire. Caochann an solas na luin: thitfidís nú sceinnfidís isteach i gcoinnibh an tsolais chút. Bhíodh bataí acu so théadh á bhfiach. Bhí sé ráite nár cheart bheith á marú istoíche le solas. Ní deirim ná go raibh brí éigint leis sin, mar chuirtí eagla ar dhaoinibh go minic. Bhíos féin agus beirt nú triúr eile a' gabháil don obair sin oíche, agus d'airíomair saghas guil. Ach d'ithidís na luin, agus ithe deas a b'ea iad. Is amhlaig a róstaidís iad.

C. IASCAIREACHT

Dhinidís iascaireacht bhradán istoíche, agus bhíodh a lán iascairithe le slait isló.

Bhíodh saghas eile iascaireacht ag garsúin i mion-ghlaisí—a' breith ar bhreacaibh lena lâ. *Dórnásc* a thugaidís air seo.

Bradán, breac, eascú, pike. I lochaibh a bheadh an pike. Is anamh a gheófá isna haibhnníbh eile iad. Bíonn siad i Loch Í Bhogaig (anso i gCúil Ao).

Leangaire: 'ana-leangaire bradáin'—bradán an-fhada. Nú 'leangaire eascún'. Níor airíos an focal 'leadhbóg' ach amháin ar chlabhtóig: 'leadhbóg baise' adéarfí.

Ruaimineach: line; *dúán:* hook; *roth:* reel; *baighte:* bait; *gatha:* gaff.

Dhinidís ruaimineach i gcóir iascaireacht do ruibeacha à heireabal capaill le hiad a shnama ar a chéile; bheidís go maith ruín.

Slat iascaireacht

Dá mbeadh crann óg déil an, a bheadh eirithe árd, caol, dhéanfí slat iascaireacht de sin. Thógfá breac láidir leis.

Nimh

Aol, nú bainne-cí-éan. Is treise do nimh bainne-cí-éan ná aol. Is sia mharaíonn sé ná an t-aol. Ní dintar anois é, agus is maith an ceart.

Iascaireacht bhradán

Starragán: rud i bhfuirm ciseáin isea an starragán. Tá sé mar a bheadh ciseán ana-mhuar. Do shlataibh a bhídís déanta. Ní fheaca aon cheann acu san le blianta. Bhéarfá ar bhradán leis sin. Dá mbeadh áit bheag chûng ann go mbeadh bradán a' gabháil le fánaig, idir dhá chloich san abhainn, nú i n-aobhal a bheadh cûng: choinneodh duine an starragán san áit seo agus d'fhiachfadh duine eile an bradán chuige isteach sa starragán.

'Starragán ciseáin': seana-chiseán ná beadh ró-mhaith.

Traimill agus *líonta:* rud i bhfuirm sparáin isea an traimill—eireabal muar fada uirthi. Bheadh sí a' triomú i gcathamh an lae. Bhéarfá ar bhradán leis sin. Agus tá líonta 'na gcóir, leis: an poll a tharrac leis an líon. Agus 'sé an saghas cuma oibríthí an traimill: í gofa ar dhá mhaide, agus eireabal aisti fiche troig ar faid ós na bataí go pointe an eireabail; leathan 'na béal, agus í a' teacht chun pointe 'na heireabal. Dhintí iascaireacht léi seo istoíche.

Do choinneodh beirt fhear an dá mhaide arna mbeadh sí gofa: duine acu thall agus duine acu abhus. Choinneoidís síos fan an ghrin í leis an dá mhaide seo agus d'imeodh an t-eireabal uaig féin leis an uisce; teacht lastuas de ansan ar an áth, mar a mbeadh clasa na mbradán, agus iad a fhiach le fánaig isteach sa traimill. Ba mhinic a bhíodh naoi nú deich do cheannaibh istig un i n-aonacht. Dhintí an sórd so iascaireacht. Níor ghá aon tsolas, agus ní raibh aon bhaol go mbéarfí ort.

Scadáin

Bhíodh ana-dhúil ag daoine i scadáin, agus cheannaídís go minic iad. Thagadh iasc úr amach agus fear á dhíol. Capall agus carra aige. Agus ar theacht na Nollag thagadh seó daoine amach a' díol *colmóirí* (b'shidé an hake).

Gheófá baraille scadán; *scadáin bharaille* a b'ea iad san: salann orthu (salt herrings). Ach saghas eile a b'ea na *scadáin úra:* ní bhídís i n-aon bharaille.

Bhí tráth go dtagadh *sprot* go hiomarcach, ach níl so le fiscint eadrainn anois.

Nuair a chífá réilthín a' titim . . .

Do bhí garsún ann agus do bhí ana-dhúil aige i n-iascaireacht bhradán. Bhí báille ann arna dtugaidís Breathnach. Máire a b'ainm dá mhnaoi. I mBaile Mhúirne bhíodar. Bhíodh an garsún cráite ó iad so a bheith a' faire air. Nuair ná beadh an Breathnach a' faire air bheadh súil 'na dhiaig ag Máire.

D'airig an garsún 'dir shean-daoine, nuair a chífá réilthín a' titim pé achuiní iarrfá go mbeadh sí le fáil agat ach í bheith iarrtha trí huaire sara n-imeodh an réilthín don spéir. Oíche éigint dá bhfeaca sé a' titim é thosnaig sé ar an achuiní: ' Go maraí 'n dial an Breathnach agus Máire! ' An rud céanna arís; ach do bhí deire leis an réilthín sarar fhéad sé é rá an tríú huair—agus d'fhan an Breathnach agus Máire 'na mbeathaig aige!

3. AN POBAL

(a) BOCHT AGUS SAIBHIR

1. Achuiní an Bhacaig

Tráth éigint do bhí fear i mBaile Mhúirne, agus pé rud a eirig dò, duairt sé go dtúrfadh sé cúrsa amach ar fuaid a' tsaeil a' bacachas. Níor bh'iúna dá dtugadh, mar do ghlaodh bacaig na dútha chun Baile Mhúirne agus níor mhiste, is dócha, an côr a bhuint díobh i n-áit éigint!

Thóg sé leis mála agus thug aghaig isteach ar a' dtalamh fhónta. Shíl sé go ndéanfadh sé ní b'fheárr anso ná mar a dhéanfadh imeasc na gcnoc, agus do lean a' siúl leis is a' cuir de, agus t'réis tamaill do bhí sé a' dul i gcoirtheacht don bhacachas.

Do thosna sé ar obair i n-aonacht le feirmeoir i Luimini agus thug sé tréimhse aige. Dhin sé an bacachas a thriail arís, agus chuaig sé cúntaethe níba shia ó bhaile ná san, agus insa bhacachas dò, an dial!—do buaileag breoite é, agus má buaileag níor choinnibh éinne é. B'éigint é chuir isteach i dtig na mbocht. Do bhí sé i n-uacht bháis, agus d'fhiafraíog de cad as dò, nú caidé'n baile dúchais a bhí aige i dtosach a shaeil.

' Ó Bhaile Mhúirne a b'ea me ', ar sisean, ' agus táim a' bacachas leis an fhaid seo aimsire. Bhíos go maith aosta sarar thosnaíos i n-aochor ar an rud, agus dhineas amach ', aduairt sé, ' ar a' gcuma go bhficinn bacaig eile agus an saol le breáthacht agus le díomhaoine a bhíodh acu, go mbuinfinn féin iarracht as a' gcéird chó maith leo. Ach do coireag don bhacachas me nuair a theip an siúl agus an tsláinte orm. Is baolach go bhfuilim cóngarach don bhás, agus níl ach aon achuiní amháin agam le hiarraig oraibh: pé uair a caillfar me, nú pé rud a chosnó sé dhíbh me bhreith ann, 'sé an áit go gcuirfar me ná ag bun Charraigín na Falaí ar Cúil Ao '.

Sin carraigín athá ar thaobh an bhóthair, tamall soir ó shéipéal Chúil Ao. Ach go deimhin níor cuireag éinne riamh ann, agus ní déarfainn gur cuireag an bacach so ann, mar níor airíos riamh na sean-daoine á rá gur tháinig sé, beo ná marbh, ann—pé dúil a bhí aige bheith curtha ag bun na Carraigíne seo.

2. Bacaig a ghabhadh tímpal

Bhíodh bacach ar lóistín i dtig éigint thiar i n-aice teora na cúntae, fanta dó nú trí oícheanta, agus go hábharach do bhuaileadh bacach eile chútha isteach le titim oíche a' d'iarraig lóistín. Ach b'é an seanabhacach istig an chéad duine thiospeánadh an dothal dò. 'Níl aon ghnó anso agat', adeireadh sé: 'táimse anso rôt. Anois, goibhse amach agus fanfadsa istig, nú fanfadsa istig agus goibhse amach—bíodh do rogha agat!'

'Coinneom beirt agaibh!' adeireadh fear a' tí—agus má choinnibh, bhíodar bruíonach go maith le chéile i gcathamh na hoíche, i dtreo gur bh'éigint dò fanúint suas leo chun iad do chosaint ar a chéile!

3. Bacach nár cuireag le Céird

Fear siúil a bhuail isteach i dtig éigint lá fuar. Do ráinig do mhuíntir an tí bheith ag ithe an dínnéir, agus tugag cuire bíg don fhear siúil. 'Déanfad', ar sisean, 'ach fanaig go fóill chun go mbuinead an fuairthneamh as mo mhéireanta'. Dhrid sé i n-aice na tine, agus bhí sé a' té a lámh. Leis sin do thosnaig sé ar ghol. D'fhiafraíog de an a' gol leis a' bhfuairthneamh a bhí sé.

'Ní hea', ar sisean; 'tá a mhalairt do chúis ghuil agam. Níor ghá dhôsa bheith a' siúl iniubh mara mbeadh bás mh'athar. Bhí ceárd aige le cur rôm'.

'Caidí an cheárd?' aduarag.

'Táilliúireacht', ar sisean.

Bhí an fear so go láidir os cionn trí fichid bliain, agus d'fhiafraíog de an fada ó cailleag a athair.

'Anuirig', ar sisean.

'An dial', arsa fear a' tí, 'dá dtosnaíthá ar chéird fhoghlaim anois san aos go bhfuileann tú níl aon bhaol ná gur sheana-chríonna an príntíseach garsúin tu!'

Do stad sé don ghol agus d'ith an dínnéar, agus níor labhair sé a theille ar a chuid céirde!

4. Bacach Liam Mhuair

Bhí an bacach fanta ag Liam Muar seachtain d'aimsir shneachtaig gan corraí amach i ló ná istoíche. Maidean éigint i gcionn na seachtaine do bhuail sé síos chun a' dorais agus d'fhéach amach. Níor bh'fheárr le Liam scéal de ná é bheith ag imeacht, agus thug sé sanas dò lena rá: ' Cá ngeóir iniubh, a fhir mhaith ? '

Chas an bacach ar a sháil agus thug aghaig ar a' dtine a' túirt freagra ar Liam—' Suas chun na tine, a fhir a' tí ! '

Agus seo nath atá fanta 'nár measc riamh ó shin. ' Cá ngeóir iniubh ? ' adéarfí le duine. ' Suas chun na tine, mar a ngabhadh bacach Liam Mhuair '.

Do Chonallaig na nUlán a b'ea Liam.

5. Fear na Buile agus Fear na Céille

Bhíodh seó lucht siúil roimis seo. Ba mhinic a ráineodh duine nú beirt acu i dtithe i gcóir na hoíche. Bhí feirmeoir ar na Foithire, amach i bhfeirm chnuic. Mar seo oíche shneachtaig, tráth éigint roim am collata, do bhuail chútha isteach fear agus gan tuínte meabhrach aige; mar sin féin, d'fhiafra sé ar mhiste leo é fhanúint i gcóir na hoíche.

' Ó, tá fáilthe rôt ', aduarag; ' ní féidir éinne chuir amach oíche mar í seo '.

Bhí corcán breá leitean beirithe i gcóir suipéir, agus d'fhiafraíog de a' n-íosfadh sé cuid don leitin, ach dhiúlthaig sé. Socraíog leabaig dò ar an seitli, nú i n-áit éigint ná raibh abhfad ón dtine, agus nuair a cheartaig sé é féin istig sa leabaig chuir sé a cheann fén éadach agus duairt leo cuid don leitin a chur chuige isteach anois fén éadach agus go n-íosfadh sé í.

Do dineag chó maith, agus nuair a bhí sé á hithe do pléascag an doras arís, agus do sciúrd chútha isteach fear buile, agus é geall leis lomanochta. Chuir so eagla orthu go léir. Níor iarr sé lóistín ná cead fanúint, ach do dhin fé dhéin chorcáin na leitean agus do luig ar í alpa leis lena ladhair. Níor iarr sé spiún ná bainne chúithi.

Súil-fhéachaint éigint dár thug an fear eile amach fén éadach agus chonaic an fear buile á hithe lena ladhair: ' Mhuise ', ar sisean, ' go bhfága Dia ár meabhair shaoltha againn ! ' Tháinig iarracht dá mheabhair dò nuair a chonaic sé an fear eile ar buile sa cheart !

D'fhan an bheirt i gcóir na hoíche, pé cuma n-ar réitíodar le chéile. Is dócha go samhlaíodh fear na buile gur b'é féin fear na céille !

6. Fear Siúil ná raibh mall

Bhí feirmeoir ann agus do ghlaoig fear siúil chuige i gcóir na hoíche, agus leite a bhí acu chun suipéir. Ní dáltha na beirte eile leis a' leitin é, mar do tógag amach as a' gcorcán chútha í ar mhéis chré agus do buaileag chútha ar a' mbórd í.

Do shuig an feirmeoir agus an bacach chun an bhúird ag ithe na leitean. Sa taobh don mhéis a bhí i n-aice fhir an tí bhí poll déanta sa leitin agá mhnaoi agus lumpa maith ime sa pholl. Ní raibh a' bacach mall: láithreach baíll thug sé fé ndeara an rud so agus thosnaig ar scéal éigint d'ínsint d'fhear a' tí ar a' gcuma gur briseag é féin i bhfeirm thailimh a bhí aige. ' Shíleas ', ar sisean, ' ná brisfí ar fad me '—agus leis sin chuir sé lámh sa mhéis. ' An fhaid a bhefá a' déanamh mar sin ', ar sisean, ' bhíos briste buileàch glan! '—agus bhuin casa as an méis lena línn sin, a' túirt taobh an ime in' aice féin.

Ní duairt an feirmeoir piuc. D'itheadar leo—cé ná raibh bean an fheirmeora ró-shásta.

7. Bacach an Tóchair

' Más me Bacach an Tóchair, nílim bacach ná bórach! ' Fear ón dTóchar, i n-aice Dhún Mhaonmhaí, a b'ea é seo: fear diail láidir. Agus níor bh'aon bhacach é, pé cuma n-ar tugag bacach air. Bhíodh sé ag an gCínncís i mBaile Mhúirne. Chasadh sé bata, agus b'shin mar adeireadh sé.

8. Pádraig Ó Broin: Bacach

B'é Pádraig Ó Broin an bacach ba shaibhre i nÉirinn. Deirthar go raibh suas le milliún púnt aige!

' Trí fichid mála bhí ag Pádraig Ó Bhroin;
Trí fichid práta is gach mála acu san;
Trí fichid páiste chun gach práta acu san;
Trí fichid lámh ar gach páiste acu san, agus
Trí fichid pingin phráis is gach lámh acu san! '

9. ‘Cár ghabhais chúinn ?’

Bacach go bhfiafraíthí dhe: ‘Cár ghabhais chúinn ?’

‘Aniar ón gCúm,[1] is ón gClaedig[2] os a chionn,
Mar ar fhágas mo bhean go dúch,
Páiste ’na cúm, páiste ’na clúid,
Páiste ar an sop agus páiste gan ghog,
Dáréag do pháistí breaca dú,
A gceann tríd an seana-shúsa amach,
Agus a smuga féin ar gach éinne acu!’

Páiste gan ghog: páiste gan anam—marbh.

10. Prampoc an Bhacaig

Do gheódh bacach chút: sean-éadach nú nithe don tsórd so istig i heaincisúir aige, snuimithe go daingean ó cheithre chúinne an heaincisúra, a mhaide sáite fén snuím, agus é ar a ghualainn aige. Thugaithí *prampoc* ar a lithéid seo. ‘A phrampoc ar a mhuin aige’, adeiridís: a mhála.

‘D’árda sé leis a phrampoc agus d’imi sé leis féin arís’: bacach a bheadh ar araí fanúint, agus d’imeodh sé arís, ar chúis éigint.

11. Aistear na bhFíorbhocht

Bean a bhí a’ déanamh a prugadóireacht. Tháini sí go doras éigint. D’fhiafraig muíntir an tí dhi cad a chuir ann í. Duairt sí gur chuir

‘Brise na saoire
agus trosca na hAoine
agus aistear na bhfíorbhocht
agus uisce na díge’.

Ní chiallaíonn an t-*aistear* so faid ná cóngar na slí. Ciallaíonn sé an t’rus a bheith túrtha i n-aistear, nuair ná fuil éinní fáltha ag an mbacach. Théadh na fíorbhoicht fé dhéin tí na mná so: bhíodh a gcuaird i n-aistear nuair ná faighidís déirc.

[1] Cúm na nÉag: idir Bhaile Mhúirne agus Ciarraí—SÓC.
[2] Claedeach: fé bhun an Dá Chích—SÓC.

Brise na saoire a b'ea dro-ghníomh eile.

Trosca na hAoine: bhriseadh sí an trosca.

Uisce na díge: rud éigint i bhfuirm bainne nú íle nú fuiscí a bhí á dhíol aici agus uisce na díge á chuir tríd.

(b) DEIGHLEÁIL NA NDAOINE LENA CHÉILE

1. 'Imeoig an Gaol chun fáin'

'Imeoig an gaol chun fáin,
Geóig an charthanacht bás,
Agus ní bheig beann ag éinne ar dhuine gan áird'.

Cuid do tharagaireacht éigint isea an méid sin, adéarfainn. Anois, ní leanann daoine a[1] ngaol le chéile chó fada is dhineadh na sean-daoine. Dá ráineodh gaol a ceathair is a ceathair sa tseana-shaol do chuirfí i n-úil é, agus bhíodh an leanúint acu i ndia' chéile. Ach anois, má tháid siad a dó is a dó, abair, nú dá n-abrainn a trí is a trí, ní muar go n-áiríd siad aon ghaol lena chéile. Sin mar athá sé imithe chun fáin.

An charthanacht: sa tseana-shaol, ba mhó an charthanacht a bhí isna daoine. Do roinnfidís an bhéile le chéile dá bhficfidís an gá. Tá an charthanacht so imithe: anois, gach éinne ar a shon féin!

Agus mar adeire leis an nduine gan áird: dá ráineodh a lithéid seo dhuine sa tseanaimsir, do chabhródh a mhuíntir féin nú na côrsain leis. Ach anois má bhíonn a lithéid seo do dhuine, i n-inead aon chúnaimh a thúirt dò is amhlaig a bhíonn gráin agá mhuíntir féin agus ages na côrsain air. Is dó liom gur b'í seo an fhírinne, chó fada is a fhéadaim a thuiscint.

2. Seacht n-Umaire Críche

'Is ceart dul seacht n-umaire críche leis an ndéirc chun do dhuine féin'.

'Sé an brí athá leis ná dul tamall as an slí chuige: déirc a thúirt dò san sara dtúrfá d'aon stróinséir í.

[1] *i* LS.

(c) AN PH'RÓISTE AGUS CÚRSAÍ CREIDIMH

1. Aifreann

Ba mhaith le daoine Aifreann a bheith sa tig tráth éigint i gcathamh na Bealllthaine, i n-aon saghas tí. Bhíodh san mar nós acu, leis, agus tá fós.

2. An Aoine

Bhí seanduine i n-oirthear Bhaile Mhúirne fadó. Bhídís a' gabháil d'fhéar sa tsamhra. Do fhliuch an lá, agus bhíodar istig aimsir dínnéir. Bhuaileadh fear a' tí síos go dtí an doras agus d'fhéachadh sé amach féachaint a' mbeadh aon fheabhas a' teacht ar an lá. Bhí cnámh feola 'na láimh aige. Bhí sé á ghearra le sciain agus á ithe. 'Tá sé ráite riamh', adeireadh sé, 'an rud a chuireann an Aoine roímpi go gcríochnaíonn sí é!'

Níor Phrotastúnach i n-aochor é, ná éinne bhuin leis.

3. Scoileanna Gearra

'Scoileanna gearra' a thugadh na sean-daoine ar na *Hedge-schools*, agus 'máistrí gearra' a thugaidís ar na máistrí bhíodh orthu. Ní thugaidís 'scoileanna scairte' orthu, ná 'scoileanna fóidín'.

Is mó an túirt suas a bhíodh ar na Scoláirthí Bochta ná ar na máistrí gearra. Bhíodh na Scoláirthí seo ag imeacht ó áit go háit, agus bhídís a' foghlaim i gcónaí.

Scoláirthe adéarfainnse: sidé airínn ráite. Ní déarfainn *scoláire* ná *scoláirí*, ach *scoláirthe* agus *scoláirthí*.

4. Fuíoll Baistí

Dá mbeadh duine a' fiscint púcaí déarfí: 'D'fhan fuíoll baistí air', agus i leith na gcáirdeasaí isea cuirfí é seo, agus ní i leith an tsagairt: go mb'fhéidir ná duaradar na paidireacha i gceart. Ach tá seó daoine ann agus i leith an tsagairt a chuirfidís é.[1]

Do bhí fear anso fadó. Bhí beirt mhac aige: Dónal agus Seán do b'ainm dóibh. Do bhíodh sé a' cuir síos ar a' mbeirt mhac do dhuine dosna côrsain.

' Samhlaím gur fear maith Seán ', adeireadh an chôrsa leis.

' Airiú, leog dom ', adeireadh sé. ' 'Sé an saghas Dónal ná splannc ón ndial; agus mar adeire le Seán, d'fhan fuíoll baistí air ! '– 'sé sin, go raibh rud éigint easnaimh ar Sheán, leis: ná raibh sé ar fónamh. Chuir sé i n-úil go raibh an focal againn.

(d) DLÍ AGUS REACHT

Robálaithe

Bhí sé ráite go bhfanadh robálaithe sa dá fhaill seo: Faill a' Deamhain agus Faill Dhroichead Í Mhóra. Bhí an bóthar cóngarach dóibh seo, agus ní raibh a bhac orthu léimt amach ar an mbóthar aon tráth chun robála. Tá an dá áit seo i gCiarraí.

[1] Siné tuairim a lán daoine: cuirid siad i leith an tsagairt é nuair a bhíonn an leanbh a' fiscint púcaí—' Níor baisteag sa cheart é: fuíoll baistí fé ndeár é.' Déarfaidís gur cheart a rá leis an sagart: ' Baist D—— air,' 'sé sin, an focal ' baist ' d'úsáid; nú a ainm agus a shloinne a thúirt don tsagart i dteannta chéile: dintí é sin, leis. Deabhraíonn an scéal nách mó ná baoch a bhíodh na sagairt ansan, mar thuigidís go maith brí na cainte sin. Ach is anamh a thiteann a lithéid amach anois, cé ná fuil an nós imithe ar fad.—SÓC.

4. AN DUINE

(a) SAOL AN DUINE

'Molaim fear thosaig an lae agus fear dheire an lae, agus mo dhá chéad graidhn fear lár an lae'.

Isé an lá é ná saol an duine: ciallaíonn sé de réir mar fhaigheann daoine bás. 'Sé an leanbh fear thosaig an lae. Fear tógtha i meán-aois nú in' óige, 'sé seo fear lár an lae. Agus an fear tógtha i ndeire an lae, ciallaíonn so i ndeire a shaeil. Bíonn aithrí déanta aige seo. Ní bhíonn aon pheaca ar a' bpáiste. Agus meastar gur b'é an chuid is measa do shaol an duine, i meán-aois: fear lár an lae.

(b) CLEAMHNAISTÍ AGUS PÓSAÍOCHA

1. Cleamhnaistí

Níl aon chleamhnas a thairrig Maighréad Ní Ghealabháin[1] uirthi riamh ná go bhféadadh é dhéanamh. Aon bhuachaill ná cailín go n-oirfeadh di [iad] d'fháil pósta le chéile ní bhíodh aon mhoíll uirthi. Agus tá an focal leanta 'nár measc riamh ó shin. Dá mbeadh duine ann go n-eireodh leis cleamhnaistí do dhéanamh, déarfí: 'Tá sé chó maith le Maighréad Ní Ghealabháin!'—agus is minic aduarag.

2. Cúrsaí Gaoil

'Ná bíodh do dhúil it ghaol'. Seanfhocal a b'ea é sin. Tagrann sé do dhaoine a bheadh ró-ghaolmhar chun pósta. 'Siad so na nithe leanann é: díth sleachta, díth séin agus díth náire.

3. 'Minic-a-thig' agus 'Minic-nár-thig'

Cailín a bhí ann agus bhí beirt bhuachaillí i ngrá léi. Bhí sí ceanúil orthu araon, ach ba cheanúla go muar ar dhuine acu í ná

[1] Fic lch. 3 *supra*.

ar an nduine eile. An buachaill a b'fheárr léi is anamh a thagadh sé á fiscint; ach an tarna buachaill, bhíodh sé moch déanach sa tig aici.

Sea. Do dineag cleamhnas idir í féin agus é seo, agus pósag iad. Bhí árd-oíche acu go léir oíche an phósta. Bhí na côrsain bailithe le chéile. Bhí sulth, siamsa agus rí-rá acu i gcathamh na hoíche.

Sa deire, bhí ar na daoine muara sláinte na beirte d'ól. Bhí na sláintí a' gabháil tímpal go mear ansan. Sa deire, b'éigin don chailín sláinte a fir d'ól: b'shiné nós na haimsire sin. Thóg sí an gloine 'na láimh agus chuir sí chun a béil é, agus b'é seo an ' sláinte ' a thug sí uaithi:

' Sidé agaibh sláinte Minic-a-thig!
Fé thuairim sláinte Minic-nár-thig!
Is trua nár tháinig Minic-nár-thig
Leath chó minic le Minic-a-thig! '

4. An Bríste a dhó

Bhí seanabhean ar fuaid na mball so i n-áit éigint roint mhaith bhlianta ó shin. Bhí mac aici agus dhin sé cleamhnas dò féin. Ní raibh an tseanabhean sásta leis an gcailín seo i n-aochor, agus 'sé an rud a dhin sí ná bríste a mic a chathamh isteach sa tine agus é dhó, chun ná beadh aon chlann ag an mbeirt. Agus bhíodh sé ráite ná raibh aon chlann acu.

Piseog éigint a b'ea é sin, gan amhras—agus dro-phiseog nár cheart a dhéanamh. Sin ar airíos mar gheall air.

(c) DEIGHLEÁIL IDIR BHEOIBH AGUS MARAÍBH

1. Teampall Acha'n Dúin

Bhí feirmeoir áirithe n-ar ghlaoig fear siúil chuige i gcóir na hoíche. Ach do ráinig gur cailleag an fear siúil i dtig an fheirmeora.

An oíche bhíothas á thórramh, do bhuail chútha isteach seanabhean bheag. Bhí fear a' tí 'na shuí sa chúinne, agus do labhair an tseanabhean:

' A fhir úd thuas sa chúil,
Is ort atá mo shúil,'—

agus ansan do thosnaig ar an bhfear siúil a chaoine:

‘ Mo chara thu is mo rún!
Is níl agam bád ná lúng
A bhéarfadh tu chun siúil
Go teampall Acha'n Dúin '.

D'eirig fear a' tí 'na sheasamh agus d'fhiafraig di cá raibh an teampall san. D'innis sí dho.

‘ Ach cadé an chabhair dôsa é bhreith ann? ' arsa fear a' tí. ‘ Ca bhfios dom canad ann go gcuirfí é? '

‘ Ní gá dhuit ach é bhreith go dtí geata na reilige ', arsan bhean, ‘ agus tógfar dhíot a chúram ansan '.

Ar maidin larnamháireach do ghléas sé a chapall agus chuir côra chuige sa turcail: do chuir a mhac féin agus beirt fhear eile ar a' mbóthar leis a' bhfear siúil.

Bhí sé déanach um thráthnóna nuair a shroiseadar Acha'n Dúin. Nuair a chuadar go geata na reilige bhí ceathrar fear anso rómpu. Thógadar an chôra amach as an dturcail agus riug leo ar a nguaillibh í isteach geata na reilige. Níor labhradar féin ná an triúr eile aon fhocal le chéile.

Thugadar aghaig ar an mbóthar abhaile arís, agus bhí an oíche caite uim an am gur shroiseadar a mbaile féin. B'sheo mar a scaradar leis an bhfear siúil.

2. ‘ Mar a bheadh Gé Iasachta idir Scata Géanna '

D'airínn sean-daoine a' caint ar fhear éigint ó Dhoire na Sagart (i mBaile Mhúirne) a chónaig i n-aice Bheanntraí. Is ann a cailleag é, agus is ann do cuireag é, cé gur i mBaile Mhúirne ba cheart é féin agus a mhuíntir a chur.

Do bhí an mhuíntir gur díobh é i gcónaí ar Doire na Sagart, agus roint sheachtainí t'réis é seo bheith curtha theas, tráthnóna dá rabhdar a' crú na mbó amù sa pháirc—mar a dintí le línn na haimsire sin—tháini sé chútha agus duairt leo dul ó dheas agus é thúirt leo go Baile Mhúirne.

Níor chuireadar an iomarca suím sa rud, agus ba ghairid 'na dhia' san gur tháini sé chútha arís is iad a' crú na mbó: thug fuláramh ana-ghéar dóibh gan é fhágaint theas. ‘ Táimse ansúd ', ar sisean, 'mar a bheadh gé iasachta idir scata géanna: priuc agus giub age nach éinne orm!'

B'éigint dóibh déanamh mar aduairt sé. Chuadar ó dheas agus do tógag an corp à reilig Bheanntraí. Tugag go Baile Mhúirne é. Tá sé curtha anso, agus níor airíog gíocs ná míocs uaig ó shin!

3. Slua Daoine ón Saol Eile

Do chónaig fear do mhuíntir Dhonachú ar an Ráth (i bp'róiste Chíll na Martara). Seán Bán na Rátha a thugaithí air. Roimis an nGorta a b'ea é. Lá éigint dár bhuail sé an bóthar siar óna thig féin d'airi sé an ghár ghuil 'na choinibh ar an mbóthar, agus ba ghairid gur tháinig an slua daoine 'na choinibh: iad go léir a' gol. D'aithin sé cuid acu agus tuille acu nár aithin, ach bhíodar marbh le tamall roimis sin—an mhuíntir aithin sé: is dócha gur b'amhlaig sin dóibh go léir.

Do labhair sé leo agus d'fhiafraig: 'Cadé fáth úr nguil? Ní fuláir nú tá dro-shaol agaibh'.

'Ní mar gheall orainn féin atáimíd a' gol. 'Sí ár gcúis guil: gorta thá le teacht agus an cor a gheóig ár muíntir, agus an tslí 'na gcaillfar iad don ocras'.

'Is olc é seo', arsa Seán Bán.

'Ō, ní dhéanfa sé aon díobháil duitse', aduaradar, 'mar caillfar tusa Lá Beallthaine: ní bhéarfaig aon ghorta thu!'

Nuair a chua sé abhaile d'inis sé cad a bhí ficithe agus airithe aige. Níor cuireag puínn suime ann. Níor dhineadar de ach maga, nú speabhraoidí éigint a bhí air féin.

D'fhan an scéal mar sin go dtí maidean Lae Bheallthaine. Duairt sé lena mhac dul agus an sagart a thúirt chuige. Ní raibh sé ag imeacht dò, ach b'éigint dò gluaiseacht, agus do thug leis an sagart. D'olaig an sagart é agus é 'na shaol is 'na shláinte, ach fé thráthnóna bhí sé marbh!

B'sheo scéal ba chuín le cuid dosna sean-daoine i mBaile Mhúirne.

4. 'Is fada as so go Cúig Ula!'

Bhí feirmeoir ann, agus bhí áit ar a chuid tailimh 'na dṭugaithí t'rus. Ghoibh sé amach deire oíche éigint a' féachaint i ndiaig na mbó, agus do chonaic sé fear a' túirt t'ruis san áit seo. Do labhair sé leis: ' Cadé an saghas duine tusa, nú cadé do ghnó ? '

Do fhreagair fear an t'ruis:

' Do ghnó féin déin, a dhuine;
Ná bac lem ghnó ná mise,
Mar is gairid uainn glaoch an choilig,
Is is fada as so go Cúig Ula ! '

D'fhág sé ansan é is níor chuir sé aon cheist eile air.

5. ' Raghadsa go Flaithis Dé ! '

Bhí fear éigint a' dul chun báis agus duairt sé: ' Raghadsa go Flaithis Dé má fhaighim ceart ! ' Do cailleag é, agus an chéad oíche bhí sé á thórramh d'eirig sé aniar ar an mbórd agus duairt: ' Do tugag an bhreith ! ' B'shin a nduairt sé, agus do shín siar arís.

Do bhí an scéal so rite fada agus gairid, agus nuair a airig an sagart é tháini sé féin go dtí an tórramh i gcóir an tarna hoíche; agus uim an am céanna don oíche d'eirig sé aniar ar an mbórd arís agus duairt: ' Do tugamh an bhreith ! '

Do labhair an sagart: ' Conas a tugamh í ? ' ar sisean.

' Breith dhamanta ', aduairt an fear a bhí ar a' mbórd, ' agus me féin fé ndeár san, nuair aduart go raghainn go Flaithis Dé dá bhfaighinn ceart: ba thuigithe dhom go raibh ceart agam le fáil ó Dhia '.

' An féidir aon tairife dhéanamh duit ? ' arsan sagart.

' Paidireacha ', aduairt an fear a bhí ar a' mbórd.

Chathadar go léir iad féin ar a nglúine, agus i gcionn tamaill duairt sé leo: ' Tá an scéal atharaithe: leogfar go Flaithis Dé me anois; agus bíodh a bhaochas agam ar an seana-mhnaoi sin thuas insa chúinne: sidí fuair a hachuiní dhom trí dhuine muínteartha dhi atá ins na Flaithis ! '

Do shín siar arís, agus ní duairt a theille.

6. ' A' bhfeacaís mo Mháthair ? '

Bhí fear éigint n-ar cuireag bréag ana-náireach air. Do ghoíll so go muar air i dtreo gur theip a shláinte, agus ba ghairid a mhair sé. Nuair a bhí sé á thórramh, d'eirig sé aniar ar an mbórd agus thosnaig ar an scéal a ínsint dá raibh ar an dtórramh: ná raibh sé ciontach insa rud so do bhí curtha 'na leith. Bhí sé ag ínsint a lán nithe dhóibh, agus gan focal ag éinne á labhairt, chun gur eirig seanabhean a bhí thuas i n-aice na tine:

'Airiú 'se, a Thaidhg', ar sise, 'a' bhfeacaís mo mháthair nú conas tá sí?'

'Gráin uait!' ar sisean, 'do chonac, agus tá sí díreach mar a bhí sí ar an saol so: go bréagach, scéalthach; a' faire ar bheith a' crú bha na gcôrsan, dá mbar dhó léi ná ficfeadh éinne í! Agus anois, ní féidir liom a theille ínsint nuair a dhinis aon chur isteach orm leis an seana-mhnaoi seo do mháthair a bhí agat!'

Do shín siar arís agus ní duairt a theille. Dá leanadh sé a' caint leis, déarfainn gur beag na ceisteanna a chuirfí chuige le heagla go mbeadh an freagra dáltha freagra na seana-mhná!

7. 'Dia línn is Muire'

Do ráinig leas-mháthair ar leanbh éigint. Do bhí sí seo ní b'fheárr don leanbh ná mar a bhí a athair féin. Lá éigint dár chuir an leanbh sraoth as níor chuir an t-athair aon tsuím an, agus ní duairt 'Dia línn is Muire'. Ach duairt an leas-mháthair nuair airig sí an tsraoth as an leanbh: 'Dia línn is Muire, a linbh gan mháthair!'

D'fhreagair an mháthair í—cé nár fhéad í fhiscint: 'Beig Dia leat agus Muire!' aduairt sí.

8. Tadhg mhoch Raidhrí

Do bhí lánú bhocht ann uair éigint agus do ráinig ná raibh acu ach aon mhac amháin. Bhí an scéal ar a ndíthal go maith acu, agus chun é dhéanamh níba mheasa do cailleag an fear. Sea. Do bhí buairt 'na dhiaig, ní nár bh'iúna. Do bhí an garsún agus an mháthair a' d'iarra maireachtaint leo chó maith is d'fhéataidís.

Do bhí an sagart ana-bhaoch don tseana-mhnaoi, agus ana-thrua aige don gharsún—gan éinne chun féachaint 'na dhiaig. 'B'fhearra dhuit anois', aduairt sé léi, 'an garsún a thúirt dôsa agus cuirfead ar scoil é, agus ca bhfios ná gur sagart a dhéanfainn de fós'.

'Airiú, ba mhaith é, a athair', aduairt sí, 'dá mb'fhéidir é'.

Do dhin sí amhlaig ar aon tslí. D'imig an garsún, agus d'fhéach an sagart 'na dhiaig chó maith is d'fhéad sé. Tráth éigint, do chuínig an tseanabhean gur cheart di Aifreann d'fháil ráite don fhear,—agus do bhí sí buailthe suas ar fad le dathaig: is anamh a ghabhadh sí amach.

Do bhí stracaire fir eile chun cónaig i n-aice an bhaíll arna dtugaidís Tadhg mhoch Raidhrí. Bhíodh san ar a' mbóthar i gcónaí mar do bhí dúil aige i mbraon óil. Lá éigint nuair a ghoibh sé an bóthar do ghlaoig an tseanabhean air:

' Airiú 'se, a Thaidhg ', ar sise, ' bhíos a' faire le fada ar Aifreann fháil ráite do Sheán, agus teipeann orm dul chó fada le tig a' tsagairt. Seo dhuit c'róinn agus abair leis an sagart Aifreann a rá dho '.

' Déanfadsa an méid sin go breá ', arsa Tadhg. D'imi sé air agus an ch'róinn aige. Chua sé isteach i dtig a' táirne ar dtúis. Do ruíni sé istig ar chuma ná raibh éinní aige chun dul a' triall ar a' sagart. Bhí an ch'róinn caite le hól. D'fhan an scéal mar sin. Do shíl an tseanabhean go raibh an tAifreann ráite do Sheán, ach bhí fhios ag Tadhg ná raibh.

I gcionn tamaill 'na dhia' san do cailleag Tadhg,—agus bhí sé chun cónaig i mbotháinín ar thaobh an bhóthair agus gan éinne i n-aonacht leis. Tamaillín t'réis a bháis chonaiceathas solas i dtig Thaidhg, agus gan éinne chun cónaig ion—agus ní raibh aon tráth ó n-a dódhéag a chlog istoíche ná go raibh an solas le fiscint i dtig Thaidhg. Bhíodh eagla ar na daoine gabháil an bhóthair i n-aochor. Tig púcaí a thugaidís air.

Ar aon tslí, nuair a tháinig an garsún so amach 'na shagart—agus d'eirig leis go hana-mhaith—tráth éigint bhí sé a' gabháil a' bhóthair, agus d'airig sé an ainm púcaí bheith ar a' dtigín seo. Ní raibh aon eagla púcaí air, agus bhí sé amù déanach oíche éigint a' gabháil thar an dtig. D'fhéach sé agus ní raibh aon tsolas istig ná le fiscint. Bhí aithne aige ar Thadhg mhoch Raidhrí. ' A Thaidhg 'och Raidhrí ', ar sisean, ' ar eirís fós ? '

' Táim ag eirí ', arsa Tadhg istig, ' agus fan go fóill. Tá cos im bhríste ', aduairt sé, ' is lámh im mhuinirthle, is be' mé chút ar neomat ! '

Níor fhan an sagart a theille. Bhí sé a' bailiú leis, ach má bhí, do lasag a' solas istig, agus ní raibh moíll neomait chun go raibh Tadhg tagaithe suas leis.

' Sea ', aduairt sé, ' do ghlaois orm ? '

' Do ghlaos ', arsan sagart.

' Caithfir dul liom isteach anois ', arsa Tadhg.

' Cad a b'áil leat díom ? ' aduairt sé.

'Tá gnó agam díot', aduairt Tadhg. 'Tá 'fhaid seo aimsire ó cailleag mise, agus táim anso ó shin a' fithamh le duine éigint adéarfadh Aifreann', aduairt sé. 'Fuaras airgead ód mháthair-se chun Aifrinn a rá dot athair, nú chun díol as leis a' sagart, agus d'ólag an t-airgead agus ní duarag an tAifreann. Anois', aduairt sé, 'bhí san mar phionós ormsa—fanúint anso chun go dtiocfadh duine éigint adéarfadh an tAifreann: téanam ort isteach'.

B'éigint don tsagart dul isteach i n-aonacht leis. 'Níl aon chluith ormsa anois', aduairt a' sagart, 'chun Aifrinn a rá: níl cluith Aifrinn ná éinní agam'.

'Tá cluith Aifrinn, leis, agat', aduairt sé, 'mar 'sé an pionós athá ormsa, pé sagart adéarfaig an tAifreann caithfi sé an croicean a bhuint díomsa agus é chuir uime mar chluith Aifrinn, agus an tAifreann a rá an fhaid a bheig an croicean san air'. Leis sin do shín sé scian chun a' tsagairt, agus do luig anuas ar a' dtalamh. 'Buin díom an croicean anois!' ar sisean.

B'éigint don tsagart tosnú air, i dtaobh is gur ghránna an obair dò é, is dócha. Bhuin sé an croicean do Thadhg. Chuir uime é. 'Níl éinne agam', aduairt sé, 'a dhéanfaig an tAifreann a fhreagairt dom'.

'Féatadsa é fhreagairt', aduairt Tadhg.

Do thosnaig sé an tAifreann agus do thosnaig Tadhg ar é fhreagairt, agus nuair a bhí an tAifreann ráite:

'Anois', aduairt Tadhg leis a' sagart, 'níl aon bhaol', aduairt sé, 'ar t'athair: beig t'athair i bhFlaithis Dé láithreach baíll, agus beadsa', aduairt sé, 'tógtha ón bpionós a bhí curtha orm anso. Buail orm an croicean san arís', aduairt sé, 'chó maith is d'fhéatair, agus ansan féatair do bhóthar a chuir díot—agus is dócha gur b'é Dia a chas chúm tu', aduairt sé, 'agus níl aon bhaol ná gur obair ghreanúr a bhí agam dhuit t'réis na hoíche!'

As san amach ní raibh aon tsolas le fiscint istoíche i dtig Thaidhg; agus ní bhíodh aon iúna ar an sagart an scéal so ínsint, ach ní chreideadh na daoine é.

9. An Mac Mí-Ábharach

Bhí fear ann go raibh beirt mhac aige. Do bhí duine acu go breá ciallmhar dea-ghnóthach. Dhineadh sé gach aon rud adéarfadh an t-athair leis. Bhí an fear eile go mí-ábharach, ólthach, imearthach, agus is anamh i n-aochor a bhíodh sé sa bhaile. Ní bheadh sé sa bhaile nuair a oirfeadh aon obair a dhéanamh, mar ná déanfadh sé í. Do bhí an t-athair cortha dhe seo, agus i gcionn tamaill duairt sé leis:

'Níl aon chabhair duitse bheith a' fanúint anso', aduairt sé. 'Is mó an díobháil athá agat á dhéanamh duinn ná an tairife, agus leog dod dhriotháir an áit a oibriú leis—agus tá sé ábaltha ar obair a dhéanamh. Isé gheóig an áit uaimse, agus ní thúrfa mé piuc duitse. Féatair bheith a' bailiú leat pé tráth is maith leat é!'

B'shin mar a bhí. I gcionn tamaill d'imig sé, agus níor inis sé d'éinne cá raibh sé a' dul, mar is dócha ná feadair sé féin cá raibh sé a' dul. Bhí sé a' cuir de, agus ní dhéanfadh sé aon obair, fiú amháin dá mbeadh sé chun í fháil i n-aobhal!

Do chuir sé dhe riamh is choíche, agus a' cuir tuairiscí cadé an saghas an áit seo agus an áit úd, agus do ráinig dò teacht, tráthnóna éigint, i n-aice tig duine uasail: tig breá go léir. 'Ní fheadar', aduairt sé le duine éigint a casag air, 'a' bhfaighinn lóistín anso i gcóir na hoíche?'

'Is dócha go bhfaighfá', aduairt an duine. 'Tá ana-thig ag an nduine uasal ansan, agus níl sé féin chun cónaig i n-aochor ann: tá sé i dtigín beag eile in' aice. Téir a' triall air, agus b'fhéidir go leogfadh sé dhuit oíche a chathamh sa tig mhuar'.

'Agus canathaobh ná cónaíonn sé féin ann?' aduairt sé.

'Cúis mhaith, mhuise', aduairt an duine seo leis: 'do chuir na púcaí amach as é!'

''Dhia, mo léir!' ar sisean. 'Ragha mé a' triall air'.

Chuaig. D'fhiafra sé don duine uasal a' bhfágfadh sé istig é i gcóir na hoíche.

'Fágfad', aduairt sé, 'agus túrfa mé tig maith dhuit i gcóir na hoíche, má fhanann tú ann. Agus má fhanann tú ann i gcathamh na hoíche agus bheith at bheathaig rômsa ar maidin', aduairt sé, 'túrfa mé cárt óir duit!'

'Ba dhiail a' rud é', arsan fear leis, 'agus beadsa um bheathaig rôt gan dearamad, mara leathfí don fhuacht ion me!'

'Ní leathfar i n-aochor', aduairt sé, 'mar cuirfeadsa fuíollach tine agus bíg isteach sa tig chút'.

Do dineag a' maraga, agus le titim oíche isteach leis sa ti' mhuar. Do bhí sé istig: fuíollach le n-ithe agus le n-ól agus tine bhreá go léir aige; é 'na shuí ar chathaoir i n-aice na tine.

Tráth éigint amach i lár na hoíche d'airig sé an fothram ar fuaid an tí, agus má airig, níor dhin sé an iomad úna dhe. Ba ghairid gur tháinig fear agus thosna sé ar saghas liathróide imirt ar fuaid an tseomra n–a raibh so istig ion, agus do bhuail an liathróid 'na choinibh. Do dhrid sé an chathaoir ar leataoibh, a' déanamh slí don fhear chun na himeartha. Ní raibh an fear sásta leis sin. Do shuig sé ar a' gcathaoir i n-aonacht leis agus thosnaig ar é bhrú don chathaoir, chun gur leag sé anuas ar a' dtalamh é. Tháinig a chaint dò nuair a chonaic sé an cor a bhí aige á fháil uaig:

' 'Dhia, cadé an dial so ort ? ' ar sisean. ' Ar nóin, do thugas-sa cead imeartha dhuit, agus ní raibh éinní agam á dhéanamh leat, nú canathaobh ná fágann tú anso um shuí ar a' gcathaoir me mar a rabhas ? '

' Is maith a' fear tu ! ' aduairt sé. ' Fágfadsa at shuí ar a' gcathaoir tu anois, agus níl a theille agamsa le déanamh duit, ach caithfi mé mo scéal ínsint duit—agus táimse a' teacht anso ', aduairt sé, 'len' fhaid seo aimsire. Ní fhanfadh éinne sa tig nuair airíd siad a' teacht me, agus níl aon díobháil agam le déanamh d'éinne. Tá aithne agat, is dócha ', aduairt sé, ' ar an nduine uasal a thairrig duit an cárt óir à fanúint anso ? '

' Tá go maith ', aduairt sé.

' Shíl a' duine uasal ná befá at bheathaig ar maidin, mar is mó duine a tháinig anso agus ní rabhdar 'na mbeathaig ar maidin. Thagadh an iomarca eagla orthu nuair a chídís mise, agus ní mise a mharaíodh iad ', aduairt sé, ' ach gan aon mhisneach a bheith acu féin. Féatair ínsint don duine uasal anois ar maidin ', aduairt sé, ' go raibh a athair anso aréir i n-aonacht leat; agus a lithéid seo d'uair do bhíodar go léir à baile, do tháinig na seiribhísig agus do mharaíodar mise. Do chuireadar anso síos fé thalamh me agus ní bhfuarag aon tuairisc orm, beo ná marbh, riamh ó shin. Táid na seiribhísig seo 'na mbeathaig fós ', aduairt sé, ' agus tá cuid acu ag obair don duine uasal, dom mhac. Inis dò an scéal mar athá agam á ínsint duit. Abair leis a lithéidí seo do sheiribhísig fháil tógtha lem mharú, agus caithfirse an fhínné a thúirt uait athá agamsa á thúirt duit. Chun mo chuid airgid a bheith acu b'ea do mharaíodar me. Agus mara gcreidfar tusa ', aduairt sé, ' tiocfadsa féin láithreach i dti' na cúirte os côir an bhreithimh ! '

Sea. D'imi sé uaig, agus do chaith sé an chuid eile don oíche ar a shuaineas. Nuair eirig an duine uasal ar maidin, b'é an chéad rud a dhin sé dul fé dhéin a' tí féachaint a' raibh so 'na bheathaig. Ar nóin, bhí—go láidir, agus a phá go maith a' dul dò, agus tuílllthe aige. D'inis sé an scéal don duine uasal, agus do tógamh iad so le marú an athar. Do cuardaíog an áit go nduairt sé é bheith curtha. Do fuarag ann é, go cruínn.

Do thosnaig an cás á thriail, agus má dhin, ní raibh aon tora ag an mbreitheamh á thúirt ar a' bhfear so: níor chreid sé i n-aochor uaig cad a bhí aige á rá. Ba ghairid gur hairíog an fothram a' teacht, agus do sheasaimh sé ansúd os a gcôir:

'Mise an fear a maraíog', aduairt sé, 'agus caithfir me chreid-iúint, agus caithfir na daoine seo thá tógtha le me mharú caithfir iad a chiontú', aduairt sé, 'nú mara ndinir, is duit is measa!'

Do ciontaíog iad agus do crochag; agus d'fhíll sé seo abhaile lena chárt mhuar óir, agus ní raibh aon fhormad aige leis a' bhfear a bhí coinithe sa bhaile ag an athair!

5. AN NĀDŪR

(a) AN SPÉIR AGUS AN AIMSIR

1. 'Gach Gealach mar a Treas'

'Gach gealach mar a treas': de réir mar a bheig an aimsir an tríú lá isea bhe' sí i gcathamh na gealaí. Bhí san ráite.

Níor mhaith leo an ghealach nó a fhiscint ar a béal anáirde, ná níor mhaith leo í theacht Dé Satharainn. 'Is olc í an ré Shatharainn' adeiridís. Ach bheadh gealach Dhomhnaig go maith.

2. 'Tomáisín an Cheoig'

'A Thomáisín an Cheoig, is fuirithe an duine thu!'
'Canathaobh nár bh'ea, mar is fadó riugag me'.
'Ceocu is sine thu ná an ceo?'
'Is sine me fí dhó'.
'Ceocu is sine thu ná an ghrian?'
'Is sine mise do bhliain'.
'Ceocu is sine thu ná an ghealach?'
'Is sine mise d'earrach'.
'Ceocu is sine thu ná an réilthín?'
'Is sine mise do shé mhí'.

(b) PLANNDAĪ AGUS GACH SAGHAS FÁIS

1. Cárthan

Ba mhaith le daoine sáfach cárthainn a bheith i ngloinithe na meidire. Tá rud éigint a' buint le cárthan, mar bhí—agus tá fós—do nós i n-a lán áiteanna, gabháil amach Oíche Bheallthaine le titim oíche, nú um thráthnóna: uisce coisireacan a bhreith leo, agus cárthan—gaisín don chárthan—a fhágaint at dhiaig 'na sheasamh is gach páirc go mbeadh beatha agat an bhliain sin. An t-uisce coisireacan a chrotha leis an ngas so, i n-ainm an Athar agus an Mhic agus an Sprid Naoimh: seana-nós athá leanta fós i mBaile Mhúirne.

Agus mar a' gcéanna, croithid i dtig na muíntire é, agus isna tithe go léir ar fuaid an chlóis.

Ní fheadar canathaobh go mbíodh an cárthan acu, ach bhí brí éigint leis, gan dabht.

2. Cuileann

' Cuir an crann um Shamhain agus tiocfa sé '. Deireadh tuille acu: ' Cuir an cuileann um Shamhain agus tiocfa sé '. Níor dhineas aon triail riamh air.

3. Luibh an Tóiteáin

Do chífá Luibh an Tóiteáin ar thithibh. Ba dhó le daoine go gcimeádfadh sé an tig gan dó, ach ní raibh aon bhrí leis sin.

4. ' Seacht cnó ar gach craoibh '

' I n-aimsir Chormaic mhic Airt
bhí an saol go haoibhinn ait,
bhíodh seacht cnó ar gach craoibh
agus seacht craoibh ar gach slait '.

D'aimsíos féin seacht cnó ar an gcraoibh, ach ní fhéatainn a rá go bhfuaras seacht gcraoibh ar an slait.

(c) ÉANLAITHE

1. Córá na bPréachán

Duairt préachán le préachán eile:

' Bhác, bhác—fuair an capall bás '.

An préachán eile:

' Bhác, bhác—cá bhfuair sé bás ? '
' Bhác, bhác—i gcúntae an Chláir '.
' Bhác, bhác—a' bhfuil sé méith ? '

‘ Bhác, bhác—saíll go leor ’.
‘ Bhác, bhác—a’ leogfá mise leat ? ’
‘ Bhác, bhác—níl ann ach dorainnín cnámh ! ’—

i gcás ná raghadh sé leis !

2. Éan a theacht isteach sa tig

Níor mhaith le daoine éan beag a theacht isteach sa tig: spiodóg nú dreoilín, cuir i gcás—côrtha go bhfaigheadh duine éigint do mhuíntir an tí bás, adeiridís. Ach ní ghéillfinn dò san i n-aochor. Thiocfadh spiodóigín isteach chút insa ghîre nuair a bhéarfadh ocras uirthi.

(d) NA TREONNA BAÍLL

An té bheadh a’ gabháil siar, ba cheart dò san beannacha don té bheadh a’ gabháil soir.

Dá mbeadh duine a’ gabháil an bhóthair, istoíche nú isló, agus go mbeadh beirt nú níos mó ’na choinnibh ar an mbóthar, is ar an nduine aonair a théann beannacha.

6. LEIGHISEANNA NA NDAOINE

1. Athantóir Éagruais

Athantóir. ' Bhí sé 'na athantóir éagruais '. Ní raibh dochtúirí chó raidhsiúil fadó is táid siad fé láthair, agus ba ghnáthach go mbíodh fear éigint, nú bean, is gach líomatáiste aithneodh breoiteacht éagruais. Orthu so thugadar ' athantóir éagruais '. Ach is féidir athantóir a thúirt ar aon saghas duine a bheadh eolgaiseach agus do thuigeann an gearán atá ar dhuine, nú ar bheithíoch.

2. Sraothartach agus Mianfaíoch

Dá mbeadh sraoth agat le déanamh is nár mhaith leat í dhéanamh—b'fhéidir gur istig sa tséipéal a bhefá—'sé an cosc is feárr uirthi ná méar a bhuala ar chaipín do shúl, agus luí uirthi iarracht. Chuirfeadh so an tsraoth ar gcúl i láthair na huaire.

Duine bheadh a' mianfaíg, is minic a dhéanfadh sé Fíor na Croise ar a bhéal len' órdóig. Is minic a chonac sean-daoine á dhéanamh.

D'airínn duine éigint á rá gur galar a tháinig fadó ar na daoine: bhídís a' mianfaíg agus a' sraothartaig, agus b'shin côrtha an ghalair. Deiridís ' Dia línn is Muire ' ansan.

3. Duine breoite sa leabaig

Nuair a bhíodh duine sa leabaig agus é a' dearga, chimilídís na cneathacha le stairs thirm—púdar stairse. Deiridís go ndineadh so faeseamh ar na cneathacha. Níor airíos go raibh éinní eile choinneodh gan dearga é, nú a thúrfadh faeseamh dò.

Bhí rud eile ráite mar gheall ar dhuine bheadh breoite sa leabaig: dá n-iarrfadh sé é aistriú ó cheann go ceann na leapa gur bh'shin dro-chôrtha air; nú é aistriú isteach i leabaig eile: gheódh sé bás.

Agus an duine bheadh chun bás d'fháil bíonn sé súite síos unsa leabaig. Bheadh sé a' méaráil leis an éadach, nú á chathamh de lena lâ. Dro-chôrthaí iad so.

7. AN T-AM: RANNA NA HAIMSIRE: FÉILÍ

(a) AN T-AM D'ÁIREAMH

1. Grian Chóirimh

Grian chóirimh (Sundial): Bhíodar so ann sara dtáinig na cluig. Bhíodh sé déanta ar lic slinne. Bheadh an uair, an leathuair agus an cheathrú uaire le haithint agat nuair a bheadh an ghrian a' taithneamh. Bheadh bior 'na sheasamh i lár na lice, agus óna scáil seo isea aithneofá an t-am do ló bheadh agat. Ach dá mbeadh lá dorcha nú lá clagair ann ní bheadh aon scáil as an mbior.

Chuirfí i n-áit éigint iad go mbeadh an ghrian a' taithneamh, b'fhéidir i ndrom claí nú falla. Bhí cuid acu san an-órnáideach. Dhéanfadh duine deas-lâch ceann acu.

2. Moore's Almanac

Ní raibh aon chalendar acu sa tseana-shaol, ach bhíodh *Moore's Almanac* acu, agus d'fhairidís go muar é. Gheóidís ceann nó tímpal na Nollag.

Bhídís á rá gur cailleag Seana-*Mhoore* an *Almanac,* agus nuair a bhí sé a' dul chun báis do bhí *Moore* Óg a' gol. 'Tá deire liomsa anois', ar sisean, 'mar ní fheadar cad a chuirfinn san *Almanac!*'

'Is cuma dhuit', arsan seana-bhuachaill; 'cuir pé rud is maith leat inti—ach ná bí tugtha chun sneachtaig i Mithamh an tSamhraig ná i Mithamh an Fhôir!'

Bhíodh taragaireacht i dtaobh na haimsire acu i gcónaí. Mara mbeadh an ceart acu iniubh b'fhéidir go mbeadh sé acu amáireach, nú i gcionn seachtaine—le tionóisc! Bhídís á rá go raibh '*Old Moore*' ró-chríonna agus ná raibh aon chiall aige: ach do bhí, mar do dhíoladh sé an leabhar i gcónaí.

(b) TRÁTHANNA GO BHFUIL TÁCHT FÉ LEITH AG BUINT LEO

1. 'Coirce na bhFaoids nú Gainimh Trá'

Bhí seanduine sa leabaig ar feag bliana. D'airíodh sé ualach muar éigint a' gabháil an bhóthair. 'Cadé an t-ualach é seo a' gabháil an bhóthair?' adeireadh sé.

'Cad is dó leat anois?' adeirtí leis an seanduine.

'Coirce na bhFaoids nú gainimh trá', adeireadh sé—ní bheadh aon ualach eile chó meáchta leis.

'Bíonn tora agus tuí ar choirce na bhFaoids
Is ní bhíonn tora ná tuí sa Mhárta'.—

Is minic airíos an méid sin ráite ag sean-daoine.

2. Fôr na nGéann

Deireadh cuid dosna daoine gur b'é an chúis go dtugaithí 'Fôr na nGéann' air: bhíodh féar muar fada fásta i ndíogracha agus fan clathach, fiú amháin i ndrom na gclathach. B'é seo am a bhíodh síol tagaithe ar an bhféar san (sa bhFôr), agus ana-dhúil ages na géanna bheith ag ithe an tsíl de.

An tseachtain dhéanach do Mheán Fhôir agus seachtain do Dheire Fôir: Fôr na nGéann.

'Do leogas mo mhóin i léig
A' fithamh le Fôr na nGéann'

aduairt duine éigint. Thagadh blianta go dtriomaíodh móin an uair sin: móin a bheadh geall leis trim roim ré. Ach is minic, leis, ná tiocfadh an aimsir ar fónamh.

3. 'Buailtheoirí Phárthnáin'

'Buailtheoirí Phárthnáin': an ghaoth. 'Sé an uair a théann siad a' buala: an chéad tseachtain do Mheán Fhôir, nú go dtí an deichiú lá don mhí sin. B'shidé an uair ba bhaolaí dhuit iad.

Deabhraíonn an scéal go raibh Párthnán éigint a dhineadh cuireadóireacht déanach: ní aibíodh an t-arúr dò i n-am. Do bheireadh na Buailtheoirí seo air frumhór a shaeil sara mbíodh a chuid coirce aibig. Ba ghnáthach gur aniar nú aniar aduaig a bhíodh an ghaoth, nú aniar le buille aduaig, agus thugadh sí ana-shlaiseáil don choirce.

Chaillfá seó dhe dá mbeadh sé aibig an uair sin; agus 'sé an gráinne a b'fheárr imíodh: gráinneacha bharra na léise. Mara mbeadh ach gráinne imithe à gach léas bheadh síol an tailimh imithe: siné deireadh na sean-daoine, agus is uiriste thuiscint go raibh an ceart acu.

'Do loit Buailtheoirí Phárthnáin[1] mo chuid coirce imbliana!' I n-áit éigint i mBaile Mhúirne a bhí Párthnán, déarfainn.

(c) LAETHANTA NA SEACHTAINE

1. An Bás is Feárr

'Bás naofa chút, i n-áit naofa, lá naofa'.

Bás Aoine, tórramh Satharainn agus adhlaca an Domhnaig: isé is feárr, deirthar.

2. Aistriú

'Aistriú na hAoine ó thuaig nú aistriú an Luain ó dheas'. Bhí cosc éigint ar an aistriú san agus ní fheadar canathaobh. Ní dó liom go raibh aon bhrí leis. Dá dtiteadh Lá le Muire na nAistrithe[2] ar an Luan nú ar an Aoine bheidís go léir ag aistriú an lá san, ba chuma cá mbeidís a' dul. Thugas fé ndeara go minic iad.

3. Iníon Aoine

'Iníon Aoine iníon mhíllthe' adeiridís, pé brí bhí leis.

(d) FÉILÍ NA BLIANA

Uisce Coisireacan Oíche Bhealltaine

Chun go mbeadh an rath ar bharraí na bliana san a chroití an t-uisce coisireacan Oíche Bhealltaine. Bhíodh gaisín cárthainn acu

[1] 'Buailtheoirí Dhrom Dhá Liag' i gCuan Dor.—SÓC.

[2] Fic lch. 10 *supra*.

'na chóir, agus d'fhágaidís gaisín don chárthan sáite síos sa talamh is gach páirc—dul isteach is gach aon pháirc a bheadh agat. Ní raibh aon phaidireacha, ach an t-uisce coisireacan a chrotha i n-ainm an Athar agus an Mhic agus an Sprid Naoimh.

Ní fheaca éinní eile déanta: ba leor an méid sin.

(e) NA FÉILÍ COITIANTA

1. AN NOLLAIG

'Tá geataí na bhFlathas ar oscailt dhá lá déag na Nollag'.

'Má thiteann tú ad cholla Lá Nollag caillfir do chion do mhulth Pharathais'—dínnéar muar a bheig isna Flaithis uair éigint.

2. LÁ SUN PÓL

'Lá Sun Pól an cúigiú lá d'Earrach', adeiridís. Seo canúinn a bhíodh ages na sean-daoine mar gheall air:

'Lá Sun Pól má fhóireann grian go glan
Beig grán go leor, gach sórd is an bhliain go maith.
Má fhásann ceo ar gach mór-chnoc thiar is theas
Deir fáig an sceoil gur cóir don bhliain bheith tearc.
Nú más báisteach mhór, dar ndó, is an sliabh go geal
Beig ár[1] go deo un go leonfaig Dia dho stad'.

3. AOINE AN CHÉASTA

Aon tsíol a chuirfá Aoine an Chéasta deirthar go dtiocfadh sé. Bhíodh sé mar nós acu coirce, go háirithe, chur an lá san—agus sciolláin agus cabáiste, go minic.

Níor mhaith le daoine taraingí a chomáint Aoine an Chéasta, i dtaobh is gur mhinic a dineag—agus táthas fós.

[1] *ár clagair*—SÓC.

4. Domhnach na Pailime

Domhnach na Pailime: bhíodh pailim ag daoine an lá san; bhíodh sí acu ar a hataí. B'fhéidir go gcoinneofí gaisín di sa tig.

5. Uisce Coisireacan um Cháisc agus um Nollaig

Uisce coisireacan a thúirt leo ón séipéal um Cháisc agus um Nollaig. Ba mhaith leo é thúirt leo na laethanta san. Ach thugaidís leo é laethanta eile i gcathamh na bliana, leis.

8. PISEOGA AGUS DRAÍOCHT

(a) TEORANTA AIMSIRE AGUS TEORANTA SPÁIS

Uisce Trí Teorann

Caithfig uisce na dtrí dteorann bheith a' teacht le chéile ar phointe trí teorann idir trí bhaile. Tá sé anso idir Múirneach Beag, Cúil Ao agus Tóchar.

Bhí piseoga éigint a' buint leis an uisce seo, fé mar adeireadh sean-daoine. Bhí maith agus díobháil a' buint leis. Dhéanfadh sé leighiseanna ar dhaoine go mbeadh gearán éigint ag imirt orthu, agus chón maith san, deiridís go bhféadadh daoine ím a bhreith ó chéile le pé côcht a bhuinidís as an uisce seo. Ach déarfadsa: ' Ní fheadar '.

Deiridís nár bh'fhuláir dóibh an t-uisce seo bhreith leo chun aon leighis a dhéanamh dóibh. Agus i dtaobh an ime maidean Lae Bheallthaine, ba ghnáthach teacht a' d'iarraig an uisce seo; agus pé duine is moiche nú is túisce a bhéarfadh leis an t-uisce an mhaidean so is aige seo a bheadh sochar na hoibre, agus níor chabhair d'éinne eile bheith á bhreith leis 'na dhiaig.

(b) TUARTHA AGUS CÔRTHAÍ

1. Spréacha na tine a léimt amach at threo: airgead a theacht chút, adeirthar. Ní chreidfinn focal de!

2. Poll dóite id bhríste: sin côrthaí pósta (go bpósfá gan puínn moille).

3. Forc nú scian nú spiún a thitim ar an úrlár: bheadh duine éigint chút. Nú an ursal a thitim: duine éigint le teacht go dtí an tig—stróinséir. 'Sé mo thuairim ná fuil aon bhrí leis na nithe sin.

4. Dá mbeadh duine a' dul anáirde an staighre agus go mbeadh duine eile anuas 'na choinnibh, níor mhaith leo é sin: ní bheadh sé seansúil, deiridís. Thiocfadh an bheirt acu anuas i dteannta chéile, nú raghaidís suas.

5. *Coirt mharbh:* spota beag agus dath buí air a thiocfadh ar mhéir le duine nuair a bheadh duine muínteartha chun bás d'fháil. Tagann sé ormsa, agus is dó liom go bhfuil brí éigint leis sin. D'imeodh sé arís leis an aimsir.

6. *Liú mharbh:* thiocfadh liú mharbh ad chluais. Deirthar go gcaillfí duine éigint a bhuin leat ansan. ' Tá liú mharbh am chluais: caillfar duine éigint '. Is anamh a thiocfadh sé.

(c) RUDAÍ GO LEANANN DRAÍOCHT IAD

1. Sluasad chun Iarlis a ruagairt

Cheapfadh na daoine dá mbeadh duine breoite sa tig acu—fanta ró-fhada breoite, agus dultha chun iarmhaireacht—nách é a nduine féin a bheadh acu. Chôirlíthí iad (côirle fháil ó fhear feasa nú ó dhuine éigint a bheadh a' fiscint na ndaoine maithe) sluasad a dhearga sa tine, agus bheith chun an duine bhreoite a losca leis an sluasaid dheirg—go rithfeadh pé iarlis a bheadh curtha chútha agus go dtiocfadh a nduine féin thar n-ais. Ach pé cor a thúrfaidís don iarlis gheódh a nduine féin an cor céanna a' teacht. Bheidís chun na sluaiste seo a chur i dtóin an té bheadh fanta acu. Is dócha go mbíodh eagla orthu go gcuirfidís marc air i n-aobhal eile agus go mbeadh an marc céanna ar a nduine féin.

2. Mille nú Mothú

Níor bh'fhéidir mothú dhéanamh ar thig. Ní raibh aon eagla roimis. Ach níor bh'aon mhoíll don tsúil mhíllthe ainimhithe nú leanaí mhille. Is measa mille ná mothú: ní thigeann éinní ó mhille.

Bhí daoine éigint a' déanamh tí. Tháinig bean dosna côrsain agus bhí sí a' féachaint ar an obair. Faill éigint dá bhfuair sí do riug sí ar bhlúire do chlár agus riug sí léi é. Ach chonaic muíntir an tí cad a dhin sí. Lean duine acu ar ball í. Istig fé thubán an uachtair a bhí an clár aici.

(d) CEÁRD NA DRAÍOCHTA

(i) Lá Bealltaine

Bainne

Bíonn leisce ar dhaoine bainne thúirt uathu Lá Bealltaine, ach is cuma leo i dtaobh aon lá eile don bhliain. Níor airíos éinní ráite i dtaobh prátaí ná sciollóga.

Sméaróid

Ní leogfí sméaróid amach le héinne Lá Beallthaine; ach bhí tuille acu adéarfadh: ' Tóg leat í más maith leat é '—daoine ná géillfeadh do phiseoga. Bhídís á rá ná raibh a bhac orthu, dá mbeiridís uait an sméaróid, muarán dod chuid ime a bheith acu i gcathamh na bliana. Ach mara ndinidís leis an íntinn sin é ní raibh luach cnaipe do dhíobháil an.

Nú lá a bheidís a' déanamh cuigine, níor mhaith le daoine dá dtógtí sméaróid uathu, ná fiú amháin do phíopa dhearga leis a' dtine—nú dá ndintá ba mhaith leo go n-ólfá istig é, agus gan gabháil amach leis an bpíopa agus é dearg. Deiridís go bhféatadh daoine áirithe an t-ím a bhreith leo mar sin (an píopa dhearga agus gabháil amach ansan). Lasmù dhe sin, ní raibh aon chosc acu i dtaobh tine aon lá ná aon tráth eile don bhliain.

An chéad deatach

Ní bhíodh aon dithanas ar éinne an mhaidean san ag adú tine na maidine, mar deiridís an té árdódh an chéad deatach go bhféatadh a chuid ime go léir bheith imithe uaig ag an gcuid eile—dá mbeadh piseoga acu so chun a dhéanta. 'Na dhia' san, ní hamhlaig a airíos puínn mar gheall ar an ndeatach aon uair.

(ii) LÁ CUIGINE DHÉANAMH

Soc céachta

Chuirfí soc céachta isteach fén dtine dá mbeadh teip ar chuigean a dhéanamh. Ach n'fhéatainn a rá a' gcuireadh san aon fheabhas ar an scéal.

Leath-chrú asail

Dá dtagadh duine isteach lá cuigine dhéanamh, nú aon tráth, ar íntinn do chuid ime a bhreith leis, dá mbeadh leath-chrú asail tárnáltha ar dhruím na táirsí ní fhéatadh sé buint led chuid ime.

Do bhí fear áirithe go raibh teip air aon cheart ná sásamh fháil as a chuid ime. Bhí sé san amhras go raibh duine éigint a' déanamh a dhíobhála. Lá éigint do ghlaoig bean tsiúil chuige, agus ní raibh aon náire air a scéal do nochta.

' Airiú ', ar sise, ' is uiriste an rud san do leigheas, más duine saoltha atá ag imirt ort. Cuirfeadsa cosc leis an obair seo. Imig ort amach anois ', aduairt sí, ' agus túir chúm isteach ruibe à heireabal gach bó dá bhfuil agat á chrú '.

Dhin sé amhlaig. Do shuig sí i n-aice na tine, agus bhí seana-ráiméis éigint chainte ar siúl aici. Anois is arís chathadh sí ruibe isteach sa tine agus do dhódh.

T'réis tamaill d'airíodar duine a' teacht fé dhéin an dorais. Chuaig fear a' tí go doras ach ní raibh éinne a' teacht. Do lean an tseanabhean dá ráiméis agus a' dó na ruibeacha. I gcionn tamaill arís d'airíog an duine a' teacht go doras, ach nuair a fhéach fear a' tí ní raibh éinne ann. D'eirig an bhean tsiúil agus chua sí féin go doras.

'Ó, níor bh'iúna nár tháinig', aduairt sí,–'tá leath-chrú asail tárnáltha agat ar dhruím na táirsí. Tóg as anois í'.

Do dhin chó maith. Thosnaig an 'taltar-á-rá'[1] aici arís i n-aice na tine, agus a' dó a raibh fanta dosna ruibeacha. D'airíog an duine a' teacht arís, agus do phreab chútha isteach ar lár an tí bean dosna côrsain.

'Sidí anois agat í', ar sise, 'ach ní féidir di aon díobháil a dhéanamh duit as so amach'.

As san amach bhí a chuid ime aige mar ba cheart.

(e) EASCAINITHE

(a) 'Bás bíogach chút lá saoire gan sochraid!'
Bás bíogach: bás go dtiocfá as.

(b) 'Imeacht gan teacht gan fille gan fiafraí ort!'

(c) 'Go mbeir' an dial leis tu—mara mbeireadh sé leis tu ach leath-mhíle sa ló!'

(d) 'Go mbeir' an dial leis 'na sciortaí tu!'

(e) 'Go mbris' an dial do chosa is do chnâ!'

(f) 'Leaga is leona ort!'

(g) 'Mille is mothú ort, agus meath na bprátaí dú ort!'

(h) 'An fiche fiabhras dubh go maraí tu is go leagaig tu anuas ar a' dtalamh!'

'*Fuíoll coda gan althú!*'

'Fuíoll coda gan althú
Ar aon ghealún don tír seo,
Agus nár lú ar Dhia duine gan althú
Ná ar aon ghealún an síol so!'

[1] Fic Focail agus Téarmaí lch. 389 *infra*, s.v.

Feirmeoir aduairt é seo, nuair a fhéach sé ar a chuid guirt agus chonaic a raibh fanta gan ithe dhe: b'é seo an ' fuíoll coda '. Theastaig uaig an méid seo fhanúint gan ithe agus gan althú leis. Ansan do chuir sé eascaine, i gcóir ná tiocfí á dh'ithe a thuille.

(f) PISEOGA: CEART AGUS ÉIGEART

1. Loma an Luain

D'airínn nár cheart do dhuine a chuid gruaige bhearra Dé Luain. Piseog a b'ea é. Agus bhí sé ráite, leis, nár cheart muc ná bó ná aon rud a bheadh agat le marú a mharú Dé Luain, ná a loma.

2. Salann

Dá mbefá ag aistriú, níor cheart duit salann a bhreith leat as an dtig 'na rabhais.

3. Aistriú

' Aistriú na hAoine ó thuaig nú aistriú an Luain ó dheas '. Bhí cosc éigint ar an aistriú san, agus ní fheadar canathaobh. Ní dó liom go raibh aon bhrí leis. Dá dtiteadh Lá le Muire na n-Aistrithe ar an Luan nú ar an Aoine bheidís go léir ag aistriú an lá san, ba chuma cá mbeidís a' dul. Thugas fé ndeara go minic iad.

4. Aprún: chun Fuil a stop

Duine éigint a bhí a' túirt fola sa tséipéal. Bhí an sagart a' d'iarraig na fola stop, agus d'fhiafra sé a' mbeadh aon bhall éadaig ag éinne sa phobal a bheadh triomaithe aige leis a' dtine ar maidin iniubh. Do labhair bean agus duairt: ' Andaigh, tá aprún anso agamsa agus do thriomaíos ar maidin iniubh é '. Thug sí dho an t-aprún, agus do stop so an fhuil.

Nuair a bhí sí stopaithe, do shín sé an t-aprún thar n-ais chun na mná. ' Seo dhuit é ', ar sisean, ' a bhean mhallaithe ! ' Níor cheart di an t-aprún a thriomú leis a' dtine ar maidin Dé Domhnaig.

Níor mhaith lem mháthair tu fhiscint a' triomú aon bhall éadaig a bheadh agat le cuir umat Dé Domhnaig.

Bhí sé ráite, leis, go mbeadh cac muice go maith chun fuil a stop. Agus bheadh cúnlach go maith, leis.

5. Éadaí bheadh Úr nú Fliuch

Dá mbefá a' dul à baile agus go mbeadh éadach úr nú fliuch agat, níor cheart iad a bhreith leat gan bheith trim. Níor cheart iad a chuir chút i n-aochor dá mbeidís úr nú fliuch. Piseog éigint isea é sin.

Agus níor cheart éadaí thriomú ar a' gcroich os cionn na tine: ní fheadar canathaobh. Ach dintar go minic é.

6. Bróga Nó

Dá dtagathá isteach sa tig agus feidhre do bhrógaibh nó tugaithe agat leat, bhí sé coiscithe iad so a leogaint uait ar an mbórd. Ach n'fheadar cad é an brí bhí leis sin. Bhí sé ráite, is dó liom, go mbeadh troid nú bruíon nú titim amach agat le duine éigint. Piseog eile isea é sin.

7. Plaoisceanna Obh nú Gruaig

Ní maith le daoine plaoisceanna obh a chuir sa tine. Ní thaithneann a mbalaithe leo nuair a bhíd siad a' dó. Ní maith leo gruaig a chuir sa tine, leis: ní thaithneann balaithe na gruaige leo. Agus tá tuille daoine—caithid siad idir ghruaig agus plaosc uibh isteach sa tine, is ní dhinid aon iúna dhe. Níl aon phiseog a' buint leis an rud so, ach din mar is maith leat.

Ach tá daoine áirithe nár mhaith leo a gcuid gruaige dhó. ' Caithfimíd teacht á hiarraig uair éigint ', adeir siad. An ghruaig a bheadh beárrtha dhíobh chuirfidís i bpoll an fhalla, nú i bpoll éigint í.

8. I gcóir na hOíche

Má tá srath fhalla agat á dhéanamh agus go dtiocfaig an oíche ort sara mbeig an tsrath dúnta, ní ceart na líní fhágaint anáirde i gcóir na hoíche.

Ná ní ceart sranng a fhágaint ar thúran: ní gá dhuit a theille thógaint de. Ná ní ceart éinní mar sin fhágaint gofa i gcóir na hoíche, ná an t-arm go mbíonn tú ag obair leis a fhágaint 'na sheasamh sa pháirc: siné, má fhágann tú ann é.

Aon saghas gléas oibre athá agat, nuair athánn tú chun stop don obair i gcóir na hoíche ní ceart an gléas so d'fhágaint i dtiúin oibre—fiú amháin an bheidhlín, ná fág i dtiúin í: na sranga a bhoga.

Ná ní ceart aon fhód treafa úmpáil t'réis na hoíche thitim. Bhíodh san ráite. Ní fheadar canathaobh, ná éinní mar gheall air, ach go ndeireadh na sean-daoine é agus do ghéillidís dosna nithe sin.

9. An t-Arm ar do Ghualainn

Deirthar nár cheart an t-arm fhágaint ar do ghualainn a' teacht isteach an doras, nú ná fásfá a theille! Déarfí le garsún é—nú le duine fásta, mar mhaga. Rán, nú sluasad, nú speal, nú aon arm mar iad.

(g) LAETHANTA NÁ FUIL ANN ACH AMHÁIN SA CHAINT

1. Lá Philib a' Chleite

'Dá bhfanainn go Lá Philib a' Chleite ní thiocfadh sé chúm!' Lá ná tiocfaig i n-aochor isea Lá Philib a' Chleite, is dó liom. Níor airíos puínn mar gheall ar Pilib a' Chleite. Ní fheadar cér bh'é ná cár ghoibh sé, ach ba mhinic airínn go raibh bean éigint ann a bhí ana-dhrobheathach. Bhítí i gcónaí a' plé léi féachaint a' n-atharódh sí a beatha, agus dro-nithe á bhagairt uirthi sa tsaol le teacht. Ach níor chuir aon dro-ní dá nduarag léi aon stop léi chun go nduarag go gcuirfí isteach i seomra Philib a' Chleite í! D'atharaig sí láithreach baill, fé mar a bheadh aithne aici ar an seomra so, agus nár bh'aon tsaol fónta bheith ann.

2. Lá Chrothúir dá Chaoire

Nuair a thiocfadh dro-lá fuar caillthe, déarfadh na daoine: 'Aililiú! 'Sé lá Chrothúir dá chaoire é!'

'Sea,' adéarfadh duine eile, 'nú lá Shíle dá gabharaibh!'

Deabhraíonn an scéal gur tháinig lá éigint cosmhail leis nuair a bhí caoire beárrtha ag Crothúr, agus gur leathag air iad. Is dócha gur leathag na gabhair ar Shíle, leis. Ach ní fheadar cér bh'iad féin ná cá rabhdar.

3. Lá Loma an Luin

Lá loma an luin: tá so a' tagairt don lá is measa thigeann sa mbliain. Séideann sé an clúmh don lon dubh chun go lomann sé é.

(h) TARAGAIREACHT

'Ólfaig préacháin fuil go folláin i mullach galláin Ínse an Usaig': cuid do tharagaireacht éigint—go mbeadh an fhuil chó hárd le barra an ghalláin.

9. SAMHLAÍOCHT I DTAOBH NITHE AGUS DAOINE

(a) *PÚCAÍ AGUS SPRIDEANNA*

1. NA DAOINE MAITHE AG IOMÁINT

Bhí fear chun cónaig ar Cúil Ao. Bhí sé ar a' bhfear a b'fheárr a riug riamh ar chamán. Do dineag taidhreamh dò mar seo oíche—ach do bhí an rud so níos so-thuisceanta ná taidhreamh. Do glaog as a leabaig air. Bhí fear a' fithamh leis ag an ndoras nuair a eiri sé. ' Caithfir dul liomsa ', ar sisean, ' siar ar ínse na bhFoithire, ag iomáint. Dream ó Luimini bheig 'n-úr gcoinnibh; agus bíodh fhios agat ', ar sisean, ' má théann an bua oraibh, cuirfar chun báis tusa. Agus mar a' gcéanna, má buaitear ar mhuíntir Luimini, cuirfar chun báis an fear is feárr acu ! '

Dhiúlthaig sé do dhul leis. Bhí gach aon leathscéal aige á thúirt dò. Duairt ná raibh a chamán sa bhaile aige, ach duairt eisean leis: ' Beig do chamán thiar ar an ínse rôt '.

T'réis tathaint, b'éigin dò gluaiseacht air. Bhí capall iallaite ag an bhfear eile, agus do chuir chuige an t-iománaí ar a chúlaibh. Tá aithne mhaith agam ar an mbóthar n-ar ghabhadar siar treasna Chúil Ao. Agus do ráinig go raibh siorra carraige treasna an bhóthair seo. Nuair a chuirfeadh capall a chosa tosaig anáirde uirthi bheadh an marcach i rachtaibh sleamhnú siar don chapall. Bhí a chúlóg a' sleamhnú siar don chapall. Thug sé scathamh chun breith ar a' bhfear amù, ach nuair a thug ní raibh éinní le fáil aige. Tháinig eagla air, agus do labhair an fear leis:

' Ná bíodh eagla ort ', ar sisean; ' a lithéid seo dhuine thá agat, agus ní baol duit '. (Fear do mhuíntir Luínse a b'ea é, agus ní raibh sé abhfad marbh an uair sin. Bhíodh aithne mhaith acu ar a chéile).

Nuair a chuadar go hínse na bhFoithire do bhí na sluaite bailithe ann, ar gach bóthar, claí agus carraig tímpal na háite: soílse chó geal agus dá mbeadh lár a' lae acu.

Sarar thosnaig an imirt do tháinig bean chuige, thug dò heain-cisúir agus duairt leis é chasa tímpal a chuím. Dhin sé amhlaig, agus t'réis na himeartha do tógamh ar ghuaillibh é, agus níor chuín leis a thuille, ná cad a thárlaig, chun gur dhúisig sé sa leabaig ar maidin. Bhí teinneas is gach cnámh leis, agus do thosnaig ar bheith ag ínsint an cúrsa a bhí túrtha aige.

Is amhlaig a bhíothas a' maga fé, ach níor bh'fhéidir bheith a' maga fé, mar do bhí an heaincisúir a thug an bhean dò fanta casta tímpal a chuím—agus ní fheacathas le céad bliain roimis sin an sórd so heaincisúra imeasc na ndaoine !

2. DÓNAL NA NGÍLEACH

' Chonac-sa Loch Léin gan d'uisce sa tsaol
ach sruth※áinín caol go ngeódh bean ',

aduairt duine éigint. Bhíodh sé ráite ná raibh ann ach tobar fadó agus gur bág an áit ansan.

Bhí fear do mhuíntir Dhonachú an Ghleanna ann, agus chuireadh sé trí anncairí piucuarainn amach i n-imeall na loiche. Bhídís seo ite ar maidin, agus deiridís gur bh'iad capaill Dhónail na nGíleach a dh'itheadh iad. Ní iarraidís a theille lóin go hOíche Bhealllthaine arís. (Oíche Bheallthaine a chuireadh sé ann iad).

3. TADHG Ó DÚDA

Nuair is go bhfuilim i gCiarraí i n-aochor, is dócha go neósfa mé ruidín eile a thit amach i n-aice Chlais na gCuach: áit arna dtugathar Cúl le Gréin. Do ráinig feirmeoir muar anso. Bhí sé ag obair leis, agus t'réis a' tsaeil ní raibh sé sásta, agus b'ait a' rud a bhí a' déanamh míshásaimh air. Do bhí muarán cluinne aige. Iníonacha a b'ea iad go léir, agus níor ráinig aon mhac a bheith ann ar feag gach fhaid. Bhíodh dothíos air nuair ínsithí dho: ' Tá iníon agat '. Ní chuireadh sé aon tsuím sa rud, ach bheith ana-dhroharaíonach.

I ndeire bárra, do ráinig mac a bheith ann. Bhí sé amù sa pháirc ag obair, agus do rith bean éigint amach a' triall air. (Tadhg a b'ainm dò).

' Airiú, a Thaidhg ', ar sise, ' tá mac óg againn ! '

Airiú, do bhuail sé buille don ráinn ar a' gclaí agus do bhris, le neart muarála ! Isteach leis, agus do bhailig sé chútha gach aon rud dá fheabhas.

'Anois', ar sisean, 'do bhí eagla orm i gcónaí go mbeadh ár sínsear glanta amach as an áit seo, agus nuair athá so againn anois tá ár ndóthain 'on tsaol againn. Ní fuláir aireàchas maith a thúirt don leanbh san; agus fiú amháin', aduairt sé, 'ní heolach dom éinne anso tímpal orainn go leogfainn dóibh seasamh chun baistí leis. Caithfi mé dul 'na lithéid seo d'áit, tamall ar a' dtaobh thiar do Mhucaros: tá daoine muara ansan a bhuineann liomsa, agus túrfa mé liom duine acu a sheasóig leis an leanbh san'.

Tháini sé anáirde ar sheana-chapall bhán a bhí aige, agus as go brách leis. Bhí cúrsa fada roimis, agus sara raibh sé ag ceann a riain do thit an oíche air, agus do bhí an oíche go dorcha. I ndeire bárra, ní fheadair sé cá raibh sé a' gabháil—ní raibh eolas na mbóithre aige—nuair a casag air fear.

'Airiú, a Thaidhg', ar sisean, 'cad a bheir duit bheith amù chó déanach?'

D'inis Tadhg dò an ócáid arna raibh sé amù.

'Á, tánn tú ró-dhéanach', aduairt sé, 'agus b'fhearra dhuit fanúint agamsa anois go lá. Beir luath do dhóthain ar maidin, agus n'fhéadfá dul abhaile anocht, tá an oíche chó dorcha san'.

Do ghéill Tadhg chun fanúint aige, agus do hitheag suipéar, agus do cuireag treo leapa ar Thadhg. Níor ghlaoig éinne air ar maidin. D'fhan Tadhg 'na cholla, agus do tháinig an fear so: dhin sé fear eile díreach mar a gheárrfá an ceann do Thadhg. Chuir sé anáirde ar a' gcapall bán é, agus do scaoil uaig an capall: an fear marbh anáirde!

Tháinig a' capall bán tráth éigint larnamháireach agus Tadhg, mar a shamhlaíodar, anáirde air. D'árdaíog an dá olagón déag—nú cad a mhairbh Tadhg?

Sea. Níor bh'aon chabhair bheith á fhiafraí cad a mhairbh é. B'éigint é thórramh agus é chur; agus i gcionn trí seachtaine 'na dhia' san a b'ea dúisíog Tadhg!

'Eirig as san!' aduairt an fear leis. 'Tánn tú ansan ud cholla anois ó aréir, agus is mithid duit eirí agus dul a' déanamh do ghnótha!'

'Ca bhfuil mo chuid éadaig?' arsa Tadhg. Ní raibh piuc don éadach aige a chuirfeadh sé uime.

'Ná bac led chuid éadaig', arsan fear, 'ach bí a' bailiú leat chó tapaig is d'fhéatair!'

'Ca bhfuil mo chapall?' arsa Tadhg.

'Tá do chapall sa bhaile uim an am so', ar sisean.

'Túir dom rud éigint a chuirfead umum', aduairt sé: 'conas a fhéatainn mh'aghaig a thúirt ar a' mbóthar ar a' gcuma go bhfuilim?'

'Táim á fhuláramh ort', arsan fear, 'bheith a' bailiú leat chó dithansach is d'fhéadfá!'

B'éigint dò imeacht gan aon bhlúire uime ach an léine, agus do riug sé leis barlín as an leabaig: chas sé tímpal air í. 'Béarfad liom í seo', ar sisean, 'nuair ná faighinn éinní eile'.

'Beir leat í más maith leat é', aduairt an fear.

D'imig Tadhg agus an bharlín casta air, agus má imig, ní haon bhóthar a tháini sé, ach bheith a' gabháil na háiteanna is uaigní fhéatadh sé i dtreo ná casfí éinne air. Do bhí sé tagaithe abhaile maidean éigint, agus bhíodar 'na gcolla. D'fhan sé i n-aice chruaich na móna, agus an bharlín tímpal air. Bhí so trí seachtaine t'réis é bheith 'curtha'. Chuaig a' cailín a' d'iarraig ciseáin móna go dtí an chruach. A Ghrástaig! Nuair a chonaic sí Tadhg do chuir sí an liú aisti, agus do rith. Isteach léi.

'Airiú', ar sise, 'tá Tadhg amù ag cruaich na móna!'

'Eist!' aduarag; 'níl'.

'Ó, ar mh'anam go bhfuil', ar sise, 'agus gan tuínte uime ach pé bratainn a bhí anuas air ansan ar a' mbórd againn nuair a bhíothas á thórramh!'

Do chuaig duine éigint eile amach chun é fhiscint, agus má chuaig do bhí Tadhg ann. Do ritheadh gach éinne acu chó luath is chídís é, agus bhí úna ar Thadhg canathaobh go mbídís a' rith uaig. Do bhíodh daoine a' gabháil an bhóthair agus chídís é, agus do ritheadh Tadhg uathu. Théadh sé i bhfolach orthu nuair ná raibh tuínte don éadach uime ach an bharlín casta air. Bhí sé a' fanúint chun go dtiocfadh an oíche air arís, agus go raghadh sé isteach agus ínsint dóibh cad a choinnibh é: shíl sé ná raibh sé amù chó fada.

Nuair a tháinig an oíche do dhin sé fé dhéin a' tí, agus do bhí dóirse dúnta acu. Nuair a tháini sé amù ag an bhfinneoig agus d'fhéach isteach is amhal a bhíodar go léir ar a nglúine, agus paidireacha á rá le hanam Thaidhg. Do leanag dosna paidireacha, agus leis sin do bhuail Tadhg ag an ndoras: 'Leogaig isteach me!' ar sisean. Dineag na paidireacha a dhúbailt agus do neartú, agus fé mar a bhídís a' gabháil dosna paidireacha bhí Tadhg amù: 'Caidé an dial athá oraibh', adeireadh sé, 'nú canathaobh ná hoscalann sibh dom?' Do bhí gach aon daingean fhéataidís túrtha acu ar a' ndoras chun é choinneáilt amù. B'éigint dò imeacht: ní leogfí isteach é, agus ar maidin amáireach:

'Níl aon chabhair dom', aduairt sé, 'dul féna ngéin a theille, pé cúis athá acu orm, agus ragha mé fé dhéin a' tsagairt féachaint cad déarfadh sé liom a dhéanamh'. As go brách leis go tig a' tsagairt, agus nuair a chonaic a' sagart chuige é is dócha go raibh úna air, agus mar sin féin níor tháinig a lithéid sin d'eagla ar fad air.

'Cad a thug tu, a Thaidhg?' ar sisean.

'Cá rabhas?' arsa Tadhg.

'Bhís 'na lithéid seo d'áit', aduairt a' sagart. 'Do chuais siar thar Mhucaros, ar nóin, i n-áit éigint ar a' dtaobh thiar do Mhucaros, chun duine thúirt leat a sheasódh le leanbh duit'.

'Do chuas', aduairt Tadhg.

'Agus ar nóin', aduairt sé, 'thánaís abhaile chúinn-na anáirde ar a' gcapall bán agus tu marbh, trí seachtaine ó shin'.

'Caidé seo athá imithe orm', arsa Tadhg, 'nú an fíor a bhfuil agat á rá liom?'

'Is fíor go maith', aduairt an sagart, 'agus ní haon iúna eagla bheith aget mhuíntir rôt, mar tánn tú curtha acu le trí seachtaine!'

D'inis Tadhg dò cad a bhí imithe air, agus conas a casag air an fear so.

'Anois, a Thaidhg', aduairt sé, 'dhin sé an ceart leat; agus a' bhfuil fhios agat cé casag ort, a Thaidhg?'

'Ní fheadar, a athair', arsa Tadhg.

'Dónal na nGíleach', ar sisean, 'agus sidé bhuail an bob ort, agus ba dheas an cleas imir sé ort. Sidé bhí tuíllthe agat, a Thaidhg', aduairt sé, 'agus choíche arís ná bíodh aon mhuaráil', aduairt sé: 'ná din aon iúna peocu mac nú iníon a bheig agat. Bhí an iomarca eirí anáirde ort', aduairt sé, 'i dtaobh an mhic sin a bheith agat, agus níor cheart duit', aduairt sé, 'aon tsuím a chuir sa mhac níos mó ná i n-inín, dá ráineodh sí agat. Béarfadsa abhaile anois tu', aduairt sé; 'níl aon ghnó agat a' dul abhaile um éamais, mar ná leogfí isteach tu, agus ní locht orthu é'.

D'imig a' sagart leis abhaile agus d'inis sé an scéal go léir dóibh, agus ná raibh Tadhg curtha i n-aochor acu, ach peictiúir éigint eile a leog Dónal na nGíleach chútha, agus go raibh a' méid sin sásaimh aige à Tadhg nuair a chonaic sé an fuadar a bhí fé agus teip éinne fháil ar fuaid an bhaile aige féin, ná dosna côrsain ná daoine muínteartha, a sheasódh le leanbh dò, gan dul a' d'iarraig daoine muara siar amach thar Mhucaros.

Agus gheallfainn dhuit, má bhí a theille acu ag Tadhg, nár bhac sé dul go Mucaros chun daoine fháil chun seasamh leo!

4. AN BUACHAILL BÓ AGUS AN PÚCA

Do bhí feirmeoir ann tráth agus do bhí buachaill bó aige. Is beag feirmeoir ná go mbíodh buachaill bó acu uim an am san. Chathadh an buachaill seo na ba a chuir sa tuar gach oíche t'réis a gcrúite, agus nuair a bhíodh beárna an tuair dúnta aige le scairt nú maide do phreabadh chuige rud éigint i bhfuirm bramaig: shádh sé a cheann siar idir a dhá chois agus d'árdaíodh leis ar a mhuin é. Thugadh sé an oíche ar fuaid na mbailthíocha leis: bhíodh sé geall leis 'na lá nuair a fhílleadh an buachaill abhaile.

D'fhiafraig an feirmeoir de cad a choinníodh amù é chó déanach. D'inis an buachaill dò conas mar a bhí agus gur b'é an bramach so a choinníodh ar feag na hoíche é.

'Tá spuir anso agam', arsan feirmeoir; 'cuir ort anocht iad, agus má bheireann sé leis tu, túir na spuir dò!'

Do dhin chó maith, agus nuair a bhí beárna an tuair dúnta aige siúd chuige arís é; d'árdaig chun siúil é ar a dhrom. Ba ghairid a bhíodar dultha nuair a thosnaig an buachaill ar é phriuca leis na spuir. Chaith sé dá dhrom é, agus d'fhíll an buachaill abhaile go tráthúil an oíche sin.

I gcionn seachtaine 'na dhia' san bhí an bramach roimis ag beárna an tuair.

'Tair anso chúm', arsan buachaill, 'chun go dtiocfad ar do mhuin'.

'A' bhfuil na géaráin agat?' arsan bramach.

'Táid go maith', arsan buachaill.

'Ó, ní raghadsa ad ghoire mar sin', ar sisean.

Bhíodh an buachaill a' dul a' scuraíocht tamall 'na dhia' san, agus oíche éigint dá raibh sé a' fille ón scuraíocht do léim chuige an rud so, do leag isteach don chosán é i dtor sceach agus chaith é féin anuas air. Ba ghairid gur ghoibh an splannc chroidhreac thórsa amù ar an gcosán. Bhog sé don bhuachaill ansan agus do leog dò eirí. 'Do shaoras t'anam duit anois', arsan bramach leis a' mbuachaill. 'Bhefá marbh aici siúd dá mbefá ar a' gcosán. Sprid do b'ea í sin'.

'Agus cé hé tusa?' arsan buachaill.

'Mise an Púca', ar sisean.

Agus do scaradar le chéile air sin. Riamh ó shin ní fheaca sé an púca ná an sprid.

5. PÚCA NA MINE COIRCE

Do bhí gaige ógánaig ann. Bhíodh sé a' déanamh cleamhnais go minic, agus dá mhinicí bhíodh sé a' gabháil don chleamhnas bhí teipithe air pósa. Ní fhéadadh sé a aigne a shocrú ar ce hí an bhean do b'fhearra dho. Do ráinig lá sochraide éigint, t'réis é theacht abhaile ón sochraid: bhí braon óltha aige, agus do fuair sé cuire chun rínnce i dtig dosna côrsanaibh. Chua sé ann, agus do thosnaig an rínnce, agus bhí seó cailíní agus buachaillí ann; agus do ráinig cuid dá dhaoine muínteartha féin ann. D'fhiafraíodar de a' raibh aon chuíneamh aige ar phósa. 'Tá', aduairt sé, 'agus gach aon chuíneamh, ach ní fheadar ce hí an bhean do b'fhearra dhom'.

Duairt duine éigint dosna cailíní: 'B'fhearra dhuit mise a phósa!'

'Ná din', aduairt bean eile acu, 'ach pós mise!'

'B'fhearra dhuit mise', aduairt an tríú bean, 'ná éinne don bheirt sin!'

'Anois', aduairt sé, 'nuair a bhíos insa reilig iniubh bhí bata deas druín duibh agam, agus d'fhágas 'na sheasamh anuas insan uaig i n-aice na háite gur cuireag an tseanabhean iniubh é, agus peocu don triúr agaibh a raghaig ann is thúrfaig chúm an bata, pósfa mé an duine sin!'

'Airiú, bíodh a' dial agat!' arsa beirt acu. 'Ní raghaimísne isteach sa reilig anois ar a bhfuil do bhataí sa choíll, ní áirím do bhaitín druín duibh!'

'Raghadsa ann', aduairt an tríú bean, 'má choiníonn tú t'fhocal liom go bpósfair me nuair a thúrfad chút an bata, nú tráth éigint 'na dhiaig'.

'Ar mh'fhocal go bpósfad!' ar sisean.

D'imi sí léi, agus ní raibh aon eagla uirthi. Isteach léi sa reilig, agus do bhí an maide aici á chuardach nuair a labhair duine léi i gceann dosna huanna:

'Oscail an uaig seo!' aduairt sé.

'Ní oscalód!' aduairt an cailín.

'Caithfir a dhéanamh!' aduairt sé.

B'éigint di. D'oscail sí an uaig. Bhí côra ansan agus fear istig inti.

'Tóg mise amach as a' gcôrainn!' aduairt sé.

'Ní fhéatainn é', aduairt an cailín.

'Féatair go maith', aduairt sé. B'éigint di.

'Beir leat ar do dhrom anois me!' aduairt sé.

'Cá mbéarfad tu?' aduairt a' cailín.

'Ō, neósfad san duit', aduairt sé.

B'éigint di é bhuala chúithi ar a drom, agus as go brách léi chun gur tháini sí isteach leis i dtig dosna côrsanaibh, i n-aice a tí féin. Sidé an áit aduairt sé léi stop. Do riug sí isteach sa chistin é. Shocraíog tine, agus nuair a bhí an tine socair:

'Féach', aduairt sé, 'a' bhfaighfá éinní le n-ithe dhom'.

'Airiú, cá bhfaighinnse rud le n-ithe dhuit?' aduairt sí. 'Níl aon eolas agamsa ar fuaid a' tí seo ach chó beag is tá agat féin'.

'Imig ort', aduairt sé, 'is tá min choirce 'na lithéid seo d'áit: túir leat í'. B'éigint di, agus bhí an mhin le fáil aici ann.

'Féach a' bhfaighfá bainne i n-aobhal anois', aduairt sé. Chuardaig sí don bhainne agus theip uirthi é fháil.

'Faig uisce nuair ná fuil a' bainne le fáil agat', aduairt an púca léi. Do loirg sí an t-uisce agus ní bhfuair.

'Níl aon bhraon uisce sa tig', aduairt sí.

'Faig solas', aduairt sé. Fuair sí coinneal.

'Faig mias anois dom', aduairt sé. Fuair.

'Coinnibh a' choinneal dom anois'.

D'imi sé air mar a raibh beirt mhac d'fhear a' tí chun collata. Fuair sé scian. Do gheárr sé scórnach na beirte agus do thairrig a gcuid fola. Do riug leis an fhuil agus do chuir an mhin choirce uirthi, agus thosnaig ar í dh'ithe. Dhin sé tathant ar a' gcailín í dh'ithe, agus nuair bhíodh sé á dridiúint léi do leogadh sí uirthi bheith ag ithe na mine, ach ní raibh, ach á bailiú chúithi isteach 'na haprún.

'Is muar a' trua', aduairt sí, 'a lithéid sin do chor anois a bheith túrtha don bheirt bhuachaillí sin'.

'Ní bheadh an cor san fáltha acu', aduairt an púca, 'dá mb'áil leo braon don uisce ghlan a bheith istig acu, ach ní raibh, agus bíodh san anois acu dá bhárr, másea!'

I gcionn tamaill:

'Cathfa tú me bhreith leat arís anois', aduairt sé, 'agus me chuir mar a bhfuarais me'.

Bhuail sí chúithi ar a drom é, agus nuair a bhí sí a' gabháil amach beárna bheag a bhí amach as a' gclós do scaoil sí dhi an t-aprún agus an mhin choirce a bhí istig ion, nár dh'ith sí os côir an phúca: do sháig sí isteach i bpoll an chlaí í. D'imi sí uirthi, agus níor stad cos di gur riug sí léi [é] go dtí an uaig chéanna mar ar thógamh é.

' Cuir isteach sa chôrainn anois me ', aduairt sé. Do chuir.

' Beadsa a' dul abhaile anois uait ', aduairt an cailín.

' Ní bheir go fóill ', aduairt sé. ' Caithfir an uaig sin a dhúna isteach mar a bhí sí '.

Thosna sí ar an uaig a dhúna, agus i gcionn tamaill do ghlaoig coileach i dtig éigint i n-aice na reilige.

' Imeod anois ', aduairt sí: ' tá an coileach a' glaoch '.

' Ná din aon iúna do ghlao an choilig sin ', aduairt sé: ' ní coileach Márta é; ach oibrig leat agus críochnaig do ghnó '.

B'éigint di leanúint a' dúna na hua, agus i gcionn tamaill arís do ghlaoig coileach eile.

' Imeod anois ', aduairt sí: ' tá an coileach a' glaoch '.

' Níl a bhac ort imeacht anois ', aduairt a' púca. ' Sin coileach ceart Márta, agus ba ghairid eile ', aduairt sé, ' fhanfadh a' coileach san gan glaoch nuair a bhefá-sa anso i n-aonacht liomsa, agus chathfá fanúint ! '

D'imi sí uirthi abhaile, agus uim an am gur chua sí abhaile bhí an rínnce ar leataoibh. 'Sé an rud a dhin sí ná dul a cholla dhi féin. Do bhí an tuirse uirthi t'réis na hoíche, agus do chodail sí amach an mhaidean chun gur glaog uirthi. Ghlaoig a máthair uirthi:

' Airiú ', aduairt sí, ' is muar an náire dhuit bheith ad cholla agus an scéal le holcas athá anso i mbéal a' dorais againn ar dhuine dosna côrsain ! '

' Caidé féin ? ' arsan cailín.

' Ó, a lithéid seo ', aduairt sí, a' cuir ainm ar a' nduine, ' go raibh a bheirt mhac marbh roimis sa leabaig ar maidin iniubh: iad araon i n-aon leabaig amháin ! '

' Caidé mo leigheas air ? ' aduairt a' cailín.

' Tá's agamsa ná fuil ', aduairt sí, ' ach ceartaig tu féin anois agus imig ort go dtí an tórramh '.

D'imig. Agus do bhí sé ráite ag an bpúca léi—d'fhiafraig sí dhe nuair a bhí an bheirt marbh aige féachaint a' raibh aon rud a chuirfeadh a' t-anam iontu nú a leighisfeadh iad arís: ' Níl ', aduairt sé, ' mar an rud a chuirfeadh a' t-anam iontu san tá sé ite agatsa agus agamsa: an mhin choirce a fliuchag lena gcuid fola ', aduairt sé; ' dá gcuirtí cuid di sin isteach 'na mbéal thiocfadh a' t-anam iontu arís chó maith a's bhíodar riamh. Agus do bheadh saol maith ag an mbeirt bhuachaillí sin ', aduairt sé, ' dá mairidís. A' bhficeann tú an pháirc sin i n-aice an tí ag an bhfear san ? '

' Chím ', aduairt a' cailín.

' Ní fheadair éinne ach a bhfuil d'ór istig inti sin ', aduairt sé, ' i n-aice na scairte sin thuas '.

Sea. Do bhí cuínithe ag an gcailín ar gach éinní a bhí ráite ag an bpúca léi; agus nuair a chuaig sí go tig a' tórraimh do bhíodar eile go léir a' gol, agus níor dhin an cailín aon ghol, ach d'fhiafra sí dá n-athair:

' Dá gcuirinn an t-anam iontu anois ', aduairt sí, ' á' dtúrfá dhom duine acu le pósa ? '

Do bhí an fear a chuir a' d'iarraig an mhaide druín duibh í ag an dtórramh. ' Ó, airiú ', aduairt sé, ' is dócha gur mise a phósfá '.

' Ná labhairse i n-aochor ', ar sise, ' mar táim cortha go maith dod chuid oibre-se t'réis na hoíche. Ní fheadair éinne ach a bhfuil fuilicthe agam do dheascaibh do mhaide druín duibh ! '

' A' maga fúmsa atháinn tú ! ' arsa fear a' tí. ' Ar nóin, tá's agam ná féadfá an t-anam a chuir iontu, agus táim buartha mo dhóthain. Ba chóir go leogfá dhom gan bheith a' maga fúm '.

' Isdóin, ní haon mhaga é ', arsan cailín. ' Cuirfi mé an t-anam iontu má fhaighim duine acu le pósa, agus 'sé a n-iarrfad leis ná an pháirc sin suas ón dtig: Páircín na Scairte. Féatair an chuid eile dod chuid tailimh a thúirt don fhear eile acu '.

' Ó 'se, ar mh'fhocal ', ar sisean, ' go dtúrfainnse dhuit an pháirc sin go tugtha dá bhfaighinn an t-anam curtha iontu arís agat mar a bhíodar '.

Amach léi, agus d'aimsig sí an t-aprún go raibh an mhin choirce ion i bpoll a' chlaí: thug léi isteach é, agus do chuir cuid don mhin isteach i mbéal gach éinne don bheirt. Chó luath is chuir, d'eiríodar 'na mbeathaig chó maith is bhíodar riamh !

Sea. T'réis tamaill do dineag an pósa, agus d'inis an cailín an mhíorúilth go léir a bhí titithe amach di leis a' bpúca. Nuair a bhí an pósa déanta, duairt sí lena fear dul agus tóch i n-aice na scairte: go bhfaigheadh sé rud éigint ann. Do dhin chó maith, agus fuair sé corcán óir. Thug sé leis isteach é agus do bhailig a chuid óir amach as: chuir i mbannc nú i n-áit éigint é i gcimeád.

Pé cuma gur fhan an seana-chorcán istig ar fuaid a' tí, bhí scrínneoireacht éigint air agus teip ar éinne í lé. T'réis roint bhlianta do bhuail chútha Scoláirthe Bocht, agus d'fhéach sé ar a' gcorcán. 'Airiú, 'se', aduairt sé, 'cé dhin a' scrínneoireacht ar a' gcorcán?'

'Ní fheadaramair', aduaradar; 'ní dhinimíd aon iúna dhi sin'.

'Airiú, ní dhinimse, leis', aduairt sé, 'ach tá's agam', aduairt sé, 'cad tá scríofa air'.

'Sin rud ná fuil fhios againn-ne', aduaradar, 'nú cad tá scríofa air?' aduaradar leis a' Scoláirthe.

'A lithéid seo', aduairt sé: '"Ar a' dtaobh thoir don chorcán so tá a thrí oiread eile".'

An dial! Do phriucadar iad féin, agus chuíníodar cá bhfuarag a' corcán agus an méid a bhí ann, agus nuair a tháinig an oíche amach leis a' mbeirt, agus do thosnaíodar a' tóch ar a' dtaobh thoir don chorcán, agus do fuaradar trí corcáin eile don taidhse chéanna agus iad lán d'ór. Gheallfainn dhuit ná raibh aon ghátar ansan orthu! Do bhí tig álainn go léir déanta acu istig i gcúinne na páirce seo: fuíollach airgid acu. Agus b'shidé an chuma go bhfuair an cailín seo a cuid airgid, agus páirc, do dheascaibh Púca na Mine Coirce.

6. 'EIBHLÍN NÍ GHUSTAIL'

Bhí duine bocht ann ná raibh aige ach an t-aon bhó amháin. Bhí sí seo go breá ramhar aige, ach níor dhin san an gnó mar do cailleag an bhó air. 'Is beag an locht atá uirthi le n-ithe!' ar sisean. Do bhuin sé an croicean di, agus d'fhan á hithe ar feag tamaill don bhliain, chun go raibh a deire ite aige.

I gcionn tamaill 'na dhia' san—do bhí lios i n-aice na háite—agus lá éigint do chonaic sé an bhó i n-aice an leasa. Do riug sé ar mhaide agus siúd féna géin é chun í thúirt leis abhaile. D'aithin sé go dian-mhaith í; agus chón luath agus tháini sé i ndiaig na bó phreab seanduine chuige amach as an lios:

'Fág ut dhiaig an bhó san', ar sisean: 'is liomsa í sin!'

'Ní leat', arsa fear na bó, 'ach is liomsa í!'—agus do ghluais an sárú ag an mbeirt ar a' mbuin.

Bhí an ceannsmách ag fear na bó á fháil ar sheanduine an leasa, agus nuair a bhí buaite air—an bhó ag imeacht ag an bhfear eile:

' Má tánn tú á breith leat anois ', arsa seanduine an leasa, ' cuir chúinn abhaile anso sean-Eibhlín Ní Ghustail a dh'ithis go méith ! '

Deabhraíonn san gur seanabhean a bhí curtha chuige i n-inead na bó !

Ba mhaith an chôirle aon rud don tsórd san a chaillfí ort gan iad a dh'ithe, le heagla gur ' Eibhlín Ní Ghustail ' a bheadh agat.

' Ná hith Eibhlín Ní Ghustail ! ' adéarfí leat.

7. SPRID I GCÍLL GHARBHÁIN

Bhí sprid i n-áit éigint thiar i n-aice Chíll Gharbháin fadó. Bhí fear ó Bhaile Mhúirne dultha chun cónaig i n-aice an bhaíll go mbíodh sí á fiscint. Do thosna sí ar an bhfear so, agus ba mhinic tímpal an tí aige í, a' faire ar é mharú. Tháini sé go Baile Mhúirne féachaint a' bhfaigheadh sé aon chúnamh chun í throid. Do riug leis an bheirt fhear a b'fheárr a bhí ann ar mhaide. Bhí fear eile soláirce aige 'na dteannta arna dtugaithí Mearcus Scot.[1] Bhí Donacha Bán[2] aige agus Micil na Pinse.[3]

Tráthnóna, do bhí an fear so amù i n-aice 'n tí nuair a thosnaig an sprid air. Bhíodh sé a' d'iarraig í thiospeáint don triúr a bhí chun é chosaint, ach ní fhicidís seo piuc di. Nuair a ghabhadh sé an geata isteach chun an tí bhíodh sí roimis anáirde ar pholla an gheata, agus do léimeadh treasna ó pholla go polla. ' Sidí ansan agaibh í ! ' adeireadh sé.

Bhíodh gach aon stiall do mhaide acu á tharrac mar a ndeireadh sé leo í bheith, ach níor dhineadar béim iongan léi. B'éigint dóibh teacht abhaile, agus ba gheárr gur fhág an fear thiar an gleann 's a raibh ann ag an sprid.

8. SPRID CHNOCÁN A' PHÍOPA

Bhíodh sprid mná ar Cnocán a' Phíopa (ar a' mbóthar idir Ínse Gíle agus Dún Mhaonmhaí). Bhíodh píopa aici agus thúrfadh sí gal

[1] Gaiscíoch a bhí i mBéalaithe 'n Ghaorthaigh—SÓC.

[2] Donacha Bán Ó Luínse, file: an fear gur bhronn Máire Bhuí Ní Laeire an chraobh air lá don tsaol—SÓC.

[3] Micil Ó Murachú, fear go mbíodh céad míle scéal air.—SÓC.

duit, agus shíneadh sí an píopa chun gach duine ghabhadh an tslí, ach ní ghlacadh éinne acu uaithi é, agus níor locht orthu é!

Do ráinig do dhuine bheith chun cónaig tamall siar ón gcnocán so, isna cnocaibh. Ní raibh aon bhlúire tobac aige i gcóir na hoíche, agus as go brách leis fé dhéin Ínse Gíle chun tobac d'fháil. Níor chuíni sé ar an sprid chun gur sheasaimh sí os a chôir amach agus do shín chuige an píopa. Bhí buile thobac air, agus do ghlac uaithi é go funamhar. Nuair a bhí greas de óltha aige, shín thar n-ais chúithi é agus duairt:

'Beannacht Dé let anam agus le gach anam fhág sinn go léir!'

'Ól tuille dhe', arsan sprid.

Bhí sé a' dul i ndáineacht agus níor iarr sé puínn tathaint, agus shín sé thar n-ais chúithi é arís: ghuig ar na maraíbh fé mar a dhin cheana, agus dhin sí tathant air leanúint tamall eile ar a' bpíopa. Bhí an dúil aige un agus do bhuin greas eile as: shín chúithi arís é. Thóg sí an píopa as a láimh agus duairt:

'Táimse anso leis an fhaid seo blianta. Chaithfinn fanúint ann chun go dtiocfadh duine éigint an tslí go mbeadh misneach agus coráiste aige a thógfadh uaim an píopa, roint ghal a bhuint as, agus guíochtaint ar mh'anam trí huaire. Tá so déanta agatsa anois. Táimse saor. Ní fhicfar anso me níos mó. Imig ort a' d'iarraig do chuid tobac, agus ní baol go bhficfir sprid ná púca choíche arís, pé tráth bheir amù'.

9. DONACHA AN GHABHA AGUS SPRID NA MANGARTAN

Bhí triúr driothár[1] ar a' mbaile seo (Cúil Ao). Bhí rith agus lúth agus léim agus triail acu. Níl aon ghiorré a dhúiseoidís anuas i n-aobhal anso ón gcnoc, nuair a bhaileodh an triúr tímpal air ní leogfaidís dò aghaig a thúirt ar a' gcnoc; agus do leanaidís air chun go gcuiridís anún tríd a' loich é (Loch Í Bhogaig, ar Cúil Ao).

An dial blúire do dhriotháir acu ná gur casag é sa Mhangartain oíche, agus níor dhearúd an sprid glaoch chuige—Sprid na Mangartan. Thosnaíodar ar a chéile, agus thugadar an oíche a' gabháil dá chéile. Bhí maide aige. Do bhris a' maide i ndeire bárra, agus bhí sé teanntaithe aici.

'Tánn tú agam anois!' ar sise.

[1] De mhuíntir Chonaill: fic Focail agus Téarmaí lch. 373 s.v. *gad*.

Agus ba bhreá réig a thóg sé í: ' 'On dial a ndinim 'o dhabht díot! '

Tá an chanúinn sin againn ó shin anso: ' 'On dial a ndinim 'o dhabht díot, mar adeireadh Donacha an Ghabha leis a' sprid! '

Ach mhairbh sí é, agus duairt sí le duine éigint 'na dhia' san go raibh cathú uirthi é mharú, mar riamh nár casag uirthi aon fhear a b'fheárr ná é.

Thosnaíodh na driothváracha so ar lon dubh anso i gCúil Ao, agus leanfí air agus bhéarfí air—thiar i mBárr Duínse, b'fhéidir, nú thoir ar a' Múirneach Beag.

10. BEAN ÓN SAOL EILE

Bhí cailín anso i mBaile Mhúirne tamall ó shin: Peig Ní Dheasúna a b'ainm di. Nuair a bhí sí seo ag eirí suas 'na gearràchaille, dosaen blian d'aos, do bhíodh sprid á tiospeáint féin di, nú á coínleacht, gach tráth ó raghadh grian fé. Bean do b'ea í seo, agus bhíodh sí i gcónaí a' buala an chailín bhig le rud éigint i bhfuirm mealabhóige nú lánáin. Croicean bó riaithe a bhí mar bhrat uirthi; agus ní muar ná go raibh an gearràchaille curtha as a meabhair aici.

Do dhin a muíntir gach ní fhéadadar. Thógadar tig istig i gCíll Áirne, agus bhíodh na buachaillí istig acu a' scuraíocht agus ag imirt chártaí, mar chuideachtain.

Tráthnóna éigint, do chonaic an gearràchaille an bhean, nú an sprid, mar adeirimís, a' teacht isteach agus a' dul fén leabaig. Nuair a thit an oíche, do thosna sí arís ar an gcailín beag. Bhí na buachaillí istig, agus do ritheadar amach a' d'iarraig an tsagairt. Tháini sé, agus isteach sa tseomra mar a raibh an cailín.

' A' bhficeann tú anois í ? ' ar sisean.

' Chím ', aduairt an gearràchaille.

Thosnaig sé ar léitheoireacht, agus t'réis tamaill d'fhiafraig an sagart: ' A' bhficeann tú anois í ? '

' Chím ', arsan gearràchaille: ' sidí ansan í! '

Ach theipeadh ar éinne eile í fhiscint. Ansan, thug sé scian choise duí 'na láimh dhi agus sheasaimh agá drom.

' Sáig anois í ', aduairt sé, ' leis a' sciain sin! '

Chó luath agus bheadh an scian curtha i láimh an ghearràchaille ag an sagart bheadh an scian sciubaithe agus curtha 'na seasamh i gclár an úrláir. B'sheo mar fhan an scéal.

Ní raibh an sprid scartha leis an ngearràchaille, mar bhíodh sí 'na diaig gach tráth ó raghadh grian fé.

Bhí daoine muínteartha dhi ar na hUláin, i mBaile Mhúirne, agus tháini sí féin agus a máthair ann, a' brath ná leanfadh an sprid iad. Ach b'é an cleas céanna é. Bhí sí á tiospeáint féin i gcónaí, agus á buala leis a' mealabhóig seo. D'iarr fear a' tí ar a' ngearràchaille agus ar an máthair ceist a chur uirthi, pé áit eile go bhficfeadh sí í.

Maidean nuair a chuaig an gearràchaille a' d'iarraig uisce go tobar, bhí sí 'na seasamh ag an dtobar roímpi. Do rith sí thar n-ais go scannrúil, agus duairt le fear agus le bean a' tí go raibh sí ag an dtobar.

' Téanam ort anois ', aduaradar; ' seasóm-nu i n-aonacht leat, agus cuir ceist chúithi '.

D'imig an triúr fé dhéin an tobair. Ní fheacaig éinne acu í ach an gearràchaille. Bhí sí 'na seasamh ann agus fáth an gháire inti—rud ná feaca sí riamh roimis sin.

Do chuir an gearràchaille an cheist, féachaint cad a bhí a' déanamh trioblóide dhi, nú cadé an paor a bhí aici uirthi féin seochas éinne eile.

' A lithéid seo ', ar sise: ' táim le seacht gcéad bliain a' fithamh leat. Bhí gealltha agam nuair a bhíos um beatha shaeil dhá th'rus a thúirt i mBaile Mhúirne. D'fhágas an saol so agus gan na t'ruis túrtha agam. Sidé fáth gur thánag féd dhéin; agus anois, má thugann tú na t'ruis seo thar mo cheann beadsa scartha leat, agus ní dhéanfad díth dhuit níos mó. Caithfir iad so thúirt sa cheart: beadsa láithreach a' faire ort; agus sin a bhfuil agam le hiarraig ort '.

Larnamháireach tháinig an gearràchaille agus fear a' tí agus bean a' tí go reilig Ghobnatan chun go dtugadh an gearràchaille na t'ruis. Bhí an bhean ann rómpu, cé nár fhéad éinne don bheirt eile í fhiscint. Thosnaig sí na t'ruis, agus dá ráineodh go leogfadh sí siar ar a sálaibh í féin, nú iarracht amach ar a cromara, deireadh an bhean léi: ' Caithfir an t'rus so do thosnú arís! '

Nuair a bhí na t'ruis túrtha aici, d'inis sí don chailín mar gheall ar an oíche do bhíodar i gCíll Áirne, nuair a tháinig an sagart isteach. ' Dhin sé a dhíthal orm ', aduairt sí, ' ach ní raibh baol ormsa uaig, nuair ná rabhas damanta. Agus anois ', ar sise, ' más maith leat seasamh anso ar mo chois agus féachaint siar do dhruím mo ghualann, tá radharc muar le fiscint agat '.

Ach do dhiúlthaig an cailín don rud so a dhéanamh.

' Níl a theille agam le rá leat ', aduairt sí; ' ach beig leabaig cóirithe agam ins na Flaithis don bheirt seo i n-aonacht leat '. Ní bhfuarag aon radharc uirthi as san amach. Ní fhicfeadh éinne a lithéid ach duine naofa: na daoine is feárr.

11. DIARMAID *TORY* AGUS AN SAGART

Bhí sagart i mBaile Mhúirne fadó: an tAthair Labhrás Ó Mathúna. Thug sé tamall dá shaol ar a' Mullach (barra Ghort na Tiobratan), i dtig feirmeora. Bhí fear ag obair don fheirmeoir seo arna dtugaithí Diarmaid *Tory* mar leasainm. Do mhuíntir Thuama a b'ea é. Bhí sé ana-dhúilmhar san ól. Mar seo, tráthnóna, d'fhiafraig an sagart de: ' A Dhiarmaid, a' raghfá go Mochromtha dhom ? '

' Raghad go breá, a Athair ', arsa Diarmaid, ' nú cad a theastíonn uait ? '

' Mhuise ', arsan sagart, ' gráinne té agus siúicre '. (Ní rabhdar chó flúirseach an uair sin agus bhíodar ó shin). Fuair sé an t-airgead ón sagart. As go brách leis, agus bhí sé i Mochromtha sarar thit an oíche.

Do casag isteach go ti' táirne é: ti' táirne Thaidhg Mháire—mac Thaidhg Bháin Í Thuama. Bhí aithne mhaith ag Tadhg Mháire ar Dhiarmaid *Tory*. Do luig a' bheirt chun óil. Ba ghairid chun go raibh fiacha na té agus na siúicre caite ag Diarmaid; agus tráth éigint i meán oíche thug sé aghaig ar a' mbaile.

Bhí sé 'na lá nuair a tháini sé. D'fhiafraig an sagart de: ' Ar thugais leat an té agus an tsiúicre ? '

Dar ndó, níor thug, ná éinní aige a thúrfadh leis iad. Ach d'fhreagair sé an sagart lena rá: ' Thugas liom cuid don tslí iad '.

' Agus cad d'imig ort ansan ? '

' Bhíos a' gabháil anoir trí Ré Í Ghealagáin[1] nuair a eirig an sprid chúm. Chathas chúithi ladhar don tsiúicre ar a' mbóthar. As go brách liom an fhaid a bhí sí á hithe. Ach ba ghairid gur tháini sí suas liom arís. Chathas tuille don tsiúicre chúithi. D'fhan sí á hithe seo, agus seo chúm arís í níos fiaine ná riamh. Chathas chúithi ar a' mbóthar na páipéir, 'dir thé agus siúicre. D'fhan sí á n-ithe léi, agus mara mbeadh so mharódh sí me: ní fhéatainn na cosa bhreith uaithi '.

[1] I bp'róiste Chluan Droichead atá an ré seo. Níor airíos riamh aon teacht thar mhuíntir Ghealagáin.—AÓL.

'Dar a' bportús, a Dhiarmaid', arsan sagart, 'is amhlaig a scarais go maith léi!'—agus tuairim mhaith ag an sagart conas mar a bhí an scéal.

Do bhí an sprid sin ann: Sprid Mhullach na Ré a thugaidís uirthi. Bhí sé ráite gur b'é an tAthair Labhrás Ó Mathúna féin do dhíbir an sprid 'na dhia' san.

12. CAILLITHÍN NA GLAOITÍ

'Caillithín na Glaoití': Bhíodh a lithéidí seo i n-a lán áiteanna. Is dócha gur púcaí nú saghas mná éigint iad. Deireadh sean-daoine go raibh cuid acu i mBaile Mhúirne. Bhí áit ann arna dtugaithí Portach na dTarbh (ar na Millíní, i gCúil Ao). Níl aon tráth t'réis dul gréine fé ná go mbíodh Caillithín acu so anáirde ar charraigín i mbarra an phortaig. Do ghlaodh sí ar Thadhg Ó Shúilleabháin: 'Hé—a Thaidhg Í Shúilleabháin—pú!' Sheinneadh sí port beag t'réis glaoch air. Éinne ar fuaid an bhaíll gur bh'ainm dò Tadhg Ó Súilleabháin bhíodh eagla orthu so gur orthu féin a bhíodh sí a' glaoch. Bhídís a' cúba chútha, agus do b'anamh amù iad ó raghadh grian fé.

Do labhradh na mná so le chéile treasna na mbailthíocha. D'fhiafródh duine acu don duine eile:

'Cár chollais aréir?'
'Theas ar an gCéim—
nú cár chollais féin?'
'Thall ar Gort a' tSlé'.'

Ar na Millíní atá Gort a' tSlé'. Tá an Céim ar Cúil Iarthach. Tá an dá áit i mBaile Mhúirne. Ach níl aon tuairisc ar na Caillithíní seo anois. Ní fheadair éinne cár ghabhadar nú cad a bhíodh a' déanamh buartha dóibh.

13. AN GHNÍOMHINGINEACH

Oíche dá raibh Liam na Buile istig 'na bhaile féin agus dream lucht scuraíochta 'na thímpal, do chonaic sé tríd an bhfinneoig aghaig duine, mar a bheadh sé ag éisteacht nú a' faire isteach orthu. Phreab Liam 'na shuí. Amach leis, agus bean do bhí ann. Chuir sí ar na cosa uaig, agus theip ar Liam teacht suas léi.

Nuair a tháini sé isteach d'fhiafraig lucht na scuraíochta dhe: ' A Liam, canathaobh gur rithis amach, nú cad a chonaicís ? '

' Chonac an ghníomhingineach ', aduairt sé, ' i bhfuirm na hathair nimh.
Ba chosmhail í le Liosabhar, ceann cruinnithe na n-ainimhithe;
Nú curtha ón ndial i nIfreann is Liosabhar á coínleacht,
Ag umallaig is ag ulaithirt cois ursanaibh istoíche '.

Ag umallaig: ag ionalaig nú a' giúnlaig, b'fhéidir. *Giúnlach* isea gearán. *Ag ulaithirt:* ualllthartach, b'fhéidir.

14. DONACHA AN CHÚIL

Fear chollata an lae agus shiúil na hoíche a b'ea Donacha an Chúil. Oíche éigint dá raibh sé amù, do bhuail 'na choinibh ar a' mbóthar ceathrar fear agus côra ar a nguaille acu. Do léim Donacha agus do chuir a ghuala fén gcôrainn chó maith leo. Ach má dhin, d'imig an ceathrar fear agus d'fhágadar an chôra ansan ar a' mbóthar aige!

Chuir Donacha chuige ar a dhrom í agus do thug leis abhaile í. Nuair oscail sé an chôra do bhí bean bhreá óg sínte 'na colla istig inti. Do dhúisig Donacha í, ach má dhin, ní raibh aon fhocal cainte aici.

D'fhan sí aige mar seo ar feag bliana gan focal a labhairt leis; agus do ráinig dò bheith a' gabháil an bhóthair arís go déanach istoíche san áit chéanna go bhfeaca sé an ceathrar fear leis a' gcôrainn. D'airig sé chuige an chaint, agus do dhrid sé isteach sa díg i bhfolach.

Do ghoibh an ceathrar fear chuige, agus duairt duine acu ar línn gabháil thairis: ' Bliain is an oíche anocht a bhuin Donacha an Chúil dínn iníon an Iarla Ruaig anso '.

' Féach ', arsa fear eile acu, ' is beag a dhineamair leis ó shin '.

' Cad a fhéataimís a dhéanamh leis ', arsan tríú fear, ' mar duine isea é ná luífeadh mille ná mothú air, agus ná lasfadh gaoth ná grian air! '

'Is beag an mhaith dho í', arsan ceathrú [fear]: 'be' sí ansúd aige gan focal cainte chun go bhfaighe sí trí deocha as a' gcorn so um láimh'.

Do léim Donacha amach agus chuaig i n-acharann sa chorn. 'Ní bhe' sí abhfad gan caint anois!' ar sisean. Ní raibh aon mhoíll air an corn a sciuba leis ón bhfear eile.

Abhaile leis, agus thug na trí deocha don mhnaoi as a' gcorn, agus chó luath is bhíodar fáltha aici do thosnaig ar chaint—geall leis an iomarca cainte, fé mar a bhíonn acu go léir! B'shidé an uair a innis sí dho gur b'í iníon an Iarla Ruaig í. Bhí an tIarla Rua mílthe ón áit 'na raibh Donacha an Chúil.

'Fanfairse anso anois', arsa Donacha leis a' mnaoi, 'agus raghadsa a' triall ar an Iarla Rua. Neósfadsa dho go bhfuileann tú agam'.

'Maró sé tu', aduairt sí, 'mar samhló sé gur a' maga fé bheir'.

'Ní mharóig', arsa Donacha.

Níor stad cos de chun gur chuaig sé a' triall ar an Iarla Rua, agus duairt leis go raibh iníon dò aige féin le breis is bliain.

Dhóbair don Iarla é mharú—'Nú a' measann tú', ar sisean, 'bheith a' maga fúm? Do bhí iníon agam', aduairt sé, 'agus do thóg an bás uaim í, breis is bliain ó shin; agus ní cóir dod lithéidse bheith a' maga fúm, agus ní lúálfad dhuit a dhéanamh!'

'Níor thánag chun bheith a' maga féd lithéid: tá an fhírinne agam á ínsint duit, agus b'sheo mar a fuaras í'.

D'inis sé an scéal tríd síos dò, i dtreo go raibh an tIarla a' géille dá chuid cainte. 'Ragha mé leat', aduairt sé, 'agus beig fhios agam a' bhfuil an fhírinne agat'.

Tháini sé leis, agus nuair a chonaic sé a iníon agus an obair a bhí déanta ag Donacha an Chúil ar í thúirt thar n-ais—'Bíodh sí anois mar mhnaoi agat', ar sisean, 'agus ní fhágfadsa aon easnamh oraibh'.

B'í seo bean a bhí ag Donacha an Chúil, agus deabhraíonn an scéal nár fhág an tIarla Rua aon easnamh orthu.

Níor airíos cá raibh Donacha chun cónaig.

15. NA CAILLEACHA DEARGA

Tá abhfad aimsire ó shin, nuair a thiocfadh teinneas, nú dá mbuailfí obann aon duine go mbeadh óige a' buint leis, i mBaile

Mhúirne—agus is dócha gur bh'amhlaig sin is gach aobhal—dá gcaillfí é dhineadh na daoine amach gur sciubaithe bhí sé.

Ar aon tslí, do ráinig gur cailleag fear óg i mBaile Mhúirne. Bhí ana-bhuairt 'na dhiaig; agus bhí dream seanabhan ann arna dtugaidís ' Na Cailleacha Dearga '. Bhí sé ráite gur sciubaithe bhí sé: tógtha 'na shaol agus 'na shláinte agus 'n' óige. D'airídís i gcónaí dá raghfá go dtí an uaig nuair a bheadh sé curtha: í oscailt, agus dá mbeadh an duine sciubaithe ná beadh piuc de rôt sa chôrainn, ach rud éigint eile a bheadh curtha in' inead.

Níor stad cos díobh chun gur imíodar lá éigint fé dhéin na hua agus d'oscaladar í. Má oscaladar, b'é a raibh istig sa chôrainn rómpu ná smulcáinín giúise agus rian na tine air. Bhuin so preab astu. Ní fheadaradar cad ba mhaith dhóibh a dhéanamh. Do chuireadar an clúdach ar a' gcôrainn arís, agus as go brách leo fé dhéin an tsagairt. D'ínseadar an scéal dò.

' Tá sé déanta mar sin agaibh ', aduairt sé, ' a chailleacha gránna, agus do mharúir an fear gan oltha gan aithrí! Téig ann anois arís ', aduairt sé, ' agus chífi sibh cad tá rôibh '.

Dhineadar chó maith, agus nuair oscaladar an chôra arís do bhí an fear istig inti, agus é bog te—marbh an neomat san, geall leis—agus braon fola lena shróin. Gheallfainn dhuit go raibh náire ar na cailleacha do dheascaibh na hoibre a bhí déanta acu, agus gur chuma as san amach pé beann a bheadh acu ar dhuine, nú peocu sciubaithe nú fuadaithe a bheadh sé, níor bhac na cailleacha dul fé dhéin na hua ag éinne acu chun oscailt féachaint cad a bheadh rómpu!

16. AN CHÔRA A OSCAILT

B'sheo rud eile a bhíodh ráite imeasc na ndaoine, dá mbeifí i n-amhras ar dhuine a bheith sciubaithe—an chôra: go gcaithfí í oscailt anáirde ar thrí dhroichead a bheadh ar a' slí rómpu, dá ráineodh na trí droichid ar an slí; agus le hí oscailt ar an gceann déanach acu so, nú an ceann ba ghiorra don reilig, pé rud a gheófí istig sa chôrainn—marar bh'é do dhuine féin a bheadh ann—é chathamh do dhruím an droichid le fánaig an tsrotha agus go mbeadh do dhuine féin rôt sa bhaile nuair a thiocfá.

D'airíos gur trialag uair éigint é—'dtaobh is ná neósfí dhom ce hiad a dhin é—agus ná raibh a nduine féin istig sa chôrainn nuair a thánadar go dtí an droichead déanach chun na reilige. Pé rud a bhí ann do chathadar leis an ndroichead é, agus nuair a thánadar abhaile do bhí a nduine féin rómpu go slán folláin, chó maith is bhí sé riamh.

Agus níor airíos trialtha ar aon tslí eile é, ná níor airig cuid dosna sean-daoine a bhíodh ag ínsint an ruda so dhom é; agus is dócha ná fuil ion go léir ach caint, mar tá crot an éithig air!

(b) *SAIBHREAS I DTAISCE*

'CNÍOPAIRÍ AN ÓIR'

Is minic airíos muarán ráite mar gheall ar an ór, agus cé chuireann an t-ór mar a bhfuil sé, nú canathaobh go raibh sé ann.

Is minic a bhíodh áiteamh muar 'dir sean-daoine mar gheall air. Bhí sé soiléir go maith go raibh an t-ór le fáil. Is minic a fuair daoine é, agus fiú amháin do bhí aithne agam féin ar mhnaoi: do ghoibh sí amach a' d'iarraig na mbó mar seo tráthnóna, agus nuair a bhí sí a' fille thar n-ais agus na ba roímpi amach do chuínig sí ar sop pice do thúirt léi, sidé sop beag deas mín fraoig. Do staith sí an sop fraoig agus nuair a dhin cad a bheadh thíos fé ná corcán beag óir! D'fhéach sí le húntas, agus nuair a fhéach sí tímpal uirthi, do bhí an fear ansan 'na sheasamh leis ba ghráinne gur luig súil duine riamh air, agus do dhin sé dranntú chúithi. Níor dhin sí blúire ach an sop a chathamh anuas air arís agus rith.

Nuair a tháini sí abhaile d'inis sí an scéal, agus do chuathas fé dhéin na háite arís: agus do bhí marc ana-chruínn aici ar an áit; ach má bhí, ní raibh aon bhlúire don ór le fáil nuair a chuadar thar n-ais.

Deireadh na sean-daoine dá gcuirteá lámh ann agus ruidín éigint de a bhreith leat ná féadfí é aistriú; agus níl aobhal go bhfuarag an t-ór so ná go mbeadh duine éigint 'na sheasamh leis; agus b'é an chuma a chreideadh na sean-daoine mar gheall ar an saghas san duine: gur saghas cníopaire go raibh an t-ór so aige, bailithe le dealús, agus b'fhéidir le rógaireacht agus le gadaíol. Nuair a bhí oiread san óir acu do dhineadar a ndia dhe, agus níor chuíníodar ar Dhia ná ar éinní dá shaghas. 'Sé an t-ór a bhíodh a' déanamh buartha dhóibh go dtí lá a mbáis; agus t'réis a mbáis—sidé adeireadh na sean-daoine—bhí an t-ór acu agus é curtha i bhfolach. 'Sé pionós a cuireag orthu ansan ná fanúint ansúd i n-aice 'n óir, agus nuair a bhuinfeadh éinne dhíobh an t-ór, nú é fháil acu, go gcuirfí pionós ba ba mhó orthu ansan ná bheith a' túirt aire don ór. Agus sidé an chúis go gcuirid siad an aghaig ghránna orthu féin chun aon daoine a chíonn an t-ór so—le heagla go mbéarfaidís uathu é agus go mbeadh pionós níos mó curtha orthu.

Do dineag taidhreamh dom féin mar gheall ar ór, agus má dineag níor chreideas é ar fad, agus ní hamhlaig ná go n-ínsinn an taidhreamh uaireanta. Do bhí fear luath láidir eile um aice agus d'airig sé é.

'An fíor gur dineag a lithéid seo do thaidhreamh duit?' ar sisean.

'Do dineag', arsa mise, 'agus caidé an chabhair sin, nú cad tá le déanamh againn?'

'Ragham féna dhéin', aduairt sé.

'Ní ragham', aduartsa, 'mar, a lithéid seo: níl éinne a thógann an saghas san óir ná go gcailleathar láithreach baíll é; agus 'na theannta san, airím go dtiospeánann fear diail gránna éigint é féin chó luath is chífir an t-ór'.

'Ní bheadh aon tora againn air', ar sisean.

'Agus cad a dhéanfam', aduartsa, 'cuir i gcás is go raghaimís á thógaint anois? Tosnódsa ar bheith a' tóch, agus nuair a ragham síos go dtí an t-ór tiospeánfaig an fear gránna é féin duinn. Dá mb'áil leatsa maide a bheith agat, nú rud éigint níos measa ná maide, agus má bhíonn aon dro-ghnúis air, buail é—nú a' mbuailfir?'

'Ní bhuailfead', ar sisean; 'ach tá rud eile agamsa á chuíneamh mar gheall air, má thiospeánann sé é féin. Beirimís linn buidéal maith poitín', aduairt sé, 'agus má fhaigheann tú an t-ór, agus go dtiospeánfaig an seana-bhuachaill é féin, sínfeadsa chuige an buidéal agus déanfa mé tathant air é ól. Titfi sé ansúd is túrfam linn ár gcuid óir, gan aon bhruíon i n-aochor a dhéanamh leis!'

Ach níor bhacamair mar seo ná mar siúd é. Agus is minic go léir a fuair daoine an t-ór so, agus ní maith le héinne acu a ínsint go bhfuaradar é, 'dtaobh is go n-aithneofá a rian orthu go maith t'réis é fháil. Agus le taidhrithe isea fhaighid siad é. Cathfar é thaidhreamh dóibh trí huaire, adeir siad, sara bhféataidís bheith cruínn ar é bheith ann.

10. SEANACHAS STAIRIÚIL

(a) *AN CREIDEAMH AGUS AN EAGLAIS*

1. Naomh Gobnait agus na hIascairí

Bhí beirt fhear ag iascaireacht ar an bhfarraige. Tháinig oíche ana-fhiain stoirmiúil orthu. Bhí sé ráite gur ó Bhaile Mhúirne duine acu. Ar aon tslí, bhí úntaoibh mhuar aige à Naomh Gobnait. B'sheo mar adeireadh sé:

'A Ghobnait an dúchais, atá i mBaile Mhúirne,
Go dtaga tú chúmsa led chabhair is led chúnamh!'

Ach deireadh an fear eile mar fhreagra air: 'Tá sí ad chúram!' Ní raibh aon úntaoibh aige à Naomh Gobnait.

I gcionn tamaill, tháinig báidín beag i n-aice leo agus bean bhán istig ann: do shín amach a dá láimh agus thóg isteach 'na bád féin an fear so bhí a' guíochtaint uirthi.

Nuair a chonaic an fear eile an méid sin, do liúig sé:

'A Ghobnait an dúchais, atá i mBaile Mhúirne,
Go dtaga tú chúmsa led chabhair is led chúnamh!'

aduairt sé.

Do fhreagair an bhean bhán: 'Tá sí ad chúram!' ar sise. Naomh Gobnait a bhí ann.

Ach tháinig an bheirt acu slán abhaile.

2. 'Is cuma cad deir Fionnóg ná Fiach'

Bhí naomh ann fadó. Tráth éigint, bhí sé ag imeacht ar laethanta saoire. Sarar imi sé, d'inis sé dosna fir cad a bheadh le déanamh acu i gcathamh na seachtaine: chaithfidís bheith a' buaint arúir.

D'imi sé leis, agus maidean larnamháireach d'ínseadar don chailín go mbeadh a lithéid seo d'obair ar siúl acu, agus thugadar órdú dhi an dínnéar a bheith ullamh go luath dhóibh. Níor thaithn san leis an gcailín i n-aochor. Duairt sí leo gan aon obair a dhéanamh, mar go mbeadh an lá fliuch.

'Ca bhfios duit?' aduaradar.

'D'airíos an fiach dubh a' labhairt', ar sise.

Níor dhineadar aon obair an lá san. An tarna lá arís, bhíodar chun roint oibre dhéanamh, ach duairt an cailín leo go bhfliuchfadh sé.

'An amhlaig airís an fiach dubh?' aduaradar.

'Ní hamhlaig', ar sise, 'ach d'eirig an ghrian go moch ar maidin!'

Níor dhineadar aon obair an lá san. Do lean an scéal mar sin i gcathamh na seachtaine, agus nuair a tháinig an naomh abhaile ní raibh aon obair déanta. D'fhiafraig sé dhíobh cad fé ndeár san. D'ínseadar dò. B'sheo mar aduairt sé ansan:

'Is cuma cad deir fionnóg ná fiach
Ná caint gan chiall na mná;
Peocu moch nú déanach eireoig an ghrian,
Mar is toil le Dia 'sea bheig an lá!'

3. Trí Mhallacht a chuir Naomh Pádraig

Tráth éigint a bhí Naomh Pádraig 'na cholla, chuir sé trí mhallacht. Ní fhéatainn a rá cad air go gcuireadh sé iad. Ach bhí a bhuachaill ag éisteacht leis. Nuair a labhair Naomh Pádraig á rá go gcuirfeadh sé an chéad mhallacht, duairt an buachaill: 'Cuirimse an mhallacht san i mbarra na luachra'. An tarna ceann ansan: 'Cuirimse an mhallacht so i n-uisce na n-obh', arsan buachaill. Agus an tríú mallacht: 'Cuirim í seo i gcolg na heornan', arsan buachaill.

Agus cuirfi mé geall, an ruibe luachra is óige a chonaicís riamh tá barra rua air.

Ní dintar aon úsáid d'uisce na n-obh ach é chathamh uait nuair a bheig na huí beirithe.

Agus colg na heornan: ní tairife anso ná ansúd í—an fhéasóg a bhíonn ar an eorna.

(b) *DAOINE FÉ LEITH*

1. TÁILLIÚIR NA SAMHNA

Samhlaíonn a lán daoine go gcaithfidís dul abhfad ó bhaile chun scéil nú abhar scéil a bheith acu, agus dá dtugaidís fé ndeara a lán dosna nithe a thiteann amach eatarthu féin is beag ná go mbíonn scéal, nú abhar scéil, iontu, dá leantí orthu i gceart.

Ba chuín liom féin go raibh fear anso i mBaile Mhúirne 'nár measc. Táilliúir do b'ea é, agus do bhí leasainm air: ' Táilliúir na Samhna ' a thugaidís air. Conas mar a fuair sé an ainm seo:

Do bhí talamh a' gabháil leis ar Baile Mhic Íre, san áit 'nar chóna sé. D'oibríodh sé an talamh so i gcathamh an tsamhraig, chun go dtiocfadh Lá Samhna. Gheódh sé amach ansan ar fuaid na p'róiste ag obair ar a chéird, agus b'shidé an chuma gur tugag ' Táilliúir na Samhna ' air—de réir a ráiteachais féin.

I dteannta an tailimh seo bheith a' gabháil leis bhí stráice coille a' gabháil leis, agus ba mhinic adeireadh sé féin go raibh sé marbh cráite ó uaisle Chúige Mûn—an eile dhuine acu a' lorg cead lâite ar fuaid na coille seo. Agus bhí iarracht aithne agam féin ar a' gcoíll: ní raibh inti níos mó ná cúpla crann!

D'fhaigheadh sé cúnamh i gcathamh a' tsamhraig chun na hoibre ó bheirt eile a bhí chun cónaig ar Baile Mhic Íre. Bhíodar so óg. ' An Slibire ' a thugaithí ar dhuine acu agus ' An Broc ' ar fhear eile acu—eirithe suas 'na ngarsúin mhaithe láidre. Do bheidís istig i n-aonacht leis a' dtáilliúir gach aon tráth, agus ní raibh cúinne ná blúire ruda ar fuaid a' tí ná go raibh fhios acu cá raibh sé. Fiú amháin is ar éigint fhéatadh sé a dhínnéar a dh'ithe i gan fhios dóibh ná go mbeidís istig aige. Bhíodh sé cortha dhíobh uaireanta, agus caidé an chabhair sin—thugaidís oiread cúnaimh dò is ná féatadh sé a rá leo fanúint uaig.

Do ráinig ' An Slibire ' istig aige lá éigint nuair a bhí sé ag ithe dínnéir. Do bhí cabáiste agus feoil ag an dtáilliúir i gcóir dínnéir. Bhí ana-dhúil sa chabáiste aige, agus níor ráinig go raibh sé ró-fhlúirseach aige an lá so. Níor mhaith leis gan cuire dínnéir a thúirt don tSlibire, agus 'na dhia' san níor mhaith leis go n-íosfadh sé piuc don chabáiste. Cad a dhin sé ná dul amach sa gháirdín, agus pé áit ann gur sholáthair sé seilithide do thug leis isteach é, agus nuair a thóg sé an cabáiste amach ar a' bpláta—ní raibh ach aon phláta amháin 'dir é féin agus an táilliúir—do chuir sé an cabáiste ar a' bpláta agus an seilithide san taobh a bhí i n-aice an tSlibire. Thosna sé féin ar bheith ag ithe an chabáiste agus a' tathant ar a' Slibire é dh'ithe!

'Ó, ní íosfad i n-aochor iniubh é', adeireadh an Slibire nuair a chonaic sé an seilithide, agus níor bh'fheárr leis a' dtáilliúir scéal de. Do lean sé féin á dh'ithe chun gur phiuc sé a raibh don chabáiste ion—isteach go dtí adharc an tseilithide!

Tráth éigint, nuair a tháinig an tSamhain do bhíodh an táilliúir gofa amach ag obair, agus do thúrfadh sé frumhór na seachtaine à baile uaireanta. Do mhair a mháthair sa tig i n-aonacht leis, agus an fhaid a bhíodh an táilliúir à baile do ghabhadh an mháthair amach i gcóir na hoíche chun collata i dtig éigint dosna côrsain. Thugadh sí cúrsa suas ar dhuine go dtugaidís Dónal Chrothúirín air, nú b'fhéidir fear eile a bhí ann arna dtugaidís Dónal Phronnséis.

Do bhí ana-chomarádaí ag an dtáilliúir agus do ghlaodh sé chuige ana-mhinic: fear a chónaig thuas ar bhóthar na gCeapach: Séamus Dhónail Bhig a thugaidís air. Ní raibh aon treo mhartha air seo, ach tigín ar thaobh an bhóthair aige. Do bhíodh sé a' gearra ghiúise, agus níl aon tSatharan ná go mbéarfadh sé ualach don ghiúis isteach go sráid Mochromtha. Do dhíolfadh sé an ghiúis, ach gheallfainn dhuit ná tagadh puínn don airgead abhaile aige! Ualach asail a bheireadh sé leis. Bhí ana-pháintheach asail aige: ana-mhuar, agus 'An Spáinneach' a thugadh sé mar ainm ar an asal. Nuair a bheadh sé a' teacht t'réis na giúise a dhíol do stopfadh sé ag tig Tháilliúir na Samhna: bhí so ar thaobh an bhóthair roimis. D'fhágfí 'An Spáinneach' amù sa chlós. Do raghadh Séamus—nú Séamuisín Dhónail Bhig—isteach. B'fhéidir go mbeadh buidéilín leath-phínt túrtha aige leis. D'ólfadh sé féin agus a' táilliúir é, agus go hana-mhinic do shínfeadh sé istig chun go n-imeodh an dramhaíol meisce dhe, agus do chollódh greas. Do raghadh sé abhaile ansan dò féin; agus do bhí bean sa bhaile aige arna dtugaidís Peigín.

Caithfi mé a rá go raibh sí seo chó muar do chníopaire—agus ní déarfainn é dá bhféadainn cuíneamh ar aon ainm eile ba mheasa ná 'cníopaire' dhi, ach ní fhéatainn—an chéad leathphinge, déarfainn, a bhí riamh aici, go raibh sí thíos i dtóin an tseana-spaga fésna leathphingí eile; agus deireadh na côrsain, dá ráineodh go mbeadh aon leathphinge airgid agat uirthi níor bh'aon chabhair bheith á iarraig uirthi: chathfá í leaga chun é bhuint di! Ní thugadh

Séamuisín puínn cúnaimh di chun martha agus níor ghiorra dho ná a chumaoine, mar gheallfainn dhuit nár chaill Peigín puínn le Séamuisín.

Do bhuineadh sé an ghiúis seo agus do bheireadh sé leis abhar geaitirí a' triall ar dhaoine ar fuaid an bhaile. D'fhaigheadh sé feidhre stocaí ó dhuine; b'fhéidir go bhfaigheadh sé ' báinín ' ó dhuine; agus ní dhearúdadh sé an táilliúir gan giúis a bhreith chuige i gcóir geaitirí.

Ach ar aon tslí, uair éigint go raibh an táilliúir ag obair i n-iarthar na p'róiste, thiar ar a' nDoire Leathan, do bhí sé ann frumhór na seachtaine. Do bhí an Slibire agus an Broc tímpal thig a' táilliúra féachaint cathain a thiocfadh sé abhaile istoíche Dé Satharainn. Ní raibh sé a' teacht; agus do bhí máthair a' táilliúra dultha amach i dtig dosna côrsain. Ba ghairid gur bhuail chútha Séamuisín agus an t-asal muar so—' An Spáinneach '—a' teacht ó Mochromtha. Bhí ana-mheisce air, ach do bhí eolas maith ag an asal isteach i gclós an táilliúra. Isteach leis sa chlós agus Séamuisín 'na cholla istig sa turcail. Do tháinig an Slibire agus an Broc. Do thógadar Séamuisín amach as a' dturcail. Bhí fhios acu go maith cá mbíodh an eochair, nú ' pollín na heocharach ', mar adeiridís. Fuaradar an eochair. Do riugadar isteach Séamuisín, agus ní raibh húm ná hám ion le neart meisce. Shíneadar istig é anáirde ar a' mbórd mar a mbíodh an táilliúir ag obair. Do lasadar solas dóibh féin: bhí fhiosa go maith acu cá mbíodh na coínle ag an dtáilliúir. Nuair a bhí Séamuisín sínte ar a' mbórd acu:

' An dial ', aduaradar, ' leogfam orainn go bhfuil sé marbh, agus be' sé socair ansan againn nuair a thiocfaig an táilliúir ! Níl ao' bhaol ná go dtiocfaig a' táilliúir tráth éigint '.

Do chuireadar bratacha bána anuas ar Shéamuisín, agus fuaradar coínle. Chuadar suas a' d'iarra tornapaí go dtí Páirc a' Tí Dhóite: b'shidiad na coínleoirí a bhí acu. Bhí Séamuisín socair i bhfuirm mar a bheadh sé marbh: coínle ar lasa air, agus tráth éigint amach san oíche do tháinig an táilliúir.

' A' bhfuil sé marbh ? ' arsan táilliúir—agus bhí fhios aige go maith ná raibh, gur cleas é a bhí imeartha ag an mbeirt eile.

' Is dócha go bhfuil ', aduaradar. Do dhin a' táilliúir saghas guil air, agus d'fhanadar a dtriúr ansan i n-aonacht le Séamuisín, agus ní raibh sé a' dúiseacht. Le teacht an lae—an mhaidean Dhomhnaig ion:

'Is muar an náire dhíbh', aduairt a' táilliúir leis an Slibire agus an Broc, 'nár chuir scéala suas a' triall ar a mhnaoi, Peigín, agus imíg oraibh suas anois. Ínsig di go bhfuil sé marbh agus abraig léi teacht anuas'.

Do chuaig an bheirt suas a' triall ar Pheigín. Anuas léi go dithansach, agus feidhre seana-shlipéidí gan dúna ar a cosa. Nuair a tháini sí isteach go dtí an bórd ní raibh cor à Séamuisín. Do thosnaig sí ar ghol, agus ar é chaoine:

'Mo chara is mo bhuíon tu', aduairt sí,
'Is mo chû ní scaoilfig
Iniubh ná choíche,
Ó fuaras rôm sínte é
Maidean lae shaoire
Ar Baile Mhic Íre!'

'Eist, a Pheigín', aduairt an táilliúir, 'agus leog dôsa é chaoine'. Do thosnaig an táilliúir ar é chaoine:

'Mo chara thu is mo chuid', ar sisean,
'A Shéamuis Dhónail Bhig,
Ba ró-bhreá géataí fir
A' buala, a' buaint nú a' rith,
Nú a' poc ar liathróid dhuibh;
Do scríodh go caol le pion'—

'Á, faire fút, a tháilliúir!' arsa Peigín. 'Is muar an náire dhuit bheith a' cuir éithig ar a' nduine mbocht is é marbh! Ní fheacathas riamh', aduairt sí, 'a' rínnce é, ná ag imirt liathróide, ná ní raibh scrí ná lé aige: ní aithneodh an duine bocht H ar mhála!'

'Sea másea', aduairt a' táilliúir, 'féatam an rud d'atharú:

'Mo chara is mo rún tu,
A fharaire shúgaig
Do mhathaibh na cúige.
Is beag an iúna go dúch me
Agus uisce lem shúile
Nuair fhéachaim sa chúinne
Ar na geaitirí giúise
Do thugathá chúmsa
Is iad lán dá gcuid tiúise!'

Leis sin, do thug a' táilliúir fé ndeara go raibh féasóg Shéamuisín a' corraí, agus nár bh'fhada chun go ndúiseodh sé. Do bhí an lá tagaithe, agus do riug an táilliúir ar ghualainn ar Pheigín:

' Anois, a Pheigín ', aduairt sé, ' níl aon chabhair bheith a' gol ná a' lógóireacht ná a' caointeoireacht. Níl aon tairife againn le déanamh, agus rith ort amach chó tapaig is d'fhéatair. Cuir díot an bóthar siar—be' tú thiar i gcóir an chéad Aifrinn, agus cuir fé ghuí an phobail é '.

Chuir sé amach Peigín, agus d'imi sí ar sodar an bóthar siar. Chuaig sí a' triall ar pé duine a bhí i dtig a' tséipéil thiar: Máire Barra nú pé saghas mná a bhí ann, agus d'inis sí a scéal di: go raibh Séamuisín marbh thoir i dtig Tháilliúir na Samhna, agus go gcaithfí é chuir fé ghuí an phobail. ' Déanfadsa an chuid eile ', arsa Máire Barra. ' Cuirfeadsa isteach coínle air agus túrfa mé an páipéar don sagart '.

B'shin mar a bhí—agus ní raibh Peigín abhfad imithe i n-aochor nuair a chorraig Séamuisín é féin ar a' mbórd.

' Eirig as san! ' arsan táilliúir le Séamuisín; ' tá do dhóthain collata go maith anois agat '. Agus pé tréithe a bhí i Séamuisín, an mheisce is mó bheadh air is anamh a chaillfeadh sé an tAifreann mar gheall uirthi. Do léim sé don bhórd—agus do bhí na bratacha bána tógtha ag an dtáilliúir de: ní fheacaig Séamuisín i n-aochor iad. Amach leis agus isteach i dturcail an asail, agus do phléasc leis an t-asal an bóthar siar.

Níor fhan Peigín leis an Aifreann i n-aochor, ach cuir di soir arís a' triall ar a' dtáilliúir. Cad a bheadh ná mo Shéamuisín siar 'na coinibh i dturcail an asail! Le neart eagla do raghadh sí isteach tríd a' bpáile uaig, agus níor leog Séamuisín air go bhfeaca sé í ach gach aon phléasc aige ar an asal a' déanamh siar ar an séipéal. Soir léi. Do bhí an táilliúir istig roímpi.

' Airiú, a tháilliúir ', ar sise, ' cár ghoibh Séamuisín ? '

' Leog dom, a bhean ', arsan táilliúir. ' Do léim sé ansan don bhórd uaim agus thugas iarracht ar é choinneáilt, ach i gcionn neomait bhí sé amù i dturcail an asail agus chuir sé dhe an bóthar siar—ní fheadar cár ghoibh sé '.

' Ó, tá sé gofa siar ', aduairt sí, ' agus is dócha nách marbh a bhí sé i n-aochor '.

' Is deabhraitheach go raibh ', aduairt a' táilliúir: ' ar nóin, ní raibh cor as '.

Chuir a' táilliúir dhe siar fé dhéin an Aifrinn agus do thug Peigín a haghaig suas ar a' mbaile.

Nuair a úmpaig an sagart amach aimsir seanamóna b'é an chéad rud a dhin sé ná tosnú ar Shéamuisín a chuir fé ghuí an phobail—agus do bhí Séamuisín tagaithe isteach sa tséipéal! Agus nuair a thosnaig an sagart ar é chuir fé ghuí an phobail ní raibh éinne sa phobal a' féachaint suas ar an sagart: bhíodar go léir—a súile acu ar an áit 'na raibh Séamuisín, i dtreo gur thug an sagart fé ndeara ná raibh éinne a' túirt aghaig ar an althóir ná air féin, ach iad go léir a' faire síos. Do chuir a' sagart féin a shúil ar Shéamuisín thíos insa tséipéal.

'Is dócha', aduairt sé, 'go bhfuil dearúd agam á dhéanamh—nú pé duine a thug leis an teachtaireacht go bhfuil dearúd déanta aige', aduairt sé. 'Chím Séamuisín ansan agus níl sé marbh i n-aochor, ná aon ghá le hé chuir fé ghuí an phobail; agus is dócha gur b'é an dearúd athá déanta', aduairt sé, 'gur b'é an táilliúir athá marbh'.

Do thosna sé ar a' dtáilliúir a chuir fé ghuí an phobail, agus cad a bheadh ná an táilliúir a' teacht isteach doras a' tséipéil nuair a thosna sé, agus i bhfuirm cion na dtáilliúirí don Aifreann le bheith aige! D'airig sé an sagart á chuir fé ghuí an phobail.

'Ná bac leis, a athair', aduairt sé uaig suas leis a' sagart. 'Ní beag dhom a luathacht a bhead a' brath orthu!'

Do stop a' sagart agus níor chuir sé éinne don bheirt fé ghuí an phobail.

Nuair a airig Séamuisín an cleas a bhí imeartha air, as san amach, pé uair a gheódh sé an bóthar ní raghadh sé isteach a' triall ar a' dtáilliúir, agus gheallfainn dhuit ná stadadh an t-asal muar i gclós a' táilliúra as san amach!

Do bhí uaigneas ar a' dtáilliúir i ndiaig Shéamuisín, ach níor bh'aon chabhair é: ní thiocfadh sé isteach i n-aochor. T'réis tamaill do cailleag máthair an táilliúra, agus do bhí an táilliúir in' aonar ar fad ansan sa tig. Níor bh'fhada 'na dhia' san chun gur cailleag bean Shéamuisín—Peigín. D'fhan pinginí beaga éigint airgid 'na diaig, agus do bhíodar so ag Séamuisín. Do bhuin sé tarrac astu an fhaid a sheasaíodar, agus is dócha gur bh'shidé an dro-tharrac. Ach ar aon tslí, nuair a bhí deire caite aige agus é dultha i gcríonnacht, ní raibh luail fanta ann chun oibre, ná éinní aige á dhéanamh. Do bhí trua ag an dtáilliúir dò. D'iarr sé ar Shéamuisín dul síos a' triall air féin, agus do ghéill Séamuisín chun dul leis. D'fhanadar araon thíos i n-aonacht ar feag roint mhaith bhlianta, chun gur cailleag Séamuisín.

Nuair a bhí Séamuisín curtha do bhí an táilliúir in' aonar buileàch glan: ní raibh éinne aige. Ní raibh an Slibire ná an Broc aige amháin. D'eiri sé as a' gcéird. Is beag i n-aochor a dhineadh sé. Agus le línn na haimsire sin do bhí Cunra an Tailimh, nú mar adeiridís, ' Cunra na nGael Aontaithe ', tosnaithe; agus bhí tosnaithe ar na tiarnaí talúin chun iad d'fhiach amach as an ndúthaig.

Do thosnaig a' táilliúir i n-aonacht leo, dá chríonnacht a bhí sé, agus do bhí ainm a' táilliúra anáirde: an cor a bhí aige á thúirt dosna tiarnaí talúin. Ní bheadh maraga ná aonach a thiocfadh ná go mbeadh a' táilliúir ar árdán nú ar stáitse éigint agus an cor gránna aige á thúirt dosna tiarnaí talúin, agus 'sé an deire a bhíodh aige ar gach aon óráid a thugadh sé uaig: ' Táim á fhuláramh oraibh ', adeireadh sé, ' gan bheith a' cuir lámh 'n-úr gcáibíní dóibh seo anois. Tá an saol san imithe. Cuirfeam i n-úil dóibh go bhfuil sé imithe. Agus 'sé a bhfuil agamsa le rá leis an té a chuirfig lámh 'na hata don tiarna tailimh, nú don mhuíntir a leanann é: go mbuin' an dial an hata dhe agus a bhfuil istig ion ! ' B'shidé an críochnú a bhíodh aige ar gach óráid. Do lean sé chó muar ar an obair seo is go raibh aithne ar fuaid na dútha air, geall leis, agus do shíl na daoine ná raibh aon bheirt eile i nÉirinn uim an am san gur bh'fhiú labhairt orthu ach Táilliúir na Samhna agus Párnell !

Do ráinig dò bheith i Mochromtha lá aonaig, agus do fuair sé cuire marcaíochta abhaile ó fhear go raibh capall is cruib aige. Bhí meisce ar a' dtáilliúir agus do cuireag isteach sa chruib é. Do bhí an saol a' dul i ngéire, agus ní leóthadh éinne puínn a rá. Ar aon tslí, níor stop san an táilliúir: do thosnaig an óráid aige istig sa chruib. Do bhí slua bailithe tímpal air ag éisteacht leis. Do ráinig pílear a bheith ar fuaid a' bhaíll agus d'airig sé é. Isteach leis a' bpílear sa chruib. ' Béarfa mé liom tusa ', aduairt sé leis a' dtáilliúir. Do bhí muc mhaith láidir istig sa chruib.

' Má bhéarfair ', arsan táilliúir, ' béarfadsa liom an mhuc ! '

Do riug a' pílear ar a' dtáilliúir agus do riug a' táilliúir ar eireabal na muice. Do thosnaig a' mhuc a' screadaig. Leis sin, do riugamh ar gharsún a bhí ann agus do cathag amù anáirde ar dhrom a' chapaill é—anáirde ar a' srathair. Do bhí an garsún go maith. Do bhuail sé buille mhaide ar a' gcapall, agus an bóthar amach leis fé dhéin Bhaile Mhúirne: an táilliúir, an mhuc agus an pílear aige, agus níor bh'fhéidir é stop. Do thánadar dhá mhíle amach ón sráid sarar fhéadathas teacht suas leo. Thánathas suas leo ansan. Tógamh isteach arís go Mochromtha an táilliúir. Do trialag leis an rud so é agus fuair sé mí príosúin.

Bhí sé críonna agus é istig sa phríosún. Bhíodh tobac aige á lorg orthu, ach ní bhfaigheadh. Thagadh a' dochtúir chuige. Dhineadh a' táilliúir gearán leis. 'Caidé an t-aos tu?' adeireadh an dochtúir. 'Cónaos', adeireadh a' táilliúir, 'do Pheig Ní Chealla ar a' gCúil Iarthaig. Sidé cruínn go maith agat é!' Ar nóin, ní raibh fhios ag an ndochtúir cér bh'í Peig Ní Chealla, ná an t-aer os a cionn.

Nuair a bhí an mí críochnaithe aige do scaoileag amach é, agus níor mhaolaig so an misneach a bhí aige. Do bhíodh an óráid ar siúl aige aon tráth a fhaigheadh sé caé air; agus mar sin féin do bhailig sé leis amach, iarracht, as an sráid agus à Carraig an Adhmaid. Théadh sé amach i n-áiteanna iargúltha, agus d'fhan amù ann. I ndeire bárra ní théadh sé i ngoire a thí féin i n-aochor. D'fhan an tig ansan, an talamh, agus an choíll.

Do buaileag breoite an táilliúir. B'é an rud a dhin sé ná dul isteach i dTig na mBocht. Ní fhágfadh a mhuíntir istig ann é: thugadar leo amach é, agus do cailleag é ag cuid dá mhuíntir féin ar fuaid na p'róiste.

Agus tá scéal an táilliúra so 'na measc riamh ó shin, agus tá sé ag óg is críonna ann, d'airíodar é chó minic sin.

2. 'NÁR BHEIR' AN SAGART ORT!'

Nuair a bhímís a' foghlaim na bpaidireacha fadó sa tséipéal (i mBaile Mhúirne) bhí buachaill ann agus theipeadh air iad d'fhoghlaim. Bhíodh an sagart ann agus bata aige, agus sagart mallaithe a b'ea é. D'fhiafra sé don gharsún: 'An mó Dia ann?' Thug an garsún tamall a' machnamh. 'Ní fheadar', ar sisean. Bhíodh 'Aon Dia amháin' aige, agus 'An tAthair, an Mac agus an Sprid Naomh', agus bhí an scéal dultha sa mhuileann ar fad air sa deire.

Bhuail an sagart é. 'An mó Dia ann anois?' ar sisean.

' Is cuma liom anois, dá mbeadh dhá cheann déag acu ann! ' arsan garsún. Do rith sé an doras amach agus síos go dtí an geata, agus an sagart 'na dhiaig agus é a' d'iarraig teacht suas leis. D'úmpaig an garsún an bóthar siar agus an sagart á leanúint i gcónaí. Bhí Táilliúir na Samhna a' gabháil aniar. Do stad sé a' féachaint ar an bhfiach. ' Mo ghraidhn tu, a gharsúin ', ar sisean, ' is nár bheir' an sagart ort! '

3. MICIL NA PINSE

Do bhí bean friothálta i n-áit éigint 'na raibh dro-bhreoiteacht. Nuair a bhí nithe dultha i bhfeabhas, d'oir an bhean a chuir abhaile. Ó Ghleann Fleisce do b'ea í, agus b'é an té cuireag abhaile léi ná fear arna dtugaithí ' Micil na Pinse ': do mhuíntir Mhurachú a b'ea é.

Thóg sé leis capall agus bata tímpal titim na hoíche, agus a chruiceog seana-mhná istig sa bhota aige. Nuair a dhrideadar i n-aice teora na cúntae, bhí síbín anso arna dtugaithí Tig na Céití. ' Tá eagla teacht agam rôt ', arsa Micil leis a' seana-mhnaoi; ' ní raghad níos sia leat '.

' Airiú, a Mhicil ', ar sise, ' ní gá dhuit é; níl baol ort. Ragham isteach anso, agus b'fhéidir go bhfaighinn braon fuiscí dhuit '.

Isteach léi, agus fuarag tadhscán muar fuiscí do Mhicil. Thug so misneach dò, agus d'árdaig sé leis a sheanabhean arís. Nuair a dhrideadar an bóthar síos bhí fhios ag Micil cá raibh síbín eile, agus do ghearán arís go raibh eagla a' teacht aige roimis an seana-mhnaoi. ' Ní raghad níos sia leat ', ar sisean: ' ní fhéatainn é '.

' Airiú, eist, a Mhicil ', ar sise; ' tá tig eile anso agus b'fhéidir go bhfaighimís braon ann '.

Isteach leo, agus fuair sé a dhá oiread agus bhí fáltha aige i dTig na Céití. Do riug sé leis tamall eile í, cóngarach dá baile féin. Do scaoil sé uaig í agus thug aghaig ar a' mbaile.

Fan bhóthair dò, bhí an oíche go breá geal agus chonaic sé carn smailcíní ar thaobh an bhóthair: thosnaig ar iad a líona chuige isteach sa bhota. Ní raibh scáth ná eagla air, cé go mbíodh sé ráite go bhficithí rud éigint san áit chéanna so. Bhí an bota geall leis lán aige nuair a chonaic sé fear 'na sheasamh 'dir é agus an carn giúise. ' Ní dhéanfaig so an gnó dhuit! ' arsa Micil. Do riug sé ar smailc mhuar a bhí sa charn, do bhuail chuige anáirde ar bhárr an bhota é, agus as go brách leis. Geallaim nár dhin an púca aon díth dho!

4. MICIL NA PINSE AGUS AN SPRID

Rud a thit amach do Mhicil na Pinse tráth éigint dár chóna sé ar Doire na Sagart (i mBaile Mhúirne). Do bhí duine muínteartha aige ann, i dtig eile ar an mbaile céanna. Oíche éigint dá raibh Micil amù déanach, chonaic sé sprid. Do cuireag eagla air, cé gur b'anamh riamh a chuir éinní eagla air. Do rith sé fé dhéin tig an duine mhuínteartha: b'é ba chóngaraí dho. Bhí so 'na cholla, ach ní raibh moíll neomait ar Mhicil an doras a bhrise isteach.

D'eirig fear a' tí le neart dithinis. D'aithin sé glór Mhicil, ach ní raibh uain aige aon tsolas a lasa. Ach nuair a tháini sé sa chistin bhí Micil titithe i bhfanntais. Do chuardaig sé árthaí ar an ndriosúr chun uisce do chathamh air. Fuair sé báisín go raibh uisce ann, mar a shamhlaig sé—ach uachtar a bhí ann! Chath san aghaig ar Mhicil é; chuaig i n-aice na tine chun rud éigint solais a lasa, agus nuair a bhí coinneal nú geaitire lasta aige agus d'fhéach ar Mhicil t'réis an uachtair bheith caite san aghaig air, is amhlaig a thit sé féin i bhfanntais nuair a chonaic sé é!

Nuair airig an bhean an ciúnas d'eiri sí féin. Is amhlaig a bhí an bheirt i bhfanntais roímpi, ach thánadar as i ndia' chéile. Agus bhí Micil chó maith is bhí riamh nuair a níog an t-uachtar dá aghaig!

5. MICIL NA PINSE I GCÍLL ÁIRNE

Tráth éigint a bhí Micil na Pinse a' buint fhéir do Shasanach i n-aice Chíll Áirne bhí fear a' tí à baile, agus do buaileag breoite seanabhean do mháthair a bhí aige go déanach um thráthnóna. Do ritheag a' d'iarraig an mhinistir. Níor bh'fhada gur tháini sé. Bhí Micil stopaithe d'obair an lae agus é 'na shuí ar a' seitli. Chuaig an ministir agus bean a' tí síos i seomra eile mar a raibh an bhean bhreoite. Bhí galún bainne anáirde ar a' mbórd sa chistin, an cat a' meannlaig chun dul sa bhainne agus Micil a' d'iarraig é choinneáilt as; agus mar sin féin bhí radharc aige uaig síos ar an ministir agus ar a' mnaoi bhreoite. B'í an chéad cheist a chuir sé chúithi (de réir Mhicil): '*Is there sowl a goat?*'

'*Oh, no*', ar sise.

'*Is there sowl a sheep?*' ar sisean.

'*Oh, no sowl*', ar sise.

Bhí an cat a' meannlaig i gcónaí. '*What is the cat saying now?*' ar sisean.

'*Tell the cat take rambling and kill mouse*', ar sise.

'*You's a fit of God*', ar sisean.

'Ő, mhuise, ní fheadar i n-aochor!' arsa Micil thuas.

Thug sé dhi braon fíon, agus 'na dhia' san thug sé dhi arán. Bhí an tseanabhean ró-lag chun an 'ráin a bhreith léi, agus bhí sé á stupa isteach 'na béal lena mhéireanta. Níor thaithn so le Micil, agus duairt uaig síos leis a' ministir:

'Bheirim an dial ach go dtachtfair an chailleach!'

Níor thacht, agus nuair a bhí an ministir imithe bhí bean a' tí agus Micil a' caint le chéile:

'Tá sásamh muar orm anois, a Mhicil', ar sise, 'nuair a tháinig an duine uasal so a' triall ar an seana-mhnaoi. Más bás di anois féin, beig róbaí bána uirthi isna Flathasaibh'.

''Sé ár gcreideamh-na', arsa Micil, 'gur gúnaí dú a bhíonn oraibhse i lasracha Ifrinn!'—agus do stop so an côrá eatarthu.

6. BŐ LIAM NA BUILE

Bhí seana-bhó ar Mhuíng na nDoirí[1] ag Liam na Buile (Ő Suínne). Leis an Rudaire a b'ea an talamh, agus ghearán duine éigint leis an Rudaire é. Bhí Liam a' dul soir go Baile Mhúirne lá éigint. Síos chun Ti' na Cille leis. Is ann do bhí an Rudaire an uair sin (i mbaile fearainn Ghort na Tiobratan). Léim an Rudaire chuige—Cana-thaobh go raibh sé a' coinneáilt na bó ar a chuid tailimh?

Bhí fhios ag Liam go raibh an gearán déanta. Seo mar aduairt sé:

'Pé spiaire dhin an gníomh
Go dian fé bhruid sa chíll!
  Gur thriall an Dubh ar riascaig fhlich
A' d'iarraig suilth[2] ar mhuíng;
Iarraimse 'gus guím
Gan rian aige 'na thíos,
  'Na dhiaig a shliocht gan bhia, gan chuid,
Gan chiall, gan chion, gan chrích!'

[1] Na Doirí: baile fearainn i gCúil Ao—SÓC.

[2] 'Ní "a' d'iarraig saille" i n-aochor aduairt Liam ach "a' d'iarraig suilth."'—AÓL.

'Th'anam 'on dial, a fhile buile! Imig ort an bóthar síos agus bíodh sí i gcónaí agat ann!' (aduairt an Rudaire).

7. AN T-ÁRRACHTACH SEAN

D'airíos 'An tÁrrachtach Sean' go minic, an t-amhrán a dhin Eón Rua mar gheall ar na sean-daoine agus na daoine óga. Tá cúpla véarsa eile agamsa, ach ní fheadar i gceart cé dhin iad san. Le Fínín Ó Scanaill a bhí an file a' caint. Is dócha, b'fhéidir, go nduairt sé tuille, ach níl agam. Deabhraíonn an scéal nách é Eón Rua aduairt an méid seo, mar is amhlaig a cháin Eón Liam Ó Suínne:

'A Fhínín Ī Scanaill, is duine gan chéill tu,
A dh'ith do thón féin le géille don dig!
Is fíor gur scarais le cuideachta na héigse
Is ní bhfaighe tusa glaoch i n-aon chéim go mbeid sin.
Ag Liam léannta Mhac Suínne beig cuíreacha daingean ort,
I gcúirt uasal na muar-Mhûn id chuírliún beir eatarthu;
Nuair a shuífig an breitheamh beig an coiste ró-dhaor ort
Agus ní fhéataig an saol tu réiteach ón gcoir!

. . . .

Níor bh'é siúd mo dhualgas na cluasa do tharrac as,
Ná an teanga bhí ar a' dtuathal a bhuaint as a charabal.
Do scriosfainn an leathar ó bhathas go sáil de,
Is is nochtaithe fhágfainn a chnâ agus a chruit!'

'Liam léannta Mac Suínne': b'shiné Liam na Buile bhí anso i mBaile Mhúirne. File maith a b'ea Liam. Bhí an chaint go seóig aige, ach ar chuma éigint, b'fheárr leis i gcónaí bheith a' cáine ná a' mola. Agus is dó liom féin gur bh'usa duine cháine ná é mhola: is feárr a chuirfá chuige.[1]

[1] Fic lch. 305 *infra*.

8. 'TÚIR AIRE CRUÍNN DOD PHAIDIRÍN'

'Túir aire cruínn dod phaidirín is dod ghnáth-phaidir,
A' dridim taoi le hucht na haoise: is geárr mhairfir;
Beig do chorp go cloíte, caite i gcíll i lár leachta,
Is brosna cnuî is daradaoil ad lán-straca.

Bronnaimse mh'anam ar an ainnir sin, máthair Chríost,
Is bronnaim mo mhathas ar na lagaibh atá 'na dhíth;
Bronnaim mo mhallacht ar na deamhain atá ar mo thí,
Is bronnaim mo phearsa ar an dtalamh as a dtáini sí'.

Deirthar gur b'é Liam na Buile do dhin an dá rann so.

9. EÓN RUA AGUS AN SAGART

Bhí Eón Rua (Ó Súilleabháin) 'na cholla i dtig sagairt, fé mar a bheadh aon bhacach: níor aithin an sagart i n-aochor é. Tráth éigint san oíche tháinig glaoch ola ar an sagart, ach duairt an sagart gu' dócha ná raibh baol go maidean.

Tháinig an tarna glaoch 'na dhia' san, agus deabhraíonn an scéal go raibh an sagart leisciúil chun gabháil amach uim an taice sin d'oíche.

Do labhair Eón uaig amach leis an té bhí amù: 'Imig ort abhaile', ar sisean, 'agus má bhí do mháthair go maith ragha sí go Flaithis Dé, nú más go hIfreann a chuirfar í beig sagairt a dóthain aici le fáil ann!'

Leis sin, amach leis an sagart agus níor dhin aon mhoíll chun gur chuaig fé dhéin na seana-mhná!

10. 'SEÓ LEÓ, A THOIL, BÍ A' GOL GO FÓILL!'

Bhí Eón Rua a' múine scoile ar Gníomh Guile tamall. Do bhuail cailín chuige isteach sa scoil lá, agus leanbh aici ar a baclainn. Bhí Eón 'na shuí i n-aice na tine. Do bhuail sí an leanbh chuige ar a ghlúin agus chuir an doras amach di. Thosnaig an leanbh ar ghol: Eón a' bréaga an linbh chó maith agus d'fhéad sé é le 'Seó leó, a thoil, ná goil go fóill'.

Ach do labhair duine dosna scoláirthí sa deire. B'sheo mar aduairt sé an véarsa, agus chuir san stop le filíocht Eóin don bhunóic:

'Do b'fhearra liom cácaí d'fháiscfí à beoir
Nú dá n-abrainn árthaí lán d'fhíon leo,
Nú banarthla bhán-chí thláth-mhín óg
Ná duanaireacht ghlugair ag file do bhunóic—
Agus seó leó, a thoil, bí a' gol go fóill!'

11. EÓN RUA AGUS CEARÚLL Ó DÁLA

Bhí sé ráite gur casag Eón Rua agus Cearúll Ó Dála isteach a' triall ar ghréasaí tráth éigint, agus an bheirt ar easpa bróg. Duairt an gréasaí, peocu acu is feárr iarrfadh an bhróg le rann nú smut beag éigint filíochta, go bhfaigheadh an té sin a bhróga gan piuc. B'é Cearúll a labhair ar dtúis. B'sheo mar aduairt sé:

'Cuir mo shál san áit is ruî don stéig,
Bíodh dhá bhháltha bhreátha mhíne léi,
Bíodh do shnáth go bárr-lag buí le céir
Is bíodh sí láidir bláfar díonmhar saor'.—

'Tusa anois', ar sisean le hEón.

'Buan daingean dathúil—níos feárr ná bróg Chearúill!' arsa Eón—agus b'é Eón a fuair na bróga!

12. AOGÁN Ó RAITHILLE AGUS AN LEITE

Tráth éigint dár ghlaoig Aogán Ó Raithille isteach go tig feirmeora, do thug bean a' tí leite mar bhéile dho—go gann, i gcorcán. Fuair sé a spiún agus thosnaig ar bheith ag ithe leis. Bhí sé a' scríoba an chorcáin chun gur bhris an spiún air. 'Sea', ar sisean,-

'A Aogáin Í Raithille, ó Mhúscraí Luachra,
Do bhrisis do shliogán i dteannta an chorcáin
Agus ní le méid t'ualaig é!'

Airiú! Nuair aithin an bhean cé bhí aici, do thóg sí uaig an corcán, an spiún bhriste agus pé líorac leitean a bhí un. Gheallfainn dhuit gur chuir sí feiste níos feárr air le heagla go dtúrfadh sé aghaig bhéil uirthi.

13. TADHG AN DÚIN

Is dó liom gur tímpal an Tóchair theas (Dún Mhaonmhaí), a bhí Tadhg an Dúin, agus file a b'ea é. Chuaig a mhac i n-áit éigint a' déanamh cleamhnais. Bhí dall 'na shuí sa chúinne, agus deabhraíonn an scéal gur mhuar ag an ndall Tadhg an Dúin; agus ba mhinic a bhíodh lóistín oíche aige ó Thadhg. Níor mhaith leis an ndall go mbeadh an mac pósta ag an gcailín seo bhí sa tig 'na raibh sé. D'fhiafra sé don mhac conas a bhí a athair.

'Ō, tá go maith', arsan mac.

'Innis-se do Thadhg an Dúin', ar sisean,
'Ō isé seo údar na ndán,
Go nduairt an dall a bhí sa chúinne
Go raibh crú caillthe ag an láir mbáin!'

Nuair a tháinig an mac abhaile d'inis sé do Thadhg cad duairt an dall a bhí sa chúinne.

'Ní beag san', arsa Tadhg. 'Fanadh sí mar a bhfuil sí, másea'.

Bhí páiste ag an gcailín cheana, agus thuig Tadhg cad a bhí i gceist ag an ndall nuair aduairt sé go raibh crú caillthe ag an láir mbáin.

14. INÍON AN IARLA RUAIG

Bhí bean éigint: deirthí gur iníon don Iarla Rua í. Bhí talamh a' gabháil léi seo, agus roint fhear ag obair aici. Bhí eagal uirthi go ndéanfí na ba fhuadach, agus deireadh sí leis na fir súil a bheith acu i ndiaig na mbó nuair a bheidís a' gabháil amach ar maidin a' dul ag obair. 'Fágfa mé na ba i n-áit éigint idir sibh is an tig', adeireadh sí, 'as so go ham dínnéir'. Agus nuair a bheidís a' gabháil amach ón ndínnéar: 'Cuirfi mé na ba i n-áit éigint idir sibh is an ghrian as so go hoíche', adeireadh sí.

Bhí sí chó dultha amach ar na fir go raibh fhios aici go maith gur a' féachaint i dtreo an tí a bheidís go ham dínnéir; agus mar a' gcéanna, ó am dínnéir síos: bhí fhios aici go mbeidís a' faire na gréine!

Lá éigint dá rabhdar ag ithe an dínnéir d'fhuadaíog na ba, agus duairt sí: 'Is maith iad na fir go dtí aimsir chaite a gcuid!'

15. MÁC AMHLAOIBH

Ba mhinic airínn a lán ráite mar gheall ar dhuine arna dtugaidís 'Mác Amhlaoibh', agus má airínn, ní ró-mhaith i n-aochor a réitíodh na daoine le chéile. Do bhíodh atharrach tuairim ag cuid acu ar conas mar a bhí an scéal. B'sheo mar airínnse ag cuid acu:

Do chónaig Mác Amhlaoibh i n-aice na hAbha Muaire—ana-shaibhir: muarán tailimh aige; agus ar a' dtaobh eile don abhainn do chónaig fear chó táchtmhar leis, agus muarchuid tailimh aige. Ní raibh ag an bhfear so ach aon iníon amháin, agus do dineag cleamhnas idir í féin agus Mác Amhlaoibh. Do tugamh an fheirm mar spré dho leis a' mnaoi, agus is minic adeireadh na sean-daoine: 'Le Mác Amhlaoibh thall 's abhus isea é'. Do bhí feirm thall aige ar a' dtaobh eile don abhainn, agus feirm eile ar a' dtaobh abhus.

Do ráinig i gcionn tamaill t'réis an phósta go raibh buachaill aimsire ag Mác Amhlaoibh—ní chun oibre é, ach ag aeireacht bhó: seana-chnuba do bhuachaill ainnis, ná raibh an iomarca brí leis ar fad. Ní raibh teora leis a' mbaochas a bhí ag bean Mhác Amhlaoibh air seo. Do thugadh sí gach aon cheart dò, agus do bhí an buachaill baoch di mar a' gcéanna.

T'réis tamaill do cailleag bean Mhác Amhlaoibh, agus do dhoirithig an saol ar fad tímpal a' tí agus an bhuairt a bhí ann. Ní leóthadh éinne port feadaíola ná véarsa amhráin ná éinní don tsaghas san a chlos uaig, nú má dhéanfadh do mharódh Mác Amhlaoibh iad nú do dhíbireodh as an dtig.

Tráthnóna éigint, do bhí an buachaill seo ag aeireacht na mbó, agus do bhí lios ar a' dtalamh ag Mác Amhlaoibh. Bhí na ba i n-aice an leasa, agus do bhí an t-aeire chun iad a thúirt leis abhaile um thráthnóna nuair a tháinig chuige, amach as an lios, bean Mhác Amhlaoibh—agus í curtha le tamall muar roimis sin!

'Airiú, conas tánn tú?' aduairt sí.

'Ó, airiú, táim go hana-mhaith', aduairt sé, 'ach tá ana-chathú agam at dhiaig'.

'Ná bíodh', aduairt sí, 'mar táimse chun dul a' triall oraibh arís. Istig sa lios anso atháimse ó fhágas sibh; agus nuair a ragha tú abhaile inis do Mhác Amhlaoibh go rabhas a' caint leat, agus abair leis bheith anso um thráthnóna amáireach, a lithéid seo d'am, agus féataig sé mise a bhreith leis abhaile má thagann sé'.

B'shin a nduairt sí leis. Do tháinig a' buachaill i ndiaig na mbó agus do chomáin leis abhaile iad, agus nuair a bhí sé a' dul isteach sa chlós leo do bhí scol amhráin aige, chó meidhearach is bhí aon lá riamh. Do bhí Mác Amhlaoibh istig, agus nuair airig sé an t-amhrán a' teacht ag an mbuachaill, amach leis—stair feirge air:

'Nách muar an náire dhuit', aduairt sé leis a' mbuachaill, 'bheith ag amhrán agus an bhuairt athá ar theille againn; agus níor bh'iúna liom éinne', aduairt sé, 'ach tusa go raibh sí chó baoch díot!'

'Airiú, eist, a mháistir', arsan buachaill. 'Leog dhom. N'fhéatainn gan bheith ag amhrán, mar do bhíos a' caint léi anois!'

'Eist do bhéal uaim', aduairt Mác Amhlaoibh, 'agus ná bí a' déanamh magaig fúm!'

'Ó, ar mh'fhocal', aduairt sé, 'ní haon mhaga é. Tháini sí amach as an lios chúm, agus duairt sí leat dul á hiarraig um thráthnóna amáireach agus ná beadh aon mhoíll ort í thúirt leat'. Do bhí sé chó dáiríribh ag ínsint a scéil gur chath Mác Amhlaoibh géille dho, agus do cheistig sé ní b'fheárr é mar gheall air.

B'shin mar a bhí chun gur tháinig an tráthnóna amáireach, agus as go brách le Mác Amhlaoibh fé dhéin an leasa. Bhí ráite aici leis dul isteach sa lios, agus má bhí, ní raibh aon eagla air seo i dtaobh a dhéanamh amhlaig. Isteach leis. Do bhí sí roimis istig, agus ní raibh éinne eile istig 'na teannta ach seanduine críonna.

'Táimse á breith seo liom', aduairt Mác Amhlaoibh: ''sí mo bhean í'.

'Ní hí', aduairt an seanduine. 'Tá an bhean san ag fear éigint eile anso agus níl aon bhuint agatsa léi!'

'Is liomsa í', aduairt Mác Amhlaoibh, 'agus béarfa mé liom í'—agus leis sin do riug sé ar a' mnaoi agus thug aghaig ar a' ndoras nú ar pé poll a bhí a' gabháil amach as a' lios.

'Stop go fóill', aduairt a' seanduine. 'Má tánn tú á breith leat anois 'om inneoin: tá an bhean san ag úmpar duine cluinne, agus seo dhuit leabhar. Nuair a aosóig an duine cluinne sin ', aduairt sé, ' cheithre bliana déag, túir an leabhar so le lé dho, agus ná din go dtí san; agus 'sé ainm a thúrfair ar an nduine cluinne ', aduairt sé, ' más mac é: Breachalainn '. B'shin a nduairt an seanduine leis.

Do thug Mác Amhlaoibh leis an bhean agus an leabhar. Do bhí ana-mhuaráil ar fuaid na háite nuair a bhí sí acu arís, agus do cuireag an leabhar i gcimeád go taiscithe.

B'fhíor don tseanduine: do bhí duine cluinne aici, agus do tugamh Breachalainn air—mac a b'ea é, agus níor labhair éinne ar an leabhar chun gur aosaig so na cheithre bliana déag. I dtaobh is go mbíodh an t-athair a' féachaint ar a' leabhar uaireanta, ní fhéadadh sé aon bhlúire dhe a lé, ná ní fheadair sé cad a bhí ann. Do tugamh don gharsún é nuair a tháinig sé i n-aos chun é fháil agus do léig sé é, agus d'inis sé gach aon rud a bhí le titim amach: an taragaireacht go léir.

Nuair a chonaic Mác Amhlaoibh cad a bhí le teacht: ' Sea ', aduairt sé leis féin, ' is gairid eile a bheig puínn máistreacht agamsa anso. Táid na Sasanaig le teacht, agus b'fhearra dhósa mo thalúintí a dhíol '. Thosna sé ar an dá fheirm thailimh a dhíol.

Do bhí ceathrar ann: saghas cníopairí a b'ea iad; bhí roint mhaith airgid bailithe acu, agus b'iad so thosnaig ar an dtalamh a cheannach uaig. Ar aon tslí, pé méid airgid a bhí acu do thugadar dò é ar na talúintí, agus nuair a bhí a mharaga déanta, b'sheo mar aduairt sé:

' Lucht taiscithe an airgid ', aduairt sé, ' le gann-bia ar bhórd,
Ná cleachtadh ach an ceathrar i n-am dí d'ól,
Beig úr mbailthe puirt ag Sasanaig fá ramhar-chíos fós,
Is do meallag sibh i mBreachalainn Mhác Amhlaoibh Óig ! '

Ní ró-fhada 'na dhia' san chun gur tháinig na Sasanaig, agus iad so go raibh na talúintí ceannaithe acu—airiú ! do comáineag amach astu iad agus do tugag do dhream éigint eile iad—Sasanaig, gan dearamad.

Do bhíodh an fios ag Mác Amhlaoibh á thúirt uaig, agus nuair a tháinig seana-Chromaill féin, deireadh na sean-daoine gur casag é féin agus Mác Amhlaoibh ar a chéile, agus fuair sé amach caidé an saghas Mác Amhlaoibh agus go raibh an fios aige, agus go raibh scartha aige lena chuid talúintí nuair a bhí fhios aige an Sasanach a bheith a' teacht. Ach do bhí sé a' fiafraí dhe an fada bheidís féin i gceannas i nÉirinn, agus Mác Amhlaoibh ag ínsint dò, agus i ndeire bárra níor oir do Mhác Amhlaoibh bheith a' túirt an iomarca tuairisc ar fad dò. Duairt sé leis i ndeire bárra:

'Beig Éire agaibh', aduairt sé, 'chun go mbe' sibh féin a' fealla ar a chéile'.

'Nách baoch a bhí Dia dhíomsa anois', aduairt seana-Chromaill leis, 'agus a lithéid seo d'urraim agus do cheannas a thúirt dom i nÉirinn os cionn na coda eile acu!'

'Á, ní baochas i n-aochor é', aduairt Mác Amhlaoibh. 'Do bhí an sciúirse tuíllthe ag muíntir na hÉireann agus ní fhéatadh Sé aon dial ba mhó ná thusa fháil chun é chuir 'na measc! Ach ní let' fheabhas i n-aochor é ach let' olcas!'

Na hAonta

B'shin mar a bhí. Agus d'airínn na sean-daoine a' gabháil dosna hAonta a bhíodh ag Mác Amhlaoibh. I dtaobh na nAonta so, do bhíodh naoi gcínn ag cuid acu agus bhíodh deich cínn ag teille acu; agus mar gheall ar an gcéad cheann, ní réitídís le chéile, mar deireadh duine acu:

'A hAon, Loch Léin gan daingean ar bith',

agus 'sé an rud adeireadh duine eile:

'A hAon, lucht léinn gan daingean ar bith',

agus déarfainn féin, i dtaobh is ná fuil aon fhios agam, go mb'fhéidir gur 'lucht léinn' an ceart, mar do bhí Loch Léin ann roime Mhác Amhlaoibh. Agus do bhí scéal muar ar Loch Léin ages na sean-daoine: conas a bhí an áit tráth éigint gan aon loch, ach tobar beannaithe, agus go gcaithfí an tobar so a dhúna gach aon oíche, acu gur dearúdag é dhúna oíche éigint, agus go raibh an loch scéite ar fuaid a' bhaíll ar maidin, amach as an dtobar so.

Ach ar aon tslí, déarfad iad ar a' gcuma go n-airínn iad. Ar an gcéad Aon, déarfa mé an rud is mó adeireadh na sean-daoine—'lucht léinn', mar tá léann imithe anois gan teora gan daingean. Léann isea an saol go léir, íseal agus uasal! Ach b'shidí an chuma go mbíodh an chéad Aon acu:

16

A hAon: Lucht léinn gan daingean ar bith.
An tarna hAon: Ní bheig éinne i nDúth' Ealla dom shliocht.
An tríú hAon: Beig Éire ag Sasanachaibh.
An ceathrú hAon: Is claon 's is cliosach a gcuir.
An cúigiú hAon: Is baol don Eaglais ion.
An séú hAon: Ní bheig tréine i nGearalthachaibh.
An seachtú hAon: Beig Gaeil a' seasamh a gcirt.
An t-ochtú hAon: Is tréan mar a dhoirtfid siad fuil.
An naoú hAon: Is faon a bheig barcaig ar muir; agus
An deichiú hAon: Mo léan ná mairimse ansan!

Nú deireadh cuid acu:

'Mo léan! Cé mhairfig ansan?'

Agus sidé an chuma go n-airínnse acu iad, agus b'shidí an tuairisc a bhíodh acu ar Mhác Amhlaoibh agus ar an slí 'na bhfuair sé an fios a bhí aige.

(c) *COGA AGUS GORTA*

1. NA HOLLTHAIG

(i) Ollthach a chuaig slán

Bhí Ollthaig anso fadó: is amhlaig a cuireag anso iad ó Chúig Ula. Do ráinig gorta thuaig, agus do scaipeag ár measc anso iad i gCúige Mûn. Tháinig mná agus fir. Éireannaig chearta a b'ea iad.

Bhí fear do mhuíntir Dhuinnín ar Eachros i nÍbh Laeire: Tadhg Ó Duinnín, agus do bhí maraga idir na daoine (i ganfhios) leogaint do nach éinne a Ollthach féin a mharú, aon oíche amháin. Bhí Tadhg ana-cheanúil ar an Ollthach a bhí aige, agus ní fhéatadh fháil uaig féin é mharú. D'inis sé an scéal don Ollthach agus duairt leis: 'Cuirfi mé leat mo mhac agus mo chapall anocht agus bíg a' cuir díbh chun go dtiocfaig an lá oraibh. Be' sibh bailithe abhfad ó thuaig, agus b'fhéidir ná faighfí aon ghreim ort go deo arís'.

B'shin mar a bhí. Le titim oíche, do cuireag iallait ar chapall dhubh a bhí ag Tadhg, agus d'imig a mhac agus an tOllthach. Thugadar an oíche ar a' mbóthar. Ní heol dom cadé fhaid ó thuaig a bhíodar dultha, ach nuair a tháinig an lá d'fhíll an mac thar n-ais abhaile, agus do scaoil uaig an tOllthach ar a ábhar féin.

I gcionn muarán blianta 'na dhia' san do ráinig go raibh léiseanna Eachruis caite, agus chath gach feirmeoir ann dul go Corcaig chun léiseanna nó a ghlaca ar a dtalúintí. Bhí an mhuíntir a bhí a' gabháil dosna léiseanna 'na suí tímpal búird, agus nuair a chuaig Tadhg isteach do labhair duine dosna huaisle seo leis:

' Mhuise, a Thaidhg ', ar sisean, ' conas tánn tú, nú a' maireann an láir dhubh agat fós ? '

Pé freagra thug Tadhg air, duairt sé ná raibh aon aithne aige air,–' nú conas a fuarais aithne ar an láir dhuibh ? '

' Fuaras go maith ', ar sisean, ' an oíche úd a chuiris liom í, í féin agus do mhac '.

Sidé an uair a bhí fhios ag Tadhg cé bhí aige.

' Do shaorais m'anam dom ', aduairt sé, ' agus anois, pé méid tailimh i nÍbh Laeire is maith leat fháil tá um chumas-sa é thúirt duit '.

' Ní thógfad a thuille tailimh ', arsa Tadhg; ' tá mo dhóthain 'na bhfuil agam má fhéadaim é choinneáilt '.

Ach do scar sé leis an Ollthach, agus fuair costas an bhóthair go maith uaig.

(ii) Uaig an Ollthaig

Is muar an t-anaithe an goile bhí ag na hOllthaig. Maraíog duine acu anso. 'Sé an chuma maraíog é: thall ar Doirín Álainn a bhí sé ag feirmeoir éigint, agus nuair a tháinig am dínnéir a chur síos bhí an cailín a' cur prátaí sa chorcán, agus d'oir don Ollthach go gcuirfeadh sí tuille prátaí sa chorcán. Bhí fear a' tí istig agus tuairgín aige a' buala lín. Bhuail sé buille don tuairgín ar an Ollthach agus do mhairbh.

Le heagla go n-aimseofí an tOllthach marbh i n-aobhal tímpal an tí aige, thug sé leis anall treasna na habhann é agus do chuir sé é abhus ar Cúil Ao. Bhí an áit gur cuireag é i n-aice an bhóthair agus bhí eagla ar mhuíntir Chúil Ao go bhfaighfí an tOllthach ann. Thógadar as an áit 'na raibh sé é agus do cuireag arís é níos sia suas i mbarra an chnuic. Agus tá Uaig an Ollthaig mar ainm ar an áit sin. Níl aon chôrthaí ann, ach i bhfuirm roint chloch caite isteach ag bun carraige.

(iii) Goile na nOllthach

Bhí ana-ghoile ag na hOllthaig. Bhí roint fhear suite chun dínnéir i n-áit éigint, ar a mbíodh duine dosna hOllthaig. Prátaí agus ím a bhí mar bhéile acu. Bhí gach aon bheirt acu i gcuíreann ins gach pláta ime.

Do ráinig gur fear do mhuíntir Shuínne bhí i gcuíreann an Ollthaig, agus ba mhuar leis an Ollthach a raibh aige á dh'ithe don ím, agus b'sheo mar adeireadh sé:

' B'fheárr liom pant agus cothrom daoine
Ná trí paint agus Mac Suínne ! '

Pant a thugaidís ar púnt.

(iv) Laethanta Troscaig

Bhídís ana-mhuar i gcoinnibh laethanta troscaig, agus duarag le duine acu lá éigint: ' Anois, a Ollthaig, tá lá muar troscaig iniubh ann '.

' Cé dho é ? ' aduairt an tOllthach.

' Naoimh a' Domhain ', aduaradar leis: ' Lá Naoimh a' Domhain '. B'éigint dò an trosca dhéanamh, cé nár thaithn sé leis.

Níor bh'fhada 'na dhia' san gur tháinig lá troscaig arís.

' Cé dho an trosca so ? ' ar sisean.

' Ó, a lithéid seo do naomh ', aduaradar.

' Mhuise, pláig a' deabhail ón meagadán !—nú cár ghoibh sé ón gcuid eile acu ? ' ar sisean.

(v) An Bhean Ollthaig

Bhíodh bean Ollthaig a' glaoch chun tí feirmeora éigint anso, agus deabhraíonn a' scéal go mbídís ana-mhaith léi. Tráthnóna éigint dár ghlaoig sí isteach ní bhfuair sí aon radharc ar fhear a' tí. B'fhéidir gur lasmù a bhí sé; ach bhí eagla uirthi seo gur b'amhlaig a cailleag é ó bhí sí acu roimis sin, agus b'sheo mar a chuir sí a thuairisc:

' Cá bhfuil fear an teach so ?
Ní hé gur b'amhlaidh eag sé ?

An trócaire go bhfach sé
Más á hiarraidh siúd a rach sé ! '

Ach do hínseag di nár cailleag.

(vi) ' Díbir na hOllthaig ! '

Bhíodh port ag sean-daoine anso:

' Ō mhuise, a Dhomhnaig, díbir na hOllthaig
Síos mar a rabhdar, seachtain ó iniubh ! '

Níl agam ach an méid sin de. Ach b'fheárr leo bheith scartha leis na hOllthaig, mar is dócha go rabhdar cortha dhíobh.

Bhíodar so scaipithe ar fuaid na Mûn ar fad. Maraíog cuid acu. Is dócha gur bhailig an chuid eile acu leo ó thuaig nuair a chuaig an saol i bhfeabhas. Bhí fir agus mná ann.

Bhí mná Ollthaig ag imeacht agus bhí fios acu san. ' D'innis bean Ollthaig dom é ': is minic adeirtí é sin.

(vii) Páirc an Ollthaig

Tá páirc ar na Foithire: Páirc an Ollthaig. I ndiaig Ollthaig éigin do hainmníog an pháirc sin, ach níor airíos aon scéal mar gheall air sin.

Agus muíntir Éalaithe atá ar Cíll na Martara, tugaithí Ollthaig orthu san: ' Na hOllthaig '; ach másea, déarfainn ná raibh aon ghaol acu leis na hOllthaig, pé cúis gur tugag an ainm orthu san.

(viii) Paidir an Ollthaig

Paidir a bhíodh ag Ollthach a bhí anso fadó:

' Nár mhairifead éinne ar bith
Is nár mhairifidh éinne mé,
Is má tá éinne ar thí me mharaithe
Gura túisce mhairifead é ! '

Ba dheocair puínn a rá 'na choinibh, leis. Is dó liom go raibh sé macánta go maith.

2. AIMSIR *VINEGAR HILL*

Aimsir *Vinegar Hill* do bhí gabha a' déanamh pící dosna fir a bhí ar a' gcnoc. D'imi sé le hualach dosna pící nuair a bhíodar déanta aige—lán turcaile acu—agus thug aghaig ar a' gcnoc. Do casag air na saighdiúirí: mithal mhuar do shaighdiúirí capall. Do riugamh air. Nuair a chonaiceathas an t-ualach a bhí aige duairt an t-oifigeach ná raibh puínn díobhála iontu mar gur dhro-hairm cogaig iad. ' Níl aon bhaol ', ar sisean, ' go bhféadfá saighdiúir a mharú le ceann acu san, an fhaid is bheadh sé ar muin capaill is a chlaíomh 'na láimh aige '.

' Mharófá ', arsan seana-ghabha.

' A' dtrialfá duine dom fhearaibh ? ' arsan t-oifigeach.

' Déanfad ', ar sisean, ' cé ná fuilimse ró-mhaith ar phíce '.

D'eirig duine acu amach lena chapall, agus do fuair an gabha ceann dosna pící. Seo chun a chéile iad. Do thug an saighdiúir iarracht ar theacht i n-aice leis, ach má thug, do thairrig an gabha corrán an phíce ar an sriain agus do gheárr. Ní raibh smacht ceart aige ar an gcapall as san amach, agus nuair a tháini sé i n-aon chóngar don ghabha arís chuir a phíce i n-acharann ion agus thug chun tailimh é; d'árdaig a phíce chun é shá tríd, ach níor dhin.

' Féach anois ', ar sisean leis an oifigeach, ' bheadh sé marbh agam dá mbar mhaith liom é '.

Leis sin do léim saighdiúir eile acu chuige. ' Trialfadsa tu ', ar sisean.

' Bíodh 'na mharaga ', arsan gabha. Ach b'é an cleas céanna é. Níor bh'fhada go raibh sé túrtha à drom an chapaill aige, sínte ar an mbán. D'árdaig a phíce agus sháig trína chorp é, agus do mhairbh. B'é rud aduairt an t-oifigeach:

' Ní tu fé ndeár é ach an saighdiúir a thairrig air tu. D'oibrís go honórach gallánta leis an gcéad shaighdiúir, ach do dhinis an ceart leis seo nuair nár leog sé dhuit. Ní dhéanfad aon chiontú ort 'na thaobh, ach buinfeam díot na pící '.

B'shin mar a bhí. Thógadar uaig na pící, agus d'fhíll sé abhaile lena thurcail fholamh.

D'airínn an scéal san ag sean-daoine. B'fhéidir ná raibh sé fíor, ach d'ínsidís é.

Deiridís go dtugadh an gabha san órdú breith gairid ar na pící.

11. EACHTRA AR LEÓN ÓG

Tráth éigint do bhí león óg eirithe suas go maith láidir. Duairt sé lena mháthair: ' Is minic airím tu a' caint mar gheall ar fhear. Caidé an saghas ruda é, nú a' bhfuil sé muar, láidir ? '

' Níl sé ró-mhuar ', aduairt an mháthair, ' ach tá sé cuíosach láidir, agus ana-ghlic, seiftiúil '.

' A' mbeadh béile mhaith agam ', arsan león óg, ' dá bhféadainn teacht ar dhuine acu agus é mharú ? '

' Ó, gheallfainn dhuit ná beadh aon ocras ort an lá san ', aduairt sí.

Amach leis fén gcoíll, agus ba ghairid a bhí sé dultha nuair a chonaic sé fear a' gearra adhmaid agus seana-chapall aige chun an adhmaid a bhreith abhaile chuige. Ní fheacaig an duine bocht so piuc don león chun go raibh sé 'na shuí anuas ar an maide a bhí aige á scoltha. Do scannra sé nuair a chonaic sé chó cóngarach dò é.

' Cad tá agat le déanamh don adhmad san ? ' arsan león.

' Abhar tine isea é ', arsan duine bocht.

' Conas a bhéarfair abhaile é ? ' aduairt sé.

' Béarfaig an capall chúm é ', ar sisean.

' Ar nóin, ní gá don chapall é bhreith chút nuair gur treise é ná tu féin ', arsan león.

' Ní treise ', arsan duine bocht. ' Is treise mise, agus cuirfead iachaint air é bhreith abhaile leis '. Bhí sé a' d'iarraig eagla chuir ar an león: á leogaint air ná raibh aon teora lena chuid nirt.

Bhí an crann scoilithe aige agus díng comáinte aige sa scoilth. Thug sé fé ndeara eireabal an leóin dultha síos tríd an scoilth. Do bhuail sé an díng leis a' dtuaig amach as a' gcrann, agus nuair a dhin d'fháisc an crann isteach ar eireabal an leóin. Chuir sé béic as.

' Níl mathas duit bheith a' béicig ', arsan duine bocht, ' mar caithfir an crann a bhreith abhaile chúm anois '. Do riug sé ar mhaide mhuar láidir agus do luig ar bheith a' léasa an leóin. Bhí gach aon bhéic aige. As go brách leis, agus an crann ceangailthe dá eireabal, chun gur tháinig sé treasna ar dhá chrann eile a bhí 'na seasamh. Ní raibh dul a thuille aige. Do lean an duine bocht á léasa chun gur bhris an t-eireabal; d'fhág 'na dhiaig sa chrann é, agus chuaig abhaile a' búirthig le teinneas.

B'é an chéad rud a dhin sé ná a mháthair a phléasca. ' A chladhaire ! ' ar sisean, ' canathaobh go nduaraís gur threise mise ná fear ? Ar nóin, do mharódh sé fiche león againn dá mbeimís ann. Féach an cor atá túrtha aige dhom: fágtha gan piuc don eireabal i gcóir mo shaeil ! Agus geallaim duit, pé faid a mhairfead, i n-aon áit go bhficfead fear go gcoinneod abhfad amach uaig ! '

12. GRÍNNSCÉALTHA

1. ‘BEAN GHALÁNTA’

Aighneas a bhí idir bheirt ar Cúil Ao: fear agus bean do b’ea iad. Thugadar aghaig bhéil ar a chéile. Bhí an ceannsmách ag an mnaoi á fháil. ‘Eirig as’, arsan fear, ‘agus déarfad rud leat ná duairt éinne riamh’.

Níor stop so í. Do lean sí a’ troid.

‘Eirig as’, ar sisean, ‘agus deirim leat go bhfuil rud agam le rá ná duarag riamh leat’.

‘Cadé sin?’ arsan bhean.

‘Deirim gur bean ghalánta thu!’ ar sisean.

2. ‘AN FOCAL DÉANACH’

Do ráinig don fhear so troid eile bheith aige leis a’ mnaoi gcéanna. Ach t’réis tamaill mhuair a thúirt ar a chéile duairt an bhean: ‘Tá buaite agam ort arís: tá an focal déanach agam ort!’

‘Bhuafá ar an ndial’, ar sisean; ‘bheadh an focal déanach agat ar gach éinne ach ar mhuicealla!’

3. AN T-UISCE COISIREACAN

Bhíodh fear a’ goid chaereach istoíche. Oíche áirithe nuair a bhí sé a’ gabháil amach chroth a bhean an t-uisce coisireacan air i dtreo ná beadh aon bhaol air. Ach do riugag air an oíche sin, agus b’sheo mar aduairt sé ansan:

‘Mo mhallacht go cruaig ar an uisce coisireacan: b’é fé ndeár é!’

4. AN PÁISTE GUR CAILLEAG A ATHAIR

Páiste bhí ann agus cailleag a athair. Nuair a fuair an páiste amach go raibh sé marbh is amhlaig a bhí sé a’ gáirí.

'Canathaobh go bhfuilir a' gáirí agus t'athair marbh ?' arsan mháthair leis.

'Gheall sé dhom iné', arsan páiste, 'go mbuailfeadh sé iniubh me—agus féach anois, níl ar a chumas!'

5. GOILE NA MNÁ

Duairt bean lena fear maidean éigint ná raibh sí ró-mhaith agus ná féatadh sí eirí i n-aochor an lá san. D'eirig an fear, d'adaig tine, fuair a bhricfeast, agus amach leis chun oibre. Nuair fhíll sé ar ball bhí an bhean i n-aice na tine, arán agus ím go leor aici, agus í ag ithe ar a díthal. B'sheo mar aduairt an fear:

'Baochas le Dia agus glóire le Muire
Má thá mo bhean teinn nár chaill sí a goile!'

6. TIG DÉ—AGUS TIG *JACK!*

Bean a bhí ann agus bhí sí pósta. Brian a b'ainm dá fear. Do thárla gur cailleag é. Chuaig sí go dtí cros-bhóthar áirithe leis an sochraid. Bhí ti' táirne ansan ag fear arna dtugaithí *Jack*. Chuaig an tsochraid ar aghaig agus do stad an bhean. D'fhéach sí 'na diaig agus b'sheo mar aduairt: 'Beannacht leat, a Bhriain, go tig Dé—agus raghadsa féin go tig *Jack!*'

7. AIFREANN LE HANAM A ATHAR

Bhí garsún ann. Cailleag a athair, agus thug a mháthair c'róinn don gharsún. 'Imig ort agus túir í sin don tsagart, agus abair leis Aifreann a rá le hanam t'athar'.

D'imig an garsún, agus bhí dúil isna toitíní aige. Is anamh a fhaigheadh sé greim ar airgead 'na láimh. Cheannaig sé lua' leath-ch'róinneach dosna toitíní, agus chuaig a' triall ar an sagart leis a' leath-ch'róinn eile.

'Ní déarfad ná ní deirim aon Aifreann dá shaghas', arsan sagart, 'gan c'róinn'.

' Níl aon ch'róinn agam ', ar sisean, ' ach ar nóin, cuir chó fada agus d'fhéatair é leis a' leath-ch'róinn, agus siúlaíodh sé an chuid eile don tslí ! '

8. AIRGEAD ADHARC

Nuair a bhíodh déiríochtaí i mBaile Mhúirne fadó ní hairgead a bhíodh le túirt ag an ndéirí ach oiread san feircíní ime, agus i dteannta an méid seo ime bhíodh rud arna dtugaithí ' airgead adharc ': oiread san an bhó.

Do bhí déirí éigint ann; thit sé féin agus an máistir amach lena chéile, agus deireadh an déirí: ' Ba mhuar an dial é: cá beag dhuit gur chuir sé airgead adharc ar a' mbuin mhaol a bhí ar an stoc ! '

A' maga bhí sé, gan amhras.

9. BOLAMAC AS AN MBÁISÍN

Do shuig mithal chun búird am dínnéir. Prátaí is bainne bhí mar bhia acu. Bhí na prátaí curtha chútha ar a' mbórd agus iad te go leor; báisín bainne curtha os côir gach fir, ach aon fhear amháin. Bhí greim práta 'na bhéal agus é ró-the dho. Thóg sé bolamac à báisín an fhir ba ghiorra dho, ach má dhin duairt eisean: ' Tá bolamac bainne bertha agat uaim '.

Nuair a tháinig a bháisín féin, thóg bolamac as agus chaith isteach i mbáisín an fhir eile é—amach as a bhéal. ' Sidé anois agat é ! ' ar sisean.

10. SEAN-DAOINE AG IOMARASCÁIL

Chuirtí beirt sean-daoine ag iomarascáil. Bhí fear acu deich agus trí fichid do bhlianaibh, agus an fear eile cheithre fichid bliain. Ach do leagadh fear na gceithre fichid an seanduine eile.

' Is olc a chuiris chuige, a Sheáin ', adeirtí.

' Á, isdóin ', adeireadh Seán, ' fan leat chun go mbead chó críonna leis ! '

11. ACHUINÍ AN BHÁDÓRA

Bhí triúr driothár ann fadó, agus bhíodar so ana-bhocht. Bhíodar amù ar an bhfarraige oíche, ag iascaireacht. D'eirig stoirm uathásach agus bhíodar féin agus an bád á gcathamh anún is anall ar an uisce, agus iad i riocht a mbáite. D'fhiafraig an driotháir a b'óige don driotháir ba shine a' ndéarfadh sé paidir, ach duairt eisean ná raibh aon phaidir aige. D'fhiafraig sé don tarna driotháir ansan a' ndéarfadh sé paidir, ach b'é an scéal céanna aige sin é. Duarag leis féin ansan paidir a rá. B'sheo mar aduairt sé:

'Ō, a Thiarna, tá bliain is fiche ó iarras aon ní ort, agus má thugann tú saor anois sinn táim á gheallúint duit go mbeig sé bliain is fiche arís sara n-iarrfad aon ní ort!'

12. 'DHINEAMAIR SMIDIRÍNÍ DON MHAIGHDIN MHUIRE'

Do bhí lánú ann fadó. Bhíodh an fear ar meisce i gcónaí agus bhíodh an bhean bhocht a' troid leis. Oíche dá raibh sé ar meisce do bhuail an bhean é. Do bhuail eisean í agus do bhuaileadar féin a chéile, go dtí sa deire gur bhriseadar íomhá na Maighdine Muire a bhí i gcúinne éigint don tig. Ar maidin larnamháireach bhí an bhean ag ínsint an scéil do dhuine dosna cōrsain:

'Bhíomair a' pléasca a chéile ar fuaid an tí chun gur dhineamair smidiríní don Mhaighdin Mhuire!'

13. TROID NÚ *THREAD*

Bhí fear anso fadó: Seán Bán a thugaithí air. Chuaig sé go dtí an táilliúir, lá. Riug sé leis an t-éadach ach níor chuíni sé olc ná maith ar an ngabhashnáth. Tháinig an táilliúir larnamháireach a' lorg an ghabhashnáth. Tháinig bean Sheáin Bháin amach. 'Cad tá uait?' ar sise.

'*Thread, thread!*' arsan táilliúir: bhí dithanas air.

Ní raibh aon fhocal Béarla aici, ná ag Seán féin. Liúig an bhean: 'A Sheáin', ar sise, 'tá an táilliúir anso agus 'sé rud atá uaig ná troid'.

'Geó sé í agus fáilthe!' arsa Seán Bán. Amach leis, agus ba bheag nár mhairbh sé an táilliúir bocht!

14. GIOLLA NA BREILLE

Bhí fear ann arna dtugaithí Tadhg na Breille. Do ráinig dò féin agus dá mhnaoi bheith ar an aonach lá éigint. Bhí bollscaire ar fuaid an aonaig agus b'é a raibh do phort aige: 'A ghiolla na breille, fág an t-aonach!' File do b'ea é seo, agus do theastaig uaig aithne chuir ar fhile eile. Ach nuair a airig Tadhg na Breille cad a bhí ar siúl aige bhí eagla air gur bhaol dò féin, agus duairt sé lena mhnaoi: 'B'fhéidir gur bh'fhearra dhom bheith a' bailiú liom: níor bh'fhearra dhuinn áit 'na mbeimís uaig ná ar a' gcnoc úd thall'.

D'imig Tadhg agus a bhean amach as an aonach. Ach d'fhan an stracaire seo a' callaireacht leis: 'A ghiolla na breille, fág an t-aonach!' chun gur casag air fear eile a thug freagra air. 'Bhí breill ar t'athair', ar sisean, 'is tá sí ort féinig!'

B'é seo an file bhí aige á lorg. B'shin mar a chuireadar aithne ar a chéile. Bhí braon óil acu, agus bhí breill thirm ar Thadhg amù ar an gcnoc!

15. FILE EILE

B'sheo file eile bhí ar fuaid an aonaig. Theastaig uaig fear dá chéird féin a fhiscint, ach ní raibh aon aithne aige air. B'í an chanúinn a bhí ar siúl aige a' gabháil trísna daoine: 'Is ealún mo bhean is níl órlach 'na bróig!'

Amach san aimsir níor dhin na daoine aon iúna dhe, mar mheasadar gur leath-shímplí a bhí sé. Ach nuair airig an file eile é thug freagra air: 'Is breallsúnta an fear thu is beir amhlaig go deo!'

Bhí aithne curtha acu ar a chéile. Dhineadar roint óil mar ba ghnáth, agus b'fhéidir go rabhdar breallsúnta 'na dhiaig.

16. AN GADAÍ AGUS AN BREITHEAMH

Fear go raibh caoire goidithe aige. Do bhí lá a thrialach a' teacht. Bhí driotháir dò agus bhí fhios aige go maith cadé an bóthar a thiocfadh an breitheamh fé dhéin na cúirte. Bhí páirc ag duine uasal fan an bhóthair seo go raibh scata muar beithíoch istig inti: beithíg bhreátha ramhra. Nuair a chonaic sé an breitheamh a' teacht d'oscail sé geata na páirce agus do chomáin na beithíg amach ar an mbóthar. Nuair a tháinig an breitheamh chó fada leis na beithíg b'éigint dò a chapall agus a charráiste do stop, agus thug aghaig bhéil ar an bhfear i dtaobh iad a bheith ar an mbóthar aige— ' nú ca bhfuileann tú a' dul leo ? ' ar sisean.

' Táim a' dul 'na lithéid seo d'áit ', aduairt sé, ' á mbreith a' triall ar an mbreitheamh '. (Níor leog sé air go raibh aon aithne aige air). ' B'fhéidir go ndéanfadh sé bogra éigin dom dhriotháir atá istig le caoire bradacha '.

' A' bhfuil fhios agat ', ar sisean, ' gur mise an breitheamh ? '

' Ó, gabhaim párdún agat, a thiarna breithimh ', ar sisean, ' ní raibh fhiosa '.

' Comáin leat na beithíg ', arsan breitheamh, ' chó tapaig is d'fhéatair, agus abair leis an stíobhard iad a chur isteach i n-aonacht leis na beithíg eile '.

Chomáin sé leis na beithíg agus d'imig an breitheamh fé dhéin na cúirte. Ach nuair a bhí an breitheamh imithe as a radharc do chas thar n-ais arís leo agus chuir isteach iad sa pháirc 'na rabhdar.

Nuair a thosnaig an triail ní éistfeadh an breitheamh le haon fhínné a bhí i gcoinnibh an ghadaí. ' Ní chreidim focal uaibh ', adeireadh sé; ' scaoilfead amach an fear: níl aon chúis air '.

Do scaoil sé uaig é, agus nuair a chuaig an breitheamh abhaile um thráthnóna ghlaoig sé ar an stíobhard. ' Caithfi mé dul a' féachaint ar an beithíg a tháinig chúinn iniubh ', ar sisean; ' shamhlaíos go rabhdar ana-bhreá—an radharc a fuaras orthu '.

' Cad iad na beithíg ? ' arsan stíobhard.

' Nár tháinig a lithéidí seo chút ? ' arsan breitheamh.

' Ní fheaca beithíg ná duine a' teacht chúm ó fhágais '.

' B'fhéidir gur b'shin mar athá ', arsan breitheamh, ' ach bheirimse an dial ', ar sisean, ' an chéad duine eile thiocfaig os mo chôirse le caoire bradacha go ndíolfa sé go maith astu ! '

17. AN GARSÚN AGUS AN GÉIJÉIR

Do bhí fear ann agus ní stopfadh an saol muar é do bheith a' déanamh poitín. Bhí garsún beag do mhac aige, agus 'sé an garsún a chuireadh sé isteach sa tsráid leis an bpoitín chun é dhíol le lucht táirne na sráide. Lá éigint dá raibh an garsún a' gabháil an bhóthair fé dhéin na sráide agus crúsca poitín ar a dhrom aige istig i mála, chonaic sé an géijéir a' teacht 'na choinibh ar an mbóthar agus duine uasal eile i n-aonacht leis.

Chuaig an garsún isteach thar claí uathu, ach do thugadar so fé ndeara go raibh rud éigint buiniscionn is é dhul isteach. Casóigín liath a bhí air, agus b'é an chéad rud a dhin sé nuair a chuaig sé thar claí ná an poitín a chuir i bhfolach agus an taobh isteach a thúirt amach dá chasóig: bhí an taobh so don chasóig dearg.

Isteach leo 'na dhiaig agus d'fhiafraig de: ' A' bhfeacaís garsún a' teacht isteach ansan go raibh casóigín bhréide air ? '

' Ní fheaca ', arsan garsún.

Bhíodar ag áiteamh air go bhfeacaig, agus do riug an géijéir ar chába casóige air, agus pé corraí nú straca a thug sé dho do chonaic sé go raibh an taobh istig don chasóig 'na bréid.

' Airiú, a gharsúin ', ar sisean, ' is maith an buachaill tu ! '

Chuardaíodar tímpal na háite chun go bhfuaradar an poitín. Thosnaig an garsún ar ghol. D'fhiafraig an géijéir de cá raibh sé a' dul leis.

' Bhíos a' dul a' triall ar an ngéijéir ', ar sisean, ' agus duarag liom gan é ínsint d'éinne ! '

' Ana-gharsún isea thu ', ar sisean ; ' is mise an fear céanna san '.

Thug sé dho c'róinn. ' Imig ort anois ', aduairt sé, ' agus túir don chailín é, agus seo dhuit an eochair seo. Abair léi é chuir isteach i n-aonacht leis an bpoitín a fuaras iné '.

B'shin mar a bhí. Nuair imíodar uaig, dhíol sé a chuid poitín sa tsráid, agus do chuaig fé dhéin tig an ghéijéara.

' A lithéid seo ', ar sisean leis an gcailín : ' chuir an géijéir a' triall ort me chun go mbéarfainn chuige an fuiscí fuarais iné '.

' Níor chuir ', arsan cailín.

' Chuir go deimhin, mar sidí an eochair agat ', ar sisean.

D'oscail sí pé áit 'na raibh an fuiscí agus do thug dò an crúsca. As go brách leis an ngarsún arís fé dhéin na sráide agus do dhíol an crúsca so.

Pé uair um thráthnóna nuair fhíll an géijéir agus an duine uasal eile shuíodar chun búird, agus duairt sé leis an gcailín : ' Túir chúinn braon don fhuiscí thug an garsún isteach chút iniubh '.

' Airiú ', ar sise, ' níor thug an garsún aon fhuiscí chúmsa : nách é an rud a bhí uaig an fuiscí a bhí fáltha againn iné a bhreith chút ? '

'Agus ar thugais dò é?' ar sisean.

'Canathaobh ná túrfainn dò é nuair a bhí an eochair aige dhom?'

'Is fíor 'uit', ar sisean, 'ach a' bhfuil aon bhraon fuiscí istig?'

'Níl deoir fé dhíon tí', ar sise.

'Imig ort amach', aduairt sé, 'agus túir chúinn tadhscán fuiscí chun go n-ólam sláinte an gharsúin!'

18. SCRÍOB LIATH AN EARRAIG

Nuair a phós lánú, déarfainn ná raibh an bhean ró-mhaith agus bhíodh an fear ag órdú uirthi go minic, agus é air aige. Duairt sé léi an fheoil a spáráil, go bhféataidís muarchuid cabáiste a dh'ithe agus go leasódh blúire feola dhóibh é. Lá éigint a bhí sé à baile do riug sí léi amach sa gháirdín cuid don fheoil agus do chuir síos le préacha an chabáiste anso is ansúd í, mar leasú! Nuair a tháinig an fear d'inis sí dho conas mar a bhí an cabáiste leasaithe aici leis an bhfeoil. Ach do thug a fear leis isteach arís í agus duairt:

'Níl aon deabhramh air: ní mar seo dintar é leasú; agus ar do bhás', ar sisean, 'ná leog uait an píosa muar feola so chun go dtiocfaig scríob liath an Earraig'.

As san amach ní raibh aon bhuint aici leis an bpíosa muar a bhí ar crocha anáirde. Ach lá éigint dá raibh sé à baile do ghlaoig chúithi seana-bhacach muar liath.

'An tusa Scríob Liath an Earraig?' ar sise.

'Mhuise, tugaid siad orm é', arsan bacach.

'Mar isdóin', aduairt sí, 'tá píosa feola anso ad chóir ag fear a' tí'.

'Cath chúm é', ar sisean, 'ó 'sé is feárr ná a chéile'.

Thóg sé leis é, ach gheallfainn dhuit ná raibh fear a' tí baoch ná sásta!

19. NAONÚR DRIOTHÁR IMIG CHUN FÁIN

Fear siúil a stadadh i dtig éigint ar Cúil Ao. Bhíodh sé a' cuir síos d'fhear a' tí air féin agus ar a mhuíntir, agus an áit 'nar chónaíodar: ag an mBrosnaig i gCiarraí.

' An dó leat ', adeireadh sé, ' ná go raibh naonúr driothár againn ann agus d'imíodar eile go léir chun fáin ach mise ! '

' An dial ', adeireadh fear a' tí, ' gu' dócha nách fios cár stad an chuid eile acu ! '

20. FULÁRAMH AN TSAOIR

Bhí saor cloiche ann agus bhí sé a' dul ag obair à baile ar feag seachtaine chun gan fille. Thugadh sé fuláramh don mhnaoi ar línn imithe dho: ba mhaith leis bheith go maith leis na leanaí.

' A Shiobhán ', adeireadh sé, ' táim á fhuláramh ort bheith go maith leis na leanaí—agus ná faighim t'fhoghail ar a' ngarraí ! '

Agus ní fheadarsa cad a fhéatadh sí a dhéanamh.

21. IASACHT BRÍSTE

Bhí buachaill óg ann agus é a' dul chun a phósta. Níor thaithn leis an bríste bhí air, agus d'iarr sé iasacht bríste ar bhuachaill eile dosna côrsain—' Ach ar do bhás ', ar sisean, ' ná hairíodh éinne gur thugais dom é ! '

Bhí so go maith. Fuair sé an bríste, agus nuair a bhí sé a' teacht ar a ghlúine istig ag an ráil tháinig an buachaill a thug dò an bríste agus chuir heaincisúir féna ghlúine—' Le heagla go saileofá mo bhríste ! ' ar sisean.

Ní raibh ach a rá gur choinnibh sé air an bríste chun gur pósag é. Ach nuair a bhí an pósa déanta, chó luath is chua sé abhaile do chaith dhe an bríste agus do chuir uime pé saghas a bhí aige féin. Bhí sé ar buile chun an té gur leis é.

Casag air buachaill eile dosna côrsain agus do ghearán sé an scéal leis a' mbuachaill seo. ' Do chathas chuige an bríste ', ar sisean, ' cé go dteastódh sé uaim 'gcóir a' Domhnaig seo chúinn, mar ní bheig aon bhríste nó fáltha agam féin '.

' Airiú, is cuma dhuit san dial ', arsan buachaill; ' túrfadsa bríste dhuit i gcóir an Domhnaig '—agus do thug chón maith.

Nuair a chua sé go dtí an tAifreann bhí sé a' teacht ar a ghlúine istig sa tséipéal nuair a léim an buachaill seo chuige:

' Féach anois ', ar sisean, ' tá mo bhríste-se ort: ní chuirfead aon órdú ort 'na thaobh. Féatair teacht ar do ghlúine pé áit gur maith leat, agus is cuma liom i dtaobh pé s'lachair a chuirfir air ! '

Thug sé an bríste thar n-ais dò so le toramas. As san amach níor thóg sé bríste ar iasacht ó aon duine a bheadh á thairiscint dò !

22. FEAR FUARA NA DTRÁITHRE

Siúinéir a bhí a' dul ag obair i dtig feirmeora éigint. Deabhraíonn an scéal go raibh an saol go holc uim an am san agus stracocras ar a lán daoine. Do casag garsún ar an siúinéir i n-áit éigint fan bhóthair, agus do ghearán leis go raibh ocras air. ' Téanam liom ', arsan siúinéir, ' b'fhéidir go bhfaighfí rud éigint le n-ithe dhuit san áit 'na bhfuilimse a' dul '.

Do thosnaig an siúinéir ar obair agus an garsún a' féachaint air. Do glaog chun bricfeaist ar an siúinéir agus do riug sé leis an garsún isteach i n-aonacht leis.

' Cadé an saghas é seo i n-aonacht leat ? ' aduairt fear a' tí leis.

' Ó, seo garsún a bhíonn ag obair agam ', ar sisean. ' " Fear fuara na dtráithre " a thugaim air: nuair a bhíonn an tráthar te ó bheith a' polla isé seo a chathann iad a fhuara dhom. Tugaig a bhricfeast dò ', ar sisean.

D'itheadar an bricfeast agus ba mhuar leis an bhfeirmeoir a raibh ite ag an ngarsún, agus nuair a ghabhadar amach ag obair arís duairt sé leis an siúinéir: ' Scaoil uait abhaile é—fuarfadsa na tráithre dhuit '.

Bhí an garsún ag imeacht, agus do thosnaig an siúinéir ar bheith a' polla bloc adhmaid. Nuair a thairrig sé an tráthar aníos as an bpoll shín sé chun an fheirmeora é. ' Beir air sin agus din é fhuara dhom ', ar sisean.

Bhí an tráthar ar lasa, agus chó luath is riug sé 'na láimh air níor fhéad sé é fhulag. ' Glaoig ar an ngarsún ', ar sisean,—' ní fhéatainn é fhuara '.

B'éigint glaoch thar n-ais ar an ngarsún, agus chuir sé síos an chuid eile don lá i n-aonacht leis an siúinéir, gan aon ocras.

23. NA 'BRÁITHRE'

Do bhí beirt ann agus d'imíodar a' déanamh saghas bacachais, agus pé áit 'na bhfuaradar éadach bráithre b'iad so a chuireadar úmpa. Do ráinig dóibh bheith i dtig feirmeora éigint i gcóir na hoíche: an-urraim ag muíntir an tí á thiospeáint dóibh toisc bheith 'na mbráithre, agus nuair a tháinig am collata d'iarr fear a' tí ar na 'bráithre' an Ch'róinn Mhuire a rá dhóibh.

Thosnaig an té b'óige acu ar í rá, i bhfuirm i Laidin, agus an fear eile á fhreagairt. B'é an tosnú chuir sé uirthi: d'oscail amach a lâ ó chéile agus d'fhéach anáirde. Pé rud a bhí le fiscint anáirde aige, bhí seó bagúin ar na saileàcha. '*Oy-see, Oy-see, Oy-see above: the bacon!*' ar sisean—a' paidireoireacht mar dhea.

D'fhreagair an seana-'bhráthair': '*And you'll shove it into your sack-sackolorum!*'

B'fhíor dò, mar do bailíog roint phíosaí dhi isteach sa 'sackolorum' nuair a bhí muíntir an tí dultha a cholla!

24. CLEAS AN TÁILLIÚRA

Do riug fear éigint i mBaile Mhúirne ráil nú cruib mhóna a' triall ar tháilliúir a chónaig i sráid Mochromtha. Ní raibh aon fhocal Béarla ag fear Bhaile Mhúirne, ach ba chuma san: bhí na fáilthíocha go léir ag an dtáilliúir roimis féin agus a chuid móna. Do labhair an táilliúir Béarla leis a' mnaoi: 'Make a cup of tea for the Ballyvourney man'.

Chuaig an bhean i n-acharann sa chiotal chun a dhéanta. Bhí an táilliúir ag obair leis anáirde ar an mbórd, agus do chas véarsa amhráin:

'*Indeed you needn't mind it, ná bac leis at all*'.

Chuir sí uaithi an ciotal, agus ba ghairid arís chun gur liúig sé ar Pheigí: 'Why don't you make a cup of tea for the Ballyvourney man?'

Do riug sí ar an gciotal, ach má dhin d'árdaig an táilliúir an véarsa céanna, agus b'é deire an scéil gur bh'éigin don Bhallyvourney man gabháil amach gan té ná caifí fháil ón dtáilliúir!

25. PLÁTA NA LEITEAN

Bhí feirmeoir gur ghlaoig fear siúil chuige i gcóir na hoíche. Fuair sé lóistín, agus nuair a tháinig am suipéir, leite a bhí acu mar bhéile. Do cuireag pláta muar leitean ar bhórd chun an fheirmeora agus an fear siúil. An taobh don phláta a bhí i n-aice an fheirmeora bhí poll déanta síos an agus an poll so líonta d'ím. Do thug an fear siúil fé ndeara é. Bhíodar ag ithe leo, agus scéal éigint á ínsint aige don fheirmeoir. Ach do chuir sé a lámh sa phláta a' deimhniú an scéil dò—' Agus féach ', ar sisean, a' casa an phláta muardtímpal, ' an fhaid a bhefá a' déanamh mar sin bhí an rud go léir titithe amach '—agus bhí taobh an ime úmpaithe aige i n' aice féin leis an gcasa dho. D'fhág an feirmeoir amhlaig é.

26. ' AN LÁ T'RÉIS BOGA AR DHIARMAID '

Do bhí seanabhean ann agus Diarmaid a b'ainm don fhear a bhí aici. D'áitimh sí air mar seo lá dul sa phortach a' buint mhóna. Ní raibh sé tugtha chun imithe, mar bhí an lá fuar, nimhiúil, le ceathanna cloichshneachtaig. Mar sin féin b'éigint dò gluaiseacht, agus tráth éigint amach sa lá do bheiribh an tseanabhean corcán praisce dhi féin, d'ól cúpla báisín di 'na suí i n-aice na tine, agus do shéid cóta allais amach tríthi. ' Sea ', ar sisi, ' tá an lá t'réis boga ar Dhiarmaid sa phort ! ' Shíl sí nuair a bhí bogaithe uirthi féin leis an bpraisig gur b'é a dháltha céanna ag Diarmaid é !

27. ' GO STOPAIG DIA AN MHIN ! '

Bhí garsún ag bean bhocht agus bhí ana-ghoile aige, agus b'fhéidir gan puínn raidhse bíg. Bhíodh strac-ocras air go minic. Bhí tadh-scán éigint mine coirce ag an máthair i máilín. Bhí sí a' dul à baile lá éigint, agus do chuir sí an mála anáirde ar an maide snuím: ní raibh aon lochta ar an dtig.

Tháinig ocras ar an ngarsún. Chuir sé dúil sa mhin choirce, ach ní raibh dréimire ná aon saghas rud aige chun dul anáirde mar a raibh sí. Fuair sé seana-phíce ceártan agus do chuir rop sa mhála uaig anáirde. Siúd anuas an mhin. Choinnibh sé báisín fúithi, ach nuair a bhí an báisín lán ní raibh an mhin a' stop. Deireadh an garsún:

' Ba mhaith an bhéile í dá dtéadh sí liom,
Is má tá Dia anáirde go stopa Sé an mhin ! '

Ach níor stop, chun gur tháinig an gráinne déanach dá raibh sa mhála anuas ar an úrlár. Bhí an scéal go hainnis aige nuair a tháinig an mháthair.

28. SEANDUINE AGUS BEAN A MHIC

Bhí fear ann agus bean mhic fáltha isteach aige. Bhí duine dosna côrsain a' caint leis, lá. ' Conas tá an saol agat á chuir díot ', ar sisean, ' nú cadé an saghas bean do mhic, nú an bhfuil sí baoch díot ? '

' Ana-bhean ', aduairt sé, ' agus tá sí níos baethí dhíom ná dhi féin '.

' Airiú, conas é sin ? ' arsan chôrsa.

' Mar ba mhaith léi go mbéarfadh Dia leis me, agus níl aon lorg aici féin ar dhul leis ! '

29. LÁNÚ EILE

Bhí lánú eile ann, ar a nó-phósa. Pé obair nú cúram lae bheadh orthu, cé ná raibh duine eile sa tig ach iad araon, déarfaidís an Ch'róinn Mhuire roim dhul a cholla dhóibh. Ní raibh an saol ag eirí ró-mhaith leo; ach mara raibh, bhí an eile rud a' gabháil 'na gcoinibh.

Mar seo oíche, nuair a tháinig am C'róinneach Muire agus collata, duairt an fear: ' Atharóm an port anois, féachaint conas eireodh linn '. Bhuail sé an bhean, ach níor leog ise a buille leis: phléasc sí thar n-ais é. Bhí geachre mbuille acu ar a chéile ar feag tamaill. Níor bhacadar an Ch'róinn Mhuire, agus do leanadar don rud so gach oíche ar feag leath-bhliana. Bhí an saol ag eirí leo go maith: feabhas mhuar dultha orthu.

Do tháinig athair a chéile a' triall air uair éigint, agus d'fhan i gcóir na hoíche. Nuair a bhí bog-thamall don oíche caite d'fhiafraig athair na céile: ' A' ndeireann sibh C'róinn Mhuire ? '

'Tá saghas éigint againn', arsan fear. D'fhéach sé féin agus an bhean ar a chéile, agus phléasc sé í. Ba mhaith an mhaise sin aici: níor leog sí a buille leis, agus bhí geachre mbuille acu ar a chéile chun gur chath athair na céile réiteach a dhéanamh eatarthu.

D'fhiafraig athair na céile: 'An mar seo atá úr saol agaibh á chathamh?'

'Isea le tamall', arsan cliain. 'Nuair a thosnaíomair bhíodh C'róinn Mhuire againn gach oíche agus an saol a' gabháil 'nár gcoinibh. Aon rud go gcuirfimís lámh an ní raibh sé ag eirí linn. D'atharaíomair. Táimíd a' gabháil ar a chéile gach aon oíche le breis is leath-bhliain, agus an eile rud a' rith linn go rafar, ábharach!'

'Ní fheadar cad déarfainn libh!' arsa athair na céile.

30. SEANABHEAN AGUS A MAC

Bhí seanabhean agus a mac istig le gadaíol. Ní raibh an tseanabhean ciontach, agus bhí an ghadaíol déanta ag an mac, i ganfhios di. Nuair a bhí an triail ar siúl bhí an tseanabhean a' paidireoireacht, á iarraig ar Dhia an ceart a dhéanamh. Ach deireadh an garsún mic: 'Airiú, duig a' diail ionat! Nár dhinig ná piuc de!'—mar bheadh bertha air féin ansan.

31. 'SAOR ME!'

Do bheirtí ar mhéir saoir fé chloich agus é a' déanamh an fhalla, agus do liúdh sé ar an saor ba ghiorra dho: 'Saor me!' adeireadh sé.

'Saor isea mise, leis!' adeireadh an fear eile, agus d'fhágadh an mhéar sa ghreim.

32. SAOR A CHROCH É FÉIN

Do bhí beirt eile a' déanamh droichid, agus san obair dóibh do léim fear acu isteach san abhainn chun é féin a bhá. Chuaig an fear eile agus do shaor sé é. Ba ghairid 'na dhia' san chun go bhfuair sé téad, do shocraig anáirde ar a' scafall í agus do chroch é féin.

D'fhiafraíog don fhear eile canathaobh gur leog sé dho é. ' Airiú, níor dhineas aon iúna dhe ', ar sisean; ' bhí sé a' d'iarraig é féin a bhá agus níor leogas dò é; bhí a bhalcaisí go léir fliuch agus shamhlaíos gur b'amhlaig a bhí sé á chrocha féin anáirde chun triomaithe ! '

33. GARSÚN NA GCAEREACH

Garsún a bhíodh a' feighilth chaereach amù i gcliathán cnuic. Bhí bóthar a' gabháil do bhun an chnuic seo, agus ba mhinic a bhíodh an garsún sínte ar thaobh an bhóthair.

Lá éigint dá raibh sé ann cé gheódh an bóthar ná an sagart. Chuaig chun cainte leis an ngarsún. D'fhiafraig de féachaint a' dtéadh sé go dtí an tAifreann, nú ar fhoghlamaig sé an Teagasc Críostaí fós.

' Níor dhineas aon taobh acu fós ', arsan garsún.

' Is olc san ', arsan sagart, ' agus anois, túrfa mé c'róinn duit an chéad uair eile gheód an bóthar má bhíd na focail seo agat: ' *Uan Dé a thógas peacaí an domhain, déin trócaire orainn* '.

Duairt an garsún na focail 'na dhiaig cúpla uair nú trí, agus d'imig an sagart.

Níl aon bhaol gur dhearúid an garsún bheith a' rá na bhfocal a d'fhún na c'róinneach fháil. Bhíodh sé i gcónaí a' faire féachaint cathain a gheódh an sagart chuige arís. Ach bhí breis is bliain sarar ghoibh sé chuige.

' Sea, a gharsúin ', ar sisean, ' a' bhfuil na focail úd agat ? '

' Táid go maith mhuise, a Athair ', arsan garsún: ' *A chuíora Dé a thógas peacaí an domhain, déin trócaire orainn* '.

' Á, nílid siad agat ', arsan sagart. ' *Uan Dé* b'ea duart leat '.

' Ach anuirig a b'ea é sin ', arsan garsún, ' agus tá uan na bliana anuirig 'na chuíora imbliana ! '

Thug an sagart dò an ch'róinn, agus gheall an garsún dò go bhfoghlamódh sé an Teagasc Críostaí, agus go raghadh sé go dtí an tAifreann.

34. AN FEAR IMIG DON CHOISTE

Do ráinig d'fhear éigint bheith ar coiste i láthair an bhreithimh aimsir siosóin. Bhí ana-dhúil san ól aige, agus b'fhada leis a bhíodh sé coinnithe istig gan bheith sáite i dtig táirne éigint. Do scríbh sé blúire do nóta agus do shín chun an bhreithimh é a' d'iarraig cead imithe mar ná feadair sé ceocu is túisce a bheadh a bhean nú a iníon marbh. Do thug an breitheamh cead dò imeacht.

Chó luath is ghoibh sé amach, isteach leis sa tig táirne ba ghiorra dho, agus cuideachta i n-aonacht leis, agus é ag ól leis. Nuair a bhí an breitheamh a' dul chun dínnéir do ráinig dò gabháil thar doras an tí seo, agus do thug sé fé ndeara an fear istig sa chuideachtain. Isteach leis.

' Nách tusa an fear ', ar sisean, ' iarr cead ormsa imeacht don choiste, agus duaraís nár bhfios duit ceocu is túisce chaillfí do bhean nú t'iníon ? '

' Duart, leis, a thiarna breithimh ', aduairt sé, ' mar ná feadar '.

' A' bhfuil siad araon breoite nú lag ? ' arsan breitheamh.

' Nílid ', ar sisean, ' ach ní dhineann san an gnó: ní fheadair éinne cé chaillfar ar dtúis ! '

35. FEAR NA LEITEAN

Bhí fear eile go raibh cúis ana-throm 'na choinnibh. Duairt a channsailéir féin leis: ' Dá mbeadh ar ár gcumas an scéal do chuir siar nú ar ath-lá i gcóir trialach ba mhuar a b'fhiú dhuit é, agus ní fheadar cad a fhéataimís a dhéanamh chun an ruda so. Ar aon tslí ', arsan cannsailéir, ' beiribh corcán muar do leite mhine coirce–agus bíodh sé 'na chorcán mhuar. Glaofadsa chun an tí chút maidean lae na cúirte. Nuair a chífir a' teacht me tosnaig ar an leitin alpa chó scannrúil, chó hocrach is dá mba's ná beadh greim ite agat le seachtain ! '

Dhin sé amhlaig, agus nuair a chonaic sé an cannsailéir a' teacht fé dhéin an tí fuair sé an spiún ba mhó sa tig agus thosnaig ar bheith ag ithe na leitean chó tiubh is fhéadadh í chuir 'na bhéal. Níor dhin an cannsailéir a thuille moille i n-aonacht leis nuair a chonaic sé é, ach a rá leis: ' Ní gá dhuit freagairt sa chúirt i n-aochor '.

Nuair a glaog an chúis do chuaig an cannsailéir anáirde. ' Ní féidir don fhear san bheith láithreach iniubh ', ar sisean, ' mar do chonacsa é ar maidin sarar thánag anso, agus má lean sé don ghearra bhí fé d'fhéatainn mo leabhar a thúirt go bhfuil sé ar an síoraíocht uim an taice seo '.

' Ní beag san ', arsan breitheamh; ' má tá sé chó holc san ní fhéatadh sé freagairt '.

Ach an rud a chuaig i bhfaid chuaig sé i bhfuaire, agus an chéad lá cúirte eile ní muar gur imig puínn i n-aochor air 'dtaobh na cúise bhí 'na choinnibh.

36. ' CAD A MHARÓDH M'FHEAR ? '

Bhí bean i gCléire agus bhí sí ana-chortha do sheanduine fir a bhí aici. Bhí áit áirithe éigint ann go mbíodh sé ráite an té raghadh ann agus a chuirfeadh ceist go labharfadh guth leis a' túirt freagra ar an gceist. D'imig an tseanabhean lá éigint chun ceist a chuir ar an nguth. Pé cuma go bhfuair an seanduine amach cá raibh sí dultha chuir sé dhe na cóngair fé dhéin an bhaíll, agus chuaig i bhfolach i n-áit éigint mar a labhradh an guth.

Chuir an tseanabhean a ceist: ' A Dhia mhuair ghléigil atá riamh i gCléire, cad a mharódh m'fhear ? '

Peocu bhí an guth chun labhairt nú ná raibh, níor thug an seanduine uain dò nuair a labhair sé féin, agus d'atharaig a ghlór go muar i dtreo ná haithneodh an bhean cé bhí ann: ' Plúr mín gléigeal ', ar sisean, ' é fhiucha ar bhainne caereach is é thúirt dò i n-eireabal a theas ! '

Abhaile léi go muarálach—ach bhí an seanduine tagaithe abhaile na cóngair roímpi. Do thosnaig an chócaireacht aici: an plúr agus an bainne caereach, agus nuair ná bíodh a dóthain bainne caereach aici bhíodh sí á sholáthar ó chuid dosna côrsain. Ní raibh an seanduine a' dul chun báis leis an gcóir seo: ach mara raibh, is amhlaig a bhí sé ag at agus a' dul i n-óige.

B'éigint di stop, agus nuair a stop b'olc an bhail ar an seanduine é, mar as san amach ní raibh puínn dúthracht á thúirt dò !

37. CARA ASPAIL

Bhí fear ann agus d'oir dò cara aspail do thogha, agus b'é cuma go ndintí é seo, leabhar úrnaithe d'fháil agus é oscailt: dá mbeadh ainm aon naoimh san uimhir oscalófí, b'é seo a chara aspail.

Ní raibh aon leabhar úrnaithe ag an bhfear so: fear meán-aois do b'ea é. Ach do chua sé a' triall ar fhear eile agus d'inis dò fáth a th'ruis. Fuair so an leabhar agus d'oscail. Bhí ainm naoimh ann—Naomh Tadhg—agus nuair airig an fear ce hé an naomh a bhí tofa aige—' Níl naomh eile isna Flaithis is lú orm ná é! ' ar sisean; ' ach anois, nuair a fuaras é, bead a' paidireoireacht chuige '.

B'shin mar a bhí, agus oíche éigint bhí sé a' teacht abhaile ó scuraíocht. Do bhí air abha a chrosa. Bhí bog-thuile inti, agus geallaim gur sciubag an fear le fánaig. Bhí sé geall leis báite nuair a chuir duine éigint crúca ann is thairrig amach é ar an dtalamh trim.

' Cé hé seo ', ar sisean, ' a dhin beart chó maith so dhom? '

' Mise Naomh Tadhg ', arsan té thairrig amach é.

' Mhuise mo ghraidhn mo Thadhg! ' ar sisean; agus as san amach do dhúbail sé a phaidireacha chun an naoimh seo.

38. SIOBHÁN NÍON AO

Bhí fear tí ana-lag 'na shláinte: níor bh'iúna dá gcaillfí é aon tráth. Bhí bean aige arna dtugaidís Siobhán níon Ao. Bhíodh sí seo a' lógóireacht agus a' guíochtaint chun Dé í féin fháil bháis thar cheann an fhir. Bhí sé san amhras ná raibh sí dáiríribh ar fad, agus lá éigint do riug sé ar choileach mhuar a bhí ann agus níor fhág ruibe clúimh air gan statha, scaoil uaig ar fuaid an chlóis é, chuaig isteach agus shuig i n-aice na tine.

Do bhí a bhean 'na suí ar a' dtaobh eile do thine, agus níor bh'fhada gur bhuail chútha isteach an coileach.

' Sea ', arsan fear, ' 'sé seo an Bás a' teacht. A Bháis, a Bháis ', ar sisean, ' beir Siobhán níon Ao leat! '

' Ó, ná din ', arsa Siobhán, ' ach goibh lastall agus beir é féin leat! '

As san amach bhí fhios aige ná raibh ach sleamaireacht i gcaint Shiobhán.

39. FEOIL AN MHADARUAIG

Fear a bhíodh a' túirt feasa uaig. Bhí sé coinnithe ar fad ag duine uasal. Chreid sé go bhféadadh so fios a thúirt uaig, agus chuir duine uasal eile geall leis ná raibh aon bhlúire feasa aige. Lá éigint dá rabhdar amù a' fiach mharaíodar madarua. Thug an duine uasal leis é, do bhuin an croicean de agus do shocraig é go deas istig idir phíosaí eile feola. ' Túir chúm an fear feasa san agat anois ', ar sisean leis an nduine uasal eile.

Do bhuail sé a mhéar anuas ar fheoil an mhadaruaig istig imeasc na coda eile. ' Anois, má tá fios agat ', ar sisean, ' cadé an saghas feola í sin ? '

Ní raibh fhios aige, agus b'é an rud aduairt sé—a' tagairt dò féin—' Dá fhaid a théann leis an madarua, berthar air ! ': b'shidé, dá fhaid a bhí rite leis féin go raibh sé teipithe anois.

' Tá do gheall agat anois ', ar sisean leis an nduine uasal eile: ' níl fear feasa i nÉirinn a bhuafadh air ! '

40. BEAN DO-SHÁSTA

Do bhí gabha ann, agus ba dheocair an bhean a bhí pósta aige a shásamh. Níor fhan so ró-fhada a' d'iarraig í shásamh mar do riug an bás leis é. T'réis a bháis níor leog sí d'obair na ceártan titim: fuair sí beirt ghaibhnní eile chun na hoibre choinneáilt ar siúl di. Bhí sí ana-dhian orthu so. Ní thúrfadh sí aon bhricfeast dóibh ar maidin chun go mbeadh greas mhuar oibre déanta acu, agus an inneoin chó te le neart oibre nuair a raghadh sí a' glaoch orthu chun bricfeaist ná féatadh sí suí ar an inneoin lena teas, nú dá bhféadadh ní bhfaighidís an bricfeast chun go ndéanfaidís teille oibre.

Maidean éigint nuair a chuadar chun oibre, b'é an chéad rud a dhineadar ná an inneoin a chuir isteach sa tine agus carn muar guail tímpal uirthi. Nuair ba mhithid leo an tseanabhean a bheith a' teacht, fuaradar crúcaí iarainn chun na hinneonach a thógaint amach, agus do bhuail anáirde ar a' mbloc. Ba ghairid gur bhuail sí chútha isteach go nea-thuairimeach, agus mar ba ghnáth, b'é an chéad rud a dhin sí ná suí ar an inneoin; ach má dhin, pé balcais éadaig a bhí uimímpi d'fhág sí ar lasa ar an inneoin iad i dteannta pé méid eile dhi d'fhan ceangailthe uirthi !

Chuir so deire le suí ar an inneoin aon mhaidean eile: bhí bia acu le fáil peocu fuar nú te don inneoin.

41. ' GRACE ' A' TITIM

Ba ghnáthach isna seanathithe fadó go mbeadh blúire ime nú smearaig anáirde ar cheann dosna saileàcha sa chistin: bhíodh sé áiseach chun é chimilt do sheana-bhróig nú d'éinní go n-oirfeadh blúire smearaig dò.

Lá éigint dá raibh *station* i dtig acu so bhí tine mhaith sa chistin, agus le teas na tine do bhí an smeara a' leighe anáirde ar an sail agus a' sile anuas i n-aice an tsagairt, mar a raibh an bórd socair chun an Aifrinn a rá.

' What is this ? ' ar sisean.

D'fhéach fear a' tí agus chonaic sé gur b'é an smeara a bhí a' sile anuas. Ní raibh an Béarla ró-chruínn aige, ach mar sin féin thug sé freagra ar an sagart:

' Oh, that's grace, Father ', ar sisean—dhin sé grásta dhe i n-inead smearaig!

Ach do tógag anuas an smeara, agus ní raibh a theille don '*ghrace*' a' teacht anuas chútha!

42. BACHALL

Nuair a bhíodh na bruíonta ar siúl fadó i mBaile Mhúirne, bhí fear ann arna dtugaithí Bachall. Bhíodh so sáite isna bruíonta. D'eirig idir é féin agus fear eile. Bhí bean Bhachaill tagaithe i n-aonacht leis. ' Cogar i leith ', ar sise leis a' mBachall: ' túir Bachall air sara dtúrfa sé ort é! '

43. PEAIDÍ BÁN AGUS AN REITHE

Do ráinig do Pheaidí Bhán bheith ag obair thuaig i nDúth' Ealla uair éigint. Bhí sé a' teacht abhaile mar seo lá Satharainn agus na cóngair aige á ghearra chó maith is d'fhéatadh sé. Do tháini sé i n-aice Shráid a' Mhuilinn, agus bhí sé a' gabháil trí pháirc mhuar a bhí ansan go raibh a lán caereach istig inti. Nuair a bhí sé lár na páirce isteach, do léim an reithe chuige agus do bhuail. Do leag sé Peaidí—agus ní bhuailfeadh reithe tu an fhaid fhanfá ar lár: tá a mhalairt do mheas aige air féin! D'eirig Peaidí i gcionn tamaill, agus má eirig, siúd chuige an reithe agus do leag é arís. I gcónaí nuair eiríodh Peaidí ní bhíodh a' reithe ar fán uaig chun poc a bhuala air agus é shíne. Do riug sé ar an reithe i ndeire bárra agus do choinnibh é. Bhí sé a' d'iarraig é bhailiú leis i n-aice an chlaí 'gcóir go bhféatadh sé léimt anáirde ar a' gclaí uaig.

Bhí saighdiúirí i Sráid a' Mhuilinn uim an am úd. Do bhuail saighdiúir amach a' siúl dò féin, agus do chonaic sé uaig isteach sa pháirc Peaidí a' d'iarraig an reithe a thúirt leis go claí. Isteach leis a' triall air.

' Cad tá agat á dhéanamh leis a' reithe ? ' ar sisean.

' Táim a' d'iarraig é bhreith liom ', arsa Peaidí.

' Cá mbéarfair é ? ' arsan saighdiúir.

' Go Baile Mhúirne ', aduairt sé. ' Tá feirm eile i mBaile Mhúirne ag an bhfear gur leis an pháirc seo agus na caoire, agus do cuireag mise a' d'iarraig an reithe. Ach go dícéilliúil, aduairt sé, ' bhí blúire do shúgán agam agus d'fhágas amù ar a' gclaí im dhiaig é. Táim a' d'iarraig é bhailiú liom i n-aice an chlaí agus teipfig orm,– nú a' mbefá chó maith ', aduairt sé, ' dhom is go mbéarfá ar an reithe ? Coinnibh ansan é chun go dtugad isteach an blúire shúgán '.

' Déanfad ', aduairt an saighdiúir. ' Ach shíleas ', aduairt sé, ' gur á ghoid a bhís, b'fhéidir '.

' Ní hea ', aduairt Peaidí, ' ná aon ghnó agam de '.

Do riug an saighdiúir ar an reithe. Amach le Peaidí fé dhéin an chlaí agus do shuig amù ar a' gclaí. D'fhéach a' saighdiúir, agus ní fheaca sé go raibh aon dithanas ar Pheaidí a' teacht.

' Brostaig ort ', aduairt sé, ' nú leogfadsa uaim an reithe '.

' Scaoil uait é más maith leat é ', arsa Peaidí; ' féatam breith air arís '.

Do leog sé uaig é, agus thug sé aghaig amach fé dhéin Pheaidí chun dro-bhéil a thúirt dò. Má thug, tháinig an reithe 'na dhiaig aniar, do bhuail poc air agus chuir ar mhullach a chínn é. Nuair eirig an saighdiúir siúd chuige arís an reithe; do bhuail poc eile air chó luath is d'eiri sé. I ndeire bárra, b'éigint don saighdiúir breith ar an reithe agus é choinneáilt. Bhí Peaidí amù ar a' gclaí a' gáirí.

' Féatair é choinneáilt ', aduairt sé,' chó fada is is maith leat. Nílimse chun dul fét dhéin a theille '.

D'fhág sé ansan 'na dhiaig an saighdiúir agus an reithe, agus thug sé aghaig ar a' mbaile !

44. ' AN CIARRAÍOCH '

Is anamh riamh ná go bhfaighfí duine éigint greanúr nú míorúiltheach ar Cúil Ao. Tráth éigint ó shin—tamall maith, b'fhéidir, do bhí duine ann: garsún arna dtugaidís ' An Ciarraíoch ' mar leasainm. Do mhair a athair agus a mháthair. Bhí sé ana-fhiain; agus do chíodh sé uaisle a' fiach mhadaraí uisce sa loich. Do sholáthraíodh sé a mbíodh do choileachaibh ar a' mbaile agus do chuireadh isteach sa loich iad féachaint a' mbéarfaidís ar mhadaraí uisce dho! Do báití na coilig go léir, agus ní raibh coileach fágtha ar a' mbaile aige gan bheith báite.

Lá éigint, do bhí cúpla cuíora agus uain ag an athair i bpáirc i n-aice 'n tí. D'oir dò na huain a dheighilt agus lainncisí a chuir fúthu. Do thug sé leis isteach sa chistin uan acu, agus bhí sé féin amù a' déanamh lainncisí a chuirfeadh sé fén uan. Do chuaig an mháthair a' d'iarra galúin bainne a bheadh acu i gcóir dínnéir. Bhí an galún bainne túrtha aici léi agus é ar bhun a' driosúra—í a' gabháil do ghnó éigint eile lasmù. Ní raibh fanta istig ach an garsún so go dtugaithí ' An Ciarraíoch ' air, agus an t-uan.

Níor fhéad An Ciarraíoch leogaint don uan: bhí sé ag imirt air agus an t-uan a' léimt is gach aobhal ar fuaid a' tí, riamh is choíche, chun gur léim sé anáirde ar a' ndriosúr agus do dhoirt an galún bainne a bhí túrtha léi ag an máthair. Tháinig An Ciarraíoch: fuair sé tua agus bloc—bhí sé 'na gharsún mhaith láidir—do riug ar an uan; do bhuail chuige an ceann ar a' mbloc agus do ghearr de é! Bhí sé 'na chorpalach ansan ar lár a' tí, agus An Ciarraíoch 'na shuí ar fhuairmín i n-aice na tine, nuair a tháinig an t-athair isteach agus na lainncisí déanta aige.

' Airiú, 'se ', ar sisean, nuair a chonaic sé an bainne doirtithe agus an t-uan marbh—agus b'sheo focal a bhíodh aige i gcónaí: ' Caidé an " bhuigildí-bhaigildí-bhaoró " oibre í seo ? '

' Mise, a dhaid ', aduairt A' Ciarraíoch: ' an bligeárd uain sin a dhoirt a' galún bainne a thug mo mháthair léi aniar ón Screathan, agus marar bhuineas-sa sásamh anois de! '

Do bhuail an t-athair clabhtóg ar a' ngarsún. Do leag sé é féin agus an fuairmín go raibh sé a' suí air. Do bhí an t-úrlár nealibhéaltha, agus do briseag lámh an gharsúin leis a' dtitim a fuair sé féin agus an fuairmín. B'éigint fios a chuir ar dhochtúir, agus do bhí an scéal ainnis go maith acu: bainne doirtithe, an ceann don uan, lámh an gharsúin briste; agus gheallfainn dhuit nár dhin A' Ciarraíoch an iomarca eile míorúilthí ná cleas ar feag gearrathamaill 'na dhia' san!

45. AN FEAR SÍMPLÍ

Bhí beirt uaisle ann. Bhí fear símplí age nach éinne acu sa tig. Do chuireadar geall le chéile féachaint ceocu acu so ba shímplí. Lá éigint bhí fiach madaruaig acu. Do riug duine uasal acu leis a fhear símplí féin sa bhfiach, agus do chuaig an fear símplí eile go dtí bun fuelle bhí ann. Ba ghnáthach gur anso théadh an madarua i dtalamh t'réis an fhiaig. Nuair a tháinig an madarua agus na fiagaithe agus na gadhair go bun na fuelle i ndiaig an mhadaruaig do bhí an fear símplí sínte thíos agá bun. Ní raibh ach a rá gur fhéadadar é chosaint ar na gadhair. Do throid a dhuine uasal féin leis 'dtaobh bheith ann. ' Sidé an fear símplí athá agamsa ! ' ar sisean leis an nduine uasal eile.

Thosnaig so ar é cheistiú. ' Cad a thug anso tu ? ' ar sisean. D'fhéach an fear símplí anáirde i gcoinnibh na fuelle. ' Is amhlaig a thiteas anuas ', ar sisean. ' Agus má thitis ', arsan duine uasal, ' canathaobh gur fhanais ann ? ' ' Bhíos a' fanúint ', aduairt sé, ' féachaint a' dtitfinn suas '.

' Ó, airiú dícéille ', ar sisean : ' fear breá ciallmhar atá agamsa seochas an t-amadán san. Tá an geall buaite agat uaim ', ar sisean leis an nduine uasal eile.

13. DIAGASÚLACHT AGUS TEAGASC

1. AN CEOL IS TAITHNEAMHAÍ LE DIA

Do ráinig seanabhean ó Bhaile Mhúirne a bheith istig i séipéal muar i gCorcaig. Bhí ceoltha á seint an. Thug an sagart fé ndeara an tseanabhean a' cuir suím sa cheol, agus ar aon tslí, d'aithin sé ar a cuid éadaig gur ón dtuath í. Tháinig chun cainte léi agus d'fhiafraig di ur airig sí riamh ceol níos breátha, agus duairt léi: ' Is taithneamhach an ceol é sin le Dia tá ar neamh; níl ceol eile chó taithneamhach leis '.

Ach d'fhreagair an tseanabhean: ' Is taithneamhaí leis usna sclábhaí! '

2. AN TRIÚR IS CÓNGARAÍ DO DHIA

An triúr is cóngaraí do Dhia ar neamh:

> Dú-sclábhaí le cré,
> eilirtheach i n-imigéin, agus
> sagart a dhéanfadh a dhiútae.

Dú-sclábhaí: sclábhaí ana-dhíthalach, ag obair i gcónaí.
Eilirtheach i n-imigéin: fear bocht a' d'iarraig a bheatha thuilleamh go macánta, abhfad ó bhaile.

3. AN DÁ RUD IS MEASA

An dá rud is measa a fhéatadh duine dhéanamh:
' Aighneas ar sheanóir nú fionóid fé dhuine bhocht '.

4. CÔIRLE

Côirle a thug an t-athair dá mhac:

> ' Nuair a gheóir amach fén sráid
> Ná din cnáid fé dhuine bhocht;
> Ná mol agus ná di-mol,
> Mar ná fachtar saoi gan locht.

Bí go síoch i gcríochaibh carad:
A mhic mo chroí, ná toibh bruíon,
Agus ná cuir suas di más éigin duit ! '

5. CABHAIR DÉ

' Iarr cabhair Dé agus níl baol ort ', adeireadh duine.

Deireadh duine eile ansan: ' Ní fheadar 'on tsaol: is minic a scaoil Sé duine bocht idir a ladhracha ! '

Deirthar gur maith le Dia cúnamh fháil, agus is fíor é.

6. NA BA SA GHORT

Gort a bhí ag feirmeoir agus chuaig na ba sa ghort mar níor dhaingini sé i n-aochor é. Duairt côrsa éigint leis é fhágaint fé Dhia. B'sheo mar aduairt sé ansan: ' Duairt mo chôrsa liom é fhágaint fé Dhia: d'fhágas, ach d'fhág Dia fúm féin é ! '

7. ' CATH DO CHÁRTA '

' Cath do chárta ', arsan t-athair leis an mac agus iad ag imirt chártaí.

' Conas a chathfad é ? ' arsan mac.

' É chathamh uait ar fad ! ' arsan t-athair—'sé sin, gan bheith a' gabháil dóibh i n-aochor, mar go rabhdar go holc.

8. AN SEANDUINE AGUS BEAN A MHIC

Seanduine a bhí ann go raibh a mhac pósta sa tig aige. Spriúnlóg a b'ea bean a mhic: ní thúrfadh sí uisce na n-obh do dhuine. Ba mhuar léi don tseanduine a n-itheadh sé is ba bheag léi a ndineadh sé, agus ní raibh saol práta i mbéal muice aige a' plé léi. Dá dtiteadh cloch à caiseal, is ar an seanduine a chuirfeadh sí a mhilleán i gcónaí, i dtreo go raibh sé céasta, cráite, ciapaithe aici.

Lá dosna leathanta agus tráth dosna tráthanna, do thárla go raibh an seanduine agus a mhac amù sa phort a' buint mhóna. Lá beirithe brothallach a b'ea é, agus bhí allas 'na locháin anuas leis a' mbeirt.

Tháinig an bhean óg chútha um thráthnóna le té. Shuig an bhean ar thúrtóig móna. D'oscail sí a ciseán agus thóg sí amach dhá channta aráin: ceann acu go raibh ím air, agus ceann acu tur. Thug sí an cannta go raibh an t-ím air dá fear féin agus an ceann tur don tseanduine.

Nuair a chonaic an seanduine an méid sin do shuig sé ar an móin, agus gíog níor chuir as go raibh an bhéile caite. Ansan do riug sé ar leacóig chloiche, scríbh sé rud éigint uirthi, agus chaith sé anún chun a mhic í. Riug an mac uirthi. B'sheo mar a bhí scríofa ag an seanduine:

'Nuair a bhís-se beag bídeach ba thusa mo stór,
Chíorainn go mín tu go minic sa ló,
Dhíolainn an Bhuí dhuit, an Druimeann 's an Crón,
Is ní íosfainn an t-ím agus tusa os mo chôir!'

9. DONACHA MUAR AN CHROÍ BHIG

De réir Murainn Ní Chnáimhín, ar a' gCruachán a bhí Donacha Ó Briain chun cónaig, ach ní fheadar ca bhfuil an Cruachán. Thug Murainn bliain agus lá 'na thig. Deabhraíonn an scéal go raibh an fear so farsiog flathúil, agus do mhol Murainn go hárd é.[1]

Tráth éigint, do labhair guth le Donacha: 'A Dhonacha Ī Bhriain, tá achuiní agat le fáil toisc t'fheabhas dosna bochtaibh: pé achuiní is maith leat iarraig'.

'Iarraim mar achuiní', arsa Donacha, 'gach duine le seacht sínsireacha rôm, seacht sínsireacha um dhiaig, me féin agus mo bhean, a leogaint go Flaithis Dé'.

'Faire fút, a Dhonacha Mhuair an chroí bhig!' arsan guth: 'nách beag iarrais! Tá so go léir le fáil agat, ach amháin do bhean a leogaint go Flaithis Dé—mar ní raibh riamh d'eascaine aici ach "Nár fhice mé Dia!"'

'Bíodh sí 'na dall ar neamh againn!' arsa Donacha. Agus sin mar a bhí, is dócha.

Is minic adeireadh m'athair: 'Nár fhice mé malairt Dé!'

'Nára fíor duit!' adeireadh Táilliúir na Samhna—mar mhaga; 'ná bí ag eascainí!'

[1] Fic lch. 286 *infra*.

10. TRÍ LEABHAIR A THUG AN T-AIRGEAD

Do thug an t-airgead trí leabhair.

An chéad leabhar: ' An té go mbead iniubh aige ní bhead amáireach aige '.

An tara leabhar: ' Ní bhe' mé ag éinne mara mbeig cion aige orm ', agus

An tríú leabhar: ' Is cuma liom cadé an saghas duine é sin ! '

11. TRÍ LEABHAIR A THUG AN SPEALADÓIR

Do thug an spealadóir trí leabhair.

An chéad leabhar: Ná buinfeadh sé aon scramha féir gan a phá.

An tara leabhar: Ná buinfeadh sé aon scramha féir gan faor, agus

An tríú leabhar: Ná buinfeadh sé aon scramha féir gan ím agus bainne beirithe !

12. FEIRMEOIR AGUS FEAR DLÍ

Bhí feirmeoir ann: fear muar táchtmhar. Bhí ana-dhúil aige bheith a' dlí i gcónaí, agus nuair a shleamhnaig na blianta air, ní raibh sé chó tugtha chun na dlí. Chua sé a' triall ar an bhfear dlí seo do bhí aige. ' Anois ', ar sisean, ' tá muarán dlí déanta agam i gcathamh mo shaeil, agus tá fhios agatsa go bhfuil, mar is muar dom chuid airgid fanta agat. Túrfad mo chuid tailimh dom mhac, agus túir côirle éigin dom a thúrfad dò i dtaobh dlí '.

' 'Sí mo chôirle dhuit ', arsan fear dlí, ' abair leis dá ráineodh go mbeadh dhá phúnt aige ar dhuine agus go mbeadh púnt á thúirt aige dho go síochánta: é ghlaca uaig, agus gan bac le haon dlí i dtaobh an phúint eile. Anois ', arsan fear dlí, ' tá mo mhac-sa eirithe agus me a' faire ar fheirm thailimh a thúirt dò: túirse côirle dhôsa a thúrfa mé dom mhac-sa i dtaobh feirmeoireacht '.

' Abair led mhac ', arsan feirmeoir, ' an gort nú an garraí, nú aon rud eile a bheig aige le cur: an áit a dhainginiú sara gcuirfi sé é '.

Agus b'sheo mar a scaradar le chéile.

13. TRIÚR A THÓG AIRGEAD AR IASACHT

Do bhí triúr a thóg airgead ar iasacht. Thógadar céad púnt an duine, agus chaithfidís an t-airgead do dhíol thar n-ais i gcionn bliana. Do chuir duine acu an t-airgead ag obair ar saghas éigin gnótha, agus nuair a bhí an bhliain caite bhí dhá chéad eile déanta aige. Do chuir fear eile acu ag obair a chuid airgid, agus sara raibh leath na bliana imithe ní raibh bith a thuairisc aige, mar do ghoibh an obair 'na choinibh. Chuir an tríú fear a chuid féin go taiscithe isteach i gceairt, agus níor bhuin feorling as chun go raibh an bhliain caite.

An té thug dóibh an t-airgead d'éilimh sé é. Thug an chéad fhear dò an céad púnt, ghoibh baochas leis 'na thaobh, agus d'inis dò go raibh dhá chéad déanta aige un. Tháinig an tarna fear chuige: ' Chuireas an céad púnt ag obair agus tá an leathphinge dhéanach de caillthe agam: ní féidir liom piuc a thúirt duit '.

' Ní raibh leigheas agat air ', ar sisean; ' dhinis do dhíthal '.

Tháinig an tríú fear agus do thairrig chuige a chuid airgid go tirm, glan, amach as a' gceairt. ' Tá sé agamsa dhuit ', ar sisean. ' Níor dhineas so ná súd leis. D'fhágas istig sa cheairt sin é ón lá a thugais dom é ! '—agus do shín chuige an céad púnt.

' Tusa an té is measa don triúr ', aduairt sé. ' Choíche arís ní thúrfainn aon airgead ar iasacht duit. Is measa thu ná an fear nár fhéad feorling a thúirt dom ! '

14. AIRGEAD I MBANNC

Fear a bhí ar thaobh bóthair a' brise chloch. Do ghoibh duine uasal an bóthar lá éigin, do stad a' féachaint air agus d'fhiafraig de an muar 'o phá bhí dho à brise na gcloch. D'inis sé dho gur scilling an tonna.

' An muar díobh so bhriseann tú sa ló ? ' ar sisean.

' Ní bhrisim ach tonna ', ar sisean, ' mar táid siad ró-chruaig '.

' Ní fhéadaim a thuiscint ', arsan duine uasal, ' conas fhéadann tú maireachtaint air seo '.

' Mairim ', aduairt sé, ' agus táim a' díol fiacha 'na theannta san, a' cothú mo mhuirín agus a' cuir airgid i mbannc ! '

' Dá bhféadfá an rud so a scrúdú dhom ', arsan duine uasal, ' thúrfainn chúig phúint duit ! '

'Is uiriste é scrúdú', arsan fear. 'Na fiacha so thá agam á dhíol lem athair agus lem mháthair: 'siad so a thóg mise, agus dá bhrí sin táim i bhfiachaibh acu; táim á ndíol an fhaid atáim anois á gcothú i ndeire a saeil. Tá mo mhuiríon agam á gcothú, agus nuair a dhinim so, sin airgead agam á chuir i mbannc, mar cothóid siad so me nuair a raghad i gcríonnacht'.

'Is fíor 'uit', arsan duine uasal. Thug sé dho na chúig phúint, agus níor bhris aon chloch eile ar feag seachtaine!

14. GAISCÍG AGUS GRUAGAIG

ÚLLA GHÁIRDÍN NA m*BERINES*

Uair éigint, do ráinig go raibh rí ann—ar nóin, is minic a bhí, mar bhíodh rite is gach aobhal an uair sin chó flúirseach nú níos flúirsí ná mar atháid anois. Ar aon tslí, d'fhan so gan pósa chun go raibh sé ana-chríonna. D'eirig i bhfuirm spréach pósta 'na cheann, agus do phós sé. Fuair sé bean bhreá óg, agus má fuair, ní raibh aon tora aici air: bhí sé ró-chríonna; agus do bhí a shaol aige á chuir de agus gan an iomad ceana ag an mnaoi air, cé ná raibh fhios aige é.

Do ráinig triúr mac aici, agus do bhí an bheirt ba shine acu so—an mháthair ana-mhuar leo; agus có-chion a bhí ag an rí ar gach éinne don triúr.

Amach san aimsir, nuair a bhíodar so fásta, do buaileag breoite an rí. Do bhí dochtúirí na dútha tímpal air, agus má bhíodar, bhí a' teip aon leigheas a dhéanamh dò. Chun a cirt féin a thúirt don mhnaoi, deiridís nár bh'fheárr léi scéal de ná é chailliúint. Ní fheadar-sa, ach bíodh sé mar sin.

Lá éigint, do bhuail chútha isteach bean. ' Conas tá an rí ? ' aduairt sí.

' Tin t'fhiafraithe ort ! ' arsan bhean—bean an rí—' maran fiosrach athánn tú ! '

' Isdóin, b'fhéidir ', aduairt sí, ' go bhfuil cúis agam le bheith fiosrach. Ca bhfios ná gur me a fhéatadh é leigheas ? '

' Ní leighisfir ', aduairt an bhean, ' agus is cuma ceocu é. Ní féidir é leigheas anois '.

' Caithfi mé dul chun é fhiscint ', ar sise. As go brách léi, agus do chuaig sí pé áit go raibh an rí ar leabaig.

' Conas tánn tú ? ' aduairt sí leis an rí.

' Is dócha ', aduairt sé, ' ná féatainn bheith puínn níba mheasa '.

Do riug sí ar chuislinn air. ' Níl éinní i n-aochor ort ', ar sise. ' Ní fiú áireamh a bhfuil ort, agus is féidir tu leigheas fós '.

' Cad a leighisfeadh me ? ' ar sisean.

' Dá bhfaighfá ', aduairt sí, ' trí húlla: trí cínn dosna húlla athá i nGáirdín na m*Berines*, do bhís leighiste chó luath is bhlaisfá iad san—chó maith is bhís riamh. Agus fiú amháin ', aduairt sí, ' do dhéanfaidís chó hóg tu is bhís riamh '.

' Aililiú ! ' ar sisean. ' Pé áit go bhfuil a' gáirdín sin, caithfig duine éigin dom chluínn dul a' d'iarraig na n-úll '.

' Ní haon dó na húlla so thúirt leo ', aduairt sí. ' Tá uthàch muar a' túirt aire dosna húlla, agus cathfar côrac ana-ghéar a dhéanamh leis seo chun na n-úll fháil don chrann '.

Sea. Do ghlaoig sé ar an mac ba shine aige. ' Imig ort ', aduairt sé, ' agus túir chúm na húlla '.

' Imeod gan dearamad, a athair ', aduairt sé, ' agus ní bheig moíll neomait orm iad a thúirt liom '.

D'árda sé leis a chlaíomh agus as go brách leis. Níor stad cos de chun gur chuaig sé go dtí an geata, agus má chuaig, chó luath is chonaic sé an t-uthàch d'fhíll thar n-ais arís. Níor thug sé cath ná côrac dò, ach teacht thar n-ais chó dithansach is d'fhéad sé. Agus ar an slí thar n-ais dò, do casag air seanabhean go raibh úlla i dturcail asail nú i n-áit éigint aici, agus an dial blúire dhe ná gur cheannaig trí cínn don chuid a b'fheárr acu uaithi, agus tháinig abhaile: iad aige 'na phóca go ceanúil.

' Ar thugais leat iad ? ' arsan t-athair.

' Thugas gan dearamad ', ar sisean, ' agus níor bh'uiriste i n-aochor iad a thúirt uaig. Chathas an ceann a bhuint de '.

' Maith a' buachaill ! ' ar sisean. Do fuair sé na húlla le n-ithe, nú le blaise, ach má fuair níor bh'aon chabhair é. Níor dhineadar aon tairife dho.

' Sea ', aduairt sé: ' is baolach nách iad an chuid cheart iad, agus caithfi mé fear eile a chuir á n-iarraig '.

Do ghlaoig sé ar an tarna mac a bhí aige. ' Imig ort ', aduairt sé, ' agus ar do bhás, ná fíll thar n-ais chúm gan na húlla a thúirt leat ! '

D'imig, agus níor chuaig sé chó fada leis a' ngeata i n-aochor, nuair a bhí ínsithe ag an ndriotháir eile dho cad a bhí roimis; agus do phiuc sé féin do chrann, nú do cheannaig ó sheanabhean éigint eile, trí cínn dosna húlla ba bhreátha a fuair sé. D'fhíll thar n-ais leo agus do thug don athair iad, agus b'é an cleas céanna é: níor dhineadar leigheas ná tairife dho.

' Tá an scéal teipithe ', aduairt sé, ' agus níl agam anois ach an t-éinne amháin, agus tá sé chó maith é sin a chuir féna ngéin '. B'é seo an t-é b'óige don triúr. Do ghlaoig sé air:

' Anois ', aduairt sé, ' tá do bheirt driothár imithe chun na n-úll a sholáthar chúmsa, agus creidim nár chuadar riamh féna ngéin. Má théann tusa féna ngéin agus iad a thúirt chúm, agus go bhféatair me leigheas leo, tá mo ríocht agat le fáil '.

' Déanfad mo dhíthal ', aduairt sé.

Do bhí an-áthas ar bhean an rí é seo a bheith ag imeacht fé dhéin na n-úll mar do bhí súil aici go maródh an t-uthàch é.

Níor stad cos de chun gur tháini sé go dtí an geata, agus nuair a tháini sé do bhí an t-uthàch istig roimis.

' Ca bhfuileann tú a' dul ? ' arsan t-uthàch.

' Táim a' dul anso isteach sa gháirdín ', aduairt sé.

' Ní thiocfair ', aduairt an t-uthàch, ' nú is treise dhuitse ná dhôsa '.

' Anois a bheig fhios againn é ', aduairt mac an rí.

Ní oscalódh an t-uthàch an geata dho, agus níor ghá dho é oscailt mar ní raibh moíll neomait air seo dul dá dhruím isteach mar a raghadh préachán ! Do thosna sé féin agus an t-uthàch ar a chéile, agus an t-é thiocfadh ó íochtar a' domhain go huachtar a' domhain a' féachaint ar chath nú ar chrua-chôrac, is a' féachaint ar a' ndís seo ba chóir dò teacht. Do dhinidís ball bog don bhall chruaig agus ball cruaig don bhall bhog, chun go bhfuair mac an rí an ceannsmách ar an uthàch agus do bhuin an ceann de.

Bhí san go maith. Do phiuc sé na húlla don chrann, agus do choinnibh sé a shúil go maith ar an gcrann n-ar phiuc sé na húlla dhe. Thug sé leis na trí húlla do b'fheárr agus ba dheise bhí ar a' gcrann. D'fhíll sé abhaile, agus 'na dteannta san do thug sé leis ceann an athaig.

Nuair a tháini sé, do bhí an oíche ann agus muíntir an rí go léir dultha chun collata. ' Ní dhúiseod anois iad go maidean ', ar sisean, ' agus ar maidin túrfa mé iad so dom athair, agus chífi mé ceocu leighisfar é nú ná leighisfar. Mara leighisfid siad é, ní mise fé ndeár é: tá an chuid cheart túrtha agamsa liom '. Do thit sé 'na cholla amù i stábla nú i n-áit éigint, agus na trí húlla 'na phóca.

Nuair a dhúisi sé ar maidin ní raibh piuc dosna húlla aige—do bhíodar goidithe uaig ag an mbeirt driothár a bhí eirithe roimis sin, agus iad bertha isteach:

' Airiú ', aduaradar, ' chuamair araon i n-aonacht fé dhéin na n-úll, agus ní raibh aon mhoíll orainn iad a thúirt linn anois '.

'Ba mhaith a thrialúir', aduairt an t-athair. Chó luath is bhlais sé na húlla do léim sé chútha 'na shaol agus 'na shláinte chó maith is bhí sé riamh. Is ar éigint aithneodh éinne é bhí sé dultha chó muar san i n-óige.

Pé uair a dhúisig an mac óg so ar maidin ní raibh piuc dosna húlla aige, agus d'fhíll sé isteach agus a scéal aige á ínsint: gur thug sé leis na húlla agus bur b'amhal a goideag uaig iad. Ní raibh an t-athair á chreidiúint, agus duairt an mháthair go raibh bréag aige á ínsint—nách é a thug leis i n-aochor iad.

Amach leis arís, agus pé áit amù sa stábla go raibh ceann an athaig fágtha aige do thug leis isteach é. 'Sidé an côrtha agat', aduairt sé leis an athair, 'gur me thug liom na húlla. B'éigint dom an ceann san a bhuint don uthàch sarar fhéadas iad a thúirt liom'.

'Sinn-ne a bhuin de é!' aduairt an bheirt eile.

Do ghluais an t-áiteamh eatarthu, agus leis sin cé bhuailfeadh chútha ná an bhean so a thug an chôirle chun an rí a leigheas. Do bhí teip é shocrú féachaint ceocu don triúr a thug leo iad. Do ghlaoig an bhean ar an dtriúr mac agus ar bhean an rí. Thánadar a' triall uirthi.

'Fiafraím díot', aduairt sí leis an mac ba shine, 'a' rabhais i nGáirdín na m*Berines*?'

'Do bhíos go maith, mhuise', ar sisean.

'Ceocu crann arna bhfuarais na húlla?'

'Fuaras ar an gcéad chrann', aduairt sé, 'ar an dtaobh istig do gheata'.

'Ní rabhais riamh ann', aduairt sí. 'Fiafraím díot anois', ar sise le bean an rí, 'cér leis an mac so?'

'Olagón!' ar sise. 'Níl fiafraí air sin ná gur leis an rí onórach'.

Leis sin, do chas sí crios tímpal ar an mnaoi. 'Fáisc an fhírinne aisti sin dom!' ar sise leis a' gcrios. Do thosnaig an crios ar í fhásca, agus do bhí sí chó fáiscithe i ndeire bárra, nuair fhiafraig an bhean di arís cé leis an mac críonna—

'Ó, airiú', ar sise, 'leis a' gcóisteoir isea é'.

'Bhí fhios agamsa gur bh'ea', arsan bhean. Do bhog a' crios ansan di.

Ghlaoig sí ar a' tarna mac. 'A' rabhais i nGáirdín na m*Berines*?' ar sise.

'Ó, do bhíos', aduairt sé, 'gan dearamad'.

'Fiafraím díot, ceocu crann arna bhfuarais na húlla?'

'A lithéid seo 'chrann', aduairt sé: 'ar an tarna crann ar an dtaobh istig don gheata'.

'Ní rabhais riamh ann', aduairt sí. 'Agus fiafraím díot anois'—leis a' mnaoi—aduairt sí arís, 'cér leis an mac so?'

'Is greanúr an fhiafraí í', arsa bean an rí. 'Ar nóin, tá'sa go maith agat gur leis an rí'.

Do chuir sí an crios uirthi arís. 'Fáisc an fhírinne dhom amach aisti sin!' ar sise. D'fháisc an crios, agus do bhí fáiscithe chó cruaig sin aige, nuair fhiafra sí arís cér leis an tarna mac—

'Ó, airiú', arsa bean an rí, 'leis a' mboitléir'.

'Bhí fhios agamsa nách leis an rí é', arsan bhean. Ghlaoig sí chúithi an tríú mac. 'A' rabhais i nGáirdín na m*Berines*?' ar sise.

'Do bhíos, gan dearamad', aduairt sé.

'Ceocu crann arna bhfuarais na húlla?'

'Fuaras', aduairt sé, 'ar an tríú crann i leith mo lâ clé i dtaobh istig don gheata'.

'Is fíor duit go rabhais ann', aduairt sí. Chuir sí an crios arís ar a' mnaoi. 'Cér leis an mac so?' aduairt sí.

'Ó, leis an rí onórach', arsan bhean. Níor fháisc an crios i n-aochor uirthi.

'Is maith an fhírinne dhuit gur leis', ar sise. 'Ní gá an fhírinne a fhásca astutsa i n-aochor anois, mar d'ínsis féin í'.

Chonaic an rí an obair go léir, agus cad a bhí titithe amach. 'Féach anois', aduairt sé: 'bíodh an triúr agaibhse ag imeacht as an áit seo chó tapaig is d'fhéata sibh!'—an bhean agus an bheirt mhac ba shine. 'Agus tá an ríocht agatsa', aduairt sé leis a' mac óg. 'Féatair gach aon rud a bhuineann liomsa bheith agat, pé faid a mhairfir. Ach ní leóthaid siad so fille isteach sa chúirt seo chúmsa, dá mairinn míle blian ann. Is leatsa gach éinní. Agus táim baoch díot', aduairt sé leis a' mnaoi, 'a thug an leigheas so dhom. Agus níl aon bhaol ná go bhfuilim baoch don mhac a thug chúm iad; agus go deimhin, níl aon mhilleán agam ar a' gcuid eile', aduairt sé, 'mar ní raibh an fhuil ríúil iontu'.

15. FIANNAÍOCHT

1. Fionn agus an Órdóg

'Do chogain Fionn an órdóg ón gcroicean go dtí an fhuil, ón bhfuil go dtí an fheoil, ón fheoil go dtí an cnámh, ón gcnámh go dtí an smúsach, agus ón smúsach to dtí an smior!'

Sin mar adeireadh sean-daoine isna scéaltha Fiannaíochta. Ní fhéatadh Fionn dul níosa shia isteach ná an smior.

2. Oisín agus Naomh Pádraig

Do bhíodh Naomh Pádraig ag ínsint d'Oisín conas mar a bhí Fionn agus an Fhiann eile i nIfreann ag an ndial, ach deireadh Oisín:

'Dá maireadh Fadhlán agus Goll,
Diarmaid Donn agus an tOscar áig,
Ní raibh sé riamh ag dial ná ag deamhan
An teach agá mbeadh rí na bhFiann ar láimh!'

3. Éaló isteach isna Flaithis!

Deireadh Oisín le Pádraig: 'Samhlaím go bhféatainn éaló isteach isna Flaithis!'

Ach 'sé an freagra fhaigheadh sé:

'Ní raghadh an dada sa gha gréine
Ná an chuil chrónánach ar scáth do scéithe
I gCathair Neámh i ganfhios don Rí mhuargálach'.

'Mhuise', adeireadh Oisín:

'Mo chara-sa an rí úd bhíodh againn ar na Fianna,
Go bhfaigheadh mathshlua na Fólla bheith i dtig
an ósta gan fiartha!'

Gan fiartha: gan fiafraí.

An dada: Is minic, nuair a chífá an ghrian a' taithneamh isteach trí fhinneoig ar úrlár tí, bíonn síog a' rith ón ngréin treasna an úrláir. Os cionn tailimh a bhíonn so, agus chífá na mion-rudaí go léir tríd: na mílthe milleoin acu. Agus 'dada' isea tugathar ar cheann acu so.

4. Goile Oisín

Nuair a bhí Oisín i n-aonacht le Naomh Pádraig, deabhraíonn an scéal go raibh goile maith fanta aige i gcónaí, agus bhí an cailín cráite ciapaithe ó bheith a' túirt bíg dò: locht aige á fháil ar gach bia do dheascaibh a luíod. Nuair a chuirtí ceathrú mhairt os a chôir deireadh sé: 'Ba mhinic a chonac ceathrú luin ba mhó ná úr gceathrú mairt!' Nuair a chuirfí meascán ime os a chôir deireadh sé gur mhinic a chonaic sé caor chárthainn ba mhó ná a meascán ime!

5. Mar a baisteag Oisín

Nuair a bhí Naomh Pádraig á bhaiste, pé cuma n-ar tháinig an cailín treasna do rop sí bior dearg éigint 'na chois, ach níor leog san air gur airi sé é. Nuair a chonaic Naomh Pádraig an fhuil a' teacht as an gcois d'fhiafraig de cad d'imig uirthi.

'Rud éigint a ropag inti ansan ó chiainibh', ar sisean.

'Agus conas nár liúis?' arsa Naomh Pádraig.

'Ō', arsa Oisín, 'mar shíleas gur bhuin so leis an mbaiste!'

6. An Bhachall Bhreac

Deireadh Oisín uair éigint eile:

'A Phádraig na bachaille brice,
 Is muar é do mhustar as do Mháistir;
Is fadó bheadh bachall leat briste
 Dá mbeadh an tOscar láithreach!'

16. SCÉALTHA GEARRA ÁITIÚLA

1. 'SIAR LÉI, A BHUACHAILLÍ!'

I n-imirt liathróide is minic airíos an chanúinn sin, siúd is gur ó thuaig agus ó dheas a bheidís ag imirt, go minic.

Tamall ó shin, do ráinig dá pháirtí i mBaile Mhúirne: muíntir Luínse agus muíntir Thuama. Bhídís go síoraí a' bruíon le chéile; agus insa ph'róiste lastoir díobh—Cluan Droichead—do ráinig dream eile: muíntir Chéileachair. Bhíodar so go líonmhar, táchtmhar. Ní lucht bruíne iad, agus ba mhinic adeiridís dá gcuiridís le chéile go bhféataidís gabháil ar mhuíntir Luínse agus Tuama i n-aonacht.

Do ráinig gur chuaig fear do mhuíntir Luínse mar chliain isteach a' triall ar dhuine do mhuíntir Chéileachair Chluan Droichead. Ní raibh sé ró-fhada pósta nuair a cailleag a bhean. Ar línn báis di ní duairt sí cá gcuirfí í. I gCluan Droichead ba cheart muíntir Chéileachair a chur, agus muíntir Luínse i mBaile Mhúirne.

Duairt a hathair: 'I gCluan Droichead a cuirfar í', agus duairt a fear, mac Í Luínse: 'I mBaile Mhúirne a cuirfar í'.

Bhí an tsochraid le bheith ann larnamháireach, agus duairt mac Í Chéileachair ná leogfadh sé féin agus a mhuíntir go Baile Mhúirne í.

'Dá bhfágaimís lá eile gan cur í', arsa mac Í Luínse, 'agus cead agamsa dul go Baile Mhúirne chun mo mhuíntir a chur le chéile, chuirfinn i n-úil díbh go mbéarfainn ann í!' Thoilig mac Í Chéileachair chuige seo: í fhágaint lá eile gan cur.

As go brách lena fear. Tháinig go Baile Mhúirne. Do bhailig le chéile an méid fhéad sé do mhuíntir Luínse agus do mhuíntir Thuama. Cé go mbídís féin i gcónaí a' gabháil ar a chéile, dá dtagadh aon dream eile lasmù chabhraídís le chéile.

Lá Domhnaigh bhí an tsochraid le bheith ann ansan. Tógamh amach an chôra, agus nuair a thánadar amach ar a' mbóthar chun gabháil siar nú soir, do buaileag an bhruíon.

Do bhuaig muíntir Bhaile Mhúirne. Do ghabhadar siar leis a' gcorp. Tháinig muargaíocht agus toramas ar mhuíntir Chéileachair agus ní thiocfadh éinne acu sa tsochraid. I gcionn tamaill, do tháinig tuille cúnaimh a' triall ar mhuíntir Chéileachair, agus shocraíodar ar a' sochraid a leanúint—go mbeidís láidir a ndóthain dóibh anois, is go bhféadfí an corp a bhreith soir go Cluan Droichead.

Bhí an corp bertha isteach go séipéal Bhaile Mhúirne nuair a tháinig muíntir Chéileachair, agus t'réis an Aifrinn, nuair a tógamh amach é, do buaileag an bhruíon mhuar arís. Bhíodh fear na mná leagaithe sa bhruín i ngeata an tséipéil. Do liúdh sé agus é ar lár: ' Siar léi, a bhuachaillí! ' Tá an chanúinn seo 'nár measc riamh ó shin.

Agus siar a ghoibh sí! Do buag ar mhuíntir Chéileachair arís. Nuair a chonaiceadar go raibh buaite orthu chó glan d'imig an toramas díobh, agus chuadar sa tsochraid suas isteach go reilig. Ní raibh ann ach tímpal leath-mhíle slí. Do tugag an corp tímpal an tseana-theampaill mar ba ghnáth a dhéanamh le cuirp. Do leogag an chôra anuas san áit go raibh an uaig le déanamh.

' Sidí ansan anois agaibh í ', arsa mac Ī Luínse. ' Thugas liom í gan bhaochas díbh, agus más maith libh é, tógaig libh soir í agus cuirig i gCluan Droichead í. Ach ní thúrfainn le rá dhíbh go dteipfeadh orm í thúirt liom! '

Do thóg muíntir Chéileachair leo an chôra. Amach an geata leo, agus an bóthar soir. Chuaig muíntir Luínse agus muíntir Thuama sa tsochraid, soir amach go reilig Chluan Droichead.

D'óladar a ndóthain fan na slí a' teacht abhaile, agus ghabhadar féin ar a chéile arís!

2. PRUISEACH IS FEOIL AR BHÓRD LIAM GABHA

Do bhí nós anso fadó, nuair a mharaíodh daoine mairt i gcóir na Nollag, go dtugaithí ceann gach mairt don ghabha. ' Cuid an ghabha an ceann ' adeiridís, agus do bhíodh na baraillí lán díobh aige.

Bhí gabha ar Cúil Ao arna dtugaidís Liam Gabha. Do mhuíntir Ailíosa a b'ea é. Bhíodh lucht scuraíochta sa cheártain aige gach oíche, agus nuair a stopadh sé d'obair chathadh an lucht scuraíochta dul leis go tig chun feola a dh'ithe agus chun praisce d'ól. B'í an chanúinn a bhíodh acu a' dul abhaile: ' Pruiseach is feoil ar bhórd Liam Gabha '.

Bhí beirt do lucht na scuraíochta agus ní raibh teora leo chun na praisce d'ól. Do cuireag geall féachaint ceocu don bheirt is mó ólfadh di. Do beiríog corcán ana-mhuar di i gcóir na hoíche seo.

Thosnaig an bheirt ar í ól. D'ól duine acu cárt is fiche praisce agus d'ól fear eile naoi gcárt déag.

An té chuir a' geall ar shon fear na naoi gcáirt déag, ' Is olc a chuiris chúithi ! ' ar sisean.

' 'Dhia, an dial uait ! ' ar sisean, ' ní raibh aon chiall agat is geall a chur ar mo shon: ar nóin, bhí fhios agat nár bh'aon fhear praisce ól me ! '

An fear go raibh an geall buaite aige dhin sé mola muar ar an bhfear a ól an cárt is fiche, agus duairt: ' Níor bh'iúna liom dá mbefá chó láidir le gabha Cheann Tuirc '.

' Is dócha go bhfuilim, leis ', ar sisean, ' agus is minic a bhím a' cuíneamh dul féna dhéin chun go bhficinn a' bhfuil sé ana-láidir, ach tá an siúl ró-fhada dhom '.

' An dial ', arsa duine do lucht na scuraíochta, ' túrfadsa an capall duit chun dul un, aon lá is maith leat imeacht, agus bíodh triail agat ar ghabha Cheann Tuirc '.

I gcionn lae nú dhó 'na dhia' san thóg sé leis a chapall iallaite, go moch le haithint an lae, agus bhí a' cuir de i dtreo Cheann Tuirc, riamh is choíche, a' cuir tuairisc a lithéid seo do ghabha, chun gur tháinig sé amù ag doras na ceártan chuige. Níor thúirlic sé dá chapall, ach do ghlaoig: ' A' bhfuil éinne istig anso ? '

D'fhreagair an fear istig: ' Tá. Cad tá uait ? '

' Cuir chúm amach rud éigint a dheargóig mo phíopa '.

Do thóg sé sluaistín don ghual dhearg amach as an dteallach agus do bhuail chuige anáirde ar an inneoin é; riug ar chorra-chip na hinneonach, amach leis agus do shín uaig anáirde í chun an fhir a bhí i ndrom an chapaill. Thairrig so a phíopa amach as a phóca; do riug ar chorra-chip na hinneonach à láimh an ghabha agus d'úmpaig an tine dhearg isteach ar an bpíopa chun go raibh an píopa dearg aige. Shín sé an inneoin anuas arís chun an ghabha. Ghoibh baochas leis. D'fhéachadar féin ar a chéile agus níor chuireadar a thuille aithne ar a chéile.

Tháinig sé thar n-ais go Cúil Ao, agus níl aon oíche scuraíochta ná go mbítí á cheistiú i dtaobh ghabha Cheann Tuirc, agus deireadh sé i gcónaí gur fear ana-láidir é. Agus ní fheadarsa ceocu don bheirt ba threise.

Is dócha ná raibh so fíor—ach 'na dhia' san, ca bhfuilim a' caint: bhí aithne agamsa ar dhaoine a chonaic obair chosmhail léi á déanamh i gceárta Chúil Ao. Bhíodh an lucht scuraíochta ann i gcónaí. Ba mhinic a bhíodh mar chleas acu an inneoin a leaga don bhloc anuas ar an dtalamh, breith ar chorra-chip uirthi agus í chuir anáirde ar a' mbloc. B'sheo dro-ghreim sleamhnaitheach, agus ní raibh níos mó ná beirt do lucht na scuraíochta go dtagadh leo an cleas a dhéanamh go nea-spleách.

Lá éigint dá raibh an gabha istig 'n' aonar, do bhuail chuige isteach fear críonna don chôrsanacht. Bhí aithne mhaith ag an ngabha air: Amhlaoibh Dhónail do b'ainm dò. Do mhuíntir Luínse a b'ea é, agus bhí sé ráite go raibh sé ana-láidir 'na lá féin. Is dócha go raibh sé cheithre fichid bliain uim an am so; bata 'na láimh aige, agus iarracht bacaí air. Thug sé féin agus an gabha tamall a' caint le chéile.

' Airiú 'se, a Amhlaoibh ', arsan gabha, ' bíonn cleas ar siúl anso ag lucht scuraíochta gach oíche. Is minic adeirim leo ná beadh moíll ort an cleas so do dhéanamh, ach ní éistfí liom. 'Sé an rud adeirid siad: " Tá sé ró-chríonna anois, agus b'fhéidir ná féatadh sé é dhéanamh an lá a b'fheárr a bhí sé " '.

Thiospeáin an gabha an cleas dò, agus dhin tathant ar an seanabhuachaill é thriail. Chaith sé uaig an maide. Do leag an gabha an inneoin chuige anuas don bhloc. Do riug sé ar chorra-chip na hinneonach, agus i n-inead í bhuala uaig anáirde ar a' mbloc d'imig air amach an doras léi agus an bóthar siar: an gabha amach a' faire 'na dhiaig. D'fhíll thar n-ais isteach sa cheártain arís. Sheasaimh ar a' dtaobh thíos don bhloc, agus i n-inead í bhuala anáirde air fé mar a dhineadh an chuid eile, is amhlaig a bhuin sé cathamh aisti uaig suas ar an dteallach.

Agus níor bh'iúna go bhféatadh fear don neart san déanamh chó maith le gabha Cheann Tuirc, nú fear an phíopa!

3. CÚIGEAR DRIOTHÁR

Bhí cúigear driothár chun cónaig sa Bhlárnain. Bhíodar so go saibhir, láidir: lámh acu is gach saghas ruda. Théidís siar amach go cathair Íbh Rátha. Cheannaídís muarchuid muc ann. Thiar a dhinidís na muca so a mharú agus do loma. Dhíoltí ansan iad. Ach chun mo scéil a dhéanamh gairid, ní raibh teora lena gcuid airgid.

Thosnaíodar ar ól, ach aon fhear amháin nár bhac leis. Ní raibh an ceathrar eile sásta chun go ndíolfaidís amach a raibh don tsaol

Sráid a' Mhuilinn, ' ag bun Chláraí an cheoig,' *c.* 1890

Dealbh an Athar Tiobóid Maitiú i gCorcaigh, *c.* 1890

acu agus a gcuid airgid go léir a roint. Nuair a fuair gach éinne a chion féin b'shidé an uair a thosnaig an t-ól sa cheart. D'fhan triúr acu i nÉirinn chun go raibh a gcuid caite agus gan na bróga ar a gcosa. Chuaig fear eile acu go Merice, agus b'é an cor céanna a thug sé ansúd dá chuid airgid.

An fear so a choinnibh ón ól tháini sé isteach go sráid Mochromtha, cheannaig ti' táirne, agus bhí sé a' déanamh go hana-mhaith. D'airig an driotháir a bhí i Merice go raibh sé ann, go láidir saibhir, agus go mb'fhéidir gur mhaith an rud teacht féna dhéin. Do scríbh sé chuige tuairisc a thúirt dò conas a bhí gach ní ó chuaig sé féin go Merice, agus b'sheo mar a thug fear Mochromtha freagra air:

' Táimse is ti' táirne i Mochromtha agam,
Tá lán-chuid dom cháirde gan bonn acu,
Tá áit i nÍbh Rátha 'na lomtí tuirc
Agus an Bhlárna san áit úd 'na rabhmair thoir! '

B'shin ar thug sé do thuairisc dò, agus níor chuir sé aon fhún air teacht abhaile.

4. FEAR NA BÓ BRICE

Bhí fear thuaig 'dtaobh thuaig don Chláraig,[1] agus botháinín aige. Ní raibh ann ach é féin agus a bhean. Níor ráinig aon mhuiríon acu. Thugadar leo leanbh amach à ti' na mbocht i Sráid a' Mhuilinn. Ní raibh teora leis a' gcion a bhí acu ar a' leanbh so. Nuair aosa sé do cuireag ar scoil é. Bhí bua aige chun foghlama. Bhí bó bhreac ag an nduine mbocht. Bhíodh an garsún i gcónaí á haeireacht.

Nuair a bhí deire aige le scolaíocht d'imi sé ar a ábhar féin agus d'fhág ansan an duine bocht agus a bhean. Ba ghairid 'na dhia' san gur cailleag a bhean. Bhí an duine bocht go haonarúil sa bhothán, agus an bhóín bhreac aige i gcónaí. Bhí an scéal ar a dhíthal aige i gcionn roint bhlianta. Bhí fiacha ag cuid éigint acu istig sa tsráid air. Chuireadar amach na báillí agus do tógamh an bhó bhreac. Chomáineadar leo í. Do lean Seán iad (Seán a b'ainm dò) féachaint a' bhfaigheadh sé éinne fhéatadh í réiteach dò.

[1] Sliabh atá i n-aice Shráid a' Mhuilinn—SÓC.

Ar a' mbóthar dóibh chun Sráid a' Mhuilinn do bhí capall agus carráiste 'na gcoinibh. Do stop fear na carráiste nuair a chonaic sé an bhó bhreac ag imeacht ages na báillí, agus an duine bocht críonna ar sodar 'na ndiaig: heaincisúir 'na láimh agus é a' triomú allais de féin. Do stop sé iad agus do labhair leis an nduine mbocht. ' Airiú, conas tánn tú? ' ar sisean. Do fhreagair an duine bocht:

' Táim taomannach tréith teinn tnáite lag,
Caoch maol aosta thar bárr amach;
Féithe dom éileamh is a gcáirde 'teacht,
Is féach féinig an saothar atá ar a' mBreac! '

' Fágaig 'n-úr ndiaig an bhó ', aduairt an stróinséir leis na báillí. ' Díolfadsa an t-éileamh atá 'na choinibh. Thugas tamall muar dom shaol ag an bhfear san '.

Sidé an uair aithin an duine bocht cé bhí aige, agus duairt:

' A linbh úd a oileas ag bun Chláraí an cheoig
Gur thugas-sa searc cumann duit is bárraí póg,
A thuille dhuit níor thugas is tu ad bháibín óg,
Is ba dhonaid mara mbeadh ionat an pháirtíocht chóir '.

' Tá, leis ', aduairt an duine uasal. Duairt sé leis na báillí an bhó a chuir thar n-ais mar a bhfuaradar í. Dhineadar amhlaig, agus do chuir sé an duine bocht anáirde sa charráiste i n-aonacht leis féin. Is amhlaig a bhí sé a' teacht a' féachaint ar an áit gur tógamh 'na leanbh é. Thug sé síntiús maith don duine bhocht, agus níor airíog aon ghátar air an fhaid a mhair sé.

5. SEÁN CRÓN

Bhí fear ann agus Seán Crón a thugaithí air. Bhí sé i n-aimsir ag fear ar a dtugaidís Dáithín: ag aeireacht chnuic a bhí sé. Ní raibh Dáithín ró-bhaoch de. Bhí réitithe aige leis ar feag bliana, ach 'na dhia' san bhíodh sé a' d'iarraig é dhíbirt gach tráth. Bhíodh an stráille ag ínsint mar gheall air:

' Nuair a ghabhaimse anso siar is Dáithín am dhiaig,
A dhá shúilín dhú aige dá ndúna is dá n-iag,

Dá dtéadh sé sa dial mar atá sé a' dul riamh
Ní fhágfadsa an áit seo go slánaíod mo bhliain ! '

Do bhíodh an mhuíntir go raibh na beithíg ar a' gcnoc acu a' rith chun Seáin gach Domhnach á fhiafraí dhe conas mar a bhí na beithíg a' déanamh, nú ar duireag a lithéid seo nú a lithéid siúd do bheithíoch. Ach deireadh Seán Crón:

' Tá an stráille bocht crón cráite ag lucht bó
Á fhiafraí gach lá dhe conas táid siúd i dtreo.
A Rí ghil na gcôcht, cad a dhéanfainnse leo ?
Tá tarbh acu is fásach agus Seán lena dtóin ! '

6. SEÁN Ó CUÍLL A' DROICHID

Bhí côcht cúnstábla ag Seán Ó Cuíll a' Droichid (ag an Seana-Dhroichead i mBaile Mhúirne a bhí sé chun cónaig). Bhailíodh sé cíos don Rudaire. Ar aon tslí, do bhí triúr seanabhan do mhuíntir Luínse i mBaile Mhúirne, agus do ráinig go raibh rud éigin déanta as an slí aige ar a' dtriúr seanabhan so. Ar a' Lománaig a bhíodar (baile fearainn i gCúil Ao). Bheartaíodar dul go hÁrdrum chun é ghearán leis an Rudaire.

As go brách leo ar maidin an bóthar soir, agus bhí an bóthar so a' gabháil síos do cheann thig Sheáin Ī Chuíll. Ar ghabháil thar tig dóibh is amhlaig a bhí Seán marbh, á thórramh istig ar an mbórd. Níor chuadar a' paidireoireacht air, agus ní lú ná mar a stopadar dá dt'rus, chun gur chuadar isteach go hÁrdrum. Dhineadar Seán a ghearán go cruaig leis an Rudaire, agus duairt sé leo: ' Ar mh'fhocal, an chéad lá raghad go Baile Mhúirne féachfad i ndiaig na hoibre sin, agus buinfead sásamh don fhear so ! '

' Isdóin ', arsa na seana-mhná, ' bhí sé marbh ar ár ngabháil aniar '.

' Agus úr gcorp 'on dial, cad a fhéatadsa a dhéanamh leis ? ' arsan Rudaire.

7. LIAM NA BHFIACAL

Bhí fear do mhuíntir Dhuinnín ar Bárr Duínse (baile fearainn i gCúil Ao). Liam na bhFiacal a bhíodh mar leasainm air. Bhí ba aige ar Carraig na Spioróige[1] agus tógag iad. Bhíodh Liam amù féachaint a' réiteodh a dhuine muínteartha na ba dho. Bhíodh sé a' gol agus an duine muínteartha a' d'iarraig é chur chun suainis. ' Eist, a Liam ', adeireadh sé. ' Bíodh foighnne agat. Iarr cabhair Dé agus níl baol ort '.

' Airiú isdóin ', adeireadh Liam, ' conas fhéatadh Sé cabhair a thúirt dôsa ? Ná ficeann tú go bhfuil leath Bhaile Mhúirne a' brath air ? '

Bhí an saol go holc an uair sin, agus seó acu ar a ndíthal.

8. PEAIDÍ Ó DUINNÍN AGUS FATHER MATHEW

Bhí seanduine anso: seana-Pheaidí Ó Duinnín. Do chónaig sé theas ansan ar sheana-bhóthar Chúil Ao, i n-aice Chrois an Átháin. Bhí féar ceathair ná cúig do bhuaibh aige un. Mar seo oíche, amach sa bhfôr, bhí sé 'na cholla nuair airig sé an bhó a' búirthig amù. Bhí beithíoch aige a bhíodh a' dul i mbradaíol. Duairt Peaidí lena mhnaoi: ' Níl aon bhaol ná gur b'í an beithíoch atá dultha i ngort nú i n-áit éigint, agus na ba eile a' búirthig '.

Oíche bhreá gealaí do b'ea í. Do léim sé amach as an leabaig, agus deiridís nár fhan sé le puínn dá chuid éadaig a chuir uime, agus d'imig air fé dhéin an tuair. Bhí na ba go léir 'na luí ann roimis. D'fhíll sé thar n-ais abhaile, agus nuair a bhí sé a' dul isteach do bhí gáir gháirí thall ar Chrois an Átháin, tímpal céad slat ón áit go raibh Peaidí. Shíl sé gur daoine éigint eile bhí a' maga fé agus duairt: ' Duig a' diail ionaibh thall ! '

Fé mhaidean do buaileag teinneas 'na chois go n-aireofí míle ó bhaile é a' lógóireacht leis an bpian a bhí inti. D'fhan sé mar sin ar feag trí mhí, gan sos aige á fháil ón dteinneas. B'é an áit go gcathadh sé frumhór na hoíche—'na shuí i mbéal a' dorais, féachaint a' bhfaigheadh sé aon tsuaineas ná fuarthan ón gcois.

Do ráinig go raibh feirmeoir a bhí 'na aice a' dul go Corcaig le hualach ime. Tháinig so a' triall ar Pheaidí agus duairt leis: ' Dá socraínn leabaig duit istig idir na feircíní, an dó leat a' bhféadfá dul liom ? Bhéarfainn a' triall ar Father Mathew thu, is ca bhfios ná go ndéanfadh sé rud éigint duit '.

' Trialfad ar aon tslí ', arsa Peaidí.

[1] Ar Bárr Duínse—SÓC.

B'shin mar a bhí. Do socraíog é istig idir na feircíní, agus bhí a dhá mhaide aige á bhreith leis. Nuair a chuaig an fear so go Corcaig b'é an chéad rud a dhin sé ná Peaidí a bhreith leis go dtí pé séipéal 'na mbíodh Father Mathew, agus duairt leis fanúint chun go nglaodh sé chuige arís um thráthnóna.

D'fhan sé 'na sheasamh i n-aice dhoras a' tséipéil, laistig don doras, lena dhá bhaitín, agus é a' crith le teinneas. Nuair a tháinig an sagart ar an althóir chonaic sé an duine beag thíos i n-aice an dorais agus do ghlaoig air: 'Tair chúm aníos, a Phádraig Ī Dhuinnín'. Cé ná feaca sé riamh roimis sin é bhí a ainm agus a shloinne aige.

D'imi sé air suas, agus pé rud a dhin an sagart dò—' Níl a bhac ort dul abhaile anois arís', ar sisean, 'go dtí Baile Mhúirne an fhuiscí!'

Do shiúlaig sé uaig an séipéal síos: chath uaig an dá mhaide ar an dtaobh amù do dhoras. Níor fhan sé leis an té a riug isteach sa turcail é, ach do ghread leis fé dhéin a' bhaile le bárr áthais, agus bhí sé sa bhaile ar Cúil Ao roim dhul gréine fé, gan teinneas ná diachair.

9. SÉAMUS Ó GUILÍ AGUS AN PÍLÉIR

Táilliúir a b'ea Séamus Ó Guilí. Thug sé tamall san arm, ach d'imi sé uathu. Bhíothas á lorg, agus b'é an áit go dtugadh sé frumhór a shaeil: i mBaile Mhúirne. Bheadh sé istig i dtig táirne, agus nuair a thiocfadh píléirí chun bertha air ní bhíodh aon mhoíll air imeacht uathu: bhí an choisíocht go hálainn aige.

Lá éigint dá raibh sé istig i dtig táirne duarag leis go rabhdar a' teacht. Bhíodar a' teacht agus an fear a' b'fheárr rith a bhí le fáil túrtha acu leo chun breith ar a' nGuilíoch. As go brách leis agus an píléir seo 'na dhiaig. Bhí ball áirithe ag an dtáilliúir léimt treasna easaig a bhí ann, agus theipeadh ar aon duine an léim seo chathamh 'na dhiaig. Ach nuair a chaith sé an léim an t'rus so do bhí sí caite ag an bpíléir agus é ar a' dtaobh eile chó maith leis.

B'éigin don táilliúir leanúint ar an rith. Thug sé aghaig ar chnoc Cúm na Cloiche (baile fearainn i mBaile Mhúirne), agus an tóir 'na dhiaig: síos ar an dtaobh eile do chnoc, a' déanamh ar abha Chlaedí. Do bhí túrtóg istig i lár na habhann. Chuaig sé don chéad léim ar a' dtúrtóig agus an tarna léim amach ar a' dtaobh eile. Do chuaig an píléir a bhí 'na dhiaig don chéad léim ar a' dtúrtóig, ach níor thug sé fén tara léim chun dul amach i ndiaig an Ghuilíg. Theip air.

Do stop an Guilíoch mar a raibh aige, a' féachaint air istig ar a' dtúrtóig.

' Níl aon bhaol ', arsan píléir, ' ná gur muar an rith athá déanta againn, agus táim anso istig anois. Cathfad me féin a fhliucha chun dul amach '.

' An amach ar do thaobh féin a thiocfair ? ' arsan Guilíoch.

' Ó, go deimhin isea ', ar sisean.

' Amach leat, másea ', ar sisean.

Amach leis, agus d'fhíll thar n-ais arís ar Bhaile Mhúirne. Do léim an Guilíoch isteach ar a' dtúrtóig agus amach 'na dhiaig. Tháini sé go Baile Mhúirne i n-aonacht leis: iad a' caint le chéile, cé go bhfanadh an Guilíoch roint shlat 'na dhiaig.

Agus níor riugamh thar n-ais san arm é riamh ó shin!

10. LEIGHEAS DO DHATHACHAIBH

Tímpal cônaos do b'ea Seán Bán agus a bhean. Ní fheadar i gceart cá rabhdar chun cónaig, ach deabhraíonn an scéal gur i mBaile Mhúirne bhíodar. Cailleag an seanduine agus bhí an bhean bhocht go buartha 'na dhiaig. 'Na theannta san, ní muar go bhféatadh sí corraí le dathacha 'na cnâ.

I gcionn tamaill t'réis é chur tháinig a mac isteach abhaile, oíche. ' A mham ', ar sisean, ' tá scéal greanúr agam duit '.

' Cadé féin ? ' ar sise.

' Ghabhas anoir tríd an reilig anois ar mo shlí abhaile, agus bhí m'athair 'na shuí anuas ar an uaig chéanna 'nar cuireag é ! '

' Ó, ar son Dé, a Sheáin ', ar sise, ' beir leat mise a' triall air, agus níl aon bhaol ná go leighisfig sé ón ndathaig me ! '

Duairt sé ná déanfadh, ná leogfadh eagla dho dul ann arís. Ach do lean sí a' síor-thathant air chun gur bh'éigin dò í bhuala chuige i mbarlín bhán agus í thógaint leis ar a dhrom soir fé dhéin na reilige.

An fear so bhí 'na shuí ar an uaig, bhí fios a chúise féin aige. Agus níor bh'aon phúca é, ná sprid. Bhí sé a' fithamh le mac dò a bhí a' goid caereach. Ba gheárr go bhfeaca sé chuige an rud bán ar dhrom an fhir. Shíl sé gur b'é an mac a bhí a' teacht agus an chuíora ar a dhrom aige. ' Ar thugais leat í ? ' ar sisean, ' nú an bhfuil sí beathaithe ? '

'Tá mhuise, go deimhin', arsa Seán, 'agus meáchaint mhuar inti, leis!' Chaith sé uaig ar a' dtalamh í. Rith sé leis féin ansan.

Nuair a chonaic an tseanabhean an garsún a' rith uaithi agus an fear a bhí 'na shuí ar an uaig a' déanamh féna géin, phreab sí 'na suí, agus ba luatha an tseanabhean sa bhaile ná an mac!

Chuir so deire lena cuid dathaí, agus is minic adeireadh sí 'na dhia' san: 'Mola go deo le Dia: féach mar a leighis Seán me!'

11. BÓ GAN EIREABAL

Gadaí a ghoid beithíoch ó fhear. Bhí smut don eireabal don bheithíoch. Chuaig an fear isteach ar an aonach féachaint a' bhfaigheadh sé aon radharc ar an mbeithíoch a bhí goidithe uaig. Chonaic sé beithíoch a bhí ana-dheabhraitheach léi. Bhí sé a' gabháil tímpal uirthi agus á 'niúcha, ach bhí an rud go léir loitithe air, mar bhí an t-eireabal go léir ar an mbeithíoch so. Nuair a riug an gadaí leis í, do tháthaig sé smut d'eireabal eile as an méid don eireabal a bhí fanta ar an mbeithíoch!

Nuair a bhí tamall muar túrtha ag an bhfear a' féachaint ar an mbeithíoch: 'Cé leis an beithíoch so?' aduairt sé.

D'fhreagair an gadaí: 'Liomsa isea í', ar sisean, 'nú a' bhfuileann tú chun í cheannach?'

'Nílim', arsan fear, 'ach dá mbeadh an t-eireabal di déarfainn gur b'í mo bheithíoch í'.

Leis sin, do tharraig an gadaí scian amach as a phóca agus do thug scramha don sciain ar an eireabal, lastuas don áit 'na raibh sé táthaithe aige. 'Tá an t-eireabal anois di', ar sisean, 'agus a' ndéarfair gur b'í do bheithíoch í?'

Do chas an fear eile chuige agus d'imi sé gan a thuille éilimh a dhéanamh ar an mbeithíoch.

12. SEÁN *TORY* AGUS AN REITHE

Do goideag reithe ó fhear i nGleann Fleisce. Bhí sé a' lorg an reithe, agus do tháinig aniar thar teora na cúntae isteach go Baile Mhúirne ar a lorg. Do casag isteach i dtig é. Seán *Tory* a b'ainm d'fhear an tí. Bhí aithne ag Seán ar an bhfear so, agus thug a dhínnéar dò go fial farsiog fáiltheach: fuíollach prátaí agus caoireola. Nuair a bhí ínsithe ag fear Ghleanna Fleisce dho mar gheall ar an reithe a goideag uaig, agus na cúrsaí bhí túrtha aige á lorg, agus teip é fháil:

'Tá cuid de fáltha agat', arsa Seán, 'agus chôirleoinn duit dul abhaile is gan a thuille a lorg de'.

'Airiú, a Sheáin', ar sisean, 'ní hé gur tu a ghoidfeadh é, nú cadé an chúis a bheadh agat air?'

'Do ghoideas agus do mharaíos', arsa Seán, 'mar do thug sé dro-fhéachaint orm!'

D'imig an fear abhaile agus níor chuardaig a thuille don reithe. Bhí smut maith dhe ite aige.

13. SÉ CÁIRT MINE COIRCE D'AON FHEAR AMHÁIN

Do chónaig fear táirne i Mochromtha: Crothúr Ó Drisceoil a b'ainm dò. Uim an am san bhí portaithe breátha laisteas don tsráid i n-áit arna dtugathar Anach Sháile. Is ann a bhí portach ag Crothúr: seó móna buinte aige ann, agus lá Domhnaig éigint d'iarr sé seisear fear chun teacht chuige ar maidin Dé Luain a' cruca na móna. Do chuir sé a chailín aimsire ó dheas go dtí an portach ar maidin Dé Luain le bricfeast chun na bhfear. Min choirce a riug sí léi—sé cáirt mine: cárt i dtómas gach fir, agus a n-annlan bainne.

Nuair a chuaig sí go port, ní raibh ann roímpi a' cruca na móna ach aon fhear amháin. Do leog sí uaithi an mhin—nú 'do leog sí dhi an chráin', mar adeiridís[1]—agus do tháinig an fear féna géin agus do luig ar ithe. Níor stop sé chun gur chríochnaig sé na sé cáirt mine!

D'fhill an cailín abhaile agus d'fhiafraig Crothúr di a' raibh an seisear fear a' cruca na móna.

'Níl ann ach aon fhear amháin', aduairt sí.

Thug sé fé ndeara go raibh an mála go raibh an mhin ann agus árthach an bhainne folamh aici a' teacht. 'Agus mara bhfuil', ar sisean, 'cár ghabhais leis an min agus leis an mbainne?'

'Níor fhéadas gabháil i n-aobhal leo', aduairt sí, 'mar do chríochnaigh súd iad idir mhin agus bainne'.

'Ní chreidim focal de!' arsa Crothúr.

'Níl bréag agam á ínsint duit', arsan cailín.

[1] Fic Focail agus Téarmaí lch. 368 *infra*, s.v. *cráin*.

Nuair a tháinig am dínnéir do chuir Crothúr sé cáirt mine isteach sa mhála arís, agus a n-annlan bainne i n-árthach eile. As go brách leis a' gcailín fé dhéin an phortaig.

' Tá dínnéar anso dhuit ', aduairt sí leis an bhfear.

' 'Sé is feárr ná a chéile ', ar sisean. Do shuig sé síos ag ithe an dínnéir, agus bhí leath na móna cruicithe aige uim an am so.

Do bhuail Crothúr fé dhéin an phortaig, agus b'é an gnó ba mhó bhí aige ann, chun go bhficeadh sé an muar don mhin a íosfadh an fear. Chuaig sé chun cainte leis an fhaid a bhí sé ag ithe an dínnéir. Bhí béile mhaith ite aige nuair a stop sé. Ní raibh ach cúpla cárt di fanta gan ithe.

' Bhí fhios agam ', arsa Crothúr leis an gcailín, ' nár dh'ith sé an mhin go léir ar maidin mar aduaraís '.

' Má bhí aon dabht agat sa scéal ', arsan fear, ' ná corraig as an áit go bhfuileann tú chun go ndéanfadsa tu shásamh '.

Thosnaig sé ar ithe arís, agus do chríochnaig an dá chárt a bhí fanta gan ithe. ' Féach anois ', ar sisean, ' dá leogathá dhom ar mh'ábhar féin ní íosfainn ach mo mheon. Ach nuair go bhfuil an dá chárt so ite agam sa mbreis, ní chruiceod a thuille móna dhuit iniubh, agus bhíos chun í chríochnú dá leogathá dhom! '

14. GOILE MUAR

Ní fuláir nú bhí goile muar ages na fir a bhí ann fadó, mar ba mhinic airínn an chanúinn seo ag sean-daoine: dá mbeadh ar dhuine acu míle is fiche do shiúl go mbeadh cuíora ite aige ar an dt'rus dò. Deiridís gur minic a dh'ith fear is fiche cuíora is fiche i míle is fiche do bhóthar!

Do bhí fear ann go raibh ana-ghoile aige, agus bhí duine uasal chun cónaig i n-aice an bhaíll go raibh sé, agus bhí fhios aige go maith an goile muar míorúileach a bhí ag an bhfear so. Lá éigint dá raibh duine uasal eile ag dínnéar aige do chuir sé geall ar shon an fhir seo: go n-íosfadh sé trí bulóga aráin agus trí ceathrúna caereach d'aon bhéile. Lá éigint 'na dhia' san do bhí na trí ceathrúna caereach agus na trí bulóga aráin beirithe ceartaithe i dtig an duine uasail. As go brách leis fé dhéin an fhir. ' A lithéid seo ', ar sisean: ' tá geall curtha agam ar do shon go bhféatair an bhéile mhuar so do dh'ithe '.

'Aicíd uait!' arsan fear, 'is olc an t-am a thánaís, mar anois athá mo dhínnéar ite agam'.

'Caithfir é thriail ar aon tslí', arsan duine uasal; 'ná leog an geall orm má fhéadann tú'.

D'fhíll an bheirt thar n-ais go tig leis an nduine uasal. Bhí an duine uasal eile a' fithamh leo: na trí ceathrúna caereach agus na trí bulóga aráin ar an mbórd. Do luig sé ar iad d'ithe, agus nuair a bhí leath na caereach ite aige, agus dhá bhulóig don arán, dhin sé côrthaí éigint don duine uasal a chuir an geall ar a shon go dteip-feadh sé.

'Cad tá aige á rá leat anois?' arsan duine uasal eile.

'Rud greanúr', ar sisean: 'gan aon dá chuid a dhéanamh don chaoiri: an cheathrú eile a thúirt chuige, agus bulóg eile aráin!'

Leis sin, do léim an duine uasal agus do sciub sé don bhórd an cheathrú a bhí fanta gan ithe agus an bhulóg. 'An seana-chnubalach s'lach!' ar sisean,–'ní leogfainn greim eile a chuir isteach 'na bhéal!'

B'shin mar a bhí. Bhí an geall buaite ag an nduine uasal a chuir ar a shon é.

15. BEARRA AN FHÉIR AGUS BEARRA NA GCAEREACH

Bhí tíoránach muar ann go raibh raidhse thailimh aige, leis. Ní leóthadh éinní dul thar teorainn air. Ach bhí muarchuid daoine bochta fan na dteorann aige: ba mhinic a gcuid caereach a' dul thar teorainn ar thalamh an tíoránaig seo. Gach cuíora raghadh thar teorainn air choineodh sé ar fad iad.

Do bhí mac aige, agus nuair aosaig so chonaic sé an dro-hobair a bhí á dhéanamh ag an athair, agus duairt leis go raibh éagóir á dhéanamh aige ar na daoine bochta.

'Níl', ar sisean, 'táid siad a' bearra mo chuid féir'.

'Ná beadh sé maith do dhóthain mar dhíol fiach, na caoire thioc-fadh thar teorainn ort breith orthu is iad do bhearra mar leor-ghníomh 'na gcuid foghlach duit, agus iad a scaoile thar n-ais chun na muíntire gur leo iad?'

'Níor chuíníos air sin go dtí so', arsan tíoránach; agus as san amach, b'é a ndineadh sé leo ná iad a bhearra agus iad a scaoile uaig thar n-ais chun na muíntire gur leo iad. Agus t'réis tamaill, níor lean sé don ní seo. Níor bh'fhiú leis bheith á mbearra ar na lomaraí bhíodh orthu, bhídís beárrtha chó minic sin aige!

16. 'AILILIÚ, MO BHEAN!'

Bhí bean ar Doire na Sagart (baile fearainn i mBaile Mhúirne) leathchéad bliain ó shin. D'eiri sí maidean bhreá shamhraig chun na mbó a chuir as a' dtuar. D'airig sí chúithi an gol a' teacht anoir an bóthar, bóthar arna dtugathar Bóthar na Ré. Ba ghairid gur bhuail chúithi fear; é a' lógóireacht; mála ar a dhrom aige agus cosa duine síos amach as an mála; é a' caointeoireacht:

'Is fada síos a riugas tu,
Is fada aníos a thugas tu,
I gCiarraí thiar a cuirfar tu,—
Agus aililiú—mo bhean!'

B'í an bhean a bhí aige i mála: í marbh, agus é á breith leis siar go Ciarraí chun í chuir ion.

Duairt an bhean a bhí a' cuir na mbó as a' dtuar: 'Raghadsa tamall sa tsochraid leat!'–agus do shiúlaig sí dó nú trí mhílthibh do bhóthar i ndiaig an mhála.

17. FIOLAR AGUS GANNDAL

Nuair a bhí fiolair go hiomarcach ar fuaid na hÉireann, b'sheo scéal a thit amach i mBaile Mhúirne. Tá sé fíor.

Do ráinig go raibh ceathrar nú cúigear fear a' rôr bháin le ráinní, maidean dhubh earraig. Do bhí na géanna agus an ganndal istig sa pháirc 'na rabhdar a' rôr. Níor airíodar blúire chun gur tháinig an fiolar, chuir crúca sa ghanndal agus d'árdaig chun siúil é: thug aghaig soir ó thuaig ar Mhullach an Ois.[1] D'fhanadar a' féachaint 'na dhiaig chun gur chailleadar radharc air.

D'oibríodar leo i gcathamh an lae, agus nuair a bhíodar a' stop um thráthnóna t'réis dul gréine fé, chonaiceadar an fiolar a' teacht arís chútha, anoir aduaig, agus an ganndal aige. Do scaoil uaig anuas é unsa pháirc chéanna 'na raibh sé tógtha aige ar maidin: é fuar marbh, agus staf ann le sioc.

[1] Sliabh: an chuid is aoirde de Bhaile Mhúirne—SÓC.

Dhineadar úna mhuar don rud so, agus ní fhéataidís a rá ná a thuiscint canathaobh gur thug sé thar n-ais é.

18. DONN Ó DUINNÍN

Fear a bhí a' teacht abhaile t'réis bheith a' buint phrátaí soir amach. Ghoibh sé trí shráid Mochromtha agus a rán ar a ghualainn aige. Nuair a tháini sé chó fada leis an ndroichead: ' Ó airiú ', ar sisean, ' féach, do dhearúdas a lithéid seo do rud thoir sa tsráid: caithfi mé dul á iarraig arís ! '

Do rop sé an rán 'na seasamh síos trí lár an droichid agus d'fhág ann í chun gur fhíll leis a' dteachtaireacht ! Bhí sé féin agus an rán nár bh'fhios ceocu ba threise. Donn Ó Duinnín a thugaithí air. Leasainm a b'ea Donn. Ó Bhaile Mhúirne a b'ea é.

19. MÚIRNEACH I LUIMINI

Seo eachtra bheag a thit amach d'fhear ó Bhaile Mhúirne uair éigint dár ghoibh sé soir amach a' buint phrátaí. Do bhí cúigear nú seisear acu i n-aonacht, agus nuair a bhí an oíche a' dridiúint leo agus iad a' siúl fé dhéin na sráide bhí fhios acu go mbeidís ró-dhéanach a' dul isteach sa tsráid. 'Sé rud a dhineadar ná scaipe óna chéile agus duine a dhul fé dhéin gach aon tí anso 's ansúd agus lóistín fháil, dá mb'fhéidir é, agus ní raibh aon chaé go gcoineofí cúigear nú seisear acu i n-aonacht.

Do bhí an fear so iarracht críonna ion féin, agus do chua sé isteach i dtig ná raibh éinne roimis istig ann ach seanabhean. D'iarr sé lóistín, agus duairt sí leis ná faigheadh mar ná raibh aon fhear sa tig aici. Bhí sé ana-chortha, agus do sháig sé é féin isteach i gcúinne éigint i n-inead gabháil amach. Do bhí corcán prátaí ar a' dtine aici, agus corcán feola i n-imeall na tine aici.

Níor bh'fhada i n-aochor chun gur tháinig isteach triúr fear agus beithíoch breá ramhar acu.

' Sea ', aduairt duine acu, ' ní fheadar a' maróimís í ar dtúis agus a cuid fola tharrac an fhaid a bheadh na prátaí a' beiriú, agus féatam a' croicean a bhuint di ansan t'réis ár suipéir ? '

' Níor bh'fhearra dhuinn rud a dhéanfaimís ', aduairt fear eile acu.

Do thosna sé ar bheith a' lorg tua chun an bheithíg a bhuala. Bhí a' teip air í fháil, agus insa chuardach dò d'aimsig sé an fear so, pé cúinne 'na raibh sé i bhfolach.

' 'Sé is feárr ná a chéile ', aduairt sé. ' Tá bertha ort díreach san am cheart. Seo beithíoch atá goidithe againn-ne, agus go deimhin ní fhéatairse ínsint gur ghoideamair é uim an am go scarfadsa leat ! ' Do tharraig sé piostal amach as a phóca chun é lâch.

' Ná din ! ' aduairt an tseanabhean—b'shidí an mháthair— ' cábóg isea é sin. Do ghlaoig sé ansan isteach chúm ó chiainibh a' lorg lóistín, agus tá an rán fágtha i n-áit éigin amù ansan aige '.

Do cuardaíog agus do fuarag a rán amù 'na dhiaig, ach níor dhin san aon bhogra dho: do bhí so chun é lâch i gcónaí.

Sea. I ndeire bárra do stop an mháthair agus na driothháracha eile é ar é lâch. D'ith sé na prátaí agus an fheoil i n-aonacht leo, agus do buineag a' croicean don bheithíoch agus do cuireag i bhfolach é.

D'eirig sé seo ar maidin, agus do tugamh fuláramh dò gan a bhéal a bhoga ar cad a bhí ficithe aige. ' Ní baol díbh ', aduairt sé. Fuair sé a bhricfeast agus d'imi sé air.

Do bhí cúpla míle bhóthair curtha aige dhe nuair a tháinig 'na choinibh ar a' mbóthar fear ar chapall iallaite. ' Fiafraím, a fhir mhaith ', ar sisean, ' cad as go bhfuileann tusa a' teacht, nú caidé an saghas tu ? '

' Duine bocht ', aduairt sé, ' athá a' dul isteach fé dhéin na sráide: fear athá tagaithe abhfad ó bhaile chun bheith a' buint phrátaí '.

' Cár chollais aréir ? ' aduairt sé.

' 'Na lithéid seo d'áit ', aduairt an fear.

' Isdóin, isé cúis gur fhiafraíos i n-aochor díot é ', aduairt sé, ' do goideag beithíoch maith uaim aréir agus táim i n-amhras gur b'iad súd—an mhuíntir gur chollais acu—do ghoid í '.

' Nách muar a' trua dhuit ', aduairt sé, ' bheith a' cuir bréige orthu. Do thugas an oíche aréir ann, agus daoine breátha, macánta, galánta isea iad. Ní fheacasa aon rud a bhuinfeadh le beithíoch ná le gadaíol ar siúl acu '.

' Ní fhéadaim tu chreidiúint ', aduairt sé; ' agus anois, seo dhuit púnt airgid agus inis an fhírinne mar gheall orthu. Is fada go mbeig púnt tuíllthe agat ar do ráinn '.

'Dá dtugathá', aduairt sé, 'a bhfuil d'airgead sa bhannc dom ní chuirfinn bréag ar na daoine macánta, mar níor thuilleadar uaim é'.

Do lean sé siar air chun gur theip sé, agus nuair a bhí teipithe aon tuairisc fháil uaig thairrig sé amach an piostal arís:

'Féach', aduairt sé, 'ba mhaith a' bhail ort nár ínsis, mar do scaoilfinnse é sin tríot dá n-ínsithá!' B'é an fear céanna a bhí ann arís, á thriail féathaint a' raibh an rún aige le coinneáilt. 'Agus anois', aduairt sé, 'nuair is go bhfuil trialtha chó maith agat féata mé úntaoibh a thúirt leat, agus ní neósfair é—agus bíodh a' púnt agat 'na theannta san!'

Do thóg sé an púnt agus as go brách leis fé dhéin pé áit go raibh an chuid eile le buala uime, agus bhuaileadar uim a chéile. Ach má bhuaileadar, gheallfainn dhuit nár inis so caidé an scéal a bhí titithe amach dò féin, agus ní raibh aon iúnaí titithe amach don chuid eile acu. Ní raibh puínn bíg fáltha acu t'réis na hoíche, mar a bhí aige seo. Agus nuair a fhíll sé abhaile isea inis sé an scéal so, agus is dócha nár bh'aon díobháil an uair sin é mar níor riugamh orthu riamh ó shin leis a' mbeithíoch.

20. EACHTRA GADAÍ

Bhí fear i n-aice Shráid a' Mhuilinn: Seán a b'ainm dò, agus Siobhán a bhí mar ainm ar a mhnaoi. Ní dhineadh sé puínn oibre, ach mara ndineadh do dhineadh sé rud maith eile—níor fhág sé aon rud tímpal air gan goid, agus dáltha an mhadaruaig, ní sa chóngar a ghoideadh sé i n-aochor: théadh sé abhfad ó bhaile a' déanamh na gadaíola. Ní bhíodh an tig gan feoil aige, pé crích a bhéarfadh é.

Sea; do shleamhnaig na blianta air, agus fé mar a shleamhnaig na blianta air d'fhágadar marc, mar do mhaolaig a radharc, do mhoillig a rith agus do chiorraig a léim, i dtreo ná téadh sé thar triúchaibh a' déanamh na gadaíola. Agus mar sin féin níor bh'fhéidir é stop: do bhí an rud dultha sa bhfuil aige. Thosnaig an ghadaíol cois baile aige ar na côrsain, agus cé gur scéal suilth dóibh go dtí san gadaíol Sheáin, nuair a tháinig an chrú ar a' gcois anois acu agus é a' goid uathu féin, ba mhaith leo go mbéarfadh rud éigint uathu é, cé go mb'fhéidir gur mhinic itheadar béile don fheoil bhradach ar bhórd Sheáin. Ghearánadar é, agus do faireag Seán.

Ach, oíche éigint, do riugamh air féin agus ar a mhnaoi a' goid chaereach. D'árdaig na píléirí leo iad, agus nuair a bhíodar a' gabháil trí Shráid a' Mhuilinn—bhí aithne mhaith ar Sheán agus ar a mhnaoi—bhíodh na daoine a' seasamh isna dóirse: ' Airiú, a Sheáin, cad tá déanta agaibh, nú cad tá déanta as a' slí gur tógamh sibh ? '

Bhí corra-ghliocas a' buint leis a' seana-mhnaoi agus eagla uirthi go neósfadh Seán an fhírinne. Í féin a thugadh freagra orthu. ' Cúis ghreanúr athá orainn ', adeireadh sí: ' nuair ná híosfaimís cabáiste gan feoil ! '

Ar aon tslí, fuair Seán agus an tseanabhean leathbhliain príosúin sa deire, agus do theip an tsláinte ar Sheán t'réis an téarma príosúin seo. Buaileag breoite é agus cuireag fios ar shagart chuige. Do bhí aithne mhaith ag an sagart air, agus do bhí an dro-hainm amù air.

' Sea anois, a Sheáin ', arsan sagart, ' is dócha go bhfuil muarán goidithe agat i gcathamh do shaeil riamh ? '

' A' rabhais riamh ar Aonach Chathair a' Mhí, a athair ? ' arsa Seán.

' Ó, bhíos go minic ', arsan sagart.

' Ní haon bhrí a bhfeacaís do rudaí ar an aonach san ', aduairt sé, ' seochas mar athá goidithe agamsa i gcathamh mo shaeil ! '

' Is olc é, a Sheáin ', arsan sagart, ' nú an dó leat ar dhinis aon rud riamh a dhéanfadh tairife dot anam ? '

' Fan go fóill ', arsa Seán, ' go gcuíníod. Ó, dhineas ', ar sisean, ' a lithéid seo: ghoideas fiche púnt ó Ghiúdaíoch i gcathair Chorcaí '.

' Faire go brách, a Sheáin ', aduairt sé, ' a' dul i n-olcas siar tu ! Cuínig arís féathaint a' mbeadh éinní níos feárr déanta agat '.

' Ó—tá ', ar sisean, ' agus dhóbair dom é dhearúd: mharaíos prócadóir ! '

' Sea, sea, a Sheáin ', aduairt sé, ' ní haon chabhair bheith leat—ní fheadar cad tá le déanamh leat '.

' Airiú, ní fheadaraís ', arsa Seán. ' Tá an scéal so ar fad ró-throm duitse, a athair; fág idir me féin agus an fear anáirde é, agus geallfa mé dhuit go socróm le chéile é ! '

B'shin mar a bhí. Do tháinig Seán thar n-ais 'na shláinte: níor cailleag an iarracht san é, agus ní lú ná mar a dhin sé a theille gadaíola, pé faid a mhair sé.

21. DÓNAILÍN SIÚINÉARA

Tráth éigint, do chónaig siúinéir i Mochromtha: Crothúr Ó Caoramháin a b'ainm dò, agus Eilís a b'ainm dá mhnaoi. Bhíodh sé ag obair leis ar a' gcéird i gcónaí, agus is minic a bhíodh Eilís amù i dtig na hoibre i n-aonacht leis. Níor ráinig aon mhuiríon acu, agus do bhíodh so a' déanamh buartha dhóibh. Ba mhinic a thugaidís tamall do lá a' caint air agus gu' dócha gur b'olc an deire saeil a bheadh acu nuair ná raibh éinne acu féin.

Lá éigint do bhuail sí chuige amach i dtig na hoibre. ' A Chrothúir ', ar sise, ' a' bhfuil fhios agat cad a bhí agam á chuíneamh ? '

' Ní fheadar ', arsa Crothúr.

' Gur bh'fhearra dhuinn dul suas go Tig na mBocht Dé Satharainn agus leanbh a thógaint amach as. Gheóimís oiread san sa mbliain as an leanbh so a choinneáilt, agus b'fhéidir go bhfanfadh sé ar fad againn, agus ní fheadair éinne ná go mbeadh sé chó maith dhuinn lenár nduine féin '.

Thoilíodar chuige seo, agus Dé Satharainn a bhí chúinn d'imig a' bheirt orthu go Tig na mBocht. Bhí aithne mhaith ag an máistir, nú ag an gceann urraid, ar Chrothúr. ' A Chrothúir ', ar sisean, ' cad tá a' déanamh buartha dhíbh ? '

' A lithéid seo ', arsa Crothúr: ' dá mbeadh aon leanbh ansan a gheóimís ', aduairt sé, ' go mbéarfaimís linn é agus é chothú chó maith agus dhéanfaig éinne go dtúrfar dóibh é '.

' Tá ', aduairt sé, ' agus cúigear acu ann '.

' Ó, airiú ', ar sisean, ' níl aon ghnó againn-ne do chúigear acu; ach féach a' bhfaighfá leanbh mic duinn ', aduairt sé.

' Ní hea ', arsa Eilís, ' ach leanbh iníne '. Do ghluais an t-áiteamh 'dir a' bheirt, agus b'é deire tháinig air gur chuadar abhaile agus níor riugadar mac ná iníon leo. Thugadar an tseachtain a bhí chúinn ana-ghearánach ar a chéile agus searbh go maith.

Nuair a tháinig an Satharan arís do thoilíodar chun dul go dtí Tig na mBocht. As go brách leo.

' Cad tá uait anois, a Chrothúir ? ' arsan ceann urraid.

' Tá leanbh arís ', ar sisean.

' Á, níl aon leanbh iníne fanta anois againn ', ar sisean; ' bhí triúr acu san am san againn '.

' Ní feárr riamh é ', arsa Crothúr.

Caisleán Mochromtha agus an Seana-Dhroichead, *c.* 1890

An Ula Uachtair i Reilig Ghobnatan, *c.* 1952

'Tá triúr do leanaí breátha amach ansan', aduairt sé, 'agus bíodh úr rogha don triúr agaibh: mic isea iad'.

Sea. Do thoilig Eilís, agus do chonaic sí an triúr leanbh agus d'fhéach sí orthu. 'Tógfam é seo', ar sise le leanbh breá bog a bhí orthu.

'Ní dhéanfam', arsa Crothúr. Bhí leanbh beag ann go raibh crot mallaithe cruaig éigint air.

'Tógfam é seo', aduairt sé: 'an-abhar fir isea é'.

Leis sin do riug Eilís ar an leanbh agus do thóg léi i n-aice na finneoige é mar a raibh breis sholais, chun é fhiscint sa cheart. 'Táim sásta', ar sise. 'Béarfam linn é, a Chrothúir, agus nuair a aosóig so', aduairt sí, 'ní fheadair éinne ná gur linn féin é—fiú amháin tá an fhiarshúil chéanna aige athá agatsa!'

'Sea, ná bac le fiarshúil anois', arsa Crothúr. 'Cad is ainm don leanbh san anois?' ar sisean.

'Ó mhuise, is beag ná gur b'í t'ainm féin athá air', arsan máistir, nú an ceann urraid, leis: 'Dónal Ó Caoramháin is ainm dò'.

'Isé is feárr ná a chéile', arsa Crothúr. Do riugadar leo an leanbh agus is dócha ná raibh aon leanbh eile istig i sráid Mochromtha a fuair aireàchas ceart chó maith leis an leanbh so. Nuair a aosaig sé suas beagán do cuireag ar scoil é, agus d'fhoghlamódh sé oiread le haon triúr scoláirthí bhí ar scoil. Thugadh sé seó dá shaol i dtig na hoibre i n-aonacht le Crothúr, agus 'a athair' a thugadh sé ar Chrothúr i gcónaí, agus 'a mháthair' ar Eilís.

Sea; lá éigint dá raibh Crothúr ag obair a' socrú tí éigint san áit, do bhris dréimire aige agus do thit anuas i dtreo gur bascag é ar chuma nár mhair sé ach roint laethanta. D'fhág san buairt sa tig ag Eilís agus ag Dónailín.

Ar aon tslí, nuair a bhí Dónailín stopaithe ón scoil do bhí ana-dhúil ag Eilís é chuir le céird, agus ní fheadair sí caidí an cheárd ba mhaith dhi a chur roimis. Níor thaithn siúinéireacht léi toisc an chuma n-ar maraíog Crothúr, agus bhí ana-dhúil ag Dónailín dul le siúinéireacht.

D'imi sí uirthi a' triall ar shagart óg a bhí sa tsráid, agus do théadh seó daoine a' triall air—éinne a bhí i gcás idir dhá chôirle bhí ana-chôirle le fáil aige ón sagart óg so. Sea. Chuaig Eilís a' triall ar an sagart agus d'inis sí an scéal dò, agus go raibh ana-dhúil ag Dónailín dul le siúinéireacht.

' Airiú ', aduairt an sagart, ' ná cuir aon chosc leis, mar má tá dúil aige sa chéird sin, sidé díreach ', aduairt sé, ' an chuid is mó don chéird—dúil a bheith aige inti '.

Dhin san sásamh uirthi, agus i gcionn seachtaine nú mar sin do chuir sí Dónailín a' túirt a théarma a' triall ar shiúinéir eile a bhí sa tsráid. Nuair a bhí an téarma túrtha aige, agus an cheárd aige, do thosna sé ar obair 'na thig féin—sidé an tig n-a raibh Crothúr ag obair ion. Bhí sé a' déanamh go maith, agus ana-cheárdaí a b'ea é.

I gcionn tamaill do thosnaig coga ana-mhuar—geall leis chó muar leis a' gcoga athá iniubh againn—agus do chuaig an eile rud i ndaoire: fiú amháin na ceárdaithe, níor bh'fhéidir iad a dhíol bhíodh oiread san páig acu á lorg. Ní raibh aon bhreis páig ag Dónailín á bhuint amach, agus nuair ná raibh d'úmpaig aghaig na ndaoine ar fad air, agus ba mhinic a bhíodh cúigear agus seisear fear ag obair aige: ní bhíodh i gcónaí, mar ba mhuar leis mar chúram ar Eilís—nú ar a mháthair, mar a thugadh sé uirthi—bheith a' fáil bíg dóibh.

Ba ghairid go raibh gach éinne ar fuaid a' bhaíll úmpaithe ar Dhónailín. ' A Dhónail ', adeiridís, ' conas fhéadann tusa oibriú chó saor agus na ceárdaithe eile go léir chó daor san ? '

' Ó, is cuma san ', adeireadh Dónal; ' bíodh 'anam féin ar ghualainn gach éinne ! '

Sea. Bhí sé ag obair leis, agus é a' dul i gcríonnacht; gach éinní aige á dhéanamh go maith, ach gan bheith a' pósa. Ní hamhlaig ná gur bh'uiriste dho bean fháil agus spré, ach ní hí gach aon bhean a riúnódh é. Nuair a thairriceófí bean dò agus spré mhaith—' Ní dhéanfadh sí an gnó ', adeireadh sé; ' cathfadsa bean fháil go mbeig áilleacht, uaisleacht agus airgead aici '. Ní raibh a lithéid seo a' teacht, áfaig, agus d'fhág san Dónal singil, cé gur beag Inid ná go mbeadh labhartha air féin agus cleamhnaistí, ar a' gcéad duine.

Mar seo lá éigint san Inid, go moch ar maidin a b'ea é, do bhuail chuige isteach feirmeoir a chónaig tamall siar ón sráid. ' Airiú ', arsa Dónal, ' cad a riug amù tu chó moch ? '

' A lithéid seo ', aduairt sé: ' is dócha go gcathfa tú côra a dhéanamh '.

' Cé dho ? ' arsa Dónal.

' M'athair ', aduairt sé, ' a cailleag aréir '.

' Seana-Thadhg an ea ? ' arsa Dónal.

' Seana-Thadhg, mhuise ', ar sisean.

'Beannacht na ngrást leis!' arsa Dónal, 'agus b'shiné féin an seana-Thadhg galánta. Be' sí déanta agam dò', aduairt sé, 'agus ná bí-se a' fanúint anois léi, mar cathfad í cheartú go maith: cuirfi mé côra mhaisiúil ar a' bhfear san', aduairt sé, 'côra nách gá dho aon náire bheith air a aghaig a thúirt i n-aobhal léi, agus imig-se ort abhaile. Beadsa a' dul go tig a' tórraimh le titim oíche', aduairt sé, 'agus béarfa mé rôm an chôra i dturcail an asail'.

B'shin mar a bhí. D'imig an feirmeoir abhaile agus do shocraig Dónal an chôra, agus le titim oíche bhuail sé chuige i dturcail an asail í agus as go brách leis go tig a' tórraimh. Nuair a tháini sé, do bhí fáilthe, farsinge agus féile aige le fiscint.

Do riugamh isteach é. Scuireag asal dò. Fuair sé bia agus deoch. Agus do bhíodh uim an am san, is dócha, sa tseana-shaol, braonacha fuiscí—rud ná bíonn anois! Tugag dúthracht do Dhónal, pé rud a bhí ion, agus cé nár bh'fhear muar óil é d'imíodh sé geall leis 'na ghluigín nuair a bhlaiseadh sé i n-aochor é. Amach i gcionn tamaill do thosach na hoíche bhí lán tí bailithe isteach ann, is an chistin lán do dhaoine, agus is beag áit go mbeig cruinniú nú bailiú muar daoine ná go gcathann bligeárd nú dailthín éigint bheith 'na measc, agus b'amhlaig sin don tórramh so, mar do bhí duine acu agus duairt sé véarsa amhráin; ach má duairt, b'é Dónal an chéad fhear eirig 'na sheasamh agus chuir cosc leis an obair. 'Níl aon deabhramh', aduairt sé, 'ar obair don tsórd so, agus cuínig'—aduairt sé leis an té aduairt é—'go dtiocfaig an lá so orainn go léir'.

'Níl', aduairt an fear eile, 'ná aon díobháil ion, nú a' rabhais riamh', aduairt sé, 'ar shochraid sagairt?'

'Bhíos', arsa Dónal.

'Ar nóin, bíonn siad ag amhrán', ar sisean.

'Má bhíd', aduairt Dónal, 'amhrán diaga a bhíonn acu san, rud ná fuil agamsa ná agatsa'.

'Mara bhfuil féin', ar sisean, 'níl aon díobháil isna hamhráin athá againn'.

'Níl', aduairt duine éigint abhus nú thall ar fuaid a' tí; 'agus, a Dhónail, ní bheadh aon díobháil duit féin dá ndéarfá véarsa'.

'Á, ní déarfainn', aduairt sé, 'ar a bhfeaca riamh'.

Do labhair duine eile: 'Mhuise, a Dhónail', aduarag, 'níor bh'aon díobháil é—piuc riamh!'

'Anois, a bhuachaillí', aduairt sé, 'agus a chailíní, agus fé mar athánn sibh, ní maith liom sibh eiteàch, agus le hurraim do sheana-

Thadhg ', aduairt sé, ' déarfa mé cúpla véarsa don " *Mantle so green* " díbh '. Duairt, agus nuair a bhí críochnaithe aige do fuair sé ana-mhola—ach díreach nár dineag aon bhuala bas dò.

Do bhí beirt sheanabhean thuas insa chúinne: Nóra Bhán agus Síle Shéamuisín a thugaidís orthu, agus ní raibh aon fhuacht orthu mar do bhí an tine go maith acu. ' Airiú 'se ', arsa Síle le Nóra, ' nách gleoite an duine beag Dónailín ? '

' Airiú, leog 'om ', ar sise: ' níl a lithéid eile le fáil '.

' A' bhfuil fhios agat cad a bhí agam á chuíneamh ? ' arsa Síle.

' Ní fheadar, isdóin ', arsa Nóra.

' An dial, gur mhaith a' rud ', aduairt sí, ' dá dtugainn Peigín le pósa dho '.

' Bhí cuínithe agam rôt air ! ' arsa Nóra.

' A' ndridfá síos in' aice ', arsa Sílín (nú Síle), ' agus labhairt leis air ? '

D'eirig Nóra agus bhuin sí crotha aisti féin. Síos léi ar fuaid na cistean, agus ní raibh sí sásta riamh ná choíche chun gur bhrúig sí isteach i n-aice Dhónail ar a' suíochán, agus ba ghairid gur chuir sí an scéal i n-úil dò. Ach go bhfóire Dia orainn!—má chuir, is amhal a léim Dónal 'na shuí. I n-inead aon tora a thúirt uirthi, do spriúch sé.

' Mise, an ea ', ar sisean, ' a thógfadh iníon Shílín na gceirteàch ? Ní thógfainn ', aduairt sé; ' dá mbeinn choíche gan bean, ní thóg-fainn í, agus ní bheig muíntir na sráide ', aduairt sé, ' a' seasamh isna dóirse a' féachaint im dhiaig, agus í 'na lacha bheag bhacach a' siúl i n-aonacht liom, agus iad á fhiafraí dá chéile: " Airiú 'se anois, an í sin bean Dhónailín Siúinéara ? " Pé uair a phósfad ', aduairt sé, ' má fhéadaim é, geó mé duine éigint acu go mbeig lúth a cos aici ! '

Chuir so fearg ar Shílín, agus d'eiri sí 'na seasamh thuas i n-aice na tine. ' Aicíd ort ! ' ar sise. Thosnaig an fhearg uirthi nuair a chonaic sí go raibh an bhacaí casta le Peigín i dteannta na coda eile. ' Aicíd ort, a tháthaire ', ar sise, ' maran b'olc an bhean a bheadh ró-mhaith dhuit, agus is teipithe bheadh an saol orm an lá a thúr-fainn mh'iníon le pósa dhuit ! Samhlaíonn tú gur muar is fiú thu ', ar sise, ' má tá pinginín airgid déanta agat ar dhaoine beo agus ar dhaoine marú led chníopaireacht, agus is beag a bheig dod bhárr ag aon chuid acu ', aduairt sí, ' beo ná marbh ! '

Bhí ciúnas ar feag abhfad: níor labhair éinne. Ach i gcionn tamaill d'eirig Dónailín; amach leis go béal an dorais. ' Cuirfeadsa i n-úil don chaillithín sin ', aduairt sé, ' ná fuil aon chníopaireacht a' buint liom; agus anois, táim a' túirt cuire do nuch aon duine gur dhineas riamh côra dhóibh ', aduairt sé, ' bheith rôm agem thig féin nuair a raghad abhaile, agus túrfadsa fuíollach le n-ithe is le n-ól dóibh ! '

Do tháinig oiread feirge ar Dhónailín is ná fíllfeadh sé isteach a theille.

B'éigint dul amach agus asal a ghabháil dò chun leogaint dò dul abhaile, agus do riug fear a' tí amach leis buidéilín leath-phínt. ' Seo, a Dhónail ', aduairt sé, nuair a bhí sé ag imeacht: ' b'fhéidir go mbeadh an braon san go maith dhuitse ar maidin amáireach '.

D'imig Dónailín, agus má imig, deabhraíonn an scéal gur lean seó acu dá raibh ag an dtórramh é—nú go rabhdar roimis, agus bhí sé ag amhrán fan bhóthair abhaile dho—pé faid ná bíodh sé a' troid Shílín, agus á rá gur b'olc a bhí scartha aige léi !

Nuair a dhin sé suas an lána chun a thí féin do chonaic sé na soílse i dtig na hoibre. Nuair a dhrid sé i n-aice an dorais d'airig sé an ceol agus an rínnce istig. D'oscail sé isteach, agus b'é an chéad duine a chonaic sé—seana-Thadhg, a bhí fágtha 'na dhiaig aige i dtig a' tórraimh—nú ar a' mbórd !

' Cad tá á dtúirt seo go léir anso ? ' aduairt sé le seana-Thadhg.

' Eist, a dhuine ! ' aduairt sé, ' bí réig ! Nách cuín leat gur thugais cuire dhóibh ? '

' Tá an ceart agat ', aduairt Dónal, ' agus tá náire fáltha agam choíche ', aduairt sé: ' níl éinní agam 'na gcóir—nú ar bh'aon chabhair dom ', aduairt sé, ' an leath-phiúnt so athá anso agam a thairiscint dóibh ? '

' Airiú, bíodh meabhair agat ! ' arsa seana-Thadhg. ' Ní dhéanfadh an braon san salann ar phraisig don tslua thá ansan. Ól féin é, a Dhónail ! ' aduairt sé.

Do sheasaimh sé i dtaobh amù do dhoras agus do ghlaoig sé amach ar sheana-Thadhg. ' Ól cuid de ! ' aduairt sé le seana-Thadhg.

' Ó, ní ólfainn, a Dhónail ', aduairt sé; ' críochnaig féin é '. Do dhin, agus isteach leo arís, agus iad a' féachaint ar a' rínnce agus ar an obair istig.

Ar aon tslí, do bhí fear muar láidir ion. ' Ce hé sin—an fear cumasach go léir ? ' arsa Dónailín le seana-Thadhg.

' Á, siné Tuínncéir Muar a' Daingin ', arsa seana-Thadhg, ' nú ar chuín leat ', aduairt sé, ' gur dhinis côra dho ? '

' Is cuín go maith ', ar sisean.

' Sin fear ', aduairt sé, ' a bhí pósta dhá uair, agus a' bhficeann tú anois seasaithe amach ansan iad chun rínnce ? Tá muíntir a chéile ansan ', aduairt sé, ' agus tá muíntir na beirte acu ann ', aduairt sé, ' chó maith san—na beirte ban a bhí aige. Agus a' bhficeann tú an bheirt bhan a' léimt amach in' aice féathaint ceocu acu a rínncfeadh leis ? Siniad an bheirt bhan, agus is baolach go mbeig dro-hobair againn ! ' aduairt sé.

Leis sin do thosnaig an pléasca acu ar a chéile, agus bhí an Tuínncéir Muar á gcathamh thairis is gach aon chúinne. Do stop a' rud ar feag tamaill: do dineag síocháin, agus thosnaig rínnce arís, agus d'fhéach Dónailín anún i gcúinne a bhí ann (i gcúinne thig na hoibre) agus chonaic sé cailín rua, agus i gcónaí nuair a fhéachadh sé sa treo san chuireadh sí bas suas ar a haghaig. ' Fiafraím ', arsa Dónailín le seana-Thadhg, ' ce hí an cailín rua í siúd thall ? Tá i bhfuirm náire nú eagla aici rômsa i gcónaí '.

' Sin iníon ', aduairt sé, ' do Thadhg Rua Raidhrí. Dhinis côra dhi sin, leis, agus níl díoltha as a' gcôrainn sin fós leat, agus sidé an náire thá uirthi. Ná ficeann tú ', aduairt sé, ' ná fuil sí a' rínnce ná éinní '.

' Caithfi sí rínnce a dhéanamh ', arsa Dónailín. Anún leis féna géin agus do riug ar láimh uirthi. ' Caithfir dul liom a' rínnce ', ar sisean, ' dá mba's ná ficfinn choíche leathphinge d'fhiacha do chôrann '.

Chuadar a' rínnce, agus má chuadar, do bhí an bheirt bhan agus an Tuínncéir Muar sa rínnce céanna arís, agus buaileag teille buillí. ' Á ', arsa Dónailín leis a' dTuínncéir Muar, ' tá an oíche loitithe agat ', aduairt sé, ' agus is tu fé ndeár an clampar go léir '.

' Níl an oíche loitithe agam ' arsan tuínncéir, ' ach tusa a loit an rud go léir ', aduairt sé, ' a' túirt cuire dhuinn agus gan piuc agat 'nár gcóir ! ' Bhuin sé cathamh à Dónailín isteach fé bhínse na hoibre ! Níor chuín le Dónailín éinní as san amach.

Ar maidin nuair eirig Eilís, do bhí an t-asal ceangailthe amù do dhoras thig na hoibre agus gan aon tuairisc ar Dhónailín. Chuarda sí gach aobhal de. Theip uirthi, agus ba ghairid go raibh fhiosa ag muíntir na sráide go léir ná raibh Dónailín le fáil; agus i gcionn abhfad don mhaidin fuarag é. 'Sé an áit go bhfuarag é ná istig i gceann dosna côranna a bhí déanta istig i dtig na hoibre—sínte 'na shámh-cholla, agus an buidéilín leath-phínte folamh 'na láimh aige.

Sea. Do rith an ráfla: an t-anaithe a bhí fáltha ag Dónailín ósna púcaí, agus bhí seó acu á rá go raibh sé bascaithe 'na ndiaig; agus peocu bhí nú ná raibh thug sé roint éigint laethanta sa leabaig, agus cuid acu a' dul á fhiosarú.

Do ráinig aonach i Mochromtha, agus an deamhan cos do Nóra Bhán a stop riamh ná choíche chun gur chua sí isteach chun a fhiscint conas a bhí Dónailín.

'Airiú 'se', arsa Dónailín, nuair a chonaic sé í, 'is tu díreach a bhí uaim', ar sisean, 'mar ba mhaith liom duine éigint a chasa orm a neósfadh dom conas a bhí oíche an tórraimh againn, nú cad tá déanta agam t'réis na hoíche'.

'Do dhinis', aduairt sí, 'a lithéid seo'. D'inis sí dho an troid a thug sé do Shílín—'agus 'sé an braon óil fé ndeár é go léir', aduairt sí. 'Agus, a Dhónail', aduairt sí, 'níl eagla ná náire orm ínsint suas fan bhéil duit ná faighe tú choíche bean níos feárr ná Peigín, agus geóir roint mhaith airgid léi. B'fhearra dhuit go muar í', aduairt sí, 'ná baothaire eile acu ná feadair sí conas a cuid éadaig a chuir uímpi, nú má chuirfeadh, go mbeadh smut de mar seo nú mar siúd ar sile léi. Agus anois, b'fhearra dhuit tosnú arís', aduairt sí, 'agus an cleamhnas a dhéanamh'.

'Abair le Síle glaoch chúm', aduairt sé; 'nuair a raghair abhaile, abair léi teacht'. Duairt, agus ar nóin, do tháinig Sílín a' triall air ar sodar.

Do dineag an cleamhnas, agus do bhí an oíche phósta ann ba mhó bhí riamh i Mochromtha, ná i n-aobhal i n-aice an bhaíll. Gheallfainn dhuit go raibh rínnce agus ceol dáiríribh i dtig na hoibre ag Dónailín, agus ní raibh tuínncéir ná bruíon ná éinní dhá shaghas ion. Agus táthas a' caint riamh ó shin, nuair aireofí teacht thar aon phósa fónta: 'B'fheárr é ná pósa Dhónailín Siúinéara!'

17. TÔISEANNA

1. *Ceist:* Cá dtéann an taoide nuair a thagann an trá ?
   Freagra: Mar a dtéann an oíche nuair a thagann an lá.

2. *C.:* Cad is cuime ná an abha ?
   F.: Snáithín scútacháin, .i. snáth a scaoilfá à seana-stoca.

3. *C.:* Uisce guirt gan salann ná sáile ?
   F.: Uisce bheadh a' gabháil trí ghort.

4. *C.:* Cad is fiú an scadán agus a leath ite ?
   F.: Is fiú é úmpáil.

5. *C.:* Reithe sa chró is a thón san oighean ?
   F.: Gan amhras, do bheadh an tón san oighean—tón an oighin.

6. *C.:* Giorré ar ré a' rith is feircín ime ar a thóin ?
   F.: Ar a thóin a bhíonn an feircín—ar a thóin féin.

7. *C.:* Muc a' tóch is í (= uí) beirithe ?

8. *C.:* Dáréag a chuaig ag ól. Níor óladar ach scilling. Bhí tuistiún ar an ógánach, dhá phingin ar an gcailín óg, leath-phinge ar an scolóig agus feorling ar a' gcaillig. An mó duine do gach saghas a bhí sa chuideachtain ?
   F.: Aon ógánach amháin, beirt chailíní óga, muarsheisear scológ, agus beirt chailleach.

9. *Ceathrar ag ól*

Bhí ceathrar istig i dti' táirne ag ól. Bhí sagart ar a' gceathrar, píobaire, bacach, agus mairtíneach. Bhí luacht chúig phingine déag d'ól déanta acu nuair a bhuail chútha isteach saghas file. ' Sea ', aduaradar, ' fágfam fé seo conas mar a dhíolfar an bille, nú an muar a chaithfig gach duine a dhíol '.

Shocraig sé mar seo é:

‘ Pingin ar fhear boga an mhannga, agus
Pingin ar fhear mhannga an mhála,
Scilling ar ghiolla na sainte, agus
Pingin ar Chlampar Dála ! ’

Chuir sé an scilling ar an sagart, agus pingin an duine ar an dtriúr eile.

Is dócha gur do mhuíntir Dhála an mairtíneach. Nú d’fhéadfá ‘ Clampa Dála ’ a rá, mar mairtíneach a b’ea é. Ach ‘ Clampar Dála ’ d’airíos mar ainm air.

10. ‘ *D’ólfainn deoch mara bhfuil sí istig* ’

Fear a ghlaoig amù ag doras tí éigint. B’sheo mar aduairt sé:

‘ D’ólfainn deoch mara bhfuil sí istig,
is má thá sí istig ní ólfad ’.

B’shidé freagra fuair sé:

‘ Tá sí istig is ní bhfaighir an deoch
agus mara mbeadh sí istig do gheófá ’.

Conas a bhí san amhlaig ?

11. Cuireag bia chun trír ar bhruach Locha Léin:
D’ith an bia an triúr agus tháini sé féin !

18. PAIDIREACHA

1. *I n-am an chatha nár tháinig*

A Mhichíl Naofa, glaoim thu at ainm,
  Is a Naomh Eoin Baiste, gráim thu;
Na haingil go léir a ghlaoim mar charaid
  I n-am an chatha nár tháinig.
Nuair a bheig na súile a' dúna is an béal a' leatha,
  An mheabhair a' scaipe chun fáin uaim,
An chúis dá glaoch is an téarma caite—
  Dia leis an anam an lá san!

2. *Rann Bhríde*

'Mise Bríd ní Dotha Duínn,
Iníon Ao ó Theamhra an truím
Mhoch Ciach mhoch Cairbre mhoch Airt
Mhoch Cormaic mhoch Cais mhoch Cuín.
Mise Bríd ní Dotha d'Ao
A chuireann an lúng go réig ó phort go port'.

Ar do choimirc-se dhúinn féin,
Mar is leat féin an oíche anocht.
Ar do choimirc-se go rachaimíd, a Bhríd ní Dotha géalacain.
Go dtuga tú na haithid seo slán sa chóireamh chéanna chúinn.
Ní múchfíor, ní báfíor, ní loiscfig tine mhearathaill
Éinne mheabhróig Rann Bhríde gan dearamad.
Dhá liag fearta Bríde i gcéin,
Nú rínn ar an luachair lá an ghéibh,
Drúcht ar an dtalamh dtais
Nú gainimh insa mhuir mhuar ghlais.
Is maith an rátha d'fhágamair—
Ní feárr ná an rátha 'na dtánamair;
Rath an rátha d'fhágamair
A theacht linn sa rátha 'na dtánamair!

Ba chuín liom daoine bhíodh a' dul go Merice: thagaidís fé dhéin mo sheana-mháthar chun Rann Bhríde d'fhoghlaim uaithi. Chreid-idís ná raibh baol báite ar éinne n-a mbeadh sí aige, mar deir sí ' Ní múchfíor, ní báfíor . . .', agus leis sin d'fhoghlamaídís an Rann.

Bhíodh sí á rá tímpal Lae le Bríde i gcónaí, agus Oíche Lae le Bríde, leis.

Dhá liag fearta Bríde i gcéin: Má tá fearta Bríde le duine athá i gcéin, meastar gur tairifí dho iad ná dhá liag, nú dhá dhochtúir.
Na haithid: Daoine isea aithid, ' a small, trifling person '.
Drúcht ar an dtalamh dtais nú gainimh insa mhuir mhuar ghlais: Tagraid siad so do rud éigint thar chóireamh: an drúcht ar an dtalamh, nú gainimh. Tá an drúcht thar chóireamh, agus mar a' gcéanna an ghainimh sa mhuir.
Rínn ar an luachair lá an ghéibh: Ní fheadar cad mar gheall ar an luachair, ach ' lá an chruatain ' isea *lá an ghéibh,* déarfainn.

3. *Althú le pins snaois*

Seacht lán do reilig Phádraig,
Seacht lán do thuama Chríost,
Seacht lán do thobar na ngrást
do bheannachtaí le gach anam atá i bPrugadóireacht agus a bheig.

4. *Crios na gceithre gCros*

Crios na gceithre gCros, crios na gceithre mbeann,
Crios n-ar riugag Críost fé 'gus crios n-ar baisteag Críost ann:

an té déarfaig an duain seo gach aon mhaidean Luain geó sé Flaithis Dé mar dhualgas, is ní fhicfi sé Ifreann luath ná mall.

5. *Paidireacha roim dhul a cholla*

(a) Céile don leabaig an uaig,
Céile don uaig an bás,
Céile don oíche Ifreann fuar:
Cuínig, a dhuine, gur fuar é mo chás.

(b) Luím le Dia, go luíg Dia liom;
Cros Dé liom agus ar mo cheann;
Nár luíod leis an olc agus nár luíg an t-olc liom.
Go raibh Dia mar athair, Muire mar mháthair,
Flaithis Dé mar dhúthaig, agus diúlthaím don áirseoir.

(c) Saor sinn, a Thiarna, ó shlua-chiorrú, ó bhuairt oíche ná éinní a bheadh chun aon díobhála dhuinn.

6. *Ortha an Éagruais*

Go mbeannaíthar duit, a Chros,
a bhuinne a gearrag glas;
an Chros n-ar céasag Críost:
beannaig duinn arís, a Chros.
A Chríost, ar mo dhul fén dteach n-a bhfuil an galar ann,
A Chríost, go bhfágad ann 's nár bheiread as.

19. RANNSCÉALTHA

1. AN GARSÚN BÓ

Bhí garsún bó ann fadó. Lá éigin dá raibh sé ag aeireacht, do bhuin de a léine agus dhin í ní sa ghlaise. Bhí ana-bhrothall ann. Chuir sé anáirde i ngéag craínn í i gcóir ná beadh sí abhfad a' triomú. Pé faillí a thug sé inti, tháinig an tarbh agus d'ith sé í. B'sheo mar aduairt an garsún:

' A thairbh gan daonnacht, céad léan ort is go rithe tú dall!
Chuais ag ithe mo léine lá gréine is í crochta ar a' gcrann.
Níor ghá dhuit é i n-aochor, bhí féar agat le n-ithe is gach ball,
Agus scamall ón spéir ort a thraochfaig tu i bportach nú i bpoll! '

2. AN FEAR IMIG SÍOS AMACH

Fear imig síos amach agus d'fhill sé i gcionn tamaill, agus ar chuma éigint, ghoibh sé thar ceann a thí ag fear go mbídís ana-mhuar lena chéile. Ní leogfadh náire dho dul isteach, agus do léim fear a' tí amach nuair a chonaic sé ná raibh sé a' teacht, agus do labhair sé leis. Seo mar aduairt sé:

' A shár-fhir ghasta don aicme nár chrom a gcínn,
Cadí an bheárna leagas at charaid i n-aon bhall sa ríocht ?
Nú cad fáth dhuit taisteal ar maidin do cheann mo thí
Gan trácht ar mhaireas nú ar cailleag aon cheann dom chluínn ? '

Do fhreagair an fear eile é. Dhin sé mola air, ach níl agam ach cuid don chaint aduairt sé:
' D'fháigibh glana do cheapadh le greann gach laoi
Is i dtáirne an leanna do ghlanadh gach ball nuair a thíodh '.

Sin mar a chríochnaig an chaint; ach do labhair an fear eile arís:

' Tráth dá bhfeaca thu 'taisteal trí Ghleann na Groí,
A' trácht ar tharamuin gan easpa ná anngar puínn,
Do ráite blasta do thaithneadh le meabhair mo chínn,
Is ba chás gan easma dhuit taisteal soir spanng cois Laoi '.

Spanng: ar feag scathaimh.
Easma: Déarfí *easma* i n-inead *easpa* go minic. Mar a chéile an dá fhocal.

3. CÔIRLE

' Cath do scilling is ná fuilig do chliabh 'na ceal,
Gan easma gan iomarca coinnibh a' tsrian ad ghlaic
Is do meallag a' duine ná buinfeadh an iasacht as—
Is níor bh'é siúd tusa, a Mhuracha Í Bhriain na gcreach! '

B'shin côirle a thug seanduine éigin fadó. Mar sin airíos é. Ní fheadar cér bh'é Muracha Ó Briain—ach bhuin sé an iasacht as!
Tá *easma* ansan arís i n-inead *easpa:* mar sin airíos é ag seandaoine.

4 (a). MURAINN NÍ CHNÁIMHÍN AGUS DONACHA Ó BRIAIN

Bhí seanabhean ann agus Murainn Ní Chnáimhín a b'ainm di. Do bhíodh saghas eagla roímpi. Bhí filíocht aici. Thug sí bliain agus lá ag fear gur bh'ainm dò Donacha Ó Briain. Seo mar aduairt sí nuair a bhí sí ag imeacht:

' Do chathas an Nollaig ag Donacha Ó Bhriain um brá
Is do sheasaimh an Nollaig ag Donacha bliain is lá;
Níor bh'fharsinge Donacha um Nollaig ná thiar um Cháisc
Is níor dhochma suí in' fhochair lá oibre i n-iarthar cláir '.

Ní i n-iarthar Chúntae an Chláir i n-aochor é, ach i n-iarthar an bhúird.

' (Ag) Donacha Ó Bhriain ' airínn ag sean-daoine. Ach is dó liom anois go ndéarfainn féin ' ag Donacha Ó Briain '.

4 (b). MURAINN NÍ CHNÁIMHÍN AGUS EILIVÉARAS Ó HÉALAITHE

Do dhineadh Murainn leighiseanna, agus bhailíodh sí léi muarán bainne ósna cōrsain.

Do ráinig go raibh fear do mhuíntir Éalaithe sa Domhnach Mhuar: Eilivéaras do b'ainm dò—ainm ghreanúr. Nuair a cailleag a bhean ní raibh muíntir a chéile sásta leis an slí 'nar cuireag í: cheapadar go raibh sí curtha ró-spriúnlaithe ag mac Í Éalaithe, agus i gcionn tamaill 'na dhia' san chuireadar an tseanabhean so a' triall air chun saghas gearra a thúirt dò. Nuair a tháini sí go tig Eilivéarais do bhí an doras dúnta. D'oscail sí an doras, agus b'é an chéad bheannacha dhin sí t'réis dul isteach:

> ' An é seo tig Eilivéarais Í Éalaithe go mbíonn doras a bhotháin dúnta ?
> Ní lú orm cat gan chroicean ná bodach doichilleach diúlthach ! '

Bhí aithne ag Eilivéaras uirthi, agus duairt:

> ' An tusa Murainn Ní Chnáimhín, bánliag an chrúsca ?
> Ní lú orm madara marbh ná bean dhealbh ót dhúthaig ! '

Ní duaradar níos mó le chéile.

5. TADHG NA TUINNE

Bhí filíocht ag Tadhg na Tuinne (Ó hIarlaithe). Dhineadh sé véarsaí. Chonaic sé duine bocht á chur i bpríosún le cíos bliana a bhí 'na choinibh. Seo mar aduairt:

> ' A cháirde gaoil, ná bígis dian ná docht:
> Maithig suím don chíos don iarmhar bhocht.
> Níl ba aige a' guíoll ná caoire i ngort,
> Is gur b'olc an díol i gcíos na bliana a chorp ! '

6. FEOIL FIA NÚ BRADÁN

Bhí fear ann agus níor mhaith leis éinní dh'ithe ach feoil fia nú bradán. Bhíodh na nithe seo aige go minic—ach ní sheasaíonn rith maith don each i gcónaí. Deireadh sé leis na córsain ná raibh éinní fónta le n-ithe acu, agus ná híosfadh sé féin i n-aochor an bia le holcas a bhí acu.

Do theip an bradán agus feoil fia: níor bh'fhéidir dò iad d'fháil; agus lá dá raibh sé istig ag ithe smut d'fheoil caereach, do bhuail duine dosna córsain chuige isteach.

'Cadé seo agat á dh'ithe, a Sheáin?' ar sisean; 'shíleas ná híosfá éinní ach feoil fia nú bradán!'

Stad Seán ar feag tamaillín.

'Is mairg', ar sisean, 'ná cruinníonn ciall
Is ná cuireann srian lena ghuth.
Ó imig an bradán agus an fia
Is maith an bia an chuíora dhubh!'

7. MAC Ī IARLAITHE AGUS AN GANNDAL

Uim an am go raibh muíntir Iarlaithe go táchtmhar saibhir i mBaile Mhúirne, do ráinig go raibh duine acu, amach san aimsir, ná raibh an saol ag eirí leis chó maith. Bhí an saibhreas a' sleamhnú uaig, agus an dealús a' caolú isteach in' inead. Nuair a bhí seilbh ceart tógtha ag an ndealús ní raibh puínn d'éinní fónta fanta ag mac Ī Iarlaithe.

Mar seo lá Domhnaig ní raibh feoil d'aon tsaghas aige le n-ithe, cé gur bh'olc é a thaithí air. Duairt sé lena chimeádaí tí seana-ghanndal a bhí fanta ar fuaid an chlóis a fháil ullamh i gcóir a dhínnéir. Do dhin sí mar aduarag léi.

Do ráinig don dínnéar bheith pas déanach sa lá uim an am go raibh an ganndal curtha i dtreo. Nuair a shuig sé isteach chun búird do chuir a bhean tí an ganndal os a chóir. D'fhéach sé air go dro-mheasta. Do bhuail sé a cheann fé agus duairt:

'Mo channcar, ní ganndal do b'annlan dom
Lá Domhnaig, ach ramhar-mhairt is togha na molth;
Leabhair-bhuidéil bhrannda 'na ndiaig mar dhig,
Is dom anngar ní hannlan do chliabh gan smior!'

8. FILE ÉIGIN EILE

B'sheo mar aduairt duine éigint eile, ach ní fheadarsa cé duairt:

> ' Is beag orm Domhnach gan dínnéar,
> Is beag orm círéip ar chaile;
> Is beag orm bean ghoirgeach dhiomách,
> Is is beag orm amadán mná i mbaile! '

Círéip: Faisean éigint ná hoirfeadh do chaile a b'ea círéip—ball éigint éadaig, adéarfainn.

9. AN FEAR SÍMPLÍ

Fear a chónaig thiar i mBíarra. Ní raibh sé ró-chruínn. Bhíodh sé i gcónaí a' faire ar phósa. Ní raibh éinne aige á fháil, agus dá mbeadh féin ní phósfadh an sagart é, toisc bheith chó nea-chruínn.

Níl aon tseana-bhróg ná go bhfaigheann seana-stoca, agus b'amhlaig sin don fhear so, mar i ndeire bárra tháinig saghas éigint mná a bhí toiltheanach chun é phósa. As go brách leis fé dhéin an tsagairt agus d'inis a scéal dò, ach do dhiúlthaig an sagart d'é phósa.

D'fhíll sé thar n-ais go brónach, agus ar an slí dho do casag air file. Dhin sé a ghearán leis go truamhéileach.

' Cad a thúrfair dôsa ', arsan file, ' má thugaim páipéar duit chun an tsagairt agus go bpósfa sé thu ? '

' Ar mh'fhocal ' arsan fear símplí, ' go dtúrfad púnt tobac! '

B'shin mar a bhí. Do scríbh an file an páipéar dò chun an tsagairt:

> ' A shagairt úd, chútsa guímse gaolach
> Don tseanastoc dúr so ná múinfeadh Éire,
> Gan charaid gan chlú is é a' tnúth le céile.
> Is fada dho thiar i n-iarthar Bhéarra
> 'Na cheamalach chiar gan chiall gan éirim.
> Achuinim dian ort agus Dia go réig duit
> Ach ceangail an dial le hiarlis éigint! '

Nuair a léig an sagart an páipéar: ' Imig ort ', ar sisean leis an bhfear símplí, ' agus túir leat í '.

Do pósag iad, agus nuair a casag air an file 'na dhia' san d'iarr sé an púnt tobac; ach dá shímplíocht a bhí sé níor thug sé an tobac don fhile!

10. ANEAS ÓSNA CEANNTAIR

Do bhí dro-bhean i n-áit éigint i nAnach Sháile, tagaithe aneas ó áit arna dtugaid na Ceanntair. Ní raibh teora leis an ndothal a bhíodh aici roimis na bacaig: ní muar ná go mbíodh an doras dúnta 'na gcoinibh i gcathamh an lae, agus go háirithe am caite bíg. Do ráinig mar seo lá, am dínnéir, do dhearúid sí an doras a dhúna, is do phreab chútha isteach stracaire bacaig. Do dhuibh agus do ghormaig aici le neart dothail. Bhí fhios ag an mbacach so go maith cár b'as í, agus do leog sé air gur ón áit chéanna é féin.

B'sheo mar a bheannaig sí dho: ' Cad as don ghanndal? '

D'fhreagair eisean: ' Aneas ósna Ceanntair '.

' Níor bh'eolach dúinn ann tu '.

' Mar do b'anamh ann tu ', arsan bacach.

' Cad is ainm duit? ' aduairt sí.

' A-Sheáin-bí-at-shuí ', ar sisean.

' A-Sheáin-bí-at-shuí! ' ar sise—le dro-mheas ar an ainm a thug sé air féin.

Leis sin, do riug Seán ar chathaoir agus do shuig isteach chun a' bhúird.

' Ní chuige sin a bhíos ', arsan bhean.

' Ní dhéanfainn dabht díot ', arsan bacach.

' An mar sin atánn tú riamh? ' ar sise.

' Nílim riamh i n-aochor ann ', ar sisean.

' Níor bh'fheárr tu bheith! ' ar sise.

' Dá mb'fheárr do bheinn! ' ar sisean.

D'ith sé a dhínnéar, agus do scaradar le chéile.

11. ATHAIR MIÚLACH

Fear gur imig asal chun fáin uaig. Bhí fógra curtha anáirde aige cois geata an tséipéil, ar thuairisc an asail. B'sheo mar a bhí sé:

'Athair miúlach a bhí buacach gúngach
Do ghluais chun siúil uaim go moch iniubh,
Bhí a eireabal scuabach is é faid-chluasach,
Ní raibh a chuid gruaige bán ná dubh.
Ní raibh crú ná táirne 'na chrúib ach gága,
É béal-láidir agus gearb ar a phus.
Níl cailín nú buachaill a thúrfaig a thuairisc
Ná go bhfaighig mar dhualgas juga *punch!*'

12. AN MÁISTIR AGUS A BHUACHAILL

Bhí feirmeoir ann aon uair amháin agus bhí buachaill aimsire aige. Ní mó ná baoch a bhíodh an máistir don bhuachaill. 'Seo mar a bhíonn an scéal ag an mbuachaill athá agamsa', adeireadh sé—'an cóngar chun an bhíg is an tímpal chun na hoibre!'

'Sea', adeireadh an buachaill—

'An t-uachtar d'fhear an tí
Is an t-íochtar d'fhear na hoibre;
Eirí moch agus luí déanach,
Beagán a dh'ithe agus muarán a dhéanamh!'

'Ní dhineann tú muarán', arsan máistir. 'Tánn tú a' tarrac aoilig le cúpla lá, agus ní háirithe a bhfuil déanta agat'.

'Usdóin, féach an sórd córach atá agam chuige', arsan buachaill:

'Sluasad mhaol mhanntach agus leath-bheann ar phíce,
Seana-bhota briste agus bruscarnach aoilig;
Capall caol árd i gcoinibh cnocáin gan iarann,
Buachaill caol seannda 's is gann fhachtar bia dho!'

Ní duairt an máistir a thuille leis ansan.

13. AN BUACHAILL AIMSIRE

Do bhí fear do mhuíntir Luínse anso fadó go raibh stracaire buachalla aige. Do réitídís go maith le chéile tamallacha, agus ní chó maith san a bhídís tamallacha eile. Tháinig saghas toramais ar a' mbuachaill, agus duairt sé le mac Í Luínse: ' Imeó mé uait, agus tá réitithe agam ar feag rátha le feirmeoir eile ar a' dtaobh thuaig do chnoc '.

' Bíodh sé mar sin ', arsa mac Í Luínse.

D'imig an buachaill uaig, agus deabhraíonn an scéal ná raibh sé ró-shásta le bheith lastuaig don chnoc, mar b'sheo mar aduairt sé:

' Slán beo trí dhíogras chun Crothúir Í Luínse
Agus chun na mná úd do shín leis ar leabaig,
Is chun an ál so muardtímpal do tháinig ón míntir
A bhíodh fáiltheach roim dhaoine gan baile.
Do b'fheárr liom bheith Aoine lá Páise chun bíg ann
Ná i n-áit eile chímse lá sagairt,
Is dá mbeadh an rátha so dhíomsa do rásfainn thar fíora
Is ní fhágfainn an Luínseach an fhaid mhairfinn! '

14. BAINNE NA GCLOG

Bhí fear eile ann agus cuireag bainne beag lom beárrtha os a chôir ar a' mbórd. D'fhéach sé air agus duairt:

' A bhainne na gclog, is olc an bia thu
Mara ndineathá deoch do lucht an fhiabhrais;
Lem dhá shúil isea chím cluig liath' ort,
Is le scú chun ime isea dineag an dial ort! '

15. FEAR AN ASAIL

Bhí fear a' teacht ó Mochromtha le mála mine. Asal a bhí aige. Tháini sé chó fada le Crois Chúil Ao. Chua sé isteach i dtig éigint ansan. Bhí braoinín óltha aige, agus níor chuíni sé a thuille ar an asal a bhí fágtha amù ar an mbóthar aige. Bhí seanabhean istig, agus d'fhan an bheirt acu ag amhrán agus a' staraíocht le chéile i gcathamh na hoíche.

Ar maidin amáireach bhí beirt fhear a' gabháil an bhóthair. Fuaradar an t-asal bocht caite isteach i ndíg agus é geall leis báite. Bhí cearca an bhaile ar mhullach an mhála agus iad a' piuca na mine.

Bhí file éigin ann agus b'sheo mar aduairt sé:

'A Sheáinín, is náir liom le n-aithris mar a chaithis an oíche aréir,
A rá go rabhais páirteach le hainnir is an t-asal dá bhá sa draein;
Do mhála mine míne gur sceanag 'dir chearca 'gus mná Chúil Ao,
Is gur b'é Seán Thuathaig úd d'fhuascail é is Deansail ar maidin le fáinne an lae!'

16. BACACH Ó GRÁDA AGUS AN SAGART

Chónaig sagart i n-aice Chínn tSáile. Ní bhíodh sé ró-rabairneach leis na bochtaibh. Mar seo lá, bhí sé 'na sheasamh agá gheata féin nuair a bhuail chuige bacach breá bog buacach. Bhí aithne aige ar an mbacach so. B'sheo mar a bheannaig sé dho:

'A Bhacaig Í Ghráda,
Is fada bog fhásais!'

D'fhreagair an bacach agus duairt:

'Céad mola lem Mháistir!
Do b'fhada ód chlár-sa é,
Ná ó chistin do mháthar!'

Do labhair an sagart arís mar seo:

'Dá bhficinn aon lá tu
I ndoras tí an táirne
Thúrfainn gloine ins gach láimh duit!'

Do fhreagair an bacach é:

'Fear fiacha is maith chun cáirde,
Ach ná cuir an mhaith so ar cáirde.
Túir aon scilling amháin dom
Agus ólfad do shláinte
Nuair a raghad go Cionn tSáile!'

17. TEISTIMÉIREACHT DON BHUACHAILL

Bhí buachaill aimsire ann dár b'ainm dò Diarmaid. Bhí sé chun imeacht óna mháistir, agus d'oir dò teistiméireacht a fháil a bheadh aige le tiospeáint mar a raibh sé a' dul. B'í seo an teistiméireacht a fuair sé:

' A Dhiarmaid, b'é an pian dom tu chuir sa tsúsa,
Is a Dhiarmaid, b'é an diach dom ansan tu dhúiseacht.
A Dhiarmaid, nuair adeirinn siar leat, soir a sciúrdthá,
Is a Dhiarmaid, níor dhinis riamh dom aon phost le dúthracht ! '

18. ALTHÚ MHAIGHRÉAD NÍ MHÓRA

Do bhí seanabhean ann fadó agus bhí muarchuid cluinne aici. Bhí sí ana-bhocht. Bhí côrsa taobh léi nár thaithn i n-aochor léi. Nuair a bhíodh gach béile caite acu ina mbothán bheag féin, sheasaíodh an mháthair ag ceann an bhúird agus deireadh sí lena cuid cluinne: ' Abraimís althú t'réis bíg, a chlann ó '. Thosnaíodh sí féin ansan, agus b'sheo mar adeireadh sí:

' Peacaí mhuíntir an tí seo ar mhuíntir an tí seo thiar !
An té gur muar leis a n-ithimíd is gur beag leis a ndinimíd
Gan cíos Lae le Muire aige ná cead suí chun na tine aige;
A chosa gan bróga, an cróchar ag cosaibh a leapan,
Is nár dhinig Dia trócaire beo ná marbh air ! Amen '.

19. CEARRÚCH

Do chónaig feirmeoir i n-aice Chúil Ao, agus bhí buachaill aimsire aige. Théadh an buachaill go Crois Chúil Ao gach aon oíche ag imirt chártaí. Oíche dá raibh sé ann do chaill sé trí agus raol san imirt. D'inis sé dá mháistir é larnamháireach. B'sheo mar aduairt an máistir:

' A Dhiarmaid na gcarad, is atuirseach dúch do scéal,
Ag imeacht ón mbaile seo a' tarrac ar shráid Chúil Ao;
Bhí bórd ann leagaithe is cearrabhaig suas led thaobh,
Is ba ró-gheárr gur sladag óm fhairceallach trí 'gus raol '.

20. RISTEÁRD AGUS É GO CEANN-ÁRD

Bhí fear dár b'ainm dò Risteárd chun cónaig anso i mBaile Mhúirne fadó. Stracaire feirmeora gan aon áird a b'ea é: fear fuar faillítheach. Agus mar bhárr ar gach donas, d'ólfadh sé an fulca te. Ansan d'fhanadh sé 'na cholla go headartha. Ach do phós sé. Bhí an bhean bhocht cráite ciapaithe aige: bhris sé a croí 'na cliabh. B'í an chôra a thug faeseamh di sa deire. Phós sé an tarna bean ansan. Níor thaise dhi sin é: bhí sí marbh sa chré aige i gcionn bliana.

Chuaig dro-cháil amach ar Risteárd bocht, agus ba dheocair dò éinne fháil ansan a phósfadh é. Bhí an fear bocht i gcruachás mar do theastaig uaig an tríú bean a fháil. Bhí sé a' cuir 's a' cúiteamh féachaint cad a dhéanfadh sé chun teacht ar mhnaoi. Duairt sé leis féin go raghadh sé go dtí an sagart p'róiste agus go gcuirfeadh sé an scéal i n-úil dò. Bhí sé á chuíneamh go bhfaigheadh sé teistiméireacht uaig agus go bhfaigheadh sé an bhean ansan i mball éigint. D'imi sé fé dhéin an tsagairt agus d'inis sé an scéal dò tríd síos.

'Tá an scéal go liobarnach agat', arsan sagart.

'A' dtúrfása teistiméireacht dom anois?' arsa Risteárd.

'Túrfad agus fáilthe', arsan sagart. Thug sé dho an páipéar agus an teistiméireacht scríofa air. B'sheo mar a bhí sí:

'Seo chúibh Risteárd agus é go ceann-árd
Ar muin gearráin gan díol as.
Níl fiú an chorcáin ar lic a thínteáin
Is tá leath a bhotháin gan díon air.
Do ghabhadh sé ar Shiobhán le smut do thadhbhán
Is ba mhinic í ar féarán agá muíntir.
Bhíodh dath an liomháin fé bhun a slinneáin,
Is níor shos don leannán a bhí roímpi!'

21. DRO-BHEAN

Bhí fear ann agus bhí sé pósta. Deabhraíonn an scéal nách mó ná baoch a bhí sé don mhnaoi seo bhí aige, mar b'sheo mar aduairt sé:

'Ní fheaca mé am radharc aon leadhb ba mheasa ná Cáit:
Caol-aigeantach, milltheach, straidhpeach, smeartha, gan áird;

Gruama, tuatach, stuacach, stailiceach, claon,
Is 'dé'n iúna mo bhuaic gan ghruaig ó theangaig mé léi ? '

22. AN GHAOTH ADUAIG GO FÍRINNEACH

Bhí an máistir dultha a cholla nuair a tháinig an buachaill isteach istoíche. D'fhiafra sé don bhuachaill: ' Conas tá an oíche amù, nú ca bhfuil an ghaoth ? ' Sa bhfôr a b'ea é: aimsir bhuana. B'é seo an freagra thug an buachaill air:

' Tá an ghaoth aduaig go fírinneach
Agus deabhramh muar chun tíormaig air,
Do ghuirt dá mbuaint go híseal tiubh
Is dá gceangal cruaig le cuíreachaibh.
Do mhóin go cruachta díonaithe,
Ainnir stuama sínte leat,
Is gan beann ar bhuairt an chíosa agat ! '

. . . .

Tháinig buachaill eile isteach istoíche agus d'fhiafraig a mháistir de: ' A Sheáin, ca bhfuil an ghaoth ? '

' Is gach aobhal ar fuaid an chlóis ! ' arsan buachaill.

23. COIRE I N-IFREANN

Bhí fear ann agus é iarracht símplí ann féin. Do ghlaoig sé isteach go tig ministir am dínnéir isló. Do bhí an ministir a' cathamh dínnéir sa phárlús. Do chuir sé cuid don dínnéar a' triall ar an bhfear so sa chistin leis a' gcailín. Aoine do b'ea bhí ann, agus bhí feoil túrtha ag an gcailín chun an fhir. Ach duairt eisean ná híosfadh sé an fheoil, agus do riug an cailín thar n-ais í a' triall ar an ministir. Duairt an ministir léi:

' Inis-se don duine sin atá sruimilthe 'na dheabhramh
Nách í an fheoil a théann go hIfreann ach na crathacha
bheith fallsa '.

Agus b'sheo mar aduairt an sruimile léi:

' Inis-se don mhinistir, ós tu[sa] bhíonn a' labhairt leis,
Go bhfuil coire ar fiuchaig i nIfreann agus ministrí a' damhas ann! '

24. AN LAO BIATA

Nuair a bhíodh cábóga a' gabháil soir amach a' buint phrátaí, do ráinig go raibh seisear nú muarsheisear acu imithe i n-aonacht à haon cheanntar amháin. Do réitíodar le feirmeoir, agus ní rabhdar baoch ná sásta don chóir bíg a bhí orthu.

Amù ar lochta sciobóil a b'ea chollaidís. Do thugadar fé ndeara go raibh gamhain breá ramhar istig i gcró eile in' aice. Bheartaíodar an gamhain a mharú nú a thachta istoíche, agus go mbeadh sé acu le n-ithe i gcathamh na seachtaine. B'sheo mar ínseadh duine acu an scéal 'na dhia' san t'réis teacht abhaile:

' Do dhineamair smaoineamh ar ní ná raibh ceart:
An lao biata a phíopa do bhí ar a' neaisc.
Ach dhineas athchuíneamh ná fanfainn 'na measc,
Mar nuair a raghainnse chun faoistine go ndíolfainn féin as.

Do phreabas am shuí is do scíordas amach—
Bhí gach duine acu am thímpal agus píce 'na ghlaic.
Do léiminn dhá dhíg agus claí leathan sceach,
Ach dá dhoiritheacht í an oíche do chídís mo ghead '.

Tá véarsa nú dhó eile ann ná fuil agam:

' Do bhíodh leathghalún láidir agus leathghalún lag '

an saghas anairthe bhí acu, agus

' Pláta breá *greens* as an anairthe maith,
Is dá mhéid díobh súd d'íosfá do líocfá do bhas '.

Do mharaíodar an gamhain agus bhí seachtain mhaith acu á dh'ithe agus ag ól anairthe, pé cuma 'nar díolag as—nú ' pé duine dhíolfas '.

Lao biata: gamhain ramhar.

É phíopa: é thachta. ' An gamhain/gadhar a phíopa '; ' tá sé píopaithe '; ' bhí sé á phíopa '.

Mo ghead: mo cheann.

25. CAOINE DHÓNAIL Í CHEÁRNA

Bean Dhónail Í Cheárna a dhin an chaoine seo. Ní fheadar cér bh'é Dónal ná cá mbíodh sé, ach deabhraíonn an scéal ná raibh an bhean ró-bhaoch de.

' Mo léan tu, a Dhónail Í Cheárna !
Mo léan tu, a Dhónail Í Cheárna !
Ní chreidfinn féin ón ríocht
Dá mbefá insa chíll,
Leac le cúl do chínn
Agus leac le trácht do bhuínn,
Ná go n-eireofá chúm arís
A' cuir maide os cionn mo chínn—
Mo léan tu, a Dhónail Í Cheárna ! '

26. CAOIRE A BHÍ IMITHE CHUN FÁIN

Fear a bhíodh a' geallúint d'fhear eile go raghadh sé a' lorg caereach a bhí imithe chun fáin uaig.

' A Thaidhg, cathain a raghair a' lorg na gcaereach dom ? ' adeireadh an fear eile.

' Pé uair a bheig deire leis an bhféar agam ', adeireadh sé.

Bhíodh an aimsir go holc chun féir a shábháil, agus pé uair a chastí Tadhg agus an fear so ar a chéile, d'fhiafraíodh sé do Thadhg: ' A' bhfuileann tú a' gabháil don fhéar i gcónaí ? '

Bhíodh fhios ag Tadhg gur b'é an dithanas a bhíodh air, chun go raghadh sé a' lorg na gcaereach dò. Oíche éigint dár tháini sé chuige a' scuraíocht—' A Thaidhg, conas tánn tú is an féar le chéile ? '

B'sheo mar a fhreagair Tadhg é:

' Tá mo ghéaga go tréith-lag ó bheith ar phíce
A' buint fhéir as a chéile i gcóir gréine is gaoithe,
Saothar mo lae go mbíonn fliuch istoíche
Nuair a thaoscann an spéirthneach as an scamall cíorubh.

Dá bhfaighinnse le chéile é go croite cíortha,
Gach aon tsop i n-aonacht fé scaball dhíonmhar,
Gan baol air ón mbraon ná ó fhuadach gaoithe,
Níl béilic i nÉirinn ná go gcuardód caoire ! '

27. ' CÓ-UASAL GACH FEAR AR MUIR '

' Có-uasal gach fear ar muir,
A Ghiolabanaig dhuibh a tháinig i gcéin;
Dinse bórd ut ucht
Agus déanfadsa bórd um ucht féin ! '

Ar farraige b'ea bhíodar. Do bhí bia acu á ithe agus an lúng a' luasca le stoirm. Do bhí a chuid féin age nuch éinne un' ucht, agus do cheap an Giolabanach go ndéanfadh sé ní b'fheárr lena chuid bíg a leogaint anuas ar ghlúine nú i n-ucht an té bhí i n-aice leis. Ach níor lúáil so dho a dhéanamh, mar bhí a chuid féin aige ann, agus b'sheo mar a chuir sé dhe é.

. . . .

Giolabanach: Albanach, nú Ollthach, b'fhéidir.
' Có-uasal gach fear ar muir ': tá san ráite riamh. Caithfig an duine uasal gabháil síos chó maith leis an mbacach, más bá dhóibh !

28. ' AN FORMAD T'RÉIS ME SHLAD '

Seanabhean go mbíodh a gnó a' dul gan déanamh agus í a' formad le daoine eile go mbíodh a ngnó déanta. Deireadh sí:

' An formad t'réis me shlad
Le mnáibh an bhaile seo amach,
'S an mhuíntir a gheallann dom teacht
Níor mhó leo b'reán ná meath ! '

29. TÁILLIÚIR NA SOP

Do bhíodh capaill iallaite ages na táilliúirí uim an am úd ag imeacht ó thig go tig, agus anáirde ar bhórd a bhídís ag obair. Bhí táilliúir áirithe ná raibh aon chapall iallaite aige, ná ní hanáirde ar bhórd a bhíodh sé ag obair, ach sop caite chuige ar a' dtaobh istig do dhoras—agus bhíodh sé d'ainm air go mbailíodh sé leis cuid don éadach.

B'sheo mar aduairt file éigint i dtaobh an táilliúra so:

' Ar chaol-eachaibh éasca ní chleachtadh puínn siúil
Ach i dtaobh dorais éigint i n-easairín chúng,
Gan do shaothar 'na ghéagaibh ach balcaisí d'fhú—
Is go raibh scéal soir sa Ghaortha gur theastaig díobh súd! '

'Sé gaortha Anach Sháile[1] go bhfuil tagairt dò anso.

30. SAOR SAOR Ó SHAOIRSEACHT

Bhí saor cloiche agus cheap sé go bhféatadh sé súil droichid a dhéanamh gan aon chliabh fúithi. Thug sé tamall a' gabháil don obair seo ach ní raibh ag eirí leis. Thiteadh sé i gcónaí. Lá éigint, do bhuail bacach chuige agus é a' gabháil don tsaoirseacht. ' Cadé do mheas ar mo chuid oibre? ' ar sisean leis a' mbacach. Nuair a chonaic an bacach cad a bhí ar siúl aige b'é freagra thug sé air:

' Tá an mhuir mhuar a' teacht aniar
Agus an tuile liag a' teacht anoir.
Droichead á dhéanamh gan cliabh
Ní fheaca riamh roimena iniubh! '

B'éigint don tsaor atharú agus cliabh a chur féna chuid oibre.

Caithfig an t-adhmad a bheith casta de réir mar a bheig an tsúil le déanamh, agus é ana-láidir. Anuas ar an adhmad a chasfair an áirse, agus fágathar an cliabh fé chun go gcruann an obair. I lár baíll i mbuaic na háirse atá an chloch cheangail (keystone), a' greamú na hoibre. Bíonn ana-cheárd uirthi.

[1] Cúpla míle siar ó dheas ó Mochromtha—SÓC.

20. AMHRĀIN

1. DONACHA BÁN AGUS AN RUDAIRE

File maith a b'ea Donacha Bán Ó Luínse: 'Duins Bán' a thugaidís air. Ar na Foithire a chóna sé (baile fearainn i gCúil Ao). Bhí talamh aige, agus bhí sé leath-lâch: an cíos a' glaoch, agus é le cuir à seilbh.

Bhí Rudaire nó a' teacht i gceannas, ach bhí sé breoite. Nuair a tháini sé, chuir Duinsín na véarsaí seo os a chôir:

i

Dé bheatha-sa, a Rudaire, ó fhillis at shláinte,
  Is mise le spás i ngátar mhór,
A' brath ar tu fhiscint go ndineathá scáth
  Do dhuine mar atáim gan áit ná treo,
I mbarra na bhFoithire ar imeallaibh árda,
Ar easpa, go singil, is ar uireasa fálthais:
Tabhair dom coimirc ó nochtas mo chás duit
  Is gur chuireas mo ghearán ar láimh *Sir George.*

ii

Is fada fí thuirse me a' fithamh gach lá
  Chun go bhficinn an sárfhear mánla móil,
Go bhfuil deirge is finne is gile tar chách
  Ag iomaig go hárd do ghnáth 'na chló.
Is calma cumasach a chuisleanna breátha,
A phearsa len' fhiscint agus a fhine-chruth álainn,
An t-abhall 's an bile do thugaim fí bhláth
  Ón gcruinne 'na láimh dom mháistir óg!

iii

'Sé airím age gach duine do thuiscint á rá
  Gur b'é an Rudaire é is feárr 'á dtáinig fós,
Go mbíonn baraille is fiche ag an Muileann a' tál dò
  Nuair a thigeann an ráib don árdfhuil chóir;

Tarrac ar phuinseanna, imirt ar tháiplis,
Scata do chonaibh agus giorraithe á sárú;
Dá dtagadh sé liomsa do chumas mo lámh
  Go gcuirfinn gan spás anáirde an ch'róinn!

iv

Ó fhlathaibh a filleag an bile gan cháim
  Ba chumasach cáil, do b'fheárr sa chóig,
Nú an fear úd in' inead arna dtugaid *Sir Seán*,
  An Rudaire Bán ó Árdrum[1] rôt;
Nú 'athair, *Sir Nicholas* soineanta grámhar
Caradach urraimeach tuisceanach páirteach—
Dá maireadh ní chuirfeadh sé mise chun fáin
  Ón inead do ghnáth gur thárlaíos óg.

Duairt sé tuille, ach ní cuín liom ach an méid seo:

Achuiní chuirim ar choimirc na ngrást:
  Nár thigig an bás go brách 'na threo!

Do léig Seán Máistir Ó hIarlaithe don Rudaire é agus dhin é mhíniú, ach níor ghéill sé dho.

Ansan, dhin Duins Bán amhrán eile á cháine. Is trua ná fuil so agam: b'fheárr go muar é ná an t-amhrán eile! Bhí cos mhaide fén Rudaire seo, agus níor dhearúd Duinsín a rá:

Tá a cheathrúna briste 's a chosa túrnáltha—
'Sé an Rudaire é is gráinne tháinig fós!

2. MICIL PÍOBAIRE

i

An duine ba ghleoite meon is íntinn
Is d'imig le scóp go Bórdónaoin siar,
Gur bhinne liom glór is ceol a phíbe
A' fille sa treo ná rósta is fíonta.

[1] Ar Árdrum, sa Bhlárnain, a bhí an Rudaire chun cónaig: b'shiné *Sir George Colthurst*—SÓC.

Ding dong dedaró, *ding dong* déró,
Ding dong dedaró, buail sin, séid seo;
Ding dong dedaró, *ding dong* déró,
Is fan-se aniar ó iarthar Éireann.

ii

Bíodh do bhuilg i dtreo is t'inneoin 'na suí agat
Agus fuinneamh ad dhóid chun gnó na ndaoine,
Do dhuiseanna ceoil chun spóirt is aoibhnis
Is tuille acu ag ól i dtóin an tí agat.
Ding dong dedaró, ⁊rl.

iii

Níl duine bheig óg ná scóp chun rínnce air
Ná go dtiocfaig ad threo i gcóir na hoíche,
Cuirfeam ón gcóngar Dónal Ó Ríordáin
Gan fille go deo, agus Nóra Ní Shuínne.
Ding dong dedaró, ⁊rl.

iv

Tá Dónal Eóin a' gol 's a' béicig
Agus *Dan* Sheáin Cros ag imeacht ar néalaibh,
D'imi sí uainn leis a' dtáilliúir aerach
Agus beig rí-rá acu trína chéile.
Ding dong dedaró, ⁊rl.

v

A bhean úd siar an aprúin ghléigil,
B'fhearra dhuit fille is na builg a shéide
Ná imeacht le duine thá ar buile gan éadach,
Is is muar a' trua an duine nuair a thigeann an éad air.
Ding dong dedaró, ⁊rl.

Donacha Bán Ó Luínse, file, do dhin an t-amhrán so. Gabha do mhuíntir Ailíosa a b'ea Micil Píobaire. Thiar ag Droichidín Bhéalaithe Fionáin a bhí Micil chun cónaig. Níl éinne dá mhuíntir fanta ann anois. Ó Chiarraí a b'ea bean Mhicil agus níor thaithn Cúil Ao léi.

Píobaire a b'ea Micil, leis. Ach bhuineadh sé ceol as an inneoin i gcathamh an lae!

3. AMHRÁN NA SCINE

i

I dtig an táirne nuair a bhínn ar na stárthaibh go tréan
An íota gur thárlaig is ba ghnáthach liom é;
Níor chuíníos ar Sheán gur aige fhágas mo scian
Go dtí ar maidin larnamháireach nuair a tháinig mo chiall.

ii

Eascaine dhúch is leighe an chúir air go brách,
Pé cladhaire bithúnaig d'fhúig uaim mo ráib!
Tá an chiniúint os a chionn agus túrfaig chun lâ,
Go bhfoilseoig an tÚr-Mhac é ansúd ar an dtráig.

iii

B'é dearúd an chléirig dom féin ar an gclog
Í fhágaint tar éis, idir *bhlade* agus cos.
Do chuir Rí na Gréige chúm scéala sa phost
Í leogaint chuige féin is lem shaol ná beinn bocht.

iv

Ní ghlacfainn aon chúinse, bhí súil i n-agha' an lae agam
  Go sciúrdfadh an t-éan so faoi shléitibh na mbroc,
Go dtúrfainnse cúrsa le cúnamh mo ghaoltha
  Cé gur fúigeag 'na [h]éamais me am aonar a' gol.

v

Ní raibh crann insan ríocht ná sa choíll seo ar a cáil
Ná go bhfúigfeadh sí sínte do scríob ar an mbán;
Do riaródh sí muíntir dá mbeadh mílthe os cionn cláir,
Is ní hiarann í ach *steel* ceart ó phoínte go sáil.

vi

Is cathach an cás is is náir le cur i n-úil
Mar fhúigeas mo ráib cheart ag Seán insan rúm.
Ba chuma nú stráice í don chlaíomh Spáinne bhí ag Fionn
Is gur thárlaig t'réis bháis dò gur ráini sí chúm.

vii

Fliúit agus muarchuid do cheoltha na hÉireann
Is iad uile go léir bheith ar aon tsiolla amháin,
Ba bhinne leat ar bhórd í chun a gnótha do dhéanamh
A' coscairt na méith-mhart 's a' raoba na gcnámh.

viii

Críonnacht is cloíteacht is Críost air nár fhóirig,
A chroí 'na chliabh scóltha is go ndóitear a lámh;
Go síntear a phíp siúd gan moíll leis an gcórda
Mara gcuirfi sé i dtreo mise i gcóir mo scine fháil!

Seanamhrán é seo, agus ní fheadar cé dhin é.

4. FÍNÍN Ó SCANAILL AGUS LIAM NA BUILE

Bhí amhrán déanta ag Fínín Ó Scanaill a' mola Ghleanna Fleisce. Do bhí mná ó Ghleann Fleisce a' gabháil aniar, a' teacht le mustairt a' triall ar Sheán Muar Ó Luasa. Bhí an t-amhrán nó so acu á rá a' déanamh aníos ar theora na cúntae. Bhí seana-chobhalthach anso, agus ba ghnáthach gur b'ann a thugadh Liam na Buile (Ó Suínne) seó dá shaol nuair a thagadh an néal air.[1]

Ar aon tslí, duairt bean acu: 'B'fhearra dhuinn éisteacht le heagla go mbeadh Liam na Buile sa chobhalthaig'.

Leis sin, do léim Liam amach. 'Táim go díreach', ar sisean, 'agus leogfadsa scéal nó abhaile libh!' Dhin sé freagra ar amhrán Fhínín ansan.

(a) Amhrán Fhínín:

i

Cé gur b'aosta me anois, gan léim gan rith,
Go críonna lag caite brúite,
Gan bólacht dhurtha ar feór agam
Ná ór buí am *purse* le spiúna,
Mar leigheas ar mo bhruid gur méinn liom dul
Don ghaortha chluthar chûrtha,
Is go brách ná tiocfadh éag 'nár ngoire
Lámh le Fleisc 'nár ndúthaig.

[1] Fic lch. 74 *supra*.

ii

Ar ár n-ínseachaibh suilth bíonn mínleacht go crios,
  Craínn thortha is cruinneacht chrúbach,
Craoibheacha gach duille tímpal an bhile
  Is iad líonta do thorthaibh chûrtha;
Do shíor ag beacha mil i ngîre go tiubh
  Is groí-phuic dá gcluiche chútha,
Is ní baol riamh an sioc sa ghaortha úd nár thit
  Spéirthneach ná sparainn smúit-fhliuch.

iii

Mín-tortha is gile is áille fín gcruinne,
  Níos mísle ná mil is siúicre,
'S go brách ná tiocfadh tuile le dásacht ó chnocaibh
  A líonfadh a puirt le túnaibh,
Ach bradáin agus bric ón sáile go dtig
  Is báid fúthu san a' brúchtaig,
Is an t-ím ní ghabhann soir mar leigheas ar a mbruid
  Ó éinne acu dá bhfuil sa dúthaig.

iv

Ar an dtaoibh eile dhe sin, ón gCí go Bun Tuirc,
  Is aoibhinn bheith gach maidean dhrúchta,
Is ceolmhar é an lon, an smólach 's an druid
  Gach am ann i rachtaibh súchais;
Ramhar-mhairt is muilth agus saíll do chúl muc
  Is féile 'na mbun gan diúltha;
Sa Ghleann so níl duirc ná ramhar-chaile dhubh,
  Ach caol-fhir is bruinnil chúmtha.

(b) Seo mar a labhair Liam na Buile leis na mnáibh ansan:

i

Díth ar an bhfear ba mhíllthe chun ban
  Do mhaímh as a bhailthibh dúchais,
Is ar an muíntir do shlad na tíortha eile ar fad
  A' síor-ghoid na mart thar triúchaibh!
Na mílthe acu tachtamh thíos ar an bhfatha
  Go fínnitheach ceart don dúthaig;
Pé suím díobh a mhaireann táid díbeartha ó theagasc—
  Coínle orthu isna ceallaibh múchta!

ii

I nGleann so na Fleasca níl geamhar acu ag eascar
  Ach deamhain-chnuic is barra túrtach,
Gach bramhara dá neartmhaire i dteannta bheith daingean
  Agus feall ins gach calcaid phlúide;
Na ramhar-mhairt nuair a ghadaid gach am acu dá dtreascairt
  Agus dabhach insa talamh fúthu,
Ceann air is scrathacha go sleamhnaithe slachtmhar
  I n-amhras n-ar bh'anamh siúnta fháil.

iii

Sa ghleann so, mar mheasaim, is ramhar dubh gach caile,
  A ndeabhramh, a ndreach 's a n-úrla;
Samha is 'liosc ar fallaing, beann gearrann gairid
  Agus beann eile is fada lúbas.
Is amhlaig dá bhfearaibh: go hannrachtach ainnis,
  Agus seannliobair bhreaca fúthu
Is gach ball abhfad ó bhaile gur b'ann a bhíonn a dtaisteal,
  Agus scannra insna bailthibh rúmpa!

iv

An t-ím uathu a' taisteal síos insan chathair
  Chun cíosanna is *tax* do mhúcha,
Tríd cuirthar trathar: tíonn cuipe ar tarrac
  Do bhríncilig smeartha bhrúite!
Ar a dhruím cuirthar *auction* daoirse go talamh
  Agus scaoiltear don Daingean stiúrtha é—
Is díreach go mb'fhearra dhíbh a chur a n-earra
  Go dílis is go dearg chútha.

v

Is breá deas gach ainnir, is mánla 's is cneasta
  I n-áitreabh so Bhaile Mhúirne,
Tá grásta acu ón Athair, mánlacht 'na n-atha,
  Náire agus taise mhúinte;
Scáil ghlan 'na leacain do ghnáth ag iomaig dearg
  Is gnás acu ar fhaisean Lúndain,
Bróga sál-bhata go hárd is go greanta
  Agus cáimric 'na gcaidhp go ciúrach.

5. AN LEASTAR BEAG

i

Do ghléasas an láir dhonn is 'na drom do bhí mo shathach beag
  A' triall ar an gcathair ar maidin go moch,
A d'iarraig cúnamh cíosa nú a' díol na dteaicsanna,
  Nú a' túirt na bróige abhaile liom a chuirfinn ar mo chois.
Ansúd do bhí an t-árthach lán do smeara agam,
Fuaras uaig náire go brách an fhaid a mhairfi mé,
Ní cheadóinn ar mo cháirde bheith láithreach a thairricthe
  Mar is ann do bhí na dathanna a bhí go holc.

ii

Tháinig chúm an téastar is a thráthar ar a bhaclainn,
  Pholl sé mo leastar beag go doimhinn agus go docht,
Thóg sé suas é agus fuair dro-bhalaith' air,
  Duairt sé gur b'anacrach é agus gur b'olc.
Thugas-sa féachaint do thaobh mo leacan air:
' Aililiú, a théastair—ní hé go gcreachfair me ?
Má ghearrann tú dro-phraghas air, nár fhaighe tú a thairife !
  Caillfeadsa an t-anam mara dté sé *First!* '

iii

Ní raibh an feircín scóltha ná fiú uisce reatha aige:
  Cúis fé ndeara dho bheith go holc,
Is isí an bhean óg ba mhó chuir ar salann é:
  D'fhág sí an cheanann ann do dhin é lot.
Ní raibh bean a' tí le mí sa bhaile agam
Is bhí an tseanabhean chríonna 'na luí le dathacha,
Chuireamair dúil i mblúire do bhlaise dhe—
  D'ím na ceanainne, ó bhí sé bog.

iv

Dá mbeadh fhios agaibh go léir an saol atá ag baile againn
  Ní cháinfeadh sibh, gan dearamad, mo bhean gan locht:
Gleanntán slé' go mbíonn fraoch agus aiteann ann,
  Níl aon phiuc gan bearra dhe aníos ón gcloich.
Nuair a chrúití an braon ón Maol is ón gCeanainn ann
  D'fhágtí sa channa é go dtagadh air bloc,
Is isí an tseana-léid a bhí a' pléasca ar thóin meadaraig
  Chun gur dhin sí smeara dhe is dá n-abrainn blot !

6. DIARMAID 'AC SÉAMUIS AGUS SEÁN A' REÓTHA

Do mhuíntir Ríordáin a b'ea Seán a' Reótha. Ar Cúil Ao a bhí sé. Dhin sé véarsa uair éigint agus chuir sé an véarsa a' triall ar Dhiarmaid 'ac Séamuis, siar go dtí Cuimín a' Bhruic i nGleann Fleisce. Do mhuíntir Chéileachair a b'ea Diarmaid. Saor cloiche a b'ea é, agus do bhí filíocht aige. Dhin sé amhrán muar fada do Sheán a' Reótha.

(a) B'sheo mar aduairt Seán:

A fharaire shaor-ghlain mhic Séamuis ón dtaoibh seo
Tá ar talamh a' mhéith-bhruic le tréimhse ad thíosach,
Ainnir gan éadach a léigim ad choínleacht
Ar maidin roim ghréin duit nú taobh leat san oíche.
  Tabhair dom cruinneas, ná coinnibh me i ngó,
  Aithris sara dtiocfaig a thuille don fhôr:
  Nú a' gcaithfig ár muirear-na fulag fí bhrón
Go ceasnaithe céasta fí dhaorsmacht i ndaoirse
Ag graithin an Bhéarla do raobas an Aoine ?

(b) Níl agamsa ach cuid don amhrán a cheap Diarmaid dò. Duairt sé an méid seo ar aon tslí:

i

Ar maidin iné is me a' déanamh mo smaointe
Cois abhann na gClaedeach is Phoébus go soílseach
'Sea d'amharcas réiltheann a' téargaint am thímpal
Go maiseamhail maorga gan claochló 'na gnaoi glain.
  Ba ghreanamhar sulthmhar a hinechruth sóil
  Geanamhail duineanta suite 'na cló.
  Taithneamh do thugas don bhruinnil dheis óig
A bhí go maiseamhail murainneach miochair mol-ómrach,
Go leanabach luisnitheach milis tais-bheolach.

ii

Bhí a carnfholt craobhach 'na slaodaibh a' tíocht léi
'Na mbeartaibh, 'na dtéadaibh, go caol-troig a' síne,
Go bachallach péarlach, go néamhrach, go soílseach,
Go camarsach dréimreach, go néata, go cíortha;

'Na neadaibh, 'na dtulcaibh, a dluithe gan cheo
Go daite tiubh mutharga a' titim 'na deoig
Gan feaca, gan fille, gan brise, gan leon,
Go taithneamhach fionna-chas i bhfuirm an óir ghlain,
Nú an lomara thug cura 'na luingeas thar bóchna.

iii

Ar a hatha gan éislinn bhí caol-mhala sínte
Mar a tharraingeodh cléireach go héadrom scríob pion,
An dá ramhar-rosc mhaorga nár chlaochlaig 'na gnaoi glain
Ach ar maidin roim ghréin mar a bheadh braonacha ar mínleach.
Bhí tagarthacht cruinnis 'na friotalaibh beoil
Ōn dteangain ba bhinne dár tugag dá sórd;
A bráid mar bheadh cuipe t'réis luingeas ar seol;
A mama deas cruinnithe, cuirice, gleoite,
Ar a seanga-chorp criostalach, triopallach, córach.

iv

D'fhiosaras féin di i nGaeilge go bríomhar
A hainm gan taoda dá mb'é a toil dom ínsint:
' An tu Pallas nú Vénus nú an bhé eile bhí acu
'S an t-abhall gur phléadar ar shléitibh an rí chirt;
Nú an tu an eala-bhean tugamh thar tonnaibh ar bórd
D'fhúig cathair trí thine 'na luisnithibh smól,
Nú an ainnir dheas mhilis do chuir muileann ar seol,
Nú an leatsa do milleamh Clann Uisnig nár bh'fhólta iad
Ō Alabain tugamh go hUla chun côraic ?

v

' Nú an tu an ainnir do thréig Dailc, an laoch lena maítear
Gur treascaramh céadta don Fhéinn chirt i gcuíoscar,
Nú Ceasandrá mhaorga do néadh cleasa draíochta,
An tu Lasair na saor-ghlan, nú an é gur tu Clíona ?
Aircim is uirrim ort, a fhinne-bhean shóil,
Tabhair dom cruinneas, ná coinnibh me i ngó,
Nú an leatsa do buineag Cú Chulainn dá threo,
Nú an leat a bhí Conall ag iomaig sa chôrac,
A mhaise mhodhail mhurainneach d'fhúig anois fí cheo me ? '

vi

D'fhreagair don réir sin go béasach an ríogbhean:
' Ní pearsa don tréad so i n-aochor a mhaís me.
M'ainm díbh Éire cheart, céile na Stíobhard,
Le Gallaibh gur chlaonas gan bhaochas, cé is díth liom.
Ag graithin na ndlithe seo druideag me ón Órd
'Gá dtarcaisne is mioscais ar Mhuire na hÓ'.
Is fada dár muirear-na a' fulag fí bhrón,
Go ceasnaithe céasta fí dhaorsmacht i ndaoirse
Ag graithin an Bhéarla do raobas an Aoine.

vii

' I mbeatha na naomh ngeal, mar a léitear sa scríbhinn,
Is gairid uaim faeseamh le haon-toil Mhic Íosa,
Go mbeig clanna Miléiseas 'na saor-bhailtibh sínsir
Is graithin an Bhéarla thar Téitis dá ndíbirt,
Dá leaga, dá mille, dá mbrise is dá ndó,
Dá gcarta, dá gcluiche, is conairt 'na ndeoig,
Gan charaid, gan chumann, gan fuireann, gan treo,
Go ceasnaithe uireasach i n-inead na póite,
Go trochailthe gioballach liobarnach lópach '.

7. DÓNAL BACACH Ó LUASA AGUS DIARMAID 'AC SÉAMUIS

Dónal Bacach:

i

Araoír ar mo leabaig a' machnamh tríom néalaibh
Is me tuirseach teinn tréithlag ó thaisteal an róid,
Nuair ba chórtaise dom amhail bheith i bhfochair na mbéithe
I ti' an tabhairne a' glaoch ar mo channa is dá ól.
Do sciúrdas am sheasamh, do phreabas, do léimeas,
Me ar mearathall céille is ná feadar cá ngeóinn—
Ínsim i dtapa is creidig go léir me
Gur damanta an scéal é is go mb'fheárr leogaint dóibh.

Diarmaid 'ac Séamuis 'ac Crothúir á fhreagra:

ii

Ar an aonach má théann tusa a' lorg na béithe,
Côirle uaimse féinig glac feasta agus geóir:
Buailfi sí at choinibh is aithneó tú féin í,
Beig lasa na gcaor ina leacain trí rós.
Tóg leat don halla í, tairrig roint té dhi,
Brannda bheig daor agus fuiscí go leor,
Luig ar í mhealla, is rachadsa fé dhuit
Gur gairid go ndéarfair nách feárr leogaint dóibh!

Dónal Bacach:

iii

Is dó le lucht magaig nách miste dhóibh a dhéanamh
Nuair a chaithid a dtréimhse a' radaireacht leo,
Á bpóga is dá mealla le bladaireacht bhréagach
Is á shíor-rá ná déanfadh a malairt go deo.
Nuair a ghéilleann an ainnir le beartaibh dícéille
'Sí bhíonn go léanmhar tamall 'na dheoig,
Na bíoblaí acu á spalpa le feartaibh an Éin-Mhic—
Is tuig feasta 'on réir sin go mb'fheárr leogaint dóibh.

Diarmaid 'ac Séamuis:

iv

Cár ghoibh an bhean úd n-ar tugamh an chraobh di,
An t-úll ná fuair aon bhean dár riugamh riamh fós,
Is gur cuireag go hárd í thar mhnáibh eile an tsaeil seo
Is b'é síor-rá gach éinne gur mhola ar a sórd?
Má shiúlaís cois aibhnní agus *highlands* ar a' dtaobh so,
Dhá thaobh Cois Bríde agus Muisire an cheoig,
Eirigse abhaile—feasta taoi traochta
Is ní bhfaighe tú 'na ngaor dul má leogann tú dhóibh.

Dónal Bacach:

v

Cár ghoibh na rithe bhí againn i nÉirinn
I bhfuirm 's i n-éifeacht, is d'imig fadó?
Nú Paris a mhealladh an ainnir thar tréanmhuir
N-ar bh'ainm di Hélen—b'í an eala gan smól?

Dá druím siúd gur cailleag na flatha ba thréine,
Hector is Hæsar is Hercules cróg,
Is gur le gliocas an chapaill do cheapadar Gréagaig
Gur lasag an Trae leo, is go mb'fheárr leogaint dóibh.

Diarmaid 'ac Séamuis:

vi

Cad a dhéanfaig na sagairt gan airgead an chléirig ?
Fíonta ná féasta ní bheig acu ar bórd;
Pósa ná baiste ná scilling ó éinne
Ní bhfaighidís i n-aochor dá leogaithí dhóibh;
Is gur b'é duairt an tAthair nuair a cruthnaíog an tÉin-Mhac
Le hiomarca slaod lenar leagag na treoin:
'Síolthaíg gan pheaca is ní heagal díbh *tréason* ',—
Is tuig feasta 'on réir sin nách feárr leogaint dóibh.

Dónal Bacach:

vii

A fhir úd nár stán riamh do ghrástaibh an Éin-Mhic,
Fear mionna agus bréaga, imeartha is óil,
Bíonn tú a' mealla na mná is gan náire ort a dhéanamh
Agus athanta Dé agat á mbrise i n-agha' an ló.
Bhís-se go láidir gur sháraig an t-aos tu
Agus deirthá nár bhaol duit cion titim 'na dtreo,
Is gur i nIfreann sáite a gheóir bárr ar do thréithe
Is tuig feasta 'on réir sin go mb'fheárr leogaint dóibh.

Diarmaid 'ac Séamuis:

viii

Nár bhean mhilis mhánla máthair an Éin-Mhic
Do dhin sinn a shaora ós gach peaca riamh fós ?
Is nár bhean lena háilleacht a sháraig na Gréagaig,
D'fhúig marbh na céadta gan tapa ná treo ?
Nár bhean lena gliocas a chuir muilthe dá ndéanamh
Ar sruthannaibh géara do mheileas go leor,
Is nách bean do riug tusa is gach duine eile 'on tréad so ?—
Is ní bheimís i n-aochor ann dá leogaithí dhóibh !

8. BACCHUS 'NA RÉIM

i

An dó libh ná maireann Bacchus 'na réim
Is go gcaithfig gach n-aon dò siúd stríoca,
Is go brách ná fuil gairm air feasta insa tsaol
Ach aicme na ndéithe bheith cloíte ?
Lucht seoltha na racaireacht agus aigne réig
Agus dá eolgaisí i bpearsa thug sealad gan chéill,
Gur mhó dhuit é an aimid ná Deafon 'n' am féinig
Ach amháin dhéanaid fear tréithe don dís sin.

ii

An cníopaire thaiscig mar bheatha dho féinig
Airgead tréatúir gan chínse
Nuair a chíonn sé an faraire ón mbeathuisc' go tréith
Beannacha i n-aochor níor chuí dho;
Do mhaífeadh thar bharra gur b'amadán é
Is gur mhíllthe dá chlanna in' aimid é féin,
Bíonn sé dá stríoca is dá straca is dá mhealla ag an saol,
Is an té bheadh 'na dhéig ag ól fhíona.

iii

(*Cúpla líne i n-easnamh*)

Lucht réiteach na mbearta agus aicme na plé,
Na sméirlig leis cailleag agus na ceannaithe féin,
Ré Alexander ba chalma i gcéill
Is an saolthacht thar bharra gur smachtaig dò féin
Gur traochag é ar maidin le Persia go léir
Agus é ar meisce tréithlag tar oíche.

Fear a bhí tugtha chun óil. Uair éigin dá raibh sé ar meisce do cuireag iachaint air dearbhú i gcoinibh an óil. Nuair a tháinig a chiall dò ar maidin amáireach bhí ana-chathú air 'dtaobh an dearbhú a bhí déanta aige. Ní raibh fágtha aige ach aon deoch amháin. B'shidé an uair a dhin sé an t-amhrán, ach is trua ná fuil ar mo chumas é seo go léir a bheith agam fé mar airíos é.

9. LEOGAIM SLÁN LE CEAPA DÁN

i

Leogaim slán le ceapa dán
Anois go brách go n-éagfad,
Mar is minic d'fhágadar me i dtig an táirne
Am amadán gan éifeacht.
Larnamháireach nuair a bhínn tnáite
Is ná féatainn nád do dhéanamh,
' Mo cheasnaí ghátar, nár fhóir' an tÁrd-Mhac ort! '—
B'é siúd rá mo chéile.

ii

' Fóill! a chaoin-bhean: ná túir dro-ghuí dhom
Is me i ngalar íota traochta;
Is fada arís chun go n-ólfad puínn
Don fhuisce mhíll agus do chéas me,
Mar is leannán sí é atá riamh am choínleacht
Is do chuir san oíche ar strae me,
Nár leog dom cuíneamh ar mhnaoi ná ar chluínn dom
Ná ar uireasaíbh an tsaeil seo '.

iii

' Nách maith a chuíníonn fear an chíosa
Ar theacht don tír at éileamh,
Is do chara dhíograis, an leannán sí seo,
Riamh nár scaoil ár ngéibhinn!
Dá mbeadh an bhuín seo tá óg i gcríonnacht,
I mbearta brí ná i n-éifeacht,
Do phas bheadh scríofa, do chathfá stríoca,
Is go brách ní shínfinn taobh leat! '

iv

' Má 'sí sin t'íntinn, déin gan moíll é
An fhaid a bhead i gcrích ná i n-éascacht,
Anois arís sara dtéad i n-aois,
Go dtuíllfead lua' na dí is an éadaig;
Mar is geárr sa tslí uaim atá stáidbhean mhíonla
Thug searc a croí 's a cléibh dom,
Ba shásta shuífeadh i dti' an táirne síos
Is ba thúisce a' díol ná a' glaoch í! '

v

' A réic na hÉireann, ná can an t-éitheach!
 Níl bean sa tsaol a chualaig
Luíod do thréithe agus olcas do mhéinne
 A shínfeadh a taobh deas suas leat.
Mara mbeadh sí baoch díot ní raghadh chun strae leat,
 Ní thúrfadh raol ná [a] luach duit,—
An rud ba mhéinn léi d'fháil: a bréaga,
 Do gheódh san féinig uaitse! '

vi

' Ba gheal an lá liom dá mbeadh sé 'cátha
 Sneachta ar bhárr na gcraobh nglas
Is tu theacht láithreach is a thúirt fét láimh dom
 Ná tiocfá go brách am éileamh. . . .'

(*Leathvéarsa in easnamh*)

vii

' Ba mhuar gur bh'fheárr liom mo chruach, mo stáca
 'Gus mo chuigean ghnáth do dhéanamh,
Is me bheith i n-áirithe a chuir ó ghátar
 Ná a bhfuil do dhánta ad phlaosc-sa!
Mar is tu chráig me is do loisc thar bárr me
 A' diúga cárt is a' glaoch puins—
Ná bac aon rásta acu ach fan mar atánn tú
 Agus beam gach lá mar a fhéatam '.

viii

' Déanfad do chôirle, cé gur mhuar an nócht liom
 Cailín óg agus spré léi
Lem ais sa bhóthar a' dul go hEochaill,
 A' buala ar bhórd 's a' glaoch puins;
Gan cúram seoltha bheith orm ar neoin
 Ná luasca an leoin ar mo ghéagaibh,
Cé gur leor dom furàch let shórd-sa,
 A' ceannach lóin gach lae dhuit! '

Seanamhrán é seo, agus ní fheadar cé dhin é. Mo sheanamháthair airínn a' gabháil dò.

10. CAOINE

i

Chuala gártha lá dár bhuail me,
Gár na mbruinneal ón Soininn go Ruachtaig,
Gár na maighdean mbraighid-gheal uasal,
I dtreo Chill' Átha a ngár ba thrua liom.

ii

Do smaoingeas tráth gur náir dom suaineas
Gan fios nú fáth na ngártha chualag,
Ba luath me a' taisteal do bhathasaibh rua-chnoc
Gur thárlaig bruinneal orm cois uisce go huaigneach.

iii

Dearca 'na ruide is í a' sile gan fuara,
A ciabh á statha is a glaca dá mbuala;
Fiafraím di, is í a' crith le huamhan:
' Nú cadé an tásc a chráig tu, a stuaire ? '

iv

' Ní cheilfead ort fios ós tu nár chualaig,
Fáth mo thocht go docht is trua liom;
Éire Bheag me atá anois ar buaireamh,
A' caoine an fhir don chine a b'uaisle '.

Is trua ná fuil agam ach an méid sin don chaoine. Fínín éigint a b'ea é seo, ach níl fhios agam cér bh'é féin.

11. AMHRÁN AN MHADARUAIG

i

Istoíche Dé Máirt is sinn a' suí chun na bprátaí
Is dóthain fir estáit againn d'annlan,
Bhíos féin is mo mhuíntir a' trácht ar scata lachan Sheáinín,
A ghéanna, a chearca bána is a ghanndail.
Mo léan-chreach ! An t-ár is an t-anngar
Ar chlaon-bheartaibh gránna na gcam-chor !
Ní raibh deire an fhocail ráite nuair a liúig amù an bhárdal,
Is ar mh'anainn-se gur árda sé ar a dhrom é !

ii

'Cadí an tsíor-leanúint bhréan atá agat am dhiaig
Agus taoinn tú gach bliain am léirscrios,
Is mó lacha bhreá riach a riugais uaim riamh
Is is minic tu a' fiach mo ghéanna.
Cuirfeadsa at dhiaig na tréanchoin
A leanfaig tu siar trí Éirinn,
Is dá liobarnaí stiall dod theangain bheig led ghiall
Beadsa a' rith at dhiaig ar séide'.

iii

'Má 'sé sin do ráiteachas ar maidin amáireach
Do dhíthal báis bíodh déanta!
Tá corra is lán mála fós agam spártha
Is is tréithlag amáireach am dhéig tu.
Níl baile ná cuan i nÉirinn
Ná go bhfuil fáilthe is fiche rôm féin ann;
Má leanann tú me, a Sheáinín, beig brise ar do shláinte,
Do bhean is do pháistí am éileamh!'

iv

Ar maidin Dé Máirt is me 'taisteal go Cíll Áirne
Chun maraga d'fháil ar roint ghamhnach,
Cé gheóinn isna hárdaibh ach *Reynard* is é tnáite,
A theanga amù is é lámh le bheith stealltha!
Do stadas ar an áit sin gur gabhag é,
Is chuir fear acu i mála ar a dhrom é;
Nuair a chuíníos ar mo bhárdal do ritheas chuige go dána
Is do stracas ar an áit sin an ceann de!

v

Ba ró-gheárr go dtáinig go honórach rábach
Mister Garde agus *Bollster*,
D'fhiafraíodar go dána cadé an dial a strac an mála—
An sionnach rua ar lár agus an ceann de!
Nuair a cheapas féinig sásamh a thabhairt ann
Bhíos ceangailthe le cnáib sarar labhras,
Is b'é *sentence* a bhí geárrtha orm: lá maragaig sciúrsála
Insa bhaile seo n-a nglaoid siad Mochromtha.

(Ní fheadair AÓL cé chúm an t-amhrán so ná cér bh'é Seáinín, ach seanamhrán isea é, go háirithe. Fuaras leagan eile dhe ó Sheán de nGeárd i mBaile Mhacóda. Ach is feárr agus is cruinne an leagan so Amhlaoibh Uí Loingsigh. SÓC.)

12. CAOINE MHUÍNTIR CHUÍLL

i

Ó! Luan dubh an áir tháinig suaineas ró-bhreá
Is d'imíodar súd uaimse leathuairín roim lá,
A' dul ag iascaireacht i mbád nú i gciantaibh dá mbá
D'fhúig iarsma na bliana am dhiaig go bhfaighead bás.

ii

Nuair a ghabhaimse anso síos agus féachaim fén dtuínn,
Nuair a chím Carraig Aonair 'sea phléascann mo chroí!
Thar n-ais liom arís go mullach mo chínn,
'S an bhean úd i n-áit úr máthar nách cás léi mar a bhím.

iii

'Sé mo chreach is mo chaoi nár leogas iad ar luíng
Nú i n-aonacht le chéile mar a dtéadh na *Wild Geese*—
Do bheadh mo shúil-se le Críost is lena gcúnamh arís
Go mbeadh mo cheathrar modhail múinte 'na lúb-fhearaibh groí.

iv

Is tá duine dom chluínn ná cuirim à suím:
'Sé Donacha breá brolla-gheal, fear cosanta mo thí.
Bhíodh an fia aige ón gcoíll is an bradán ón línn,
Fiodóga dú an tslé' amù is gan bhréag an chearc fhraoig.

v

Isé Cormac mo bhuíon, an té is óige dom chluínn—
Caidhcíos ón lá san do tháini sé i dtír
Gan tapa gan bhrí, gan anam 'na chroí,
Is mo scéal dúch mar a chualag fána thuairisc arís!

vi

'Sí an Nollaig seo chúinn an Nollaig gan fún:
Mo cheathrar breá múinte fé dhroicheadaibh na dtún.
Mara bhfaighinn díobh ach triúr atá go doimhinn ins an tsrúill
Is ró-bhreá do shínfinn is do chaoinfinn iad súd.

vii

'Sé Fínín mo stór, rogha na bhfear óg,
Bhí sé modhail múinte dea-chlúmhail go leor.
Do scríodh sé thar meon le búclaí a bhróg—
Gur b'iad siúntaí Charraig Aonair a chéile go deo!

Ceathrar driothár do mhuíntir Chuíll ó Dhrom an Chláraig (i gCíll Gharbháin) do bág i n-áit éigint theas. Deabhraíonn an scéal go raibh leasmháthair orthu, mar tá sé sa chaoine: ' Is an bhean úd i n-áit úr máthar '.

' Muíntir Chuíll, na caoin-fhir mhaorga
Ó Dhrom a' Chláraig, a bág sa daorlinn '—

D'airínn an méid sin, leis, ach ní fheadar cé duairt é.

13. AN GRÉASAÍ AGUS AN FEIRMEOIR

Gréasaí agus feirmeoir a b'ea iad so gur eirig áiteamh eatarthu féachaint ceocu acu ba rogha do mhnaoi.

An Gréasaí

Páirt dom chéird-se, nuair a théim ar aonach
Bíonn fáilthe is céad isna bóithribh rôm,
Pláta gléigeal is prás mar éarnaist
Istig ar an aonach a bhíonn am dhóid.
Is geárr 'na dhéig sin go mbím go haerach
Ar hallaíbh aoltha is mé ag ól—
Do b'fheárr an méid sin is do b'áil chun réitig
Ná prátaí ath-téite is gan éinní leo!

An Feirmeoir

Páirt dom chéird-se bráca is céachta,
Earra gléasta chun fuirse is rôr,
Cruinneacht chraobhach is eorna chraereac
A néann gan aon locht liún is beoir.
Roim bochtaibh Dé bhíonn gan lón ná saothar
Níor scar an fhéile lem thig riamh fós—
B'fheárr an méid sin is do b'áil chun réitig
Ná dearbhú éithig le leadhba bróg!

14. A CHARA MO CHLÉIBH

i

A chara mo chléibh gan chéim, gan chealg, gur ghéilleas taithneamh buan
Dod labhartha béil 's dod bhréithre meala, dod scéimh 's dod chantainn shuairc,
Is fada me ag éisteacht go déarach duairc,
Ag amharc na ré is na réiltheann thuas,
A' faire gach féile ar chraosaibh cuan 's a' tnúth le trúpaibh treon.

ii

Ar maidin iné is me i ngaorthaí gleanna ag éisteacht aitis shuairc,
Cantainn na n-éan ar ghéagaibh glasa is géim na mara am chluais,
Do leagag me faon gan léim gan luail
I gcreathaibh go tréith 's i dtaomaibh suain
Nuair dhearcas an bhé do b'aeraí snua, go raibh lúrtha a fuilt mar ór.

iii

'Na haice le héad do théinn go tapaig ag éileamh catha luath
Riug barra ar gach baothacht saeil dár chathas, gur ghéilleas searc di 'o ruaid.
'Sí labhair: 'Mo léan! Is mé-se an trua!
Mo pheannaid, mo phéin, mo bhaol, mo bhuairt,
Gan charadas cléibh na ngaol ba dhual ó dhiúlthaig dlithe Phóil'.

iv

'Beig lanna 'gus laoch 's na céadta flath le chéile i gcaismirt
chruaig
A' tarrac a chéile ag éileamh gradaim, is tar éis beig *taxes* cruaig;
Is gairid 'na dhéig go dtraochfar uaill,
Beig Carolus Réx faoi réim go suairc,
Albanaig saor is Gaeil gan bhuairt, is búir a' sile dheor'.

15. AN BÚRCACH BUÍ ÓN GCÉIM

i

A Bhúrcaig Bhuí ón gCéim
Mar a dtéadh an fia chun strae,
Fíll thar n-ais is beir leat bean
A dhéanfaig beart dod réir.
Ná fág at dhiaig an bhé
Mar gheall ar bheith gan spré,
Is dá dtíodh an chleaing san bhruín let ais
Gur leat a bhuaifí an *sway*.

ii

Mara mbeadh crosa an tsaeil
Agus bás a hathar féin,
Go mbeadh muarchuid stuic ar feor aici
I gcluanta míne ré;
Marcaíocht shocair shéimh
Is cluith don tsíoda dhaor,
Leabaig chlúimh fína cúm
Is cruitín dúnta léi.

iii

A Bhúrcaig úd aduaig
Ó chiúis an Locha Lua,
Beirim léan ort má thréigeann tú
Spéirbhean na gcuach!
Céile shocair shuairc
Do bhé a bheig gan ghruaim,
Do riug an *sway* léi don réir sin
Ón dtaobh theas go thuaig.

iv

Ar maidin Domhnaig Dé
Is me 'gabháil amach roim ghréin
  'Sea dhearcas chúm an ainnir úd
Do b'áille gnúis is scéimh;
Bhí lasaraí na gcaor
'Na leacain úr bhuig réig,
  Ba phras a siúl ar bhárr an drúcht
Is í a' mealla an Bhúrcaig léi.

v

Ar na Lisíní úd thíos
I dtig do bhráthar gaoil,
  Is ann atá an óigbhean chúmtha chórach
Is deise ó Bhramhar go Laoi;
Tá scáil an rós 'na gnaoi
Is scáil an tsneachtaig tríd,
  A dá shúil ghlasa mar dhrúcht na mainne
Is a píp mar eala ar línn.

vi

Níl bean bhocht a ghabhann an tslí
Ná baintreach pháistí
  Ná go bhfaigheann sí déirc i gcúntas Dé
Is an tarna déirc don ím,
Barlín glan don líon
Is cneas don olainn dhuínn,
  Is raghaig a hanam súd i láthair Dé
Má táid na bréithre fíor.

Máire Ní Laeire—Máire Bhuí—do dhin an t-amhrán san dá mac nuair a bhí sé chun pósta.

16. BÁB NA GCRAOBH

i

A óigfhir, glac côirle agus teagasc
  Agus feasta bí ûl don chléir,
Diúlthaig don drúis is don pheaca
  Is bheith a' mealla gach cúileann shéimh;

Abair an Ch'róinn Mhuire ghlórmhar is a' tsailm
'S an phaidir ar íntinn Dé
Tu sheola faoi ghlóire na bhFlathas
Ar maidin le fáinne an lae.

ii

A Íosa, tóg díomsa an scamall
Is an peaca do sháraig mé,
Is scaoil mo chroí 'tá 'na charraig
Is mo dhearca nár thál riamh braon.
Craobhscaoilfead mo ghnîortha go farsiog
Don Mhac d'fhuilig páis 'nár dtaobh,
Is choíche ná smaoinig me dhamaint
I dtaobh tamall le báb na gcraobh.

iii

Smaoinig at chroí istig, a pheacaig,
Conas mar chaithis do lá is do shaol.
Féach mar a chaithfimíd taisteal
Chun seasamh ar lár a' tSlé'.
Beig do thréithe ar chlár t'éadain le spreaga
Ag an Mac d'fhuilig páis 'nár dtaobh,
Is is dó liom gur ró-lag an charaid duit
Athantas bháb na gcraobh.

Seanamhrán éigint. Ní cuín liom a thuille dhe, ná ṇí fheadar cé dhin é.

17. MAIDEAN SHAMHRAIG ROIM EIRÍ GRÉINE

i

Maidean shamhraig roim eirí gréine
Is me 'siúl liom féinig cois taoibh an róid,
Bhí an drúcht a' scaipe ar na bántaibh gléigeal'
Is na héin a' pléireacht 's a' seinm cheoil.
Ba gheárr a thaistealas nuair a dhearcas spéirbhean
A' teacht fím dhéin trísna gleannta ceoig,
Go ndeaghas as mh'aithne le heaspa céille
Is nuair a shuig sí taobh liom gur scaip mo bhrón.

ii

Do dhineas marneamh ar an gcúilinn mhaorga,
Mo mheabhair trí chéile do dheascaibh a cló,
Go dtáinig scamaill ar mo shúile is éiclips
Ó bheith síoraí a' féachaint ar a cúntanós.
Bhí a braoithe bána mar bhárr na gcraobh ngeal
Ó bhun go bárr léi a' tíocht i gcóir,
Is a gruaig ar aon-dath mar a bheadh áirní ar chraochaibh
Is 'na gnaoi gan aon locht bhí scáil an rós.

iii

Bíonn an smólach bhínn ann 's an lon dubh taobh léi
Gach maidean ghréine is go moch ar neoin,
Aghaig gach siolla acu a' scrúdú dá chéile
Féachaint cadí an tír as n-ar scéig chúinn an spéirbhean óg,
A háit 's a hinead 's a baile dúchais
Mar a mbíonn úlla cûrtha a' fás, ar nóin,
Nú insa bhall go nglaoid Baile an Ríochta
Mar a mbíd éin i gcoíllthe a' seinm cheoil.

Seanamhrán éigint isea é sin. Ní fheadar cé dhin é. Níl sé go léir agam.

18. BEANNACHT AN SCOLÁIRTHE

i

Ón nGaillimh a thánag a' breith árd-teagasc léinn liom
Go Ciarraí chaoin pháirteach ró-ghrámhar le chéile,
Gur seolag chun fáin me is gan mh'ábhar ar éinne
Gur chailleas an tsláinte is gan fáil ar mo ghaoltha.
Do stiúraig Mac Dé me sa taobh eile don tír,
Go dtí flatha na féile, sliocht Éibhir gan tíol,
A' fáil bíg is éadaig le tréimhse gan mhaíomh,
Gur thógadar trua dhom insa chruatan do bhíos,
Is mara mbeadh an ríogbhean mhodhail uasal san uaig
do bhíos sínte.

ii

Beannacht an Scoláirthe 'tá ar fán ar fuaid Éireann,
An tsagairt is an Phápa is na mná luíodh gan chéile.
  Gach ar chodail at gheal-chúm ní dhearúdaim iad,
  Jerry gan mhearú, an fear flathúil d'fhear riar (?)
  A tháinig thar lear chúinn len' fhaid-chû 'na dhiaig,
Nú an tréan-fhear Ō Fáilbhe thug Mac Cártha saor leis
Ō bhórdaibh an árthaig is é ar láimh ag Turgéiseas.

iii

Do b'fhún liom a ghaoltha go léir a chur síos díbh,
Bhíodar trúpmhar is tréanmhar, go féastach, go fíonmhar;
Fí bhratacha gléigeala daorghlana bhídís.

. . . .

  Gach polla dá aoirde acu chun catha ar a nâid:
  Iarla Chíll Choinne agus Iarla Leicineáin,
  Ō Donachú an Ghleanna bhuaig catha ar a nâid,
Ō Súilleabháin Bhéarra Mholaig Bhéimis na nDónal,
Na nGearalthach tréana is na ngaoltha bhí leo aici.

Scoláirthe Bocht a b'ea é seo a tháinig go Ciarraí ón nGaillimh. Dhin sé an t-amhrán, ach sin a bhfuil agamsa dhe. Seanamhrán isea é. Ní thuigim an ' Mholaig Bhéimis ' i n-aochor.

19. SA GHAORTHA THIT AN OÍCHE ORAINN

Sa ghaortha thit an oíche orainn: b'shin seanamhrán a bhíodh acu fadó. D'airíos é. Tá a thosach agam, agus sin a bhfuil.

i

Is buachaill aerach éadrom mise,
  Séanmhar, sonaí, fíor-ghasta,
Cé táim liom féin le tréimhse i dtig
  Gan céile ar bith a luífeadh liom.

ii

B'fhearra dhuit mé mar chéile agat
Ná réice fir a bheadh bruíonach leat,
D'fhágfadh 'na dhéig tu féin ansan
Is céadta cic mar dhíol duit un!

iii

Tá flúirse éisc dá nglaoid siad bric
A' léimrig ar bhárr línneacha
Is i gcaisíbh géara fíor-dhoimhnne,
Dá mb'éigin dom gabháil tríothu am chuis.

iv

Do nochtas féin díom síos ón gcrios
Chun mo chuid éadaig a bhreith trim um thímpal liom;
'Sé duairt an bhé dá bréithribh suilth:
'Féach an réice buile gan tuínte uime!'

Sa ghaortha thit, sa ghaortha thit,
Sa ghaortha thit an oíche orainn,
Sa ghaortha thit 's an ghaoth anoir,
Sa ghaortha thit an oíche orainn.—

I ndeire gach véarsa bhíodh san acu.

20. TÁ MO SCÓRNACH SÍORAÍ TACHTAITHE

i

Tá mo scórnach síoraí tachtaithe le seana-thart do ghnáth[ach],
Is dá n-ólainn líonta an baraille mo thart i gceart ní thráfadh;
Coróinn na dí níor bh'anamh liom á thabhairt ar na cártaibh,
Is ceol mo chroí an té leanfadh me is d'fhanfadh go dtí amáireach.

ii

Ólaim suím sa tabhairne i gcuideachtain na sárfhear,
Do b'eol dom díol a thabhairt un gan acharann ná áiteamh;
Scór nuair a bhíodh á thabhairt dom ba neafuis liom a dtáinig,
Is próiseas líonta 'á dheascaibh sin is airgead don bháille.

iii

Fóill, nuair a thínn abhaile, do b'fheargach í mh'fháilthe,
An t-óg 's an críon i n-earraid liom is do b'aimideach í a máthair:
' Is dócha ', ar sí, ' gur chreachais sinn is go gcathfam scaipe ón
áras! '—
Ach ó phósas í, go gcastar liom gach ana-bheart dár dheárnas!

iv

' Fóill! Ná bí-se i n-earraid liom: taoi ar mearathall, a stáid-bhean;
Ba mhó mo chroí ná 'r geallag dom, 's is fearra me ná do ráite;
Tá cóbaig sínte feasta go trochailthe fín mála—
Is gur órdaig naoimh a chathamh an bheart mar a thíodh 'na
ghátar! '

Ní fheadar cé dhin é seo: seanamhrán éigint isea é. Sin a bhfuil agamsa dhe.

21. AN TSEANN-BHEAN BHOCHT

i

Maidean aoibhinn shamhraig ar ínse cois na Banndan
Chuala an chuach a leabhaireacht fí fhabhraíbh na dtor,
Do ghearán sí liom gan amhras gur b'í do fuair an scannra
Ó sheanabheainín mhanntach ó Cheanntar na gCloch.
Bhí píopa aice 'na dranndal is í a' sclamhaireacht le holc,
A' raoba fallaí an teampaill is í a' damhas as a corp,
A' maíomh gur dhin sí canntaireacht ar chúl a cínn sa bhanntracht
D'fhág Liútar cuíthach fallsa is an dream san fí scot.

ii

Cad a b'áil linn don dá theampall nú a' rabhdar insa tseannracht,
Nú ar órdaig Críost 'na labharthaibh don dream san na gcros?
Nú an fíor gur scríbhinn fhallsa thug Maois don phobal Eabhartha
Nuair a fhág an tÁrd-Rí *power* aige le scannra insa chloich?
Ní raibh ann ach spiairí fallsa an chlampair is an olc,
An t-*Antichrist* gan amhras ar dhream so na gcros;
Scoláirthí fíll do mheall sinn, nách trua leo cloíte fann sinn,
Thógann cíos na Samhna dhíot, a Sheann-Bhean Bhocht.

iii

Tá rínnce fada i Lúndain agus Galla-phuic á múscailt,
  Ministrí a' búirthig is ní dúch liom a dtoisc;
Tiarnaí tíortha a' giúnlaig is scaipe ar aicme Liútair. . . .

(*Níl a thuille don véarsa san agam.*)

iv

Bheirim bárr an damhais díbh, a shíofraí na Leamhna,
  Nár bheirig oraibh anngar ná scannra do bheig docht,
Ná choíche ar dhá thaobh Banndan do dhin an gníomh gan amhras,
  Do mhínig siorraig Gallda na dteann-leathan-gcorp!
  Bailíg suas úr gcamthaí is úr mbanntracht gan locht,
  Leagaíg anuas a dteampaill is a mbannracha cloch!
Ólaig fíon is brannda, is ithig féin úr ramhar-mhairt,
  Is scaoilig chútha a' canntaireacht an tSeann-Bhean Bhocht!

v

Tá súitín fada cíorubh ar shagairt Chlanna Caoilthe,
  Sagart Bhaile an Fhíona is a chroí istig 'na roth;
Sagairt Mhalla á ínsint gur dhearbhaig ar an mBíobla
  Don *Ghovarmint* bheith dílis d'fhún fíon d'fháil ar a dtoil!

. . . .

Ní fhéatainn cuíneamh ar a theille dhe. D'airínn ages na sean-daoinibh é. Ní fheadar cé dhin é.

22. EALA AN CHARAINN CHÍORUIBH

Bhí *Eala an Charainn Chíoruibh* ages na sean-daoinibh. Níl aon phiuc de agamsa, ach go n-airínn rud éigint mar gheall air:

'Mise Eala an Charainn Dhuibh atá le seal óm mhuíntir'.

Ní fheadar cé dhin é.

23. CAILLEACH MHUAR CHRÓN NA GAIBHLE

Deirthar gur b'é Diarmaid na Bolagaí a dhin é seo. Thagadh seanabhean anso fadó: ' Síle na hOlla ' a thugaidís uirthi. Deireadh sí go raibh aithne aici ar ' Chailleach na Gaibhle '. I n-aice Bheanntraí athá an bhall san. Níl ach smut anso is ansúd de agamsa. Níl a thosach agam i n-aochor. Bhí sé ages na sean-daoine.

i

Ar an nGaibhl atá an deighbhean, mar mheasaim,
An gaidhripeach caile gan daonnacht;
Dar go deimhin díbh, dá dteigheadh sí isna Flaithis
Do dheighilfeadh na haingil ó chéile!

ii

Mo chruatan! An fuacht is an sneachta,
Is me am ruagairt do bharra na bhfailltheach;
Gluaisíg is cuardaíg an chailleach:
Beirig uirthi is stracfad an leadhb di!

iii

An ghráin mhíolach go dtíg ar an gcaillig
D'íosfaig í i ganfhios dá gaolthaibh!
Scríobfadh sí an croí 'ges na cearca
A' cuíoscar le lagaibh na déarca!

iv

Tá buínse míllthe ar a' gcaillig
Is a híochtar ní ghlanann i n-aochor,
Do mhíllfeadh sí muíntir seacht bhfearann
Insa phoínte go gcasfadh an ghaoth air!

24. TADHG DUBH NA CLUAISE AGUS DIARMAID NA BOLAGAÍ

D'airínn an rud san ages na sean-daoine. Níor thugas liom ach cuid de, agus bhí sé go maith:

A Phádraig na Claise, do b'fhada is do b'árd do léim
A' teacht ar a' mbaile seo a' faire i ndia' Cháit Ní Shé;
Scríofad chun t'athar an maide do thúirt dod thaobh
'Dtaobh éinne beo 'ot fhearaibh a cheangal le muíntir Shé.

B'shiné Tadhg Dubh, is dócha. Diarmaid ansan. Ach ní fheadar cad duairt Diarmaid leis. Ach deir Tadhg arís ar ball:

B'eol dôsa Pádraig, an beárrthachán buí leath-chaoch
Bhí theas i mbéal beárnan, is níor ghnáthach leis puínn
don scléip
Ach soithí na ngárlach i mála air aniar sa chaol,
Is ní theichfinn faid ghráinne ó aon táthaire do mhuíntir Shé!

Diarmaid

Conas a fuarais it aigne labhairt i gcóir ná i gceart
Ar ghaol an mharcaig do phreabadh go seoltha ar each,
Do théadh le bárr gaisce thar fhallaí na bóchna isteach
Is do thugadh an bhratainn ó Chathair Tún Tóime amach?

Tadhg Dubh

Do fuaras am aigne labhairt i gcôrá maith
Ar ghaol an bhacaig do bhramadh go hárd fén sac:
Mar is duine dot fhearaibh do bhradaig ón dtuínn an chreach
Is d'fhág an bhrúch a' screadaig ar maidin gan tuínte 'á brat!

Bhíodh tagairt ansan ag Tadhg don bhrúch agus í a' leanúint an bhruit; agus do sciub sí siar ósna heasnaíocha don chapall, le claíomh, ar línn teacht i dtír dò.

Diarmaid

Tá's ag mnáibh Éireann go ndéanfainnse gníomh ar stiúir
Gan éinne beo taobh liom sa tréanmhuir ach Rí na nDúl,
Tímpal Chínn Chléire is do scléipfinn liom Baoi na lúng,
Is gura b'shiúd rud ná déanfadh aon bhaothrachán díbh
ná brúid!

Tadhg Dubh

Fuaras do thuairisc ar uairibh chun Faoide anún
Ad bhacach throm-ualaig a' fuadach gach ní chun siúil,
Dathach ad ghualainn is muarchuid di síos at ghlúin,
Chun Tadhg geal na Cluaise chuir suas leat, a bhíoma an
tsúig!

Ach do ghéill Tadhg dò sa deire, agus bhíodh so ann:

‘ A Dhiarmaid, tuigim dá gcuirinnse fál go haer . . .’—

go nglanfadh Diarmaid an fál! Agus ’sé an chuma gur scar Tadhg leis:

‘ Bíodh Éire agatsa agus agamsa dhá dtrian a’ tsaeil! ’

25. AN DRÚNCAEIR

i

Is fada ar fán me gan bhean gan pháiste ó thugas grá don liún so,
Is ba mhinic sáite me i dtig a’ táirne a’ glaoch na gcárt ’s dá ndiúga;
T’réis é fhágaint ’sea bhínn go tnáite, go lag, i ngá dochtúra,
Am spreidhill cois pálach, mo chruibh anáirde, ’s gan bean a’ táirne am chúram.

ii

Do smaoiníos tráth, cé gur lag le rá dhom, gur mhuar thar bárr mo dhúil ion
Is go stadfainn spás de mar mhaith dom shláinte, ’s go ndéanfainn áird is tiúscal,
Mar ’sé chuir na táinte go fada fánach, is do lagaig sparáin na dútha
Nuair a leagag cáin ar gach piúnt is cárt de ag cam-shliocht ghránna Liútair.

iii

T’réis na cánach ní rabhdar sásta go dtagadh lá na cúirte:
Mo ch’róinn fíneála bhíodh orm geárrtha nú dul chúig lá i bpríosún dóibh;
Nuair a luadh an *sergeant* lem chúis ‘ *disorder* ’ do dintí páintheach púint de,
’S a Dhia mhuair láidir, nách muar an chráiteacht a bhfuil dár mbárr ag Lúndain!

iv

An dream réamh-ráite seo leag an cháin air beid fós go tláth-lag, brúite—
Ruag is ár orthu à hInis Fáil, ’s gura lag é a gcáil ’s a gcúram;
Go bhficead lá iad ar bheagán fálthais, gan acu len’ fháil mar dhúthracht
Ach leite is práta, is iad lag fí’n mála: gorta is gátar chútha!

26. AN SEANDUINE

i

Côirle do fuaras-sa thíos ar a' mbóthar
Ón rógaire sagairt, an seanduine a phósa;
Ba chuma leis é ach go méadóinn a phóca,
Ach táimse dá dheascaibh go hatuirseach, brónach.
  Ó mhuise, a sheanduine, leatsa ní gheódsa,
  Ó mhuise, a sheanduine, nár bheir' an fôr ort!
  Ó mhuise, a sheanduine, leatsa ní gheódsa,
  'S do b'oiriúnaí dhuit sagart ar maidin ná óigbhean.

ii

Triúr a bhí agamsa am cheangal le hiarlis:
Mo mháthair is m'athair 's an sagart chó dian leo.
Téid siad abhaile nuair a chaithid an féasta
'S is anamh a thagaid am theagasc ná am fhéachaint.

iii

Dá mbeadh súd agamsa, capall is iallait,
Srian mhaith leathair is béalbhach iarainn,
Thúrfainn an faraire abhaile san iallait
Is chaithfinn mo sheanduine amach insa diach uaim!

iv

Dá mbeadh súd agamsa, muga bhainne caereach
Fiuchta beirithe i bhfochair a chéile,
Cloch ghorm 'na bharra 's é ar fiuchaig gan traocha,
Do thúrfainn don tseanduine é d'fhún me bheith réig leis!

v

Dá bhfaighinnse mo sheanduine báite i bpoll móna
Thúrfainn abhaile é 's do dhéanfainn é thórramh,
Shínfinn a chosa le cosaibh na côrann
'S do bhuailfinn amach leis na buachaillíbh óga!

27. ÓRDÚ CHUN BRÓGA DHÉANAMH

Órdú do ghréasaí chun bróga dhéanamh d'fhear a bhí chun pósta. Me féin a dhin na véarsaí:

i

Toibh do chuid leathair fé bharra do mhéire,
  Ná bíodh at dhiaig aon locht ná máchaill d'aon tsórd,
Sín é go tairricthe slachtmhar le chéile
  Ar cheapaibh ró-néata ar nár dineamh riamh bróg.
Bíodh poínte ar do mheanaithe ná stracfaig, ná raobfaig,
Do shnáth bíodh go casta fé ana-chuid céarach,
Cuir greamanna deasa có-fhaid óna chéile
  Is tairrig go tréan iad le lán-neart do dhóid.

ii

Bídís chó canta chó taithneamhach déanta
  Is dá gcaillfeadh sé a chéile, nuair a scaipfeadh a bhrón
Go snuímfeadh an Eaglais bheannaithe naofa é
  Le hath-bhruinneal mhaorga do dheascaibh na mbróg!

. . . .

Ní cuín liom an chuid eile dhe.

An chéad bhróg a dintar ar an gceap, sidí is feárr. Agus ba mhaith an rud na greamanna bheith có-fhaid óna chéile. Ní bheidís có-fhaid óna chéile ag dro-cheárdaí.

28. RAGHADSA GO CÍLL ÁIRNE

Chuaig cuid do mhuíntir Chúil Ao go Cíll Áirne roint bhlianta ó shin. Theip ceann dosna gluaisteáin, agus thug cuid acu an oíche ar an mbóthar. Dhineas féin cúpla véarsa dhóibh:

i

' Raghadsa go Cíll Áirne agus túrfa mé gluaisteán chúibh:
  Fanaig mar atánn sibh go sásta sa díg! '
Níor fhíll orainn an stráille úd gur eascaraig an lá chúinn
  Is ba chosmhail leis na Bába sinn d'fhágamh sa Choíll!

ii

Do bhí Dónal Ó Ceocháin ann is é go grifileánach,
  Ghoibh sé síos le fánaig mar a raibh tigín beag cínn tuí;
Bhí seanabhean bhog mhásach ar chathaoirín shúgáin ann
  Is do thug sí té dho i sáspan nuair a sniugamh an gabhar buí.

iii

Nuair fholamhaig sé a sháspan, ghoibh baochas leis a' másaig:
' Nár fhicir choíche gátar, is go mbeire tú dea-chrích;
Nár imí tú ar fán is nár bhristear do ghluaisteán
  Chun tu chuir ar seachrán mar atáimse óm mhnaoi! '

29. BRÍDE NÍ SCANNLÁIN

Dhineas cúpla véarsa eile mar gheall ar Bhríde Ní Scannláin. Tráth éigint a tháinig peictiúirí go Cúil Ao a dhineas na véarsaí.

i

Do casag me síos chun an *Town Hall*
Ag amharc am thímpal go ceann-árd;
  Bhí fógra breacaithe ar gach falla 'gus claí ann
Go mbeadh peictiúirí istoíche le tiospeáint.

ii

Do bhreathnaíos go cruínn ar an ngatharáil:
Bhí a gcairteanna líonta do dhrongáin;
  Isteach tríd an halla bhí sranga acu fíte
Is gach duine ar a ndíthal a' stúáil.

iii

Am aice sa díg do bhí gluaisteán
Is seanabhean chríonna ann a' fuar-ghearán;
  Duairt go raibh leata is ná mairfeadh go hoíche,
Le creathaibh agá cír do bhí díoscán.

iv

Do mheallas isteach í ar an árdán
Is d'adaíos di gríosach mhuar chadhrán;
  Nuair a neartaig an lasair, do dhearg sí a píopa
Is gan tathant do scaoil sí chúm amhrán.

v

D'eirig 'na suí chúm le muaráil
Is d'fhiafraig a' rínncfinn léi saghas *waltz;*
  Duartsa gur bh'fhada ó nár chleachtas an ní sin
Is gur dathach do chloíg me am liúngán.

vi

Cé scíordfadh aníos chúinn ach Ceocháin!
Do labhair sé go fíochmhar i nglór árd:
  D'fhiosraig a hainm is é a' bagairt na dlí uirthi—
Go gcathfadh sí díol as na cadhráin!

vii

'Is ainm dom Bríde Ní Scannláin.
Níl eagla dlí orm ón Saorstát!
  'Sé an duine seo am aice do adaig an ghríosach
Is ní mise bheig thíos leis an dtóiteán!

viii

'Ní gá dhuit an maíomh as do chadhráin—
Seana-spairt aoilig agus móin bhán!'
  'Ní físor san, a chaile, ach smiorcalach cíorubh
A cheannaíos ó Sheán Mhaidhc Í Chríodáin'.

ix

Nuair a lagaig an cuíoscar 's an glór árd,
Go cneasta mo dhís do dhin síocháin.
  Thug Bríde dho banna dá gcasadh sí choíche
Go ndéanfadh leorghníomh leis 'na díobháil.

Liúngán: rud a bheadh a' titim as a chéile, agus a' corraí chun titim.

Drongáin: 'Bhí lán a' tí do sheana-dhrongáin ann'. Chiallódh sé seana-chathaoireacha briste, corcáin bhriste: smut do nach éinní níos ainnise ná a chéile.

21. DÍNNSHEANACHAS[1]

1. Túnláin

Tá baile ar a' dtaobh thoir do Bhaile Mhic Íre ar a dtugathar *Túnláin*. D'airínn na sean-daoine á rá gur *Tún lán* é sin. Tagann an Dúglais isteach sa tSullán i dtaobh thiar don áit sin, i dtreo go mbíonn an tún lán ansan a' gabháil soir. Agus déarfainn go raibh an ceart acu, leis.

2. Lománach

Tá baile eile i gCúil Ao: *Lománach*. B'fhéidir gur *Lom-anach* é: ball fliuch isea anach—talamh muinge. Nú *Lomfhánach,* ón bhfocal *fánaig:* tá sé árd agus lom. Déarfainn gur b'shiné an ceart: *Lomfhánach.* 'Ar an Lománaig', 'an ceo a' teacht do dhruím na Lománaí'.

3. Clais na nGártha

Bhí ainm eile ar Chlais na hÍomhá,[2] mar sa tseana-shaol, nuair a ghabhadh sochraidí bóthar an Bhóna Bháin, bhí an bóthar so a' gabháil síos trí Chlais na hÍomhá fé dhéin na reilige; agus nuair a thiocfadh an tsochraid i mbarra an chnocáin, i radharc na reilige, d'árdóidís gár ghuil a' gabháil síos tríd an gclais seo. Agus *Clais na nGártha* thugaithí uirthi.

4. Faill na gCórdraíz

D'airínn an ainm *Faill na gCórdraíz,* leis. Is dó liom gur i mbarra Ghort na Tiobratan athá an áit sin. Ach ní fheadar cadé an brí athá leis an ainm Córdraíz. Ach tá Clais na hÍomhá a' dul suas go dtí an áit sin.

[1] Fic lgh. 5-7 *supra,* mar a bhfuil cur síos déanta ar ainmneacha na mbailthíocha fearainn.

[2] Fic lch. 111 *supra.*

5. Cathair na Cátha

Tá baile fearainn i nÍbh Laeire arna dtugathar *Cathair na Cátha*. Seo an chúis lenar glaog an ainm. Bhí fear éigint ann agus pé coirce síl a bhí aige curtha go daingean isteach i gcóthra aige chun go dtiocfadh am cuireadóireacht. Ach do bhíodh seó daoine bochta a' glaoch chun a' tí, agus do thugadh bean a' tí cuid don choirce dhóibh. D'fhaighidís meilthe i n-áit éigint é le bró ghairid; agus nuair a tháinig am coirce chur, ní raibh gráinne fanta sa chóthra gan bheith roinnthe aici.

Bhí fear an tí a' dul à baile, agus thug sé órdú dosna fir a bhí 'na dhiaig sa bhaile: ' Bíg a' cur choirce iniubh ', ar sisean, ' agus cuiríg a dheire, má fhéadann sibh é '.

D'ínseadar don mhnaoi cad a bheadh acu á dhéanamh, agus d'oir dóibh an coirce fháil amach as a' gcóthra. ' Níl sé ann ', ar sise: ' tá so roinnthe ar na bochtaibh agamsa. Tá dó nú trí mhálaí lócháin ar fuaid a' bhaíll ansan ar lochta éigint. Tógaíg libh amach iad agus crothaíg ar fuaid na hithrach iad. Bíg á gcur libh, agus ní fheadair sé ná gur coirce athá curtha agaibh san ithir nuair a thiocfa sé ! '

Dhineadar amhlaig, agus le leonú Dé d'fhás na guirt ann ba bhreátha agus ba thorthúla bhí riamh ag an bhfear san ! B'shidé uair inis an bhean an mhíorúil don fhear, agus cad a bhí déanta aici leis an gcoirce. As san amach, *Cathair na Cátha* a bhí mar ainm ar an mbaile.

6. Crois na Roideog

' Ní fhéatadh sibh maireachtaint gan dul go dtí Crois na Roideog ! ' adeireadh mo mháthair: seanainm ar Chrois Chúil Ao. Agus Bóthar na Roideog: an bóthar san thíos ag an gCrois. Ní fheadar cuidé an brí thá leis an bhfocal san.

7. Carraigín na Cille

An seana-theampall sa reilig (i mBaile Mhúirne): teampall Gobnatan, fotharach isea í. Bhí *Cíll*, leis, mar ainm uirthi: *Carraigín na Cille*.

8. Cops

D'aireofá an focal *Cops* mar ainm áite. Tá ball don ainm sin i mBéalaithe'n Ghaorthaig: áit go mbeadh craínn óga, is dó liom. Déarfainn gur Béarla é sin: an focal Béarla ' copse '. Bhí muíntir Chorcoráin chun cónaig ar an gCops.

22. SEANFHOCAIL AGUS CANÚINNÍ

1. *' A Cholla-go-hEadartha, a' ndíolann tú cruinneacht ?'*
   ' Ní dhíolaim ', arsan Colla-go-hEadartha, ' ach bím síoraí á ceannach '. [*Vide* uimhir 137.]

2. *' A' cuir an donais ar déanaí:* á chuir ar a' méir fhada, á chuir ar cáirde, ' playing for time '. [Cf. uimhir 21.]

3. *A' díol mheala agus a' ceannach mhísleán.* An Gárlach Coileánach aduairt é sin. Bhí an mháthair imithe a' díol mheala agus a' ceannach mhísleán, duairt sé le duine éigint a fhiafraig de cá raibh sí—agus salann a b'ea an ' mísleán ' so. Cheap an Gárlach gur b'é an salann mísleacht gach ní—agus b'é, leis.

4. *Aghaig ann agus araí as: níor bh'fheárr ann é ná as.* Duine bheadh a' dul i n-áit (fiú amháin dá mbar á chur ag obair a bhefá) agus an araí as .i. gur bh'fheárr leis gan dul, níor bh'fheárr ann a lithéid sin do dhuine ná as.

5. *Ag ithe na gcriochán agus a' díol na bhfadhbán.* Dá mbefá a' buint phrátaí agus go bhfágfá na prátaí muara at dhiaig déarfí: ' Tánn tú ag ithe na gcriochán agus a' díol na bhfadhbán '.

6. *' Aicíd Bhóns ort! '* Ní fheadar cuidé an aicíd a bhí air.

7. *An bior i gcóir na feola fia agus an fia ar an gcnoc.*
   [Cf. uimhir 120.]

8. *Aniar aduaig, mar a tháinig Tadhg na Cuaiche ar Chorcaig.* Cairéaraí a b'ea Tadhg na Cuaiche. Do chóna sé i n-áit i gCiarraí arna dtugaidís Clais na gCuach.[1] Do chastí é féin agus cairéaraithe eile ar a chéile i gCorcaig. Do bhíodh ím age gach cairéaraí uim an am san, agus do bhí seanaithne acu ar Thadhg. D'fhiafraídís de cadé an bóthar a thagadh sé isteach go Corcaig. ' Aniar aduaig ' adeireadh sé. Bhí fhios acu ainm na háite asna dtáini sé, agus dá bhrí sin ' Tadhg na

[1] Vide *Scéalaíocht A. Í L.*, 336.

Cuaiche ' bhíodh acu air mar ainm. Agus 'na theannta san bhí brí eile le Tadhg na Cuaiche thúirt air, mar nuair a thagadh an gîre ní bhíodh aon fheircín ime ag Tadhg a' teacht go Corcaig chun go labhradh an chuach tímpal tosach na Beall-thaine. B'sheo mar a tháinig an seanfhocal san, ' aniar aduaig, mar a tháinig Tadhg na Cuaiche ar Chorcaig '; ' thánaís aniar aduaig orm ', ⁊rl.

9. *An muar é scot circe?*[1]—*Trí chíste is a n-annlan ime.* Scot ana-mhuar isea é. Mar mhaga adeirtí é.

10. *An té bhíonn buí óg bíonn sé buí críonna.*

11. *An té ná goilleann do chás air ná din do ghearán leis.*

12. *Aonach Ghobnait a' Scrithin.* D'fhanadh Gobnait seachtain gan teacht abhaile t'réis an aonaig. Théadh sí siar go dtí an Screathan leis na daoine muínteartha arís, is dócha. Ach b'shiné ' Aonach Ghobnait a' Scrithin ' ansan. Nú éinne thúr-fadh seachtain à baile déarfí: ' Dhinis aonach Ghobnait a' Scrithin de! ' Ní fheadar cér bh'í féin. [*Vide* uimhir 44.]

13. ' Ar aithnís é? ' ' Airiú, *d'aithneoinn a scáil* '.

14. *Āthas Dhiarmaid Staic mí-áthas a chôrsan*—nuair a chífeadh sé na côrsain gan chúis áthais acu. ' B'fhéidir gur b'é áthas Dhiarmaid Staic atá ort? ': rud fáltha agam agus gur bh'fheárr leatsa gan é bheith fachta agam.

15. *Ba dheocair bríste a bhuint do thóin lomanochta.*

16. *Baile Choitín gann*
Ná téir gan do dhínnéar ann;
Tá a chúl le huisce, a aghaig ar chnocaibh
Agus mná gan tuiscint ann.

17. *Baile Mhúirne na mbacach agus Gleann Fleisce na mbithúnach!*

18. *Ba mhó an cheirí ná an chos.* ' Táim a' dul go Mochromtha '. ' A' leogfá mise led chois? ' ' A Dhia mhuise, dá leogainn ba mhó an cheirí ná an chos! '—a' túirt ' ceirí ' air.

[1] Fic lch. 15 *supra*.

19. *Bata is bóthar—an rud a thugadh Seán a' Reótha don mhiúil.* Thiar ag bun Choíll a' Chuma[1] a bhí Seán a' Reótha Ó Ríordáin chun cónaig. D'fhanadh sé sa leabaig ar feag tamaill don mhaidin, agus go muar muar sa ghîre—cuirfeam ó mhilleán é! Bhíodh an bhean 'na suí. D'fhiafródh Seán di ón leabaig: 'A Shiobhán, ca bhfuil an cat?' 'Tá sé anso agus a thón leis a' dtine'. Bhíodh miúil ag Seán, agus nuair airíodh sé an freagra so ó Shiobhán—'Túir coirce is féar don mhiúil', adeireadh sé.

D'fhiafraíodh sé maidean eile: 'A Shiobhán, ca bhfuil an cat?' 'Airiú, ní fheadar: tá sé i n-áit éigint amach ar fuaid an chlóis'. 'Túir bata is bóthar don mhiúil!' adeireadh Seán—mar ní bheadh aon bhaol ar an aimsir ansan.

Tá an chanúinn seo 'nár measc i mBaile Mhúirne riamh ó shin: 'Bata is bóthar—an rud a thugadh Seán a' Reótha don mhiúil'.

20. *Bean nú muc istoíche.* Sin seanfhocal a bhíodh againn anso. D'fhéachfadh an mhuc abhfad níos feárr istoíche, le solas lampa nú coínle: ní fhéachfadh sí leath chó maith le solas an lae. Agus deirtear go bhféachfadh an bhean abhfad níos feárr istoíche.

Agus rud eile adeiridís: *Is dáine bean ná muc agus is dáine muc ná an dial.* Tá seó ráite mar gheall ar na mnáibh.

21. '*Béarfadsa an t-aga liom*', aduairt an gadaí.

22. *Bhí an t-ocras a' dranntú chuige:* ní raibh an t-ocras abhfad uaig.

23. *Bhí bas os cionn a radhairc aige:* duine bheadh a' d'iarraig rud éigint fhiscint a bheadh abhfad uaig. Chífá seanabhean á dhéanamh: chífá níos feárr ansan.

24. *Bhí eireabal fliuch go maith air nuair a tháini sé.*

25. *Bhíodar isna suasáin agá chéile.* Ciallaíonn san a gcínn: mná a' troid.

26. *Bhíos ann as leis:* 'I was between two minds'.

[1] Cúm na nÉag, ar a' dteorainn idir Bhaile Mhúirne agus Ciarraí—SÓC.

27. *Bhí sé do rínn aon bhéil acu:* ' They were on one word ' nú ' they had it off by heart '.

28. *Bhuineas lán mo shúl as:* ' I feasted my eyes on it '.

29. *Bhuinfeadh dealg spiúnáin fuil as.* Éinne bheadh ag úsáid mine coirce is bainne san earrach bhuinfeadh dealg spiúnáin fuil as nuair a thiocfadh an Bheallthaine, bheadh sé a' féachaint chó glan chó solasmhar san.

Dealg spiúnáin: an rud a bhíonn ar an spiúnán féin—ní har an scairt.

30. *Bíonn an tubaist os cionn na hiasachta.* Thúrfá fé ndeara go bhfuil san fíor: is minic a bhrisfá arm a gheófá ar iasacht, nú bhrisfeadh duine éigint é. [Cf. uimhir 91.]

31. *Bíonn sé ag ithe na caereach beirithe:* duine a thógann breab. *'Sé fear na caereach beirithe é.* Ghoideas cuíora, abair. Thugas ceathrú dhi don ghiúistís. Táim túrtha isteach le hí ghoid, i láthair an ghiúistís. Ní thugann sé aon tora ar an té thug ann me, mar do bhí an cheathrú chaereach a riugas chuige beirithe sa bhaile 'na chóir.

32. *Bíonn tosach an lóin ag eón na maidine:* ' The early bird catches the worm '.

33. ' *Bog dom cheann* '. Dá bhficfá beirt ana-mhuar le chéile déarfá: ' Chífir iad san fós agus " bog dom cheann " acu le chéile '. Is mó a thagrann san do mhná ná d'fhearaibh.

34. *Bréag ar na mairbh is ineann agus céad bréag.*

35. *Bréag don tsagart bréag is dathad.*

36. *Buin an tarrac is feárr a fhéatair aisti:* ' Put your time to the best advantage '.

37. *Caitear gach maith le mionchathamh.*

38. *Choisiricig sé é féin ar maidin.* Déarfí an focal san le duine go mbeadh a leas déanta aige an lá san seochas aimhleas a dhéanamh nú a bheith déanta aige; nú duine a thitfeadh do charraig nú do thig nú do scafall agus ná gortófí i n-aochor é déarfí leis é; nú déarfí: *Isé Dia a riug ar láimh air.* Tá sé sa

Bhéarla, leis: ' He said his prayers in the morning '. Duine a bheadh dultha i n-áit níos feárr, is minic adéarfí gur bh'é Dia a riug ar láimh air an lá fhág sé an tsean-áit.

39. *Chuirfinn mo cheann ar ceap go bhfuil sé istig:* ' I'd put my head on the block. . . .'

40. *Cíll Choinne na suainseán.* Suainseán—scéaltha nú gossip.

41. *' Colla an Spruannaig chút! '* B'sheo dro-dhuine—an Spruannach. Ní fheadar cér bh'é féin; ach lá éigint dá raibh sé féin agus a bhuachaill a' cur an bhóthair díobh do shín an Spruannach ar thaobh an bhóthair. ' Leogfadsa orm bheith am cholla ', ar sisean leis an mbuachaill. ' Abair leis na daoine go bhfuilim am cholla, agus ba mhaith liom a chlos cad déarfaidís, nú cadé an saghas croí athá acu dhom '.

An chéad duine ghoibh an bóthar d'fhiafra sé don bhuachaill: ' Cad tá air seo ? ' ' Tá sé 'na cholla ', arsan buachaill. ' Colla fada chuige ! ' arsan fear.

An chéad fhear eile ghoibh an bóthar d'fhiafraig arís don bhuachaill cad a bhí air. ' Airiú, tá sé 'na cholla ', arsan buachaill. ' Colla gan dúiseacht chuige ! ' ar sisean.

An tríú duine ghoibh an bóthar b'é an cleas céanna é. D'fhiafra sé don bhuachaill cad a bhí air seo. Duairt an buachaill go raibh sé 'na cholla. ' Colla go bás dò ! ' arsan duine seo. Sarar ghoibh éinne eile an bóthar do ghlaoig an buachaill ar an Spruannach, ach b'shin a raibh dá bhárr aige—mar bhí so marbh !

42. *' Colla an tradhna ort! '* adéarfí. 'Sé an gearra-guirt an tradhna, is dócha: saghas collata ná féadfá breith 'na cholla air—colla éadrom. Ní fhéadfá breith 'na cholla ar an dtradhna.

43. *' Colla an tsicín sa charn ort! '* Do bhíodh an sicín a' piuca as an gcarn. Ní raibh aon easnamh air; ach i ndeire bárra do shleamhnaig an carn anuas air: bhí bertha air fé, agus d'fhan ann chun gur múchag é.

44. *Cóngar Ghobnait a' Scrithin.* Théadh Gobnait a' Scrithin ón Seana-Chluain siar nuair oireadh di dul go haonach Mochromtha—siar go dtí an Screathan (baile fearainn i gCúil Ao). Théadh sí siar an oíche roim ré. Dhéanfadh so chúig mhíle

aistir di: b'shiné 'Cóngar Ghobnait a' Scrithin'. Éinne chuirfeadh aistear air féin thúrfí 'cóngar Ghobnait a' Scrithin' air, nú 'cóngar Ghobnait a' Scrithin chun aonaig Mochromtha'.

Ach bhí fios a cúise féin ag Gobnait, mar bhí daoine muínteartha dhi ar an Screathan. Bheidís seo a' dul go dtí an t-aonach agus marcaíocht ag Gobnait uathu. Ní fhágann san chó dícéilliúil í.

45. *Cóngar Chaitlín Phóil chun tí Pheadair.* D'airíos é sin, ach is anamh é. Is dó liom gur b'é an cóngar céanna é sin: cóngar Ghobnait a' Scrithin nú cóngar Chaitlín Phóil.

46. '*Crith is creaithí ort!*' 'Táim a' crith leis an bhfuacht'.—'Ō, mhuise, crith is creaithí ort!' 'Airiú, tháinig crith is creaithí orm': crith chos is lámh, eagla an domhain, 'fear and trembling'.

47. *Cuire na ngealún chun arúr na gcôrsan:* iad féin a' túirt cuire dá chéile.

48. *Cuirfi mé a mhailí ar crocha leis:* gabháil air agus dro-gheárrthaíocha a chuir os cionn na malan.

49. '*Cuiríg an ghrian a cholla sa choca*'. Is cuín liom agus sinn a' déanamh cocaí féir fadó, bhímís féin agus an ghrian a' rith le chéile. 'Luaithíg oraibh leis', adeirtí linn: 'cuiríg an ghrian a cholla sa choca!' Do bheadh dithanas orthu, mar t'réis dul gréine fé bheadh drúcht a' titim ar an bhféar.

50. '*Cuir umat do chasóg: tá an ghrian a' dul fé*'. Is minic d'airínn sean-daoine á rá. Pé brothall a bheadh ann i gcathamh an lae, nuair a thiocfadh an tráthnóna b'shidé an uair ba bhaolaí dhuit an fuacht.

51. *Cuirtear fear gan féasóg i gcúmparáid le hobh gan salann.*

52. *Dá gcaillinn Cáit is na páistí leis:* 'If I lost Kate and the child'—rud éigint a dhéanfá pé rud a thiocfadh as.

53. *Daingean a' déirí scairt.* Ní bhfaighig eisean puínn dá dhua mar ní bhe' sé abhfad ann.

54. *'Dalla Dháth agus a dhriféar críonna ort!'* B'sheo mar a dallag iad. Bhí aol istig i mbaraille acu. Chathadar uisce ar an aol agus nuair a bhí an t-aol a' leighe d'eirig gal as. Bhíodar a' formad le chéile féachaint ceocu acu ba shia fhéatadh a cheann a chimeád os cionn an bharaille. Leanadar os a chionn chun gur dallag iad.

55. *Dá mbeadh an corrán sa ghort agam.* Dá n-iarrtí fear orm chun lá oibre is go dtúrfainn uaim é, déarfainn leis an té thiocfadh: 'Ní fhéatainn tu eiteàch dá mbeadh an corrán sa ghort agam'. D'áiríthí ana-bhruid ar dhuine nuair a bheadh sé a' buaint an choirce, agus b'fhéidir é a' titim dá cheann le haibiúlacht.

56. *Dá mbeadh sé a' cátha bheaigniti chathfadh sé bheith amù:* a' labhairt ar dhro-lá—*lá ná cuirfeadh an dial a mhadara amach.* 'It was pouring cats and dogs'.

57. *Dhin sé é d'inneoin a choise:* i gcoinnibh a chos.

58. *D'imireoinn mh'anam leis:* 'If I lost my life in doing it'. 'Imireod mh'anam libh mara stopa sibh', adéarfí le páistí.

59. *Di-mol an choíll agus ná fág í,*
Mol an machaire agus ná taobhaig—

bheith a' fáil locht ar an gcoíll agus mar sin féin gan scarúint le bheith 'na haice. Leanann an fhoithin an choíll, i dteannta seó nithe eile. Abhar gach áise isea í.

60. *'Din airgead', arsan t-athair leis a' mac. 'Din macánta é—ach bíodh sé agat pé cuma go ndéanfair é!'*

61. *'Din táilliúir dod mhac ach ná túir t'iníon le pósa do tháilliúir'.* Duarag é seo uim an am go mbíodh na táilliúirí ag obair lasmù imeasc na ndaoine. Bhíodh saol ana-bhreá acu, agus b'fhéidir ná bíodh aon rabairne a' buint le nithe sa bhaile 'na ndiaig ag an mnaoi.

62. *Díol mear ar bheagán sochair:* 'Quick sale, light profit'. 'Sochar agus dochar na deighleála'.

63. *D'íosfadh sé an fulca te:* duine go mbeadh ana-ghoile aige. Ní fheadar cadé an rud 'fulca te'.

64. ‘ *Duig ní ionat agus díng dharaí léi!* ’

65. ‘ *D'óladh sé a dtuilleadh sé is dá mbeadh a thuille aige* ’, mar a dhineadh Dónal na Gréine. Ní fheadar cér bh'é Dónal.

66. ‘ *Dónal ar meisce is a bhean ag ól uisce is an leanbh a' béicig* ’.

67. *Do leathfadh sé na corra glasa:* lá fuar.

68. *Do loitfeadh an fear san Lá le Cros ort:* duine leadaránach ná beadh deire lena chuid cainte go brách. Ní fheadar cadé an lá é, ach cathann sé bheith fada.

69. *Domhnach Muar Ó hÉalaithe*
mar a mbíd na cearca ar céalacan,
na mná salacha bréagacha—
rann éigint mar gheall ar an nDomhnach Muar.

70. *Duine is treise ná Dia a chuireann smut siar as a thig:* i bhfuirm cúl-chistin éigint a dhéanamh a bheadh laistiar don tig. Tá sé ráite nách ceart a lithéid a dhéanamh. Deirthar go bhfaigheadh duine do mhuíntir a' tí bás ansan. Tá an seanfhocal againn i gcónaí agus ghéilleadh na sean-daoine dho.

71. *Faid a bheir a' cur sa chré tógfaig an chré uait.*

72. *Fínné an ghiolla bhréagaig a bhean.*

73. *Fuiligeann fuil fulag don ghorta*
ach ní fhuiligeann fuil fuil á dorta.
B'fhéidir go bhféatadh do dhuine muínteartha nú do ghaol fola fulag le hocras fhiscint ort, ach ní fhéatadh sé fulag led chuid fola fhiscint á dorta.

74. *Gaol a seacht is a trí a bhí an Stracaire Buí lena mháthair:* gaol abhfad amach a b'ea é, agus ba dheocair é chóireamh. ‘ Airiú, níl ach gaol a seacht is a trí . . .’; ‘ *gaol a seacht 's a cúigdéag* ’.

75. *Gleann Fleisce na gcrann,*
gleann gann gorta:
mara mbe' tú istig i n-am
bí an ceann san at throsca!

76. *Gol Sheáin Stró—gol gan deor!*

77. *Iarraim côirle ar a lán, ach 'sí mo chôirle féin a dhinim:* nuair a thúrfaig fear côirle dho féach a' mbeig aon chuid don chôirle seo a' teacht 'na fhabhar féin. Seanfhocal isea é sin.

78. '*Is dána gach fear go tulaig—agus is dána mise i dTulaig, leis!* aduairt duine éigint. Ainm áite isea Tulaig.

79. *Is deocair rogha a bhuint à dhá dhíg.*

80. *Is deocair rogha a bhuint à dhá ghabhar chaocha.*
[Cf. uimhir 130.]

81. *Is fada bhíonn an fear a' fás agus is gairid a bhíonn an bás dá bhrath.*

82. *Is feárr Aifreann i gcine ná Aifreann is fiche*—'sé sin Aifreann sara mbefá ar an saol i n-aochor.

83. *Is feárr Aifreann rôt ná dhá Aifreann at dhiaig*—'sé sin Aifreann sara gcailltear an duine.

84. *Is feárr an mhaith a dintar agus do maítear ná an mhaith ná dintar i n-aochor.*

85. *Is feárr buaile sheasc ná buaile fholamh:* gur feárr, fiú amháin i n-áit 'na mbíodh na ba bainne, beithíg sheasca a fhiscint ar an mball so ná an áit a fhiscint gan aon taobh acu.

86. *Is feárr cuireadóireacht dhéanach ná ceannaíocht luath.* Bhíodh an focal san ag sean-daoine. Abair is go mbefá ruidín déanach á chur féin, b'fhearra dhuit é chur: bheadh sé agat uair éigint. B'fhearra dhuit é ná bheith á cheannach. Chathfá ceannach luath sa mbliain mara mbeadh sé agat.

87. *Is feárr sean-fhiacha ná sean-éilithe.*

88. *Is feárr súil le béal na trua ná súil le béal na hua.*

89. *Is feárr tora-bheart mná tí ná seisreach sa bhfód:* 'A housekeeper's thrift. . . .'

90. *Is mairg d'éinne a chuirfeadh dréimire le crann ró-árd*
faid a gheódh sé crann íseal a shroisfeadh a lámh.
Crann cárthainn dá aoirde fhásann bíonn searús 'na bhárr
agus fásann úlla is caortha cûrtha ar an gcrann is ísle bláth.

Duine bheadh a' brath ar bheith ag eirí ró-árd is minic adéarfí an méid sin leis.

91. *Is mairg go mbíonn buarach iasachta aige.*

92. *Is maith an bloc an chloch go dtí an buille déanach.* Bloc adhmaid arna mbíonn an siúinéir ag ullú leis a' dtuaig. Dhéanfadh cloch a ghnó go maith, ach leis an mbuille déanach ba bhaol d'fhaor na tua ar an gcloich.

93. *Is maith í côirle an dro-chôirlig:* dro-chôirleach dò féin isea é. Bíonn ciall cheannaig aige.

94. '*Is mall a bhuailis, a bhráthair, agus is mairg a bhíonn gan driotháir!*' Fear a bhí ar aonach agus do bhí fear eile i n-aonacht leis. Bhídís ana-bhaoch dá chéile: 'a bhráthair' a thugadh sé ar an bhfear so. Do ráinig gur chua sé i n-acharann i mbruín éigint. Bhí an ceannsmách a' dul air agus níor thug an 'bráthair' aon chúnamh dò. Bhí driotháir dò i n-áit éigint ar fuaid an aonaig agus chón luath is chonaic sé an bhruíon do léim sé láithreach agus do thosnaig ar phléasca, a' cabhrú lena dhriotháir. Nuair a bhí deire leis an mbruín, duairt sé: 'Is mall a bhuailis, a bhráthair, agus is mairg a bhíonn gan driotháir!'

Tá an focal againn ó shin. Níor airíos 'Is maol guala gan bráthair' ag éinne. Is dó liom go bhfuil an rud eile abhfad níos feárr.

95. '*Is olc é uisce an earraig*', adeireadh na sean-daoine. '*Uisce ní uisce an earraig nuair a bhíonn sé a' torràcha*', adeiridís. Bhínn a' d'iarraig a fháil amach cadé an brí bhí leis sin. 'Bheadh froganna ad bholg 'na dhiaig', adeiridís. Is dócha go mbeadh glóthach nú uí na bhfroganna san uisce an tráth san don bhliain, agus go ndéanfadh san díobháil éigint.

96. *Is tearc flath arna mbíonn rath ná go dtigeann meath ar chuid dá chluínn.* Abair is go bhfuil cúigear nú seisear cluinne aige, beig cuid acu go holc. Tiocfaig meath orthu, le bás nú le bristeacht. Tá san fíor, mar is minic a thugas fé ndeara é.

97. '*Ith leat é sin, mar beid siad san ar a' gcorp againn láithreach*': beid siad chúinn láithreach.

98. *Lá Nollag agus lá na móna: sidiad na laethanta íosfam ár ndóthain.* ' Christmas Day and the day of the turf, they are the days we'll eat enough '. Páistí adeireadh an rud so: do leanadh raidhse na laethanta so.

99. *Lán tí 'pháistí lán tí d'ór.*

100. *Léas na Mangartan.* Tá léas ar an Mangartain, agus 'sé an uair a bheig an léas so caite: pé uair a thiocfaig Lá Samhna mara mbeig sneachta ar an Mangartain, nú tráth éigint roim Shamhain. Ach níor tháinig so fós, mar bíonn sneachta ar an Mangartain um Shamhain nú roim Shamhain.

101. '*Leatha na liothóige ort!*' Nuair adéarfadh duine ' Táim leata! ' agus gan an iomarca fuachta ann uim an am san, 'sé freagra thúrfí air: ' A Dhia mhuise, leatha na liothóige ort! ' Iasc isea an liothóg, agus ní bhíonn aon fhuacht air.

102. *Leigheann an chóir i mbéal na hanúinne.* Má thá rud anúinn-each ann, 'sé sin rud a bheadh buailthe amach, snuite, caite—ainimhí nú duine—ní haon chabhair cóir nú bia maith a thúirt don tsaghas san. Ní théann sé thar a mbéal chun aon tairife dhéanamh.

103. '*Leighe bhún Mhóire ort!*' Eascaine: leighe éigint d'imig ar a cosa, is dócha.

104. '*Leighe lot air!*' [*Vide* uimhir 107.]

105. *Léim caereach i ndaibhgán:* do léim sí agus ní fheadair sí cad a bhí ann. Dhéanfadh duine an rud céanna.

106. *Leog sé siar síos de é:* thug sé cluas bhodhar dò, ' he let it west down of him '.

107. '*Lot leidhbe gan leasú air!*' ' Tá an rud san loitithe agat! '—rud éigint a bheadh agat á dheisiú, b'fhéidir. ' Ó mhuise, lot leidhbe gan leasú air! ': an lot d'imeodh ar seithe bó ná beadh leasaithe. Is minic adéarfí: '*Leighe lot air!*'

108. '*Má chíonn tú Crothúr—agus is baolach ná ficfir, abair leis an rud úd a chuir chúm—agus is baolach ná cuirfig!*' B'reán a bhíodh túrtha dho chun deilgne phiuca an Domhnach roimis sin agus é a' d'iarraig é fháil thar n-ais.

109. *Mac Í Mhuirithe Mhuair aneas ón Muinigin mBáin,*
Fear gan anam 'na chroí an fhaid a bheadh ní 'na láimh.
I dtig duinne eile dá mbeadh sé ag ól
Bhuinfeadh sé an dair mhuar dá préimh
Agus eireabal ní bhuinfeadh do chat
Is é fháil ar cheap 'na thig féin!
Is minic airínn an chanúinn ' Níl ann ach Mac Í Mhuirithe Mhuair '. Ní fheadar cér bh'é féin, agus ní fheadar ca bhfuil ' Muinigin '. Ach fear a dhéanfadh na huirc is na hairc, mar dhea, déarfí: ' *Níl ann ach Mac Í Mhuirithe Mhuair* '.

110. *Maíomh na bhfaighneog bhfolamh.* Ní fiú piuc an fhaighneog fholamh: tá an síol buinte aisti. Dá mbeadh duine a' maíomh à rud éigint agus gan aon mhaith a bheith un déarfí: ' *'Sé maíomh na bhfaighneog bhfolamh é* '.

111. *Mallacht an chlutharacáin. Do chuir an clutharacán eascaine nú mallacht ar aon fhear go mbeadh na trí nithe seo aige: tig ar árd, bean bhreá nú capall bán.* Thúrfadh gach éinne aghaig ar an dtig—fiú amháin thúrfadh an ghaoth scuaba dho. Bheadh éad air le heagla go mbeadh an saol muar a' faire ar an mnaoi, dá mbeadh sí go breá. Ní fhéatadh sé gabháil i n-aobhal leis a' gcapall bán ná go bhficfí é.

112. *Má raghair don Ghuagán beir leat maide,*
Is má théann tú i ngasarán bí go tapaig.
Côirle a thug seanduine dá mhac a' dul sa Ghuagán (i mBéal-aithe 'n Ghaorthaig). Ball diail bruíonach a b'ea an Guagán fadó.

113. *Má phósann tú i n-aochor pós anuirig!*—'sé sin, gur bh'fheárr bheith pósta anuirig. [Cf. uimhir 127.]

114. *Má théann tú ar pósa gan cuire*
beir leat stóilín chun suite—
beig dothal rôt.

115. *Méinn mhaith péarla gach uile ní*
agus bíodh an scéimh ar an té n-ar cuireag í.
Déarfí gur feárr duine ná beadh a' féachaint ró-mhaith dá mbeadh méinn mhaith aige ná an té go mbeadh an scéimh álainn air.

116. *Muíntir Chiarraí a' fiafraí a chéile.*

117. *Ná bí go minic i dtig an óil: buineann sé onóir ón gcéill.*

118. '*Ná cuir do theanga sa pholl san anois agus fásfaig fiacal óir ann!*'—le leanbh.

119. '*Nár eiríg úr n-aistriú libh!*' adéarfí le cearrúig (páirthnéirí) a bheadh ag aistriú le chéile. Dhinidís é sin.

120. *Ná roinn an fia chun go mbe' sé ar chois agat.*

121. *Na rudaí a dhineann dro-bhróga: meanaithe ramhar, snáithín caol, gréasaí caoch agus dro-leathar.*

122. *Na trí húnaí is mó don té leogathar go Flaithis Dé:–*
An chéad úna: féachaint cad a dhinis ar an saol so n-ar leogamh duit dul isteach 'na lithéid d'áit.
An tarna ceann: níl radharc agat le fáil ar dhaoine go raibh aithne mhaith agat orthu ar an saol so agus gur shamhlaís gur cheart dóibh bheith ann.
An tríú ceann: muarán daoine agat le fiscint ann gur mheasais at aigne féin ná ficfí a lithéidí ann go brách!

123. *Na trí rudaí is géire amù: cú i ngleann, seabhac i gcrann agus cailín i lár cruinnithe.*
Tá an cailín a' féachaint ar rud éigint ná feadaraís i n-aochor: bíonn sí ana-ghéar. Bíonn an chú ana-ghéar. Agus 'the eye of a hawk' ansan: níl aon rud is géire ná súil an tseabhaic.

124. *Na trí trua is mó amù: óige gan smachtú, uaisle gan beathú agus críonnacht gan aithrí.*
Uaisle gan beathú: duine uasal a bheadh ana-lom, gan beathú. Bheadh na daoine á chasa leis. Is anamh a chífá duine uasal lom.

125. *Néal na maidine néal an óir:* an colla.

126. '*Ní chasfa mé choíche léi é*'. 'Is dó liom go bhfuil an iomad airgid aici sin duit' (caint ar chleamhnas: duine ná beadh puínn tailimh aige, abair). 'Ó, ní chasfa mé choíche léi é!' adéarfadh sé.

127. *Ní dá luatha ná gur feárrde,* adéarfí.

128. *Ní giorra dhuit ná a chumaoine.* ' Is beag orm tu '. ' Ó mhuise, ní giorra dhuit ná a chumaoine ! ': ' Same here ' adéarfí sa Bhéarla.

129. *Ní hé an té is feárr a thuilleann é is feárr fhaigheann é.*

130. *Níl ann ach malairt an dá ghabhar riacha.*

131. *Níl leigheas ar chû ach é bhrú le foighnne.*

132. *Níl tora cáirt ruis agam air:* níl aon tora agam air. Ros an lín.

133. *Ní lú ná dhôsa, Ní lú dhuit ná dhôsa:* 'sé mo dháltha féin é. ' The same here ' adéarfí.

134. *Ní mó b'reán is é* nú *Ní lú b'reán is é.*

135. *Níor bh'fheárr leis scéal de:* ' he wouldn't rather what would happen '.

136. *Níor chaill fear a' chollata riamh é.* Samhlaíonn seó daoine gur b'amhlaig a bhíonn rud éigint buaite ag an té bhíonn mochóidíoch; ach 'sé an brí bhí ag tuille acu leis gur b'é an colla nár chaill sé, agus nár bh'fhéidir leis gan a dhóthain a cholla pé crích a bhéarfadh éinní eile.

137. *Níor fhág fear siúil na hoíche crúb ar drúcht ag Colla-go-hEadartha:* ghoideadh sé a mbíodh aige, agus níor fhág crúb ar drúcht aige.

138. *Níor órdaig Dia gach cathair có-uasal.*

139. *Níor scoilth riamh ar chearc na sicíní:* tugann sí gach éinní dosna sicíní.

140. *Ní raibh inti ach Síle Ní Ghig:* rud i bhfuirm *imitation* isea Síle Ní Ghig.

141. *Ní raibh oiread is ' Chút a' Púca ' riamh eatarthu:* côrsain a bheadh a' tarrac go maith le chéile. Le páistí is mó adeiridís ' Chút a' Púca '—chun sceon a chuir iontu.[1]

142. *Ní raibh riamh ach an píce i gcoinnibh na déarca aige:* ní raibh ach a rá gur fhéad sé é féin a chosaint leis a' bpíce, le dealús.

[1] Fic lch. 400 *infra*.

143. *Ní raibh saol práta i mbéal muice aige:* ana-dhro-shaol é sin.

144. *Ní théann beiriú thar fhiucha:* dá mbeadh fear ag obair ar a dhíthal agus go n-iarrfí air oibriú níosa dhéine déarfadh sé an chaint sin, b'fhéidir. Bheadh sé ar a dhíthal cheana féin.

145. *Ní théann saibhreas ná bochtaineacht thar seacht nglúine.* Tá so fíor, is dó liom.

146.
Ní truimede don loch an lacha,
Ní truimde don each a shrian,
Ní truimide don chuíora an olann agus
Ní truimde don cholann an chiall.

147. *Nollaigí ceóch a dhineann reiligí méithe.*

148. *Nuair a bhí an chrú ar an gcois aige:* ' when it came to his own door ', ' when it pinched himself '.

149. *Nuair a phósfair bean aniar pós a bhfuil thiar.*

150. *Nuair a tháini sé ar a chéill:* duine bheadh ar meisce ar feag tamaill.

151. *Ó b'anamh leis an gcat srathar a bheith air.* Dá mbeadh rud agam á thúirt uaim, i bhfuirm páirtí nú féasta, agus go n-iarrfainn na côrsain—riamh roimis sin níor thugas éinní dá shaghas uaim—déarfadh na côrsain: ' Tá sé chó maith againn go léir bailiú tímpal air, ó b'anamh leis an gcat srathar a bheith air ! ' Deirthar, leis: *Ní i gcónaí a bhíonn Seán Buí á phósa ná cóir aige chuige.*

152.
Oíche Choille: a cholla, a chailleach!
A cholla libh, a dhaoine!
Nú an méid ná raghaig a cholla agaibh
Be' sibh agamsa choíche!

Chun eagla a chuir ar pháistí i gcás go raghaidís a cholla. Oíche Choille adéarfí é: bheadh na leanaí leadaránach an oíche sin.

153. *Ón lá a buaileag slais ar a' sop díot:* ón lá riugag tu.

154. *Peaca an tsínsir claoine an tôis air:* é thôs claon—dá mbeadh dro-thôs túrtha air, ná beadh sé chó cruaig orainn agus deirthar.

155. *Peata na seacht lacht:* saghas éigint linbh—b'fhéidir go mbeadh seisear 'na dhiaig agus go mbeadh sé 'na pheata i gcónaí.

156. *Ragairne an Domhnaig agus colla an Luain.*

157. *Riachtanas a néann íntleacht:* 'Necessity is the mother of invention'.

158. *'Sí an bheatha bhriogadánach dò bheith ann:* saol diail cruaig. *'Sí an bheatha bhriogadánach bheith a' plé leis a' gcapall san:* dro-chapall.

159. Bean go raibh síol ruis aici agus deireadh sí: '*Dá bhfaighinn éinne chuirfeadh tu ní bhfaighinn éinne bhuinfeadh tu, is a mháilín an ruis, fan mar ataoi go fóill!*'

160.
Sneachta geal idir dhá Nollaig,
Márta cruaig trim crannda,
Balc i meán an earraig, agus
Teas i lár an tsamhraig.

Sin mar a bhíodh an aimsir fadó i nÉirinn.

161. '*Buicín cuíthach ar do ghabharaibh!*' Duine a chuirfeadh sraoth fhiain as, b'fhéidir go ndéarfí '*Dia línn is Muire!*'; agus is minic gur b'é an rud adéarfí leis: 'Buicín cuíthach ar do ghabharaibh!'—i bhfuirm saghas eascaine.

162. *Tá a chuid a' teacht ó neamh chuige:* a' teacht go sadhráideach, gan aon phiuc dá dhua fháil.

163. *Tabharthas Í Bhriain agus a dhá shúil 'na dhiaig.* Fir a bhí túrtha ag an mBrianach so chun catha nú côraic d'fhear eile, agus ana-chathú air 'na ndiaig. Tá an focal againn ó shin. Ní fheadar cá raibh an Brianach ná cér bh'é féin.

164. *Tadhg adhgarlach a bhuineadh an braidhm as an muic!* D'airínn an rud san ráite, ach ní fheadar cér bh'é Tadhg ná cadé an rud 'adhgarlach'.

165. *Tadhg is caidhp a mháthar air, is aghaig na m*borders *siar:* b'shin Tadhg eile, ach ní fheadar cér bh'é.

166. *Tadhg Ó Rudaí.* 'Airiú—an fear san thoir, ní cuín liom a ainm—airiú—Tadhg Ó Rudaí'. Ní bheadh an ainm sin ar

éinne. Thúrfá an ainm sin air nuair ná féadfá cuíneamh ar an ainm cheart: ‘ That man east—yerra, I can’t think of his name—“ What-you-call ” ’.

167. *Tá éisteacht na heascún aige:* bheadh éisteacht ana-ghéar aige air sin.

168. *Táid siad ar mhaide na scine le chéile:* tá sé ’na choga dearg eatarthu, ‘ war to the knife ’.

169. *Táid siad i dtrínsíbh:* ullamh chun catha le chéile.

170. *Táilliúir an t-ochtú cuid déag d’fhear.* Tá so ráite toisc na húirlise le héadromacht ’na n-oibríonn sé, mar ní haon chabhair a rá gur le lagachar an táilliúra a tugathar an t-ochtú cuid déag d’fhear air. Tá muarchuid dosna táilliúirí ’na bhfearaibh láidre—chó láidir le haon fhear ar a’ gcnoc.

171. ‘ *Tart mhadara na báistí ort!* ’ Is minic airíos an chanúinn sin ag sean-daoine. ’Sé an *madara gaoithe* an madara. Tart a bhíonn ar a’ madara gaoithe, agus leanann an bháisteach é, agus siné brí na cainte.

172. *Tá sé chó láidir le bolg an bhóthair:* bheadh sé láidir go maith air sin.

173. *Tá sé i leabhar an fhiach duibh.* Seana-chapall truaillithe a bheadh buailthe amach, deirthar: ‘ Tá sé i leabhar an fhiach duibh ’, agus sidé gur geárr go mbeadh béile air ag an bhfiach dubh. Deirthar an rud céanna leis an nduine nuair a bhíonn sé truaillithe, anúinneach; ach ón gcapall a tháinig an chanúinn.

174. *Tá sé imithe fé na rothaibh:* duine bheadh ag ól nú a’ túirt an-chathamh dá chuid airgid.

175. *Tá sé trína chéile—mar a bhíodh an port ag an bpíobaire.*

176. *Thúrfainn ar léag riamh do leabhraibh gur b’é bhí ann:* ‘ I’d swear my bible oath it was he ’.

177. *Tóg a bhfaighir agus díol a bhféatair—*
Caillfar tu féin nú fear na bhfiacha!

178. *'Tomás Máirtín ó Pholl a' Chuilithe'*. Nuair a bhíodh an gîre ann agus bainne ganachúiseach, is minic adeireadh mo mháthair agus sinn ag eirí suas 'nár leanaí: *'Tá an dial ort! D'ólfá bainne Thomáis Máirtín ó Pholl a' Chuilithe go mbíodh na naoi bhfichid loilíoch aige'*. Ní bhfuaras amach riamh ca bhfuil Poll a' Chuilithe, ach is dócha go bhfuil sé i n-áit éigint.

179. *Trí shaghas daoine nách ceart grá a thúirt dóibh: seanduine, anduine agus leanbh.* Ní haon chabhair duit cad a dhéanfair do sheanduine: caillfar é sara ndéanfa sé éinní dhuit. Dá ndintá an saol muar do anduine ní chuíneó sé air duit. Agus ní chuíníonn an leanbh cad dineag dò.

180. *Troig os cionn sceiche, agus an méid a dhearbhaíonn an feóchadán!*—siné an chuma go mbíodh an bhuaint acu so a théadh síos amach a' buaint.

23. FOCAIL AGUS TÉARMAÍ

A

abalach: *vide* s.v. *cnubalach.*

abhallórd: an orchard.

achara, iol. *acharaí: is deas an t-a- é,* implement, piece of furniture, nú éinní mar sin; *bhí acharaí éigint istig sa mhála; cár fhágais na ha- sin?* Ní bhuineann *a-* le stoc: ba, capaill, caoire.

achumaireacht: *ní rabhas i n-aon a- dò,* i n-aon ghaor dò; *bhí sé i n-a- do bheith tagaithe,* geall le bheith tagaithe.

aimiléis: *tá sé i n-umar na haimiléise,* gach aon rud dultha 'na choinnibh.

aimilithe: *bhí sé a- un féin,* slow-going, partly disabled; *nách a- athánn tú!* awkward; *aimilitheacht.*

aimpléis, -each: *tá an a- a' buint leat riamh,* awkwardness; *nách aimpléiseach a leogais uait é!* Déarfainn gur ón bhfocal *aimilithe* a thagann sé.

áirnéis: belongings, smut do nach aon saghas stuic ar thalamh ag duine: *is muar a' t-anaithe a bhfuil d'á- agat; d'imig a' dial ar a raibh d'á- un.*

aithint an lae: *vide* s.v. *spíce.*

áitithe: '*Ar dhriothháir do Dhónal Tadhg?*' '*B'ea go há-, mhuise*'; '*Fear ana-láidir a b'ea é sin*'. '*B'ea go há-*'.

alamóir: i gcró na mbó a bheadh *a-; a- an channa* a thugaithí air. Slí sa bhfalla ón dtaobh istig agus dúnta ón dtaobh amù. Bheadh leac 'na bhun so, níos géire isteach sa tig ná an chuid eile don fhalla, agus anso a bheadh an canna (i gcóir an bhainne), nú aon saghas galúin i gcóir bainne. Nú dá mbeadh a lithéid i séipéal nú i seana-theampall tugathar *a-* air. Tá *alamóirí* i dteampall Gobnatan sa reilig. *Alamóirí* a thugadh na sean-daoine orthu san. Ach ní bheadh aon alamóir agat sa chistin.

alth, iol. *ailth: bhí ailth mhuara air.*

amastún: tugathar *óinseach* ar mhnaoi, agus ní thúrfá ar fhear é, ach *a-*. Tá sé ráite nách ceart amadán a thúirt ar éinne: tá tagairt dò sa Bhíobla. *Óinseach mná* nú *a- fir.*

amhagsúil: *duine a-*, duine greanúr; *le hamhagsúlacht.*

amharacht: *le heagla an a-*, dearúd, an duine éagóir a thógaint; *mara ndinim a- is tu a lithéid seo dhuine.*

ámharaí: *ar á- na cruinne.*

an-chínn (gin.): *is uiriste bramach a thúirt chun a-*, it's easy to give him a bad habit.[1]

ann: *raghaig ann leis an níochán*, it will shrink; *chuaig ann; nuair a nífir stocaí olla raghaig iontu*—nú aon éadach olla; *tá dultha un ar fad.*

aos: *fear meán-aois.*

ar: *thug sé leis abhaile í, agus ní raibh sí seachtain ar cathamh aige nuair a bhí íochtar na léine síos go dtí á loirgne.*

as: *tiocfaig as*, be' sé muar a dhóthain fós, it will stretch; *tháinig as.*

áthán: (a) *bhíodar a' gearra na n-áthán ar a chéile*, dithanas orthu a' dul i n-áit éigin, a' tógaint gach cóngair; (b) *bhí sé a' cuir na n-áthán amach*, a' rith, a' gol: áthán eile isea é sin.

athbhearra: *a- dîs nú speile:* deireadh na sean-daoine go raibh an dá ní seo beag-mhathasach, agus nár chóir a lithéidí dhéanamh; *a- dîs:* imíonn san 'na bhrúscar i gcárdáil na holla; mar a' gcéanna, imíonn *a- na speile* gan bailiú tríd a' gcuid eile don fhéar: ní bheadh sé buinte lom a dhóthain istig i lár an bhuille agus ba mhinic a thúrfadh spealadóir scramha ar phaiste a chífeadh sé amhlaig.

athchruth: *'sé a mháthair 'na ha- é*, ' fé mar a bhuinfá an ceann di ', ' 'sé a mháthair 'na steille-bheathaig é ', ' ní fheacaís riamh oidhre ar a mháthair ach é ', ' he was the dead spit of his mother ', ' like you'd take the head off her '.

B

bac: a carpenter's square.

bac, bacaint: *b'fhearra dhuit gan bac leis; b'fhearra dho gan é bhacaint* nú *b'fhearra dho gan é bhac:* bhí an dá rud ráite.

baghrach: sean-fhallaí cloch, nú áit i gcóir caereach; sean-fhotharach nú cobhalthach gan ceann: *níl aige ach baghraig*, seanathithe gan mhaith.

báinís: *ar b-* nú *le b-*, in a frenzy.

[1] Vide lch. 113 *supra;* cf. *tháinig an t-othras chun a-*, the sore festered (BC).

bain-rí nú **ríoġbhean:** a queen.

banbh uscall: *is olc an b- u-* é. Peata bainbh is ea b- u-.[1] Is olc é an peata bainbh: ní féidir smacht a chur air. As san a tógag an focal, agus is minic adéarfí le duine é. Peata bainbh nú peata bacaig, ní haon mharaga iad.

barbaraithe: *scéal b-*, scéal s'lach nár cheart a ínsint.

barlín: a sheet; *b- lín.*

barra: duine bheadh breoite agus a bheadh dultha i bhfeabhas agus dá dtéadh i n-olcas arís, sin *b-; fuair sé b-*, a relapse; *ní húntaoibh anois é: fuair sé b-.*

barraoid: *tá an chruach a' b- ar thitim,* on the point of falling; *bhíos a' b- ar bheith a' buint mhóna,* bhí socair agam; *bhíos a' b- ar dhul go dtí an t-aonach.*

barrastaíol: *tá sé a' b- ar rud éigint a ghoid;* ní déarfainn go mbeadh duine a' *b-* ar dhul go dtí an port: is mó a bhuineann an focal *b-* le díobháil éigint a dhéanamh, rud nár cheart a dhéanamh: *tá an bhó a' b- ar dhul i ndíobháil.*

bárrsciath: sceach gheal nú aon tsaghas scairte go gcathfá an barra dhi agus go gcuirfá i mbarra claí í, i n-áit go mbeadh cearca nú géanna a' dul do dhruím claí.

báltha: *tá an mhéar 'na b-*, ataithe suas; *b- coise:* níl sí chó fada leis a' gclabhca ach tá sí ana-mhíchúmtha; *b- na bróige:* is mó a thagrann san don líonáil istig.

bastún: dá mbeadh píosa adhmaid agat a bheadh ró-mhuar, ró-throm, bhefá a' d'iarraig é shocrú—agus dhéanfadh maide beag éadrom an gnó—*cath uait an b- san* adéarfí, *tá sé ró-mhuiríonach* .i. trom; thúrfá *b-* ar dhuine, leis, ach ní thugaimís *b-* ar shuíochán.[2]

beachair: *An Bheachair,* rud i bhfuirm chruiceog bheach, ach gan í bheith chó muar leis: *scaoil Naomh Gobnait na beacha as an mB-.*

béarlagar na saor: níor airíos puínn don bhéarlagar; *a ghibhéis gheaganta na ngiolcán sead,* adeireadh duine éigint, ' you little creature of the filthy language '—b'shiné an Béarla.

[1] Cf. *' Á ! Ba mhaith a' banbh oscull agam é ! ' Déarfaí é seo dá mbefaí a' tagairt do dhuine go mbeadh seó dá thrioblóid fáltha agus ná beadh aon bhaochas aige 'na dhia' san ar an té bheadh go maith dho. Ní glaotar an ainm seo ar pheata bainbh* (BC).

[2] Thúrfí *b-* ar thuathalálaí, agus b'é bhíodh mar ainm ag cuid acu ar shaghas bata a dhinidís den luachair.

beiriú: *chuaig an mhóin fé bh- ar fad sa phortach; téann bagún fé bh- ar an gcrúca* (d'atfadh sé sa chorcán ar ball); dá mbeadh féar bog borb agat déarfí—*béarfaig an ghrian uait é: téann sé fé bh-.*

beirt: *an bh-*, a' tagairt do bheithíg, etc. (Dónal Ó Luínse).

bhárdaíol: *tá bh- éigint ar na ba iniubh—ní húntaoibh ná go raghaid siad i gcrostáil éigint; ní fheadar cad tá a' déanamh buartha do Sheán: tá an lá túrtha aige a' bh- ar fuaid na mbóithre;* déarfí ' wheeling around ' nú ' fooling around ' sa Bhéarla: bheadh rud éigint a' déanamh buartha dho.

bia, iol. *biaithe.*

bigéal:

dá dtuigfí uaim mo scéal
go dtúrfí bás agus b-
dom chorp seanng séimh
i dtúis mo ghnímh . . . (Seachrán Chearúill).[1]

bínse: *vide* s.v. *portán.*

bladhmannach: *féar b-* nú *féar taidhseach* nú *féar múscánta,* spongy hay; is olc an saghas é sin.

blonag: *b- gé,* —bhídís a' smeara na mbróg léi sin; *smeara géann* a thugaidís air.

bod an bhóthair[2]**:** an té bhíonn a' bóithreoireacht go minic; *d'imeodh sé le b- an bh-,* gadhar imeodh uait: do leanfadh sé gach éinne.

bod a' ghiorta: *fág an tslí uaim, a bh- a' gh-!* adéarfí le duine; *an dial ort, a bh- a' gh- a bhíonn a' lot na ngarraithe,* nú déarfí *is measa tu ná b- a' gh- a bhíonn a' lot na ngarraithe* le duine go mbeadh obair thuathalach aige á dhéanamh; déarfainn gur ar an ngaoith a thugaidís *b- a' gh-;* loiteann sí na garraithe go minic.[3]

bódóir: thugaidís *b-* ar fhear na mbó; bhuinfeadh sé gamhain do bhuin agus seó nithe eile; ach thúrfá *b-* ar ghrásaeir nú ' jobber ' dá mbar mhaith leat. Is minic a chífá fear a bheadh go maith chun dochtúireacht a dhéanamh ar bhuaibh. (Cf. *fuiréar.*)

bod-shaor: a quack mason; ' *b'fheárr liom díol dúbaltha à saor ná b- d'fháil saor* '.

[1] Vide *Scéal. A. Í L.*, lgh. 303 seq.; níl so ar na blúiríocha filíochta atá le fáil sa téacs san.

[2] Cf. *triobhas buid an bhóthuir bhrealluigh, DRIA* s.v. 1 *bot.*

[3] Cf. *Bod a ghiorta as na cuimeanna is iasachta*
Do chimil na claidhmhte dár cuireadh i mbliana dhom—
Seán Ó Súilleabháin (eag.), *Diarmuid na Bolgaighe,* lch. 16.

bogadaíol, bog-fheadaíol:

Bhí buachaill an bhog-bhodaig 'na sheasamh ar bhog-mhóin
le bog-lán a bhog-ghlaice do bhog-shlata na bog-choille bog-ghluise 'na bhog-dhóid
is é a' bogadaíol a' bog-fheadaíol i ndiaig a dhorn bog-bhudóg.

bogha: *b- ar a' ngealaig,*[1] halo.

boghlainn, -í: *tá na prátaí isna boghlainní bheith beirithe,* i bpos do bheith beirithe; *tá na prátaí i mboghlainn bheith beirithe. 'A' bhfuil an chuigean déanta fós? 'I mboghlainní chuige'*: bheadh sí a' brise.

bogúire: *níl aon bh- a' buint leis,*[2] nothing soft about him, ní fear bog é; *gheallfainn duit nách é baile na b- é:* áit go mbeadh daoine spriúnlaithe chun cónaig ann—agus tagrann sé do dhuine chó maith le lán baile. Dá dtéinn ar cuaird a' triall ar dhuine nú daoine go mbeadh ainm mhaith orthu, ach n'fheaca-sa aon bhogra ná rabairne a' buint leo, agus nuair fhilleas abhaile d'fhéatainn a rá: *níor chathair mar a dtuairisc iad!* Mara mbeadh ann ach éinne amháin déarfá: *ní baile na b- é.*

boiteallach: low-sized, stout person.

bolgaire: duine go mbeadh bolg muar aige, agus é íseal; gan puínn anam i n-aochor sa tsaghas san duine: níl scaoiltheacht ná scópúlacht a' buint leis.

bonn; b- sochair: *gan bonn acu,* 'sé sin gan pingin acu: thúrfá *bonn* ar phingin; agus thúrfá *bonn sochair* ar luck-penny: táim ag éisteacht leis sin riamh.

brach: *bhí b- 'na shúilibh; seana-dhial brach-shúileach; brach-shúla:* súile bheadh dearg agus s'lach isna cúinní; nú déarfí *súile brachúla.*

brachtí: duine íseal tóstalach; gamhain beag nú capall beag íseal, tochraiste; ciallaíonn san gairíocht, agus bheadh sé sláintiúil.

bráiseas: *vide* s.v. *cnósach trá.*

braisile: *bhí ana-bh- obh ann,*—nead a gheófá amù.

braobaireacht: *ní raibh piuc aige t'réis na b- go léir; t'réis a chuid b-,* boasting, scaothaireacht. Is minic a tugathar 'blowing' ar *bh-.*

bró: *vide* s.v. *leac-oighir.*

[1] *creachaill* an téarma a bhí ag tuille acu 'na chóir seo.
[2] Cf. *níl aon bhogúirí muara a' buint leis* (MÓT).

brócháinín: *ní raibh ann ach b-*, duine beag; *b- capaill.*
brogha: *níor tháinig breis ná b- air*, borra.
bróid: *bhí b- mo chroí orm*, muaráil.
bruid na brád: '*Ní fhéatainn é dhéanamh, tá ana-bhruid orm anois*'. '*Ó mhuise, b- na b- ort!*' Is minic airíos an rud san ráite le duine adéarfadh go raibh bruid air. Dá mbeadh fún úirlicí ar dhuine chathfadh sé é dhéanamh pé rud eile bheadh ar siúl aige: ní féidir an t-úirliocan a chuir ar gcúlaibh. Bhíodh daoine á dhéanamh amach gur as san a tháinig an chanúinn.
bruth: *bhí b- amach trína chroicean*, rash.
buaile: aon áit arna mbeadh do chuid stuic *b-* isea an áit sin. Bán isea é. Chrúidís na ba amù ar an *mb-* ar maidin is istoíche. Níl san á dhéanamh anso i n-aochor anois.
buailthíocha: *tá b- go tiubh inti.* Tagrann so do pháirc a bheadh agat á threabha agus go mbuailfeadh seó cloch umat: seó cloch a bhuala uim an gcéachta. Ón bhfocal *buala* a thagann sé: níl aon bhuint aige le buaile na mbó.
buarach: *bhí an bh- am láimh agam; cár fhágais na buarca?* Ní déarfainn ' na buaracha ' i n-aochor: *buarca* adeirimíd.
Bugódach: *ba an Bhugódaig*—ainm éigint ar dhuine.
buiniceach: *déanta níos buinice*, .i. níos ruîre.
buaint, buint: tugathar dhá shaghas buint ar fhéar nú ar choirce: *léir-bhuaint*, sidé dul chó híseal agus b'fhéidir dul, agus *clár-bhuaint*—é bhuint go maith libhéaltha, ach gan dul chó doimhinn; *órlach dá bhun trí órlach dá bharra:* 'na bhun a bhíonn an taois-leann (i mbun an fhéir).
bulla bú: *dhin sé b- b- dhe.* Dá mbeadh áiteamh ag beirt agus go mbuafadh duine glan ar an nduine eile déarfí *dhin sé b- b- dhe*, nú *chaoch sé é*. 'Sé an rud aireofá ráite i mBéarla ná ' he made a hare of him '; d'aireofá ' he blinded him ', leis.
bulla dall: *dhin sé b- b- de*, nú *Síle chaoch*, ' a blind bully '.
búnsa: *b- slaite*, ' tóinín te '—smacht i gcóir linbh.
buntam: a bantam; *an dial ort, a bhuntaim!*—le duine beag.

C

cafarra: seáilín nú aon phíosa éadaig a chasfá ar do cheann. Bhí seanabhean anso fadó go dtugaithí ' Máire na gcafarraí ' uirthi.

cailleach: (a) thúrfí *c-* ar fhéar a bheadh casta ar gach aon chuma. Chathfá gabháil tímpal air á bhuint i gceart: bheadh sé caite i gcoinnibh a chéile; *tá sé caite 'na sheana-ch- anso rôm;* (b) nú dá mbeadh rud a' teacht rôt i bpáirc i bhfuirm dro-chloiche, nú bata nú giúis i bport, at lot ar do ghnó dhéanamh—loitfeadh sí an fód ort nuair a bhefá a' treabha—déarfá: *tá so rôm 'na ch-bhascaithe, tá an ch- bh- sin rôm i gcónaí.*

caise: *do léim sé an c-.*

caisne: *túir leat c- beag ime, níor thugais leat ach canúir.*

Cáiteach, Céiteach: (a) thúrfá *Cáiteach* nú *Céiteach* ar mhnaoi—is minic adéarfí é i n-inead Cáit; *an Chéiteach:* bean go mbíodh síbín aici ar bhóthar Chíll Áirne, *Tig na Céití;* (b) *An Cháiteach*[1]: sráid Chluan Droichead; *droichead na Cáití.*

caithim anún/thall: *bhíodar á chathamh anún ar a chéile, bhíodar á chathamh thall ar a chéile*—rud éigint nú gnó éigint ná déanfadh éinne acu; nú milleán: *bhíodar a' cathamh an mhilleáin ar a chéile; caithimse anún an scéal air.*

camtha: *bhí sé féin is a chamthaí ann,* lucht leanúna, company.

canafás: canvas; *aprún canafáis.*

canntaoir: *bhí a lámh i gc-,* in a sling.

canúir: *vide* s.v. *caisne.*

caogaid: *vide* s.v. *gionán.*

carragáil: *c- chloch,* rumbling of stones, clocha a' gabháil ar a chéile ag imeacht leis a' dtuile.

cas: *duine diail c-,* ní shásódh an saol é; *tá an dial air le cuise.* Cf. *nea-chas.*

cás: *bhuail sé bás féna ch- agus thug sé tamall a' machnamh; féna ch-:* under his jaw.

ceailis: *ní raibh inti ach c-,* bean ainnis.

ceangailthe: *bhíodar ró-ch- ina chéile; tá an leanbh c- suas díom; táid siad ana-ch- dhíot.*

ceannaí na farraige[2]**:** *tá sí seo ag imeacht ag c- na f-,* féar nú móin imeodh leis a' dtuile.

ceapaire dárach: 'sé brí bhí leis seo, nuair a raghadh garsún nú beirt gharsún le bó go dtí tarbh, nuair a thiocfaidís abhaile agus

[1] Cf. *Cáiteach: ní raibh tithe a dhóthain ann chun sráid a dhéanamh* (Seán de Brún, Cíll Chóirne: RBÉ LS 912, 293).

[2] Cf. *Níl aon chearc am sheilbh, mar do tháinig c- na f-* [= galar] *orthu agus sciub sé gach aon cheann riamh acu* (An Táilliúir Ó Buachalla). *B'é c- na - an abha, gan amhras,* dar le Pádraig Ó Murachú (RBÉ LS 864, 453).

an bhó durtha chathfadh bean a' tí nócht nú sólaistí éigint a thúirt dóibh—císte milis nú a lithéid, agus chathfadh fear a' tí pingin nú pinginí éigint a thúirt dóibh; orthu so a b'ea tugaithí an *c- d-*.

ceart ceártan: nuair a thiocfaig fear chun na ceártan chun aon saghas oibre fháil déanta dho ag an ngabha cathfar obair an fhir seo a dhéanamh roime obair aon fhir eile a thiocfaig níos déanaí, agus dá ráineodh beirt nú triúr roimis caithfig so fanúint chun go mbeig a ngnó san[1] déanta de réir a gcirt féin fé mar a thánadar. Sidé arna dtugathar an *ceart ceártan*. Dá dtagadh fear ná beadh ach beagán aige le déanamh, i bhfuirm seana-chrú a chuir fé chapall nú rud éigint beag don tsórd san, déarfadh an fear so leis an muíntir a bheadh roimis: '*A' dtúrfadh sibh ceart ceártan dôsa? Ní dhéanfad aon mhoíll díbh: níl uaim ach seana-chrú a chomáint*'. Tugathar an cead dò, agus leanann an gabha ag obair leis arís don chuid eile fé mar a thánadar.

ceastar: rud gan mhaith, gan mhianach—nú rud liobarnach, ainnis: seana-speal nú rán, nú árthach éigint; *seana-ch- galúin*.

ceathrú sóin: *c- s- bodaig*, duine go mbeadh seó don bhodach ann; *d'íosfadh sé an ch- s-*, 'he'd eat the Quarter Sessions'. Níl *c- s-* ná éinní ar siúl anois.[2]

ceileatrom: disguise.

ceiliméarach: *ana-ch- mná*, árd agus téagartha—ní thugathar ar fhear é.

céim: *Dia láidir go ndeárnaig é shaora ón gcoir*
go hábaltha i ngrástaibh gan ch- ar bith (fil.).

céra: *c- peictiúir é sin?* whose image is that?

cillín: níos lú ná an chíll; chuirtí leanaí iontu so.

cineàl: *bhí c- acu á dhéanamh*—d'airínn an focal san ag seandaoine; is dócha gur b'é an focal Béarla *canal* é: mar a chéile iad.

cineard: headland (i bpáirc); *leithead an chineaird*.

ciobún: seo ainm do mhnaoi; *níl inti ach c-;* tá neafuisí a' buint léi, leis.[3]

ciopóigín: *c- do mhnaoi*, níl sí go maith chun gnótha ná éinní.[4]

[1] *so* LS.

[2] Bhí an focal *siosón*, leis, ann agus é in úsáid ar shlí eile, e.g. *bhí s- cainte acu* (BC); vide *Cn.F.* s.v., agus lch. 231 *supra*.

[3] Cf. *ciobúinín ná raibh aon mhaith inti chun martha:* bheadh sí ainnis, gan bheith ró-mhaith chun éinní dhéanamh (BC).

[4] Cf. *ciopóg ráinne*, lch. 93 *supra*.

cipe: a regiment.

cisiú: to tread[1]; *c- ar chois nú sos do láimh; ar chisig sé ar an gcois go fóill?; clocha cisithe:* stepping-stones; *cloch cisithe, mianach na cloiche cisithe; mianach na gcloch cisithe.*

clabhca: *tá an dial do ch- coise ort!*—ana-mhuar.

cladar, -án: *bhí fhios agam go raibh seó coiníní istig sa chladarán (cloch) san.* Saghas tulacháin isea cladarán: na clocha caite ar gach aon chuma. *Cladar* nú *cladarán. Bhí sé titithe i n-aon chladar amháin*—titithe i gclab a chéile: falla nú fotharach a bheadh titithe.

clós: yard; *c- an tí* nú *c- na dtithe;* agus dá mbeadh tithe maithe le fiscint i n-áit 'sé an chuma déarfadh duine: '*Tá c- maith tithe un*'.

cluipíd: *c-* nú *baghrach* i gcóir caereach; *bhíomair a' cluiche na gcaereach, agus dá bhficfá an obair a bhí againn a' d'iarraig iad a chuir i gc-:* baghrach, sean-fhotharach, pen.

cnagaire: gamhain na bliana so (ó Abarán nú Bealllthaine) chun go raghadh sé go Samhain; 'grass-calf' a thúrfá air sin sa Bhéarla.

cnaoiste: *c- do mhaide;* tugaithí go seóig é ar chapall ana-dhéanta.

cnósach trá: gheófá *c- t-* i n-áit ná beadh aon tuile an uair sin—ach do tháini sí uair éigint un. Bheadh gainimh agus suip agus fóid sa *ch- t-. Bráiseas* ansan: ní muar go mbíonn ann ach seana-luachair agus cipíní, scotháin aitinn is nithe don tsórd san a bhíonn tugaithe ag an dtuile léi.

cnuba, -lach: déarfá *cnubalach* nú *cnuba; cnuba seanduine* nú *cnubalach seanduine:* seanduine ainnis, agus chathfadh sé bheith muar, leis; *cnubalach s'lach* nú *cnuba s'lach,* agus déarfá *druba s'lach,* leis: drudge isea druba; agus *cnubalach* isea *abalach,* leis, nuair a thúrfá ar dhuine é: duine go mbeadh goile ana-mhuar aige agus gur chuma leis cadé an saghas feola thúrfá le n-ithe dho: *abalach isea é.*[2] Feoil mharbh isea abalach; *béile ar a-:* gadhair is mó dhineann an rud so—seana-bhó nú seana-chapall a gheóidís marbh.

cnúta: *c- seanduine,* seanduine a bheadh ana-ruín—ní bhfaighfá piuc uaig ach caint.

[1] *limping* LS.

[2] An úsáid chéanna ag BC, ach cf. *bheadh an c- 'na bheathaig, marab ineann agus a-* (DK).

cnútáil: *bhí sé a' c-*, duine a chuirfeadh a lámh 'na phóca chun síntiúis éigint airgid a thúirt duit, mar dhea: déarfadh sé ansan ná raibh sóinseáil aige, nú gheódh sé leathscéal éigint.

cnútaire, cnútálaí: duine gan mhaith gan tairife—*airiú, ní raibh ann ach cnútaire* (nú *cnútálaí*).

cochall: *vide* s.v. *roc.*

côcht: *trí ch- Sheáin*, through Seán's intervention.

coínle reótha: icicles.

coínleach: a stubble, páirc go mbeadh arúr buinte dhi; bheadh na *briogadáin* fágtha, nú na *tínlíní*: phriucfaidís do chosa.

coinneáilt: *cad a bheireann duit bheith a' c- na leapa?*

coipinéarach: *seana-ch-*, seanduine.[1]

coisí: *bheadh coisí maith ar gach aon dath* (cú).

coitean: *tá sé ag imeacht c-*, duine bheith ag imeacht fiain agus gur chuma leis cad a dhéanfadh sé—fiain thar a ghustal. Déarfá ansan go mbeadh sé *ag imeacht c-*. Ní leis an nduine a bhuineann an focal, cé go bhfuil sé ráite leis, ach le talamh go mbeadh sciolpóg age gach éinne as. Tugathar *cuimín* nú *cuimín c-* ar a lithéid sin do thalamh. Is minic airíos ráite, dá mbeadh áit agat ná beadh daingean fónta air agus go mbeadh sciolpóg ag stoc na gcôrsan á bhreith as, déarfadh duine: *cathfar an áit seo a dhainginiú—tá sé imithe 'na chuimín c-.*

coitléar: fear a chuirfeadh faor ar rásúraibh; *Páirc a' Choitléara* (ar an Ínse Muair).

collth: bata deas éadrom isea *bata c-*[2]; *collth* isea an focal. Dhineadar amach go raibh bua éigin ag an maide seo seochas aon mhaide eile chun sprid a throid nú tu féin a chosaint uirthi.

colpa: *vide* s.v. *dortàch.*

comard: *c- tailimh atá acu*, có-oiread tailimh.

córda: *ní bhíodh aon mhála eile acu ach mála c-.*

cosán cóngair: is gnáthach go bhfuil *c- c-* chun séipéil i n-a lán áiteanna, treasna na mbailthíocha, pé cóngar is feárr fhéatadh

[1] Cé ná fuil sa LS ach so, *seanduine gur dheacair tarrac ná réiteach leis* an brí a bhí ag daoine eile leis (agus ag AÓL féin, déarfainn). Cf. *Seana-Ch. na nDéise II*, s.v. *copainéireach.*

[2] Cé ná beadh an *-th* ann ag gach éinne, *bata coll, maide coll* ba ghnáthaí sa chaint: fiú amháin bhí '*An Bata Coll*' mar leasainm ar dhuine. Cf. *T'réis an mhaide coll a ghearra, 'dén chrích a ghoibh í siúd ?* (in amhrán). Is amhlaidh sin a bhí ag Seán Ó Conaill (*L.Sh.Í Ch.*, 372); agus féach *slat deas choll* i nGaoth Bearra (*Béal.* I, 84) agus *maide coll* i gCárna (*Béal.* vii, 134).

na daoine a thógaint. Tá cuid dosna cosáin seo seannda go leor, agus tuille acu ná fuil i n-úsáid ach le déanaí.

cóthrom: *c- coirce, c- óir*, có-oiread; *thug sé dhom céad prátaí is thugas dò a ch- coirce.*

cotún: cotton; *an tseana-cheairt cotúin.*

cráin: nuair a bhíodh Ciarraíg a' dul go Corcaig sa tseana-shaol 'sí an tsrathar fhada a bhíodh acu: ní raibh aon turcail uim an am san. Is minic a bhíodh ó dhosaen go fiche duine acu i n-aonacht ar an mbóthar. Feircíní ime a bhíodh acu. Ach do bhí aon chapall amháin agus air seo a bhíodh bia na coda eile go léir: ní bhíodh aon ím ar úmpar aige. B'é seo n-a dtugaithí *Capall na Cránach* air. Ba ghnáthach gur b'é bhíodh ar deire, agus ba mhinic a deireadh an chuid eile: '*Ní bheig aon ocras ar mharcach chapaill na cránach*'. Tá an chanúinn fanta eadrainn riamh ó shin. Dá bhficfí fear ag aistriú bíg fé dhéin mithile, nú aon saghas cruinnithe don tsórd so, déarfí: '*Tá an saol chó maith aige le marcach chapaill na cránach*'. *Cráin. An chráin.* Is cosmhail go bhfuil so tógtha ón gcráin mhuice: isí a bheathaíonn an t-ál go léir, agus isé fear chapaill na cránach a bheathaíonn na fir eile ar an mbóthar. *Do leag sí chuige an chráin ar an bport:* an bia.

creabhag[1]: *ní há ch- air é*, ní há chasa leis é, nú ní há mhaíomh air é.

cros: *dhin sé c- de;* déarfá *c-* nú *crois.*

cros-bhóthar: *c-* isea é i n-aon áit go dtiocfadh bóthar isteach ar bhóthar eile; *crois na gceithre rian, crois na dtrí rian.*

cuacán: *bhí cuacáin mhuara déanta dhi* (móin), big heaps. (Cf. *púcán.*)

cúiláisiún: collation, dúthracht d'fhear a' tí nuair a bhíd na fir eile gofa amach óna mbéile; *bhí c- éigint le fáil aige i gcónaí.*[2]

cuiníollach: *fear c-, fear diail c-*, dhéanfadh sé éinní iarrfá air; *bhíodar ana-ch- dá chéile*, sticky, chabhraídís le chéile; *capall c-*, kind, willing.

cuinnire: *c- tuínncéirí*, tagaithe le coinne; *bhí c- tuínncéirí 'na lithéid seo d'áit;* níor airíos ráite le haon chruinniú eile é.

cuírse: *níor dhineas aon ch- leis, níor dhin an gadhar aon ch- liom;* friendship isea é.

[1] Vide *Cn.F.* s.v. *criúg*, *D.* s.v *turbhaidh*, *DRIA* s.v. *cairiugud* (bunús ceart an fhocail).

[2] Cf. *do chuardaigh sé na comhairthíní, na halamóirí,* is na *cúiláisiúin*— Pádraig Ua Buachalla (aistr.), *Eachtra Phinocchio*, lch. 21.

cunálach: *bhí an abha 'na cunálaig,* lán suas, ag imeacht fiain, tuile san abhainn.

cúntar: *i gc- ná leanfadh sé me,* so that he wouldn't follow me.

cúpla: *vide* s.v. *feidhre.*

cútanáil, cútarnáil: *thug sé c- bhatarála dho,* crúcáil agus suatha—agus gan puínn buillí a' buint leis.

D

dathadaeir: *d-* isea pacadaeir, a dyer.

dearga beara: *vide* s.v. *spaisteoireacht.*

deiliúsach[1]**:** *duine beag d-, nách d- athánn tú,* duine a thúrfadh freagra trim, beagmhathasach, cabanta ort.

deise: *ar a dh-* (*vide* s.v. *dú-dhealbh*).

dígeanta: steadfast.

dimaidhse: *is beag idir a thaidhse agus a dh-,* ní fhéadfá beag ná muar a rá leis.

dimaidhseach: *tá sé d- go maith anois,* féar gur dhó leat go mbeadh déanta ní b'fheárr aige go gcuirfá le chéile é.

díoscán: *d'aireofá d- agá fhiacla,* saghas crunching; *tá an doras a' d-,* creaking; *is buan é crann an díoscáin:* d'aireofá *d-* ag géig craínn agus d'fhanfadh sé ann ar feag blianta 'na dhia' san; nú duine bheadh leointe i gcónaí agus bheadh sé a' maireachtaint leis.

diuc: *tá an d- ar na cearca.* Galar isea an *d-* agus do mharódh sé cearca; is amhlaig a thachtann sé iad: *go dtachta 'n d- tu!*—is minic aduarag an focal san le duine; *mara dtachtaig an triuch tu go dtachta 'n d- tu!*

diuca: *bhí fear a' tí á dh- le gáirí,* a' dul isna trithí dú, choking; *bhí sé á dh- féin leis an mbia* (nú *á ghiulca féin*), á thachta. (Cf. *giulca.*)

diúltha: *vide* s.v. *saint.*

diúlthaíoch: *rug sé ar dh- air,* chuir sé a lámh 'na *dh-,* díreach fén ngiall; *faid an diúlthaíg.*

diúraic: rud beag neafuiseach—gamhainín nú duine beag nú banaí: *níl iontu ach diúraicíní;* nú leathghloine fuiscí.[2] *Ruibe d-: tá r- d-*

[1] *diliúsach* LS.

[2] *Deóraic fuiscí* = tôs leathghloine; nú *diúiricín,* nú *diúinicín* (BC).

air, garsún nuair a bheadh sé a' tiospeáint ruibe beag féasóige, gan aon aidhm aige ar bhearra.

dlúth: *tá sé d- na fáilthe amù*, an fháilthe bheith níos beó nú níos dlúthaí; *táim d- na fáilthe amù anois; tá d- na fáilthe amù aige.*

dóchaisín: an empty boaster.

donn: *d- an chraínn*, 'the brown of the tree', adéarfá sa Bhéarla; istig i lár an chraínn a bhíonn an *d-*; dá mbefá a' togha spócaí turcaileach ba mhaith leat an *d-* fháil: isé is feárr[1]; *dath na duinne.*

dorae: *fear d-*, fear dúr, gruama, gan aon rud a bhuinfeadh le sulth ná meidhir ann.

dorgain: duine téagartha, có-chruínn; *D- Bhaile Nóra*: bacach ó Bhaile Nóra (i n-aice Chorcaí) a bhíodh a' bacachas; thagadh sé anso fadó.

dortàch: *dhá ghé cuíora, dhá chuíora d-, dhá dh- colpa, dhá cholpa bó, bó agus leath-cholpa damh; d-:* beithíoch bliana; *colpa:* beithíoch dhá bhlian. B'shiné an cóireamh a bhíodh acu fadó; ach is mó íosfadh an dá cholpa ná an bhó, déarfainn.

draein: a drain; *leithead na draeine.*

drail: tugathar *d-* ar dhuine tútach garbh, go mbeadh iarracht do thóin mhuar air.

dranna (gáire): *vide* s.v. *smiota.*

draoitheadóir: saghas cleasaí isea an *d-*, duine go mbeadh an iomad le rá aige; *a lithéid do dh- ní fheaca riamh.*

dreoilín: *d- fuiscí*, leathghloine fuiscí; *thug sé d- fuiscí dho.*

druba: *vide* s.v. *cnuba(lach).*

druím lâ: *thug sé d- l- leo*, gheárr sé amach iad.

duainéis: *d- an bháis*, trioblóid nú teinneas an bháis.

duainéiseach: *bím ana-dh- an fhaid a bhíonn obair don tsaghas so idir lâibh agam; obair dh- isea í*, hard, troublesome.

dudàch: *d- go maith a bhí an bhó liom ar maidin*, bó a bheadh crostáltha nuair a bhefá á crú; *seanduine d-*, a sour or surly old man.

dú-dhealbh: tá an *duine bocht*—níl sé ar a dheise, níl puínn aige; agus déarfa mé le fear eile: *tá sé ana-dhealbh;* agus tá fear is measa ná é arna dtugathar *fear dú-dhealbh*, destitute, gan piuc aige—fear gan béile na hoíche.

[1] Cf. *D- daraí an t-adhmad is feárr amù; fionn daraí an t-adhmad is measa amù* (BC).

duír(e): *ritheann an duír tríthi,* nú *an duíre:* dro-mhóin ná seasódh aon fhaid sa tine, móin ná beadh inti ach bladhm, it goes in a blaze; nú cnoc a' dó go mbeadh clúthairt mhuar air i n-aimsir earraig, do rithfeadh an duír tríd.
dún-bhrog: *is mó d- aoibhinn 'nar thugas oíche ar cuaird* (fil.).
dúracán: duine dúr.

E

Éamon na gealaí: the man in the moon. (*Vide* lch. 401 *infra.*)

F

fabhar: *Dé Domhnaig tig cabhair chúinn is grásta ó Dhia,*
Bíonn an Domhnach i bhf- is i bpáirt lucht fiaig;
Dé Domhnaig níl power *agem nâid*[1] *am dhiaig—*
'Sé mo lom-chreach nách Domhnach gach lá don bhliain!
fachaillí: rud éigint a thagann ar shúilibh na caereach.
fadhshnóch, fadhbhnósach[2]**:** *duine beag f-; fann-shnóch* isea é.
faghairt: *f- 'na shúilibh,* iad ar lasa.
fаghartha: *duine beag cruaig f-,* fiery.
faghlachas: *tá ana-dhúil i bhf- aige,* a' d'iarraig snap a bhreith uait; *fear faghlachais; lucht faghlachais,* poachers. Ón bhfocal *folachas* a thagann san, mar bíonn sé a' d'iarraig é dhéanamh i gan fhios duit,—ba thar teorainn, etc.
faighléardaíocht[3]**:** *bhí sé a' f- ar fuaid na háite, thúrfadh sé a lá 's a shaol a' f- ar fuaid an bhaill sin,* fooling around, wheeling around about the place.[4]
fairceallach: firín beag tóstalach.
falla feidín: falla a bheadh déanta do mhárla; *falla ar feag dín* adeireadh cuid acu: go mairfeadh sé an fhaid a mhairfeadh an díon. Ní rabhdar anso.

[1] *námhad* LS.

[2] *fadhmunósach* (BC).

[3] *faighlaordaíocht* LS.

[4] *a' f- = a' siúl gan aidhm* (DÓB).

fé: *thúrfainn duit é ach b'fhéidir ná beifí fé dhom,* ná beifí sásta le me á dhéanamh.

feac: *bhí f- 'na dhrom,* duine go mbeadh drom ana-dhíreach aige; *bhuail sé soir an bóthar agus f- un.* Dá mbeadh stáca agat agus maide á chur fé chun gan leogaint dò titim, déarfí: *ní miste dhuit é chuir i bhf- níos mó,* i.e. to force the stick more.

féach: *nuair a bhí féachta aige uirthi.*

feamaire: duine díomhaoin, gan dúil i ngnó.

feánna: *vide* s.v. *géataí.*

feidhre: *f- aráin* nú *cúpla aráin,* a pair of bread; *túir chúm cúpla aráin* (nú *f- aráin*), a pair, two loaves.

feille-bhligeárd: bligeárd críochnaithe, ' a finished blackguard ', ' a finished scoundrel '; *airiú, a fheille-bhligeáird!*

feilimionta: *thóg sé an chloch go f-,* gan aon dua, mar a dhéanfadh fear láidir.

fiainis[1]**:** *thug sé f- uaig; ní bheadh a bhac air seasamh i bhf- an rí.*

fianachtaí: a big, strong, rawboned, awkward person, or pig, or horse.

fiannaí: *f- fir,* gan aon chiall lena chuid cainte, gan ar siúl aige ach fiannaíocht.

fionn: *f- an chraínn,* sap; *dath na finne.*

fionna-mhóin: cúnlach bán, fliuch isea *f-,* a fhásann i n-áit fhliuch: bheadh do chosa a' gabháil síos tríthi; níl éinní fónta ag an áit sin á fhás; *an fh-.*

fiúraí: *bhí an lá a' f- ar fhliucha; bhíos a' f- ar an gcapall san a dhíol:* is cuma é nú *barraoid.*

fleasc: *f- a dhroma,* the flat of his back; dá mbeadh talamh leacan ann déarfí le duine: *ná cuir chút an t-ualach go léir chun go dtéir síos ar f- na páirce,* i.e. libhéal—b'fhéidir go mbeadh cuid don pháirc 'na libhéal.

foc: meigeall a bheadh beárrtha gairid. Thúrfá *meigeall* air dá mbeadh sé fada, *m- an ghabhair,* ach ní *f-* é mara bhfuil sé beárrtha iarracht gairid: meigeall gairid isea é; *faid an fuic.* Tugathar *féasóg* ar an rud atá agat le bearra dhíot féin uair sa tseachtain; ach bheadh an *f-* cúpla órlach, nú mar sin, ar faid.

folarthach: duine ná bíonn piuc níos feárr ná an chearc nuair a bhíonn sí a' fola. As san a thagann an focal: *tá an chearc a' fola,* shedding the feathers; *an f- file seo d'imig i gcéin soir uainn* (fil.).

[1] *fiainise* (BC).

fosaoideach: *is f- an duine é,* a fussy person.

fráca: bean láidir, fhearúil, dhána; *f- mná, f- caillí:* ní thúrfá ar fhear é.

franncach teallaig: i dteallach ceártan a bhíonn an *f- t-*. Bhí gabha ar Cúil Ao arna dtugaidís Seana-Chrothúr Gabha. Do bhíodh lán na ceártan do lucht scuraíochta aige gach oíche. Bhíodh scéal aige féin agus scéaltha ag lucht na scuraíochta. Ba mhinic a bhíodh na scéaltha chó maith go dtugadh sé faillí san iarann a bhíodh curtha sa tine aige, agus nuair oireadh dò é tharrac amach bhíodh an t-iarann geall leis dóite. '*Ó mhuise*', adeireadh sé, '*tá an franncach ansan i gcónaí agus beireann sé leis an t-iarann san uaim mara dtúrfainn aire mhaith dho!*' B'shiné an *f- t-*: ach ní raibh ann ach maga, ar nóin.

frún: *ní bheig aon fh- anois air,* duine bheadh go seascair: níor ghá dho é féin a fhliucha. *Oighear* a leanann *f-*.

fuainní: *vide* s.v. *spide fia.*

fuath: *scéal fir fuatha,* déanta ag fear go mbeadh fuath aige dhuit.

fuiréar: a farrier, gabha. Ní raibh aon vet ann sa tseana-shaol ach an gabha. Dá mbeadh breoiteacht nú éinní ar an gcapall chuirfí fios ar an ngabha. Thugaidís *f-* air: *tháinig an f- a' féachaint ar an gcapall.*

furca: *vide* s.v. *pails.*

futinn: *chuas ann ar fh-*[1] *go leanfadh sé me.*

G

gabhairéis: *bhí g- mheisce air,* é bheith súgach go maith, braon maith óltha aige, nú braon fairis an gceart; *is dó liom go bhfuil g- bheag ort,* bheith ar bog-mheisce; *bhí g- chollata air,* bheadh sé a' míogarnaig.

gad: throid fear do mhuíntir Chonaill sprid na Mangartan. Thugadar an oíche ar a chéile agus i ndeire bárra, nuair a bhí *g-* déanta aige don mhaide, 'Tánn tú agam anois!' ar sise. ''On dial a ndinim 'o dhabht díot!' ar sisean—agus do mhairbh sí é.[2]

[1] *ar iotainn* LS; cf. *níor bh'é sin f- a riug ann é, ar a' bhf- sin a chua sé ann* (BC).

[2] Vide *supra,* lch. 179.

ġaelach: *gamhain g-*, common, ní bheadh sé go deas; *capall g-*, capall garbh, gan puínn folaíochta ann; agus na ba a thugaidís ó Chiarraí: *Kerry beag g- isea í.*

ġailiún: duine a bheadh iarracht símplí; '*airiú, a ghailiúin amadáin!*'; nú duine a dhéanfadh rud dícéilliúil gan aon tsímplíocht ann.

ġaillseach[1]**:** rud dubh, chó muar le trúmpalán; níl sé ar fad chó téagartha le trúmpalán. I n-uisce portaithe is mó bhíonn sé le fáil. Ní leogfí do bhuaibh uisce ól dá mbeadh sé ró-fhada 'na stop, mar b'fhéidir go mbeadh *an gh-* ann agus go sloigfidís í: bheidís breoite ansan. Níor airíos aon ainm eile túrtha ar an rud san ach *g-*. Tá *g-* eile ann, ach rud beag isea í: earwig.

ġáinne: '*Tá sé cam agat*'. '*Níl, ach chó díreach le g-*', as straight as an arrow.

ġallán: *is diail an g- fir é*, fear árd, téagartha—chuirfá i gcúmparáid le *g-* é.

ġaothach: *sheasaimh an fionna uirthi i gcoinnibh na spéarach is ba mhire í ná an gh- at choinnibh sa ród* (Pead Buí); *na Doirí dú is a gcúl le gaoithig; an Lománach theas gan fasc ón ngaoithig* (Scoláirthe Bocht éigint aduairt).

ġarbhóga: shrubs.

ġáróid: *vide* s.v. *gatharáil.*

ġarúch: *d'ólfadh sé an gh-.*

ġasaráil: *a lithéid do gh-, bhíodar sa tslí ar a chéile,* ana-chúnamh chun oibre: b'fhéidir ná beadh puínn fothraim acu ach go mbeadh ana-ghasra ann.

ġatharáil: *g- mhuar chainte; g- ghleoig,* fothram; leanann *g-* braon óil: gach éinne a' caint agus a' cuir trí chéile = *gáróid.*

ġeall, iol. *gíll: gíll agus urrústaí;* rudaí a fhéadfí a thógaint nuair a thiocfadh an t-urrús ort—siniad *na gíll.*

ġearra-baġhas: *bhí sé ar g-,* éadach nú rud a bheadh agat á ghearra, mara mbeadh an gearra a' rith díreach.

ġearra brád: duine raghadh a' buint prátaí nó agus gan iad ró-mhaith aige—an garraí ró-óg—déarfí *is muar an g- b- bheith á mbuint*—bheadh ana-phrátaí ann i gcionn seachtaine nú caidhcís.

[1] *Druipseach* a thugadh Pádraig Ó Murachú (Bhéalaithe'n Ghaorthaig) ar an rud so gheófá i n-uisce portaig, ⁊rl.; níor thug sé *gaillseach* uirthi. Déarfainn gur ón bhfocal *draoib* a fuarthas *druipseach*<*draoibseach* (SÓC).

géataí: *is olc na g- athá aige, is olc iad a gh-*, i.e. *feánna; is olc iad a fheánna:* feánna isea *g-* sa tslí sin; ach déarfá ansan: *tá g- maithe fé*, tá sé a' faire ar dhéanamh go maith; *tá dro-gh- fé*, tá sé a' faire ar dhéanamh go holc; *d'aithníos ar na g- bhí fé gur b'shin mar a bheadh.*

giofaire: *g- chailín bhig* nú *g- gharsúin*, a gaffer; bheadh a lán cainte ag an *ng-*.

giológ: rud beag, úlla beaga nú prátaí beaga[1] nú uí beaga—*níl iontu ach giológa; níor thóg sé ach dorn giológ:* duine bheadh ag iascaireacht; thúrfainn *g-* ar bhreac nú sprot nú aon saghas éisc a bheadh ana-mhion: *níor thug sé leis ach giológa. Cailleach dhearg* a thugadh seanabhean éigint ar bhreac bheag: ' níor thugais leat ach na cailleacha dearga ', adeireadh sí. Dhéanfaidís an gnó i gcóir baighte. Is dócha gur as so a tógag an focal ' colly '.

gioltharach: *bhuail chúm isteach an g- linbh*, leanbh ana-bheag.

gionán: thúrfainn *g-* ar chriochán, *g-* nú *caogaid;* agus caogaid isea cloch an phaidirín, a stone of the bead.

giota fobha: *dhin sé g- f- dhe*, é mhionú; *g- f- a dhéanamh don chíste.*

giúch: dial isea *g-*, nú diailín beag. Is dó liom gur leis an ndial a bhuin an ainm ar dtúis. Déarfá *bhí an g- rôm*, agus *nuair imig mo gh-*. Thúrfá *g-* ar ghiorré: *airiú, dá bhficfá an g-*. [2]Ní *ghiúch* é ach *g-*.[2]

giulca: *thug sé g- maith dho*, ghoibh sé air,–saghas folathachta isea *g-; bhí sé á gh- féin* (nú *á dhiuca féin*) *leis an mbia*, á thachta. (*Vide* s.v. *spíce an lae.*)

glamaraisc: *tá g- mhuar stuic aige*, a lot, made up of all kinds—good and bad; *tá g- mhuar acu féin ann*, a big family.

glan: *ná cuir an t-uisce s'lach amach go dtí go mbeig an t-uisce g- istig* (S.Fh.).

gleabhca nú **gleabhasca:** duine ná beadh an iomarca mothú ann.

gleabhcáil: *a' g-*, ag obair sa doiritheacht, nú a' d'iarra siúl sa doiritheacht.

gleamaíol: *bhí g- rógaireacht un.*

gleóthálaí: duine a dhéanfadh gleó i dtaobh a chúrsaí féin, scaothaire nú ' blow-hole '.

[1] Tá *giológ* mínithe i dhá LS, agus tá so ráite i gceann acu: *ní thúrfainn g- ar phráta* (LS 1527.12); ach cf. *Cn.F.* s.v. *gealóg.*

[2-2] Toradh ceiste an méid seo, ní fuláir. Ach bhí *ghiúch*, leis, ann; cf. *gh- muar giorré*, nú *giúdaíoch* (Diarmaid Ó Conaill ósna hUláin).

glugar: *vide* s.v. *leatha lúinneach.*

gnás: *bheadh g- agat air,* nú *chuirfeadh sé g- ort féachaint air,* déistin; corpalach nú rud s'lach nú bia s'lach a chur os do chôir, nú dá ropainn luch chun do bhéil: *ní fhéatainn greim a dh'ithe t'réis an ghnáis a chuir sé orm.* Níl aon bhrí eile leis an bhfocal anso, ach airím cuid acu—tugaid siad *gnás* ar an rud n-a dtugaimíd-na *nós.*

gogadán: coca beag féir.

gora leaindí: *tóg g- l-,* a heat of the fire.

gorán nioscóide: nioscóid bheag—níl aon mhéad a' buint léi.

gorm: *is deas g- an pháirc í sin*—green isea é, ach d'fhéadfá *glas* a rá, leis; is minic aireofá an focal *gorm* mar sin a' tagairt do dhath na páirce: féachann sé gorm.

grágaire: duine bheadh a' gearán agus a' cnáimhseáil i gcónaí, agus bíonn croí cúng aige; tá an focal ana-ghaolmhar ag an bhfocal *cníopaire.*

gráinne: *a' buala na cloiche i gcoinnibh an gh-* (ach *i gcoinnibh an tsnáth:* le hadhmad).

grásaeir: *vide* s.v. *bódóir.*

greabhaisc: *bhí g- aige á dhéanamh leo mar a bheadh ag leanbh ag ithe mísleán.*

greabhaisceáil[1]**:** *bhí sé a' g- len' fhiacla.*

gríosca: *tá sé á gh- féin leis a' dtine,* á thé féin.

gríscín: *vide* s.v. *scor.*

grobaire: duine bheadh ar a shon féin, gan aon bhuint aige le héinne eile, doing for himself; *seana-gh- amadáin:* bheadh sé a' déanamh dò féin, agus b'fhéidir a' déanamh go maith.

I

iarsma: *tá i- lena shaol air,* nú *tá ceirí lena shaol air,* an té phósfadh dro-bhean.

imeacht: *do chuir sé chun imithe.*

imileacán: the navel; *sranng imileacáin:* the navel-string, ar ghamhain nú banbh, ⁊rl. Níor airíos an focal *carcaide,* chó fada agus is cuín liom.[2]

[1] *Bhí an mhuc a' greabhascáil* = a' clagairt, chewing noisily (BC); *a' giuba 's a' greabhascáil ar leabhraibh* = a' priucadaíol (DÓB).

[2] *Carcaide* = navel-string (BC). (Bhíodh an focal *carcaide* ag sean-daoine i gcóir ' navel-string ': d'airíos féin é. SÓC).

ínníor, ínnéar: *tá na ba ag ínníor* nú *tá na ba ag ínnéar*—ba chuma liom ceocu adéarfainn, tá an dá rud ráite; *ínnéarfaid na ba an áit sin* nú *ínneórfaid na ba é:* tá sé ráite ar an dá chuma, ach is minicí aireofá *ínneórfaid* ráite; *talamh maith ínnír* nú *talamh maith ínnéir.*

iomàrd: *an dial nár gháir riamh ach le hi– a chôrsan nú leis an mbia beirithe,*—dro-theistiméireacht ar dhuine.

L

ladar tuínncéara: nuair a bhíonn an tuínncéir a' gabháil do ladar bíonn a bhean agus na tuínncéirí eile 'na thímpal agus '*Bail Dé ar do ladar*' acu; ní leófar aon eascaine dhéanamh an fhaid a bheadh sé a' gabháil dò nú theipfeadh sé; *l- tuínncéara.*

lagpháiseach: *duine l- isea é,* bad nerve, agus déarfainn weakness of heart, leis; ní bheadh aon choráiste aige.

lámh-éadrom: *bhí an fear san l-*, ghoidfeadh sé rudaí, he was light-handed.

lánán: bladder; *i bhfuirm lánáin.*

lásáil: léasa isea *l-*, agus léasa isea lasca; *é lasca* nú *é léasa,* nú *é l–.*

lathairt: *bhí l- mhuar choileán ag an ngadhar.* (Cf. *luthairt l-.*)

leaba luí: *is ann a bhí l- l- acu,* an reilig 'na gcuirthar iad; *tá l- l- nó tógtha acu san anois* (.i. ceannaithe).

leac-oighir: *cóta leac-oighearach;* is treise an *cóta* ná an *screamh,* agus t'réis an chóta: *bloc.* Dá mbeadh an sioc tríd an oíche ana-dhubh, ana-ghéar, agus *l-* tagaithe ar árthach uisce éigint a bheadh lasmù don doras, *l-* ana-láidir, thúrfí *bró leac-oighearach* uirthi seo—an saghas is treise ar fad. Is treise an bhró ná an bloc. *Scannán* nú *screamh.*

leadhb: déarfí *l- mná; l- leice a b'ea í.* (Cf. *léithis.*)

leamh-gháirí: *bhí sé a' l- nuair aduart leis é.* Daoine geall leis ná beadh cruínn is minic a bheidís a' *l-;* nú duine a gháirfeadh gan aon chúis, sin *l-*.

léanaithe: *tá sé l-*, threadbare (éadach), d'fhéachfadh sé go maith ar dtúis, ach leis a' gcathamh chóireófá na snáithíní ann; nú thúrfá *scagachán* air nuair a lomfadh sé mar sin.

leath-lúinneach, leathan lúinneach, leatha lúithreach[1]: thiocfadh *l- l-* ar láimh an dórnáin nuair a bhefá a' buaint, i.e. na méireanta agus caol na lâ a bheith a' leatha ort: bheadh an lámh ana-theinn; *lúinneacha* = sinews. Thiocfadh *glugar* ar láimh an chorráin, i.e. numbness.

leithileachaisiúil: *duine l-*, duine ann féin, ' a man in himself '; b'fhéidir go mbeadh sé iarracht greanúr ann féin; bheadh a nósa féin aige. *Duine ar a shon féin:* is measa é seo ná an duine *l-;* n í bhíonn éinní a' déanamh buartha dho ach a ghnó féin agus is cuma leis cad a dhéanfaig na côrsain, ná an saol, agus ní bhfaighir piuc uaig sin. D'fhéatadh an fear eile bheith go maith nuair a bheadh aithne aige ort: gheófá rud éigint uaig.

léithis[2]: *l- mná*, bean leadhbach liobarnach.

leithilig (tabh.): *do labhair sé liom ar l-.*

leointe: *chua sé ann dá l- féin*, dá thoil féin; *chuadar ann dá l- féin.*

leoithne: *bhí l- bheag gaoithe ann.*

leonaitheach: *mar ba l-*, as luck should have it; *agus mar ba l-, bhí sé istig rôm.*

liag: *an tuile l- a' teacht anoir* (rann), tuile thréan; *liagmhar: an gárda láidir garbh-liagmhar* (fil.), na sluaite.

líne: *Adamhaím gur maith an l- sagairt mhíne, méithe,*
Is má feargaíthar pearsa dhíobh gur damaint í don t-éigin[3] (fil.).

líntéir: *l- bóthair; leithead na líntéarach; ní raibh l- ná droichead mar a raibh an bóthar a' crosa na habhann.*

lúáil: *ní lúálfad dhuit a dhéanamh.*

Luirc: d'airínn teacht thar *L-* éigint, an bithúnach ba chríochnaithe bhí i nGleann Fleisce. Bhíodh Gleann Fleisce lán do bhithúnaig agus thagaidís chó fada le Baile Mhúirne: ' Gleann Fleisce na mbithúnach '.

luthairt lathairt: *tá l- l- sa tig sin agus is fial uime iad*, flúirse bíg agus muíntir an tí go maith chun é roint.

[1] (An méid seo leanas óm mháthair: *tá leathan-lúithreach ar mo láimh, nú leatha-lúithreach; níor airíos leatha-lúinneach. Dá mbefá a' crú bó a bheadh ruín chuirfeadh san leatha-lúithreach ar do lâibh. Lúithreacha isea sinews. D'airíos glugar ráite, leis.* SÓC).

[2] Fuirmeacha eile tógtha síos ag SÓC: *leithéis* (Dónal Ó Luínse, Tadhg Ó Buachalla), *leibhéis* (Siobhán Ní Luínse); cf. *léibis, Eoghan Rua Ó Súilleabháin* (eag. Fiachra Éilgeach), lch. 108.

[3] Fic lch. 392 *infra* s.v. *an t-éinne amháin.*

M

máinle: *níor fhág sé m- don bhall gan cuardach dò; ní raibh m- bíg sa tig acu,* i bhfuirm ' morsel '.

mairíocht: *téann sé i m- de réir mar a théann sé i gcríonnacht,* he gets feeble and lifeless.

maise: *m- mhín gach éadaig* (fil.).

mannga: mála an bhacaig, folamh nú lán.

marcach: côrtha maith ar choirce isea *marcaig* a fhiscint ar mhuarán gráinneacha. Gráinne beag a bhíonn ceangailthe ar an ngráinne muar isea *m-*, agus bhíodh dhá *mh-* orthu; is anamh a chífá anois iad, ach bhídís ann go tiubh fadó. Deireadh na sean-daoine: ' *Is fearr an m- a bhíodh ar ghráinne coirce fadó ná an gráinne is fearr a chífá anois!* '

mearaí: *tá sé a' déanamh m- dhom,* puzzling me; *táim ar m-; am aimid gan chéill is me ar m-* (fil.).

méar bhán: *tá an mh- bh- aige,* fear fhéatadh brí bhuint as a' gcuislinn; *Diarmaid na méire báine,* fear a bhí ar an Ínse Muair; *an mh- bh-* nú *an mh- láir:* is gnáthaí *an mh- láir.* (Cf. s.v. *méireanta.*)

meas: ' *Cadé an m- atá agat air?* ' ' *An m- a bhíonn ag an mbúistéir ar a aprún: m- s'lach!* '

meathalú: *tá an crann san a' m-,* a' meath.

méathras: *tánn tú a' titim i m-;* (*vide* s.v. *smior*).

méireanta: d'fhéadfí na *m-* a chóireamh mar seo: an órdóg, an mhéar thosaig, an mhéar láir (nú an mhéar bhán), méar an fháinne agus an lúidín; nú: órdóg, méaróg, meánóg, fáinneog, lúideog; *méaróg: chaith sé m-,* cloch—leis an méaróig is mó chathfá an chloch. Agus na hainmneacha bhíodh ag leanaí ar na méireanta: an mhéar mhuar, méar na leitean, méar í meaindí, Peigí liúidí agus liúidí bheag.

méitheadas: *vide* s.v. *smior.*

micáchta[1]**:** *bhíos m- aige,* I didn't mind, didn't care.

mig (tabh.): *chuir sé é féin i m- an anama leis,* in danger of death—ualach ana-throm a thógaint, ⁊rl.

[1] Cf. *Táimse m- mara bhfeaca é sin* = I am mistaken . . . (BC). Vide *Cn.F.* s.v. *beag-thácht.*

migín: *casfar a mh-*[1] *air lá éigint,* he'll meet his match some fine day,—duine bheadh bruíontach agus gofa aige ar a' saol. Ón bhfocal *mea* a thagann san, nú *ceann meá.*

mil bhithógach: the honeysuckle; buineann sé le rud éigint a chuirfí os do chôir le n-ithe: bhefá chó sásta leis go ndéarfá *ní feárr m- bh- ná é!* Bláthanna beaga dearga arna luíd na beacha a' bailiú meala.[2]

mille agus **mothú:** *mille* déanta ag daointe saoltha; agus *mothú:* samhlaíthar gur rud ón saol eile fé ndeár é seo—dhéanfadh na daoine maithe é. Bheadh bó *mothaithe* agus do mhairfeadh sí, ach dá mbeadh sí *míllthe* ní mhairfeadh. Deirtí go ndintí *mothú* ar leanaí, ach duine fásta: *do milleag é. Buille míllthe.*

milleán: *bhí cúis milleáin air; bhí sé a' túirt milleáin dom* (*'na thaobh*) = *bhí sé a' cuir a mhilleáin anún orm; bhíodar a' cathamh an mhilleáin ar a chéile* = *á chathamh anún ar a chéile, á chathamh thall ar a chéile.*

molthóireacht: *chun aon mh- a dhéanamh; moltóireacht* is mó deiridís.

mothú: *vide* s.v. *mille.*

muclach: *is dó liom gur m- é,* a disagreeable fellow, nú ' a botch '.

muiríon: *m- muar, seisear muirín, pé méid muirín a bhí air.*

muiríonach: *tá an maide sin ró-mh-,* trom, awkward.

muróg: a mule; *dath na muróige; ar an muróig.*

múscán, -ta: *vide* s.vv. *bladhmannach, scamhàrd.*

mustaire: scaothaire; *is muar é do mhustar as do mháistir* (fil.).

mutha: *Dóinlín a' mh-,* leasainm a bhíodh ar fhear a bhíodh anso (i mBaile Mhúirne); *mutha* nú *butha:* ón ngruaig is dócha a tugamh an ainm.

N

nea-chas: *vide* s.v. *cas.*

nea-chéasta: *fear ana-n-,* fear breá, grámhar, ruín; fear neamhiúntach.

[1] *a mheaigín* (Beití Ní Aragáin, Cúil Ao), *a mhionán* (BC, DK).

[2] Cf. *Do bhíodh mil ar bhilleoga na gcrann: ní bhíodh sé ar gach ao' chrann, ach bhíodh sé ar chuid acu, go muar muar ar a' dtrom* (*elder*). *Bhíodh páistí agus daoine óga a' straca na mbilleoga agus na ngéagracha don chrann agus á líorac, agus do bheadh sé chó milis le hao' mhil* (BC); *Dá gcuirinn mil bheitheogach air ní íosfadh sé é!*—mil a bheadh ag beachaibh óga (RBÉ LS 703, 149=Seán Ó hAo, Cuan Dor).

neafuiseach: *rud n-*, rud beag; *tá neafuisí a' buint léi.*
neamh-iúntach: *vide* s.v. *nea-chéasta.*

O

Ollthaig[1]**:** thagadh mná feasa anso agus is ó Chúig Ula a thagaidís. B'shin iad *na Mná Ollthaig*. Bhíodh fios acu san. Ní thugaimís ' Mná Ollthacha ' orthu i n-aochor.

P

pacadaeir: dathadaeir isea *p-*, a dyer; *capall breac an phacadaera, an dogairne do-shásta:* bhí capall breac ag an *bp-* agus bhíodh na daoine a' maga, á rá gur b'é an té gur leis an capall a dhin an dathú so air; bhí an capall donn agus bán. Is minic a chífá a lithéid ag tuínncéir agus mianach maith ann.
pacaire: pedlar; bheadh sé a' d'iarraig déarca, leis.
paicinéad: *do dheisíos é agus má dhineas níl an ach p-*, ball éadaig a bheadh lán do phaistíocha: *dá bhficfá an p- bríste bhí air.*
pails: paiste a bheadh curtha ar éadach, ná beadh a' luí ar fónamh; *tá p- air*, dro-phaiste; nú *furca*, leis.
painnéir: a hay-rope, súgán muar ramhar déanta d'fhéar nú do thuí. Is léi seo a dhintí fóir chun coirce chuir inti. Nú thugaithí *slibire* ar a lithéid: *din s- eile dhom.* Dá mbeadh duine a' dul i gcúrsa go n-oirfeadh dò féar a bhreith leis i gcóir a chapaill dhéanfadh sé *p-* don fhéar agus *an ph-* seo bhuala chuige anáirde ar chúinne cruibe, nú chuige sa turcail.
peidleam: *vide* s.v. *smalcam.*
peiliúr: bolster. (Cf. *pocaod.*)
peraí (Perry ?): *do-bheirimse p- go ndíolfa sé as; do-bheirimse p- go bhfuair sí tuma sa ruaim.*
piollaire: *dro-ph- a b'ea an bacach*, dro-bhuachaill, duine go mbeadh dro-mhiotal ann, ' he was a bad pill '; bhí an dro-bhraon ann, ' the bad stuff was in him '.
pláig: *p- beach; Goirtín na Plá.*
pluic: *vide* s.v. *roc.*

[1] *Allthaig, Alltaig* sna LSS, *passim.*

pocaod: saghas éigint peiliúir; *p- gairid; p- peiliúra.*
póitineáil: *a' p-*, quack a' d'iarraig gamhain a bhuint do bhuin, nú a' gabháil d'aon dochtúireacht ná fuil eolas ceart air chuige— nú a' gabháil d'aon chéird, chó maith, nuair ná beadh an t-eolas aige: sin *p-*.
póitineálaí: thúrfá *p-* ar an nduine sin (.i. quack); ní thúrfainn *p-* ar vet, dá mbeadh an cheárd aige! ' botch ' isea *p-*.
portán: *Mo chara is mo bhuíon tu,*
is ní raibh p- ná bínse ort
mar a bhí ar Chanaí Ó Shíocháin! (caoine mhagaig).
pos: *tá na prátaí i bp- do bheith beirithe,* beid siad beirithe láithreach bonn; ' *Cadé an t-aos é?* ' ' *An dial má fheadar: is dócha go bhfuil sé i bp- do fiche bliain* '; *bhí an capall i bp- do bheith díoltha agam.* Ní déarfainn ' i bpost ' i n-aochor: *i bpos* d'airínn.[1]
prupaire: *p- do mhnaoi,* cathann sí bheith beag; *prupa:* tón, is dócha; *cearc a' phrupa.*
púcán: a heap of turf, níos lú ná cuacán; *púcáin,* heaps—not too big.
puchóidí: pimples; *a aghaig lán do ph-.*
puíosca: *Is amhlaig dom chearca dáiríribh,*
ní bheirid ach uí gan rath,
is ní airím an solas a' p-
go dtigid na daoine isteach (an coileach aduairt!)

R

ráinig: *do r- dóibh bheith ann, do ráiníodar ann.* Ní déarfainn ' do ránadar ann '; níor airíos riamh ach *ráiníodar: do ráiníodar ann rôm, do ráinig dóibh bheith ann rôm; ólfam a shláinte ó ráiníomair ann* (fil.).
1. **ráistín:** dhinidís saghas éigint aráin sa bhaile agus is dó liom go dtugaidís *r-* air: ní fheadar i gceart cadé an saghas é—arán coirce, b'fhéidir.
2. **ráistín:** is dó liom go dtugaidís *r-*, leis, ar an arm a bhíodh acu a' gabháil don choirce sa mhuileann.
ramsáil: *a' r-*[2] *ar fuaid a' tí,* a' stracadaíol; *a' r-*[2] *ar fuaid na páirce,* capall, ⁊rl.; *do ramsáladar an tig:* riugadar leo éinní fónta bhí un, they ransacked the house.

[1] (*i bpost* adeir mo mháthair; d'airíos *i bpost* ráite ag daoinibh eile, leis. SÓC); cf. *Cn.F.* s.v. 1 *post.*
[2] *raghamsáil* LS.

ranna, iol. *rannaí: ranna* a thúrfainn ar welt; *na rannaí*, the welts; *buínn is rannaí.*

raosún: a winker (winkers). Bhíodh an focal san ag sean-daoine: *seachain an capall,* adeireadh duine, *tá an r- titithe dhe: cuir air é arís, mar b'fhéidir nár bh'iúntaoibh duit é; d'imig an capall ar buile: ní raibh aon r- air.*

rathán: *bhí seana-r- casóige air a chuirfeadh sceon i bpréachdáin a' bhaile; tá sé imithe 'na r-* (ball éadaig).

ré-bó-seáram: duine a dhéanfadh i bhfuirm ana-straca agus cuir trí chéile, ar a mheisce nú ar a chéill; *airiú, r- isea é.* Ní fheadar cuidé an saghas focail é, ach go mbíodh sé ag sean-daoine.

reicithe: *ba r- an bhligeárdaíol í,* rud éigint a bheadh déanta ag bligeárd.

rian: *vide* s.v. *cros-bhóthar.*

riaramh: *gur b'iad flatha an estáit ba ghnáthaí i mbun an riaraimh* (fil.).

riaspa: *r- caillí,* aghaig mheirgeach, mhéiscreach; *riaspaí cloch:* gan aon mhaith iontu chun falla dhéanamh,—*ná bac na r- sin.*

ríobal nú **ríobala:** (i) dribbler a bheadh ar leanbh; (ii) *tá sé 'na ríobala,* éadach nú duine bheadh fliuch, s'lach; (iii) *dhin sé ríobala,* duartan báistí.

roc: *tháinig r- air chúm nuair fhiafraíos de cá raibh sé a' dul,* fearg, pluic; *tháinig pluic air chúm,* fé mar a thiocfadh cochall air.

rodhlamán: duine có-chruínn,—b'fhéidir ná beadh sé muar.

roideog[1]**:** *ní fhéatadh sibh maireachtaint gan dul go dtí Crois na R-,* adeireadh mo mháthair: seanainm ar Chrois Chúil Ao; agus *Bóthar na R-.*

roilleán: '*An poll é sin at bhríste?*' '*Poll! deirimse poll leat: ní poll athá un, ach tá sé 'na r- poll*'.

ronàch[2]**:** a jennet; *dath an roneich.*[3] Bhí na hainmneacha so [*r-, muróg*] ages na sean-daoine.

ruaim: *vide* s.v. *peraí.*

ruainneach: *téad ruainnig,* déanta do chlúmh eireabal ba.

rubairt: *vide* s.v. *stabhaic.*

ruibe diúraic: *vide* s.v. *diúraic.*

ruifín: a ruffian; *r- críochnaithe,* 'a painted ruffian'.

[1] *reideog, rideog, roideog* sna LSS.

[2] *ronnach, ron-each,* LS.

[3] *ronneich,* LS.

ruimiléis: *r- áite,* ball fada, fuar, aistearach; *níl ann ach r- áite;* tugathar *r-* ar dhuine, leis: duine ainnis, míchúmtha, a' sile as a chéile.

ruthag: tugathar *r-* ar an rud ná leogann don iasc imeacht don dúán: tá sé ar an ngatha, an rud a bheireann an greim; *fear dro-ruithig:* fear gan aon ruíneas ann, bhuailfeadh sé duine ar neomat, ' very hot '.

S

sácrál tha: *duine beag s-,* duine beag ana-thirm, beagmhathasach, seachantach.

sadal: *ní raibh un ach s-,* duine íseal: tá breis tóna agus builg air, agus é íseal.

sadalachán: an rud céanna.

sáibhéir: a sawyer; *Seán sáibhéara.*

sáibhéireacht: sawing; *bhíodar a' s-;* nú *sáil: clais sálach,* a saw-pit.

sáil: sáibhéireacht.

saint agus **diúltha:** má thá an collthar a' gearra ró-leathan duit agus tu a' treabha, cuir *diúltha* air: *cuir ruidín d- air;* agus má thá sé a' gearra ró-chaol nú ró-chúng ní muar duit *saint* a chur air.

salar chroí: saghas éigint uisce ón gcroí. Deirtí go raibh gal tobac go maith dho san. *' Ní thógfainn i n-aochor é ach go bhfuil s- ch-orm ',* adéarfadh seanabhean a thógfadh gal tobac: is minic ná beadh ann ach leathscéal.

sanas: *thug sé s- dò,* he gave him a hint.

scagachán: *vide* s.v. *léanaithe.*

scag-bheannach: *íochtar s- ar an éadach,* scalloped, embroidered; *bhí s- aici á chuir ar íochtar an éadaig.*

scailliún: *níl iontu ach scailliúin,* prátaí nú inniúin a bheadh bog, spongy; thúrfá *scailliún* ar dhuine, leis: duine bog gan aon fhulag un.

scamhàrd: *féar gan s-,* féar múscánta, spongy; féar a bheadh fásta ar thalamh bogaig: *níl ann ach múscán, níl aon s- ann; níl aon s- ar a' mbainne sin,* bainne ná beadh puínn uachtair á leanúint.

scaob: *chó luath is a bhí s- air;* tagrann so don chorp a bhíonn á chur sa reilig: *s-* don chré; 'sé an chiall atá leis, ' as soon as he was buried '.

scaoiltheach: *ba mhaith s- an fear é chun lá oibre a dhéanamh,* é bheith go maith scópúil chun oibre, ana-mhaith chun oibre, ba dho nár mhiste.

scaoth: géanna fiaine, lachain fhiaine, nú fiodóga nú druidí. Tugathar *s-* orthu an fhaid a bhíd siad ag eiteall, ach ní thugaimíd *s-* orthu má tháid siad ar an dtalamh, fiú amháin na druidí. Is gnáthach leo so luí ar an bpáirc, go minic: *s-* isea iad againn chun go luíd siad, agus t'réis luite dhóibh *scata druidí* adéarfaimís leo. Nú déarfá *s- mhallachtaí,* a shower of curses.

scaothaire: *vide* s.v. *gleothálaí.*

scarúch: *tá an s- go holc aige,* duine aireofá ag amhrán agus ná beadh ar fónamh chuige; *conas a sheasaíonn s- dò?*—duine bheadh i ndiaig capall agus an iomarca fothraim aige leo; *níor bh'iúna dá mbeadh s- agat t'réis a' lae chathamh a' screadaig ar na capaill a' treabha; s- go dtitig agat! féatair bheith a' glaoch go dtitfig s- agat!* Rud éigint sa scórnaig isea *s-:* ní fheadarsa caidé féin, ach ní sine seáin é. Bhuinfeadh sé le hoarseness, leis.[1]

sceantar: duine gur chuma leis cad a dhéanfadh sé.

sceónthairt préachán: a scarecrow.

sciomhóigín: *vide* s.v. *screamh.*

sciot scot: bean a fuair pingin ón seanduine a' dul go dtí an Chínncís. Chaith sí leathphinge. Thug sí an leathphinge eile dho nuair a chua sí abhaile. '*Airiú, an dial ort!*' ar sisean, '*a' bhfuil s- s- déanta agat don phingin?*'

scóisean: *ana-s- mná,* árd, fuinniúil, lúfar. Leanann scafántacht í. Thúrfá ar fhear, leis, é: *s- fir.*

scol: *an ceann scuil,* an bradán a bhíonn a' treorú na coda eile san abhainn.

scolthaireacht: *cuir uait do s-* adéarfí le duine go mbeadh an iomarca ar fad féna bhéal—an iomarca le rá aige.

scolthartach: duine go mbeadh *scoltha* fé—a' caint i gcónaí; nú do thúrfí ar dhuine é a leanfadh leis ag ithe i gcónaí, nú ag ól.

scor: *s- don chíste* nú *don arán,* a cut, a piece, a slice; *'na scoraibh:* 'na bpíosaí. Túrfair ar chíste bheig agat á ghearra é, ach ní thugathar ar fheoil é: *gheárr sé grìscín don phíosa feola* adéarfí.

screamh: *vide* s.v. *leac-oighir.*

[1] Cf. *Bhíodar a' liúirig chun go mb'éigin dóibh stad le ceóchán agus le s-* = gairíocht sa scórnaig (DÓB).

scríobóg: *an dial ort, a scríobóig!*–beainín a bheadh scannraithe chun a' tsaeil agus ná leogfadh éinní amú uaithi: crot an ocrais uirthi. Leanfadh sí cearc agus bhuinfeadh sí práta dhi; *s-* nú *s- ghuir: níl inti ach s- ghuir,* mar a bheadh cearc ghuir, a' scríoba.

scriodóg: *síol scriodóige,* common hayseed. Buineann sé le síol féir, agus ní bhuineann sé le haon tsíol eile: an síol a gheófá as do chuid féir féin. Thugaidís *síol féir gaelach* air, leis. *Síol féir cnupàch:* knob-seed; fásann sé ana-láidir: síol air mar a bheadh gráinne coirce. Ní bhíonn puínn de sin tríd an síol féir: féar láidir garbh isea é. Is gnáthach go mbíonn cuid don tsíol so tríd an scriodóig. N'fhicfir choíche é tríd an síol a cheannófá.

scrof: *caithfir s- eile a bhuint don draein sin; scrath* isea an chéad rud a bhuinfir don draein, agus *scrof* as san síos. Tá an focal *s-* againn riamh: ní haon Bhéarla é.

1. **scú:** *bhí s- agam chuige; bhí s- agam gabháil air,* ' I had a mind for him ' adéarfá i mBéarla.

2. **scú:** *s- iongan,* focal eile isea é sin, ' upstart ', skin peeling above the nail; *s- i-, an rud a mhairbh máthair Thaidhg na Cuaiche.*[1] Is dócha nár mhairbh *s- i-* éinne riamh!

seamhrach: *tá sé go s-,* cruaig, fuinniúil, hardy-looking.

séibhín: an rud a bhuineann an siúinéir anuas leis a' bplána, shaving; *séibhíní adhmaid.*

seibineach: gamhain, banbh, nú garsún nú aon saghas duine nú gearrachaille a bheadh ró-fhásta dá n-aos, rather overgrown for their age; *s- na gcíní,* —ar leanbh.

siléigthe: *s- le hocras,* lagaithe t'réis an ocrais. Tá rud éigint sa duine go dtugaid siad *sithe* air, agus sidé bhíonn *léigthe,* nú dultha i léig. 'Sé an sithe an rud déanach. Duine nú ainimhí a bheadh marbh, geall leis, déarfí: *tá sithúlacht bheag un i gcónaí*—ní bheadh sé imithe ar fad.

simileontúil[2]**:** *nách s- a leogais uait é!* le duine a leogfadh d'árthach nú rud éigint titim as a láimh.

sinéal[3]**:** a (water)-channel; bheadh sé i gcró na mbó, nú bheadh sé i dtaobh amù do dhoras an tí agat; *leithead an tsinéil.*

[1] Vide lch. 340 *supra.*

[2] = breallántúil (BC).

[3] *sic* LS; ach tá an dá fhuirm *sinéal/sineàl* sa leabhar nótaí ag SÓC, agus comharthaí leo á dheimhniú nách dearmad é.

Siobhan, Siobhaí = Siobhán.
siodàch: *d'ól an gamhain an bainne go s-*, d'ól sé an bainne go funamhar.
síol féir cnupàch: *vide* s.v. *scriodóg.*
sithúlacht: *vide* s.v. *siléigthe.*
siúnta: a joining; *siúntaig é,* join it (snáth).
slaimín: duine beag íseal, ainnis, gan lúth; *slaimíní a b'ea iad.*
slama: (i) *ní raibh inti ach s-*, bean ainnis, a' titim as a chéile; (ii) *thit s- collata air,* he fell into a doze; *chuir sí s- draíochta orthu.*[1]
slataire nú **slataíoch:** *slataire garsúin,* fásta 'dir bheith 'n' fhear is 'na gharsún; nú *slataíoch:* an rud céanna; ach ní thugathar ar chailín é.
slibire: *vide* s.v. *painnéir.*
slím: *a' taistealaíocht gan chapaillín ar easpa bíg is éadaig,*
is beatha sh- ní chaithidís ach glasaraí na féithe (amhrán).
sloigisc: *a sh-*, addressing a bad crowd.
smalcam peidleam: *dhin sé s- p- de,* ate it greedily, lapped it up; *a' n-íosfá blúire do mhac p-?* = blúire do ghé rósta.
smeara: *vide* s.vv. *blonag, smior.*
smior: ní mar a chéile *s-* agus *smeara.* Rud un féin isea an *s-: dath an smir* adéarfá. Is minic a chífá cnámh sleamhain ón dtaobh amù, dá mbeadh *méathras* sa bhfeoil a bheadh ceangailthe don chnámh: sin *smeara.* Amù a bhíonn an smeara agus istig a bhíonn an smior. *Méitheadas* isea méathras: *tá méathras sa bhfeoil sin.*
smiorcalach: móin chruaig dhubh a lasfadh go breá thúrfá *s-* uirthi sin: mianach smior na gcnámh a bheith inti; *is diail a' s- í sin.*
smiota: *s- gáire,* nú *dranna gáire.*
smúrabhán: rud a bheadh dóite amach ar fad.
smúrla: *cathag amach ar a s- é.*
smúr-riach: *cuíora s-*, aghaig riach—cuíora bhán.
smutàch: *bhí aghaig s- air* (duine), aghaig ghairid, agus b'fhéidir srón leathan.
snamh: *níl s- na beatha air,* duine bheadh dultha as ar fad. *Snó* a chiallaíonn *s-* anso; *ní raibh s- na beatha fanta air.*
snáth: *vide* s.v. *gráinne.*
sóinní: *bhíodh sé a' tógaint s- dochtúra i gcónaí,* taking medicines; *is mó s- a cuireag ar an ngarraí sin,* .i. aoileach.

[1] Cf. *tá s- ar a' mbosca* (BC, a' tagairt don ' wireless ').

soplachán: bolgaire nú sadal (duine).

sórthan: *s- ó Dhia chúibh!* adéarfadh bacach nuair a bheadh déirc fáltha aige, agus é a' fágaint an dorais; luck nú prosperity a bhíodh i gceist aige.

spaisteoireacht: *bhíodar a' s- ar a chéile,* a' dearga beara ar a chéile chun bruíne.

spannla: *s. coise,* cos ghreanúr.

speánach[1]**:** *níl ann ach s-,* cloth worn threadbare.

speidhlán: *s- tí* nú *duine* nú *capaill,* ró-árd agus caol.

spéirthneach: *tá an lá 'na spéirthnig, tá s- clagair ann,* clagar ana-throm.

spiagaíocht: *an fhaid is beo do mhnaoi bíonn s- sa tsúil aici* (S.Fh.); *s-* isea vanity.

spíce an lae: *bhí sé amù le s- an l-; aithint an lae* isea *s- an l-,* nú *giulca an ghealúin:* déarfá *bhí sé amù le g- an gh-.* D'airíos *s- an l-* go minic ag sean-daoine.

spide fia: *ní raibh s- f- ar a chnâ,* ní raibh aon fheoil ar na cnâ aige, ní raibh fanta ach na fuainní—na cnâ.

spiútar: *dhineadar s- rínnce,* a ' spatter ' of dance; *s- óil,* nú *s- bruíne,* mar adéarfá *bouta:* bhí bouta bruíne acu, nú *s-,* é dhéanamh fiain.

spruainn[2]**:** carpet nú rug. D'airínn an focal san i scéaltha fiannaíochta: *chó luath agus théadh isteach sa s- chun rínnce thiteadh fé dhraíocht; do chas an s- tímpal air agus d'árdaíog anáirde é:* rug, nú saghas éigint líontáin. Níor airíos an focal i n-aobhal eile.

srafaíocht: d'fhiafraíog don fheirmeoir cad a bhris é; b'é seo freagra a thug sé: *cíos, íoc agus ceannaíocht; tuarastal buachalla agus cailín; colla fada agus s-.*

stabhaic: *bhí s- air,* duine stuacach gur bh'uiriste rubairt air, ' it was easy to rise his monkey ', ' his monkey was up '; *bhí an dial do s- air.*

stair[3]**:** *tháinig dro-s- air,* fearg, racht feirge; *nuair a bhí an s- sin curtha aige dhe.*

stairs: starch.

stálaithe: *fear s- críonna.*

stanng: *do dhin sé s- reatha; dhin sé s- oibre.*

[1] Cf. *Cn.F.* s.v., mar a bhfuil brí coitianta an fhocail tugtha. Tá *spiuthánach* = shoddy (DÓL) sna nótaí ag SÓC.

[2] Vide *Scéal. A. Í L.,* lch. 346 s.v.

[3] *stuir* (BC).

steampar: thúrfá *s-* ar chapall muar, árd, cnâch; ' *a steampair bhuile!* ', adeireadh bean le bean eile.

steighpar: *s- diail fir; s- diail capaill,* a bheadh caol, árd; nú bean chaol, árd: *s- mná;* nú cruach a bheadh eirithe an-árd, níos aoirde ná mar ba cheart: *s- cruaiche.* Níor airíos túrtha ar bhuin é.[1]

stráiméad: *strac sí s- dá gúna,* píosa nú strip.

strupa: a strap; *rásúr a chuir ar s-,* to strop the razor.

stuacach: *vide* s.v. *stabhaic.*

stuaic: *Mo chara go muar tu,*
is ní raibh adharc ná s- ort
mar a bhí ar Thadhg a' Ghruamaig! (caoine mhagaig).

stuanú: *ciúnú na hoíche s-* (nú *buanú*) *na soininne* (S.Fh.); *ní stuanaíonn bia ná deoch aige; tá an bia stuanaithe aige.*

studa, stuid: *riug sé ar stuid ar an gcapall,* .i. ar an ngruaig a thagann amach idir a dhá chluais, anuas ar a éadan; *airiú, do riugas ar stuid chínn air* (.i. ar dhuine go mbéarfá air); agus thúrfá *stuid* nú *studa* ar fhiacail; *na studaí.*

stupóg: *níl éinne go mbíonn budóg aige ná go bhfaigheann s- a chrúfadh í* (S.Fh.).

suirí: *bhíodar a' s-; an s-.*

T

taidhseach: *féar t- a b'ea é gur cuireag le chéile é* (*vide* s.vv. *bladhmannach, dimaidhseach*).

talamhaí: *duine t-,* duine bheadh íseal daingean ar a' dtalamh; *gadhar t-.*

t(e)altar-á-rá: ní fheadar cadé an saghas focail *t-; bhí sé a' teacht ar a th- am dhiaig,* fear a' teacht at dhiaig: ní bheadh aon dithanas air, agus b'fhéidir ná féatadh sé dithanas a dhéanamh; *chonac fear a' gabháil siar ón aonach—déarfainn go raibh braon óltha aige mar bhí t- amhráin aige,* saghas amhráin, fé mar aireofá ag duine go mbeadh braon óltha aige. Is mó adéarfí *tealtar* ná *taltar.*

taoisleann: *vide* s.v. *buaint.*

teidheal: *vide* s.v. *tínlín.*

[1] Cf. *s- capaill, s- mná;* ní thúrfaí ar bhuin é (BC).

teist: *Cheannaig an fear san banbh uaim dhá bhliain ó shin. Duairt sé ná raibh aon airgead aige an lá san, agus riamh ó shin níor tháini sé um ghoire, ná ní bhfuaras t- ná díol ann. Anois, caithfi sé t- nú díol a thúirt. Teist:* urra, nú geallúint nú guarantee.

tínlín: *níl t- coirce buinte fós ag an bhfear san*, níor bhuin sé teidheal coirce fós; *tínlíní*, briogadáin (*vide* s.v. *coínleach*).

tiúin a' mhuilinn: nuair a bhíodh daoine a' dul le coirce go dtí an muileann chun é fháil meilthe *t- a' mh-* a thugadh an muiltheoir ar an gceart fhaighidís, dáltha na ceártan[1]: min gach duine a mheilth fé mar a tháini sé. Deireadh an muiltheoir: *túrfad t- a' mh- do gach duine mar is cóir.*

toirmeasc: aighneas, disturbance; *a' déanamh toirmisc.*

torcaid: *vide* s.v. *turcaí.*

trian: *dhá dt- bruíne maide.*

triuch: *Cad a leighisfeadh an t-? Meadhg agus gruth agus é bheiriú ar sruth!*

truaicínteacht: *bhí an gadhar a' t- orm*, begging; *bhí an bacach a' t- orm an bhulóg arán a thúirt dò*, d'iarr sé go bog is go cruaig orm é thúirt dò.

tuar: *dá bhficfá an t- éadaí bhí amù aici*, bleach.[2]

tuara: *na héadaí a th-*, to bleach the clothes, barlíní agus éadaí bána a leatha ar an bhféar nglas i bpáirc; tosach na Beallthaine an tráth is feárr chun éadaí a *th-*.

tuínte: *níl t- snátha agam a dheiseodh é; ní raibh t-* (*don éadach*) *ar a thóin; fear ná raibh aon t- meabhrach aige.*

túis: *ba th- gach neomat liom; ba th- leis gach aon neomat chun go bhficeadh sé . . .; ba th- leat gach aon neomat chun go mbeadh an capall tititheq nú marbh sa dro-phasáiste*, waiting nú expecting, ' you'd think every first minute he was gone '. Ní déarfí *thaoisc.*[3]

túncáil: tucking; *muileann túncála*, a tucking-mill.

turcaí, iol. *turcaithe: táim ite ag turcaithe Mhuirethartaig*, aduairt fear éigint, b'shidé stoc nú bólacht Mhuirethartaig a bheith thar teorainn air go minic, agus a' túirt cúrsa ar na côrsain go léir muardtímpal. Dá mbeadh duine fánach ann, a' siúl muardtímpal ó áit go háit, oíche anso agus eadartha ansúd aige, béile

[1] Cf. *ceart ceártan.*

[2] Ainmfhocal é seo: *bléits* adeirtear; cf. *Chífá bléits Shasana uaidh* (fear ó Bhéarra aduairt), *An Músgraigheach* I, 22.

[3] Cf. *ba thaoisg gach neomat leat go mbeadh duine éigin leagaithe agus basgaithe*, Dómhnall Bán Ó Céileachair, *Sgéal mo Bheatha*, 55.

bhreith leis is gach aobhal go bhfaigheadh sé í, thúrfí *turcaí* ar a lithéid seo, leis, agus déarfí: *geallaim go bhfuil sé ag imeacht ar a thorcaid i gcónaí; d'imig an dial ar a nglaonn chuige do thurcaithe,* seó acu a' glaoch chuige, ' stray-aways '. Níl aon bhuint ag an bhfocal so le turcaí (an t-éan), ach tá buint ag *turcaí* agus ag *torcaid* lena chéile: *bhuail sé chúm ar a thorcaid,* a' brath ar go bhfaigheadh sé rud éigint le n-ithe.

U

úir: *an úir*[1]; *curtha san ú-*[1], sa reilig nú sa chíll.

umainniris: *iniubh, iné, arú iné, roim arú iné; amáireach, umanathar,* agus *u-*.

úndramháil: *bhí sé ag ú- leis a' gcloich a' d'iarraig í bhuint amach; bhíodar ag ú- le chéile:* an bhó a' d'iarraig imeacht uaig agus greim aige ar adhairc uirthi.

úracas: tá an focal *ú-*[2] againn: *ní raibh puínn úracais aige ann,* the handling of anything, ' he hadn't much of a say '.

úramh: *fuair sé dro-hú-*, sin dro-húsáid: duine bheadh amù fliuch, báite, agus é go dro-héadaig, b'fhéidir. Níl aon bhrí eile againn leis an bhfocal *ú-* ach úsáid.

úrla-má-dhiúnga[3]: déarfainn gur swivel é sin, nú rud éigint dá shórd a bheadh a' casa. Thugadh cuid acu *ú-* ar s-hook: *úrla an dá dhiúnga* adeiridís, ach ní haon s-hook é. Ní fheadar cad a thúrfá ar s-hook: crúca isea é, nú gatha.

urra: ' *'Bhfuil u- agat?* ' adeireadh an té bhí a' díol; *siné an t-u- is feárr a fuaras fós, agus is leat an talamh;* (cf. *teist*).

urrús: guarantee, security; (iol.) *urrústaí.*

[1] *iúir* LS.

[2] *úracais* LS.

[3] *úrla umá dhiúnga* LS.

24. AN RUD ATÁ RÁITE

(Glac bheag solaoidí ar an míniú is réiteach a dhineadh Amhlaoibh Ó Luínse ar cheisteanna a cuirtí chuige).

abair: *dá n-abrainn leat dul ann;* níor airíos 'abróinn' ráite i n-aochor anso, ná 'abród'; *an dán atá ráite; do b'olc iad a abartha,* his sayings; *dro-habartha go tiubh a thug sé dhom; isé a bhí go dro-habartha liom.*

a haon do chlog: *ar a haon do chlog;* ní déarfainn 'ar a haon a chlog'. Déarfainn *ar a dó-dhéag a chlog, ar a dó a chlog,* ar ga héinní ach *ar a haon do chlog.*[1] *Héinnéag ar fhichid* adeireadh na sean-daoine; airím *éinnéag ar fhichid* ráite anois.

an eagla, an t-eagla: *an t-eagla a chuir abhaile é; i dtaobh an e- bhí air:* dá mbeadh *i dtaobh na he-* ráite agam ní raghainn siar air. *Le he- na he-.*

an t-éinne amháin: *don t-éinne amháin; leis an t-é- amháin; i dtaobh an t-é- amháin.*[2]

an t-éinní amháin: *i dtaobh an t-é- amháin; do labhair sé ar an t-aon ní amháin.*[2]

an iúna, an t-iúna: *is beag an i- liom* nú *is beag an t-i- liom,* bhí sé ráite ar an dá shlí. *Is muar an i- liom é; i dtaobh an i- a chuir sé orm. Mhuise, cadé an t-i- san,* nú *an i-.*

ar a bheag: *seachtain ar a bh-* nú *seachtain ar a luíod; seachtain nách muar* nú *seachtain nách beag:* bhí an dá rud ráite.

bréag: *ná din b-; deir sé gur dhineas b-; sara ndéanfainn b-; gan bh-, a' ndeireann tú liom é?* = gan chealg.

céad: *an ch- bhliain, muíntir na ch- bhliana,* siné airínn i gcónaí agus is ceart é. Airím *muíntir na c- bliana* ráite ag daoine, agus níl aon bhrí leis sin. *Muíntir an céad bliain,* of the hundred years. *Tagadh muíntir an fiche bliain ar dtúis.*

cine: dream isea *c-*; *an ch-, i dtaobh na c-, c- mo mháthar.*

[1] B'shiné adeireadh na sean-daoine, agus d'airíos *ar a héinnéag do chlog* ráite ag cuid acu.

[2] Vide *Celtica* IV, 272.

clab: *bhíodar ansúd agus c- orthu a' gáirí uime;* ní déarfainn ' clabanna ' ansan: ní gá é, ná ' clab ar gach éinne acu ' a rá.

clann: *c- cluinne a b'ea iad = c- na beirte driothár,* nú *c- driothár agus drifíear,* ⁊rl.; *c- na beirte ban; c- na beirte drifíear.*

cóireamh: *farach-,* majority; *ganach-,* minority.

cosain, -t, cosnamh: (a) *cosain do chlú is ná leog í bhrise;* (b) *tá sé a' cosaint an méid sin dom,* it is costing me that much; (c) *t'réis an chosnaimh go léir,* the cost.

crochta ar/le: *bhí sé crochta ar chruis; bhí sé crochta le crann,* ar sile le crann; *chuais ag ithe mo léine lá gréine is í c- ar a' gcrann,* ar géig don chrann.

dá dtéinn, dá raghainn: *dá dt- ann* nú *dá r- ann,* mar a chéile iad; tá an dá rud ráite riamh, ach is mó airínn *dá r-;* is mó aireofá *dá dt-* sa bhfilíocht. *Dá raghfá-sa go Mochromtha* nú *dá dtéitheá-sa; dá dtéimís* nú *dá raghaimís; dá dtéithí* nú *dá raghaifí.*

dá mbar: *bhíodar chó ceanúil air is dá mbar*[1] *mac dóibh féin é; tá sé chó dána is dá mbar fear é; níor bh'iúna liom dá mbar fear a gheódh air.* Seo mar a chuireadh na sean-daoine an focal. Is anamh a chím a' focal so scríofa amhlaig anois.

dóil: ' *Ar dhó leat go mbíodh?* ' ' *Ba dhóil* '; ' *An dó leat?* ' ' *Is dóil* '. Ní déarfainn ' Is dó ' ná ' Ba dhó ', ná ' Ba dhó liom '.

ag eirí cortha: ní deirimíd-nu ' ag eirí cortha dhe ' i n-aochor. Déarfadh duine: ' tá sé ag eirí cortha don obair '; 'sé an rud adéarfainnse: *tá sé a' dul i gcoirtheacht don obair;* nú déarfá: *tá sé a' dul i dtuirsí don obair;* ní déarfainn ' tá sé ag eirí tuirseach di '.

fé ndeár, fé ndeara: ' *Cad fé ndeár é?* '–*fé ndeár* isea an focal i gcaint scurtha, ach casaid na filí an focal chun *fé ndeara,* uaireanta.

fichead, ar fhichid: *deich saoir fhichead,* nú bheadh *deich saoir ar fhichid* i gceart.

fir dheabhraitheach: *fir dh- do b'ea iad; fir mhaithe, mhuara, dh-; fir mhaithe, mhuara, ghrámhar;* ach *na capaill bheaga bhána.*

geód: *geó sé bás;* ní deirim ' gheó sé bás ': is anamh airíos ' gheó sé ' ráite; *geó sé soir an bóthar, geó sé bás:* an rud céanna i gcónaí.[2]

[1] Cf. *dá mba's gur mac* nú *dá mba gur mac* (BC), agus *dá mba's ná,* lgh. 232, 278 *supra.*

[2](Siné adeir mo mháthair, leis: *geóig, geó sé bás, geó sé soir, geóimíd siar;* ní bheadh aon mheas aici ar ' gheó sé bás '—deir sí nár airi sí riamh é. SÓC); cf. *IWM* 1. 81, n 2.

Lá Naoimh a' Domhain: All Saints' Day; *Cúirt a' Mheán Oíche; cúirt lár na seachtaine.*

níos láidre/treise: déarfí *níos l-* nú *níos t-; faig maide níos l-; fear níos l- ná thu:* tá sé ráite.

laoch: *i dtaobh an laoíg; a rí-laéig* (gair.); *a laéig nár staon i ngarbh-ghleo* (Sc. Fian.).

leath-chos, -lámh, -shúil: *fear na l-choise, na l-lâ, na l-shúl; bhí sé ar l-chois, ar l-láimh, ar l-shúil.* (Is gnáthach go mbíonn smut don láimh nú don chois fanta.)

léimt, léimrig: *a' léimt thar chlaí; a' léimrig ar fuaid na páirce.*

maidean, maidin: (a) *tá an mhaidean go breá; m- dár ghabhas amach; fan go m-; fé mh- buaileag teinneas 'na chois; bíonn ceann dubh ar gach m- earraig;* (b) *níl sé 'na mhaidin fós; bhí sé fliuch ar m-.*

ó áit go háit/chéile: d'airíos *ó áit go chéile* ráite anso, ach is gnáthaí ar an slí eile é—*ó áit go háit.*

príomh: *an préamh-riarathóir,* ní déarfainn ' príomh '; *b'shiúd é an préamh-bligeárd a bhí orthu.*

searg, seargtha, seirgthe: *tá an mhóin chó seargtha* (nú *searg*) *san,* shrivelled, shrinking; *bhí sé go suaite, seirgthe, suasánach,* drawn (a person after a ' spree '); *féar seirgthe,* too-dry hay.

sloinne: *an ts-; cadí an ts- athá air? = cadí a shloinne?; i dtaobh a sh- = i dtaobh na s- bhí air.*

slua: *an s-; s- muar; na sluaite; i dtaobh an tsluaig a bhí ann; t'réis an tsluaig a ghabháil thairis.*

tailimh, talún: *tiarna tailimh, tiarnaí talúin.* Dá mbeinn a' tagairt do níos mó ná duine acu *tiarnaí talúin* adéarfainn; ach nuair a bheinn a' trácht ar éinne amháin acu *an tiarna tailimh* ba ghnáth liom a rá. *Poll talúin* adeirimíd: ní déarfadh éinne ' poll tailimh '. *Cruthnathóir neimh agus talún* (nú *tailimh*).

t'réis na gcath(anna): *t'réis an chatha; t'réis an trom-chatha; t'réis na gcath; t'réis na dtrom-chathanna* nú *na dtrom-chath; t'réis na gcathanna troma* nú *na gcath trom.*

tumáin, cumáin: *t- leat iad* nú *c- leat iad; dhin sé an iomad cumána* nú *an iomad tumána; bhí ana-chumáint fé; d'imi sé ar a' dial do chumáint.*

25a. AGUISÍN A

(Freagraí Amhlaoibh Í Luínse ar Cheistiúchán an Choimisiúin Bhéaloideasa i dtaobh nithe fé leith. Measadh nár ghá na ceisteanna a chur síos anso: tá na freagraí socair ar chuma go dtuigfear astu).

1. NAOMH GOBNAIT BHAILE MHÚIRNE

(i) *Naomh Gobnait* nú *Gobnait naofa*. ' Ban-Naomh an Dúchais ': tugathar san uirthi, leis. ' A Ghobnait an dúchais atá i mBaile Mhúirne '. *Naomh dúchais* nú *cara aspail:* patron saint.

Ó áit éigint thuaig a b'ea Naomh Gobnait—Connacht, b'fhéidir. Deirthar go bhfuil sí curtha sa reilig i mBaile Mhúirne, ach ní heolach d'éinne canad ann.

(ii) *a. Teampall Gobnatan* i reilig Bhaile Mhúirne, agus *tobar beannaithe* agus *t'rus Gobnatan*.
b. Cathaoir Ghobnatan: suíochán i gcarraig i mbarra Ghort na Tiobratan.
c. Cíll Ghobnatan: baile i gCluan Droichead. Deirthar gur thug Naomh Gobnait tamall san áit sin nuair a bhí sí a' teacht fé dhéin Bhaile Mhúirne.
d. Cillín na bhFiann: i mBaile Mhúirne. Leac 'na seasamh i bpáirc ann. Ann a bhí Naomh Gobnait nuair a chonaic sí naoi gcínn d'fhiannaibh bána ar Gort na Tiobratan.
e. Íomhá Ghobnatan: íomhá adhmaid sa tséipéal i mBaile Mhúirne. Léi sin a bhuineann *Tôs Gobnatan:* í thôs Lá le Gobnatan,–tape measurement, ' Saint Abby's Measure '.
f. An Bheachair: níl aon tuairisc uirthi sin anois.

(iii) *Lá le Gobnatan:* an t-ao'ú lá déag d'Fheabhra. Tugathar t'rus sa reilig i mBaile Mhúirne an lá san. La saoire isea é, agus staonann muíntir na p'róiste ó obair.

(iv) *a. An Bolla:* Caisleán a bhí á dhéanamh i gcóir saighdiúirí i mBaile Mhúirne. Leagadh Naomh Gobnait obair an lae istoíche: do chathadh sí an bolla leis na fallaí treasna an ghleanna agus do leagadh, agus thagadh an bolla thar n-ais chúithe arís uaig féin. Tá an bolla le fiscint fós, istig i bpoll sa bhfalla i gceann an tseana-theampaill.
b. An Bheachair: rud i bhfuirm cruiceog bheach, ach gan í bheith chó muar leis. Tráth éigint a bhí creach tógtha ages na saighdiúirí i mBaile Mhúirne, bhíodar imithe soir chó fada le háit arna dtugathar Goirtín na Plá (ar Túnláin, Baile Mhúirne), nuair a scaoil Naomh Gobnait na beacha as an mBeachair. Do luíodar ar na saighdiúirí a chealg, agus ba dhéirc Dia leo imeacht agus an chreach nú an stoc fhágaint 'na ndiaig. Tá *Goirtín na Plá* mar ainm ar an áit seo ó shin, agus dá bhfiafrófá do dhuine cadí an phláig a bhí ann déarfí leat: 'pláig beach'. Ní fheadair éinne i gceart cár ghoibh an Bheachair.
c. An Gadaí Dubh: duine dosna saoir a bhí a' déanamh an teampaill di. Bhí eagla air ná faigheadh sé a phá. Ghoid sé capall bán a bhí ag Naomh Gobnait. Ach thug sé an oíche go léir a' gabháil tímpal an teampaill ar muin an chapaill—nuair a shamhla sé go raibh sé imithe abhfad ón áit—agus is ann a fuair sé é féin ar maidin! Tá cloch istig anáirde sa teampall, geárrtha i bhfuirm ceann duine: deirthar gur b'shiné an Gadaí Dubh.

(v) Níor airíos aon phaidir luaite le Naomh Gobnait ach an phaidir aduairt an té bhí sa bhád i mbaol bháite:

A Ghobnait an dúchais atá i mBaile Mhúirne,
tair-se chúm-sa led chabhair is led chúnamh.

Dar Gobnait Bhaile Mhúirne: is minic aduarathas é sin.

(vi) 'Is ceart bheith a' tosnú ar obair earraig—tá Lá le Gobnatan againn': bhíodh an lá san mar mharc acu. Ní cuín liom aon nath eile mar gheall uirthi.

Lá muar chun cleamhnaistí dhéanamh a b'ea Lá le Gobnatan i mBaile Mhúirne: thagadh lucht na gcleamhnaistí le chéile an lá san. 'Lá le Gobnait a dineag an cleamhnas'.

(vii) Tá ainm an naoimh seo ar a lán do chailíní na p'róiste, agus dá mbeadh duine don ph'róiste gofa amach go dtí p'róiste eile bhaistfeadh sé an páiste i n-ainm an naoimh: Gobnait, Goibs (' A Ghoibs', túrtha go gairid ar chailín), *Abby, Abina, Bina.* Is anamh aireofá *Abigail* á thúirt ar éinne, sa chaint; ach sidí an ainm go hiomlán insa Bhéarla. Seana-nós isea *Gobnait* a bhaiste ar leanbh.

2. FÉILE SHAIN SEÁIN

(i) *Lá l' Shin Seáin*[1]*; Oí' l' Shin Seáin; Oíche Lae l' Shin Seáin.* Ní luaití luibh ná crann ná éinní eile leis anso.

(ii) Ní raibh sí áirithe mar cheann do mhuar-fhéilí na bliana. Bhí sí luaite i roint na bliana:

Rátha ó Nollaig go Lá le Muire,
Rátha ó Lá le Muire go Lá l' Shin Seáin,
Rátha ó Lá l' Shin Seáin go Lá le Michíl,
Rátha ó Lá le Michíl go Nollaig.

B'shidé an t-áireamh a dhinidís ar na ráithíocha.

(iii) Bheadh cré curtha leis na prátaí i gcóir an lae sin, mara mbeadh duine go mbeadh sí a' teip air. Tá sé i n-am í bheith leo an uair sin. Dhinidís obair an lá san. Ní chuiridís corrán sa ghort: ní dhinidís éinní ach tine chnámh a lasa. Níor airíos éinní mar gheall ar iascaireacht.

(iv) *Tine chnámh:* dhinidís tine chnámh sa tuar mar mhaithe leis na beithíg an lá san. Pé páirc tuair 'na mbeadh na beithíg nú an stoc, ansan a dhéanfí an tine chnámh. Táid siad san imithe. Piseoga éigint fé ndeár é bheith mar nós acu. Istoíche a lastí an tine (Oíche l' Shin Seáin): ní bhídís acu i n-aochor i gcathamh an lae. Tine age nach éinne 'na thuar féin—tuar na bliana san. Ní bhíodh an tuar isa pháirc chéanna gach bliain: bheadh sé i bpáirc eile an chéad bhliain eile, agus ansan a bheadh an tine arís. Nuair a bhí an nós a' dul chun deirig ansan bheadh tine anso is ansúd. Ní bhacadh cuid acu léi i n-aochor.

Ba chuma cé bhaileodh abhar na tine—páistí go minic. Ní bheadh inti ach bladhm. Agus ba chuma cé adódh an tine. Chaifí síol tine an tínteáin a úsáid, nú bhéarfaidís tóirse éigint leo. Ní

[1] *Lá le tSin Seáin* (BC).

bhíodh aon chnámh sa tine, ach tuir aitinn nú aon saghas seana-chipíní adhmaid a bheadh tirm.

Rithidís tímpal na tine, is dó liom: ní cuín liomsa é bheith á dhéanamh. Ach dhinidís saghas éigint ranngáis: an lín-tí go léir, is dó liom. D'fhanadh gach éinne agá thine féin. Leogaint don tine dó amach agus dul i n-éag. Ní dhinidís a thuille léi, ná ní bhíodh a thuille mar gheall uirthi.

(v) Tá deire leis an nós san anso le cheithre fichid bliain ar ao' chuma, déarfainn. Ach chífá tine anso is ansúd fós an oíche sin—lasta mar spórt. Buachaillí éigint a bheadh a' gabháil dò: lasfaidís tine ar chnoc éigint.

(vi) Ní thugaidís aon t'rus anso an lá san. Ach tá t'rus agus tobar i mbarra chnuic Mhuisire, agus téann seó daoine ann Lá l' Shin Seáin a' túirt na dt'rus. Ní dintar aon iúna eile don lá san ar fuaid na mball so, agus níl éinní eile a' buint leis.

Thugadh na sean-daoine ' an lá is sia sa mbliain ' ar an lá san. Is minic a dhintí tagairt dò: ' Ní bheadh sé déanta agat Lá l' Shin Seáin sa tsamhra! ' (obair éigint). Níor airíos go raibh an lá san 'na shaoire aon uair. Ní bhíodh aon chôrthaí aimsire acu ar an lá san.

3. OÍCHE SHAMHNA

(i) *Oíche Shamhna* a thugadh sean-daoine ar an oíche seo: níor airíos aon ainm eile uirthi. 'Snap-apple Night ' adeiridís sa Bhéarla. Níor airíos aon trácht ar Sheana-Shamhain.

Isé cleas ba ghnáth linn a bheith 'nár measc ná tubán uisce d'fháil agus úll a chuir isteach sa tubán so. Théadh an t-úll síos go bun agus féachaint ce hé an duine a b'fheárr a chuirfeadh a cheann síos fén uisce chun an úill a thúirt leis 'na bhéal. An té thúrfadh, ba leis sin an t-úll; agus ansan chuirfí isteach sa tubán úll eile. Do leantí ar an gcleas so an fhaid a sheasódh úlla dhóibh, agus chun go mbídís fliuch báite. Ní thugaimís ' Oíche na n-Úll ' uirthi do dheascaibh na hoibre seo: ' Oíche Shamhna ' adeirimíd.

Ní dhintí puínn únaí d'Oíche Shamhna, ach ba ghnáthach go mbíodh obair na bliana déanta roime Oíche Shamhna, an oíche dultha i bhfaid agus cead scuraíochta níos mó ná mar a bhíodh go dtí san.

(ii) I n-aobhal go mbíonn leointeacht ná easpa sláinte a' buint le daoine is gnáthach gur baolaí dhóibh iad so ó Shamhain amach. Bíonn an aimsir níos fuaire, na hoícheanta níos sia, agus dhá dtrian galair isea an oíche. Cathann an saghas so daoine iad féin a fhaire ó Shamhain chun go n-imíonn an Seana-Mhárta. Is minic a leanann ceo agus fliuchra mí na Samhna. Bíonn eagla ar na daoine go dtagann seó aicídí le haimsir mhúchta don tsórd so.

Bhíodh dúil acu craínn a chur um Shamhain. ' Cuir an crann um Shamhain agus tiocfa sé ': b'shin focal a bhíodh 'na measc.

Dá mbeadh slata tuigís acu le gearra, i ré na Samhna isea gheárrfí iad so. Agus deiridís go dtiospeánfadh ré na Samhna gach síon dá olcas, 'dir shneachta agus sioc.

Ní bheadh puínn brath acu ar shoineann d'fháil ó thiocfadh an tSamhain, agus ba mhinic adeiridís, dá bhficfí duine go mbeadh a ghnó leogaithe chun faillí aige ar theacht na Samhna: ' Dá mbeadh soineann go Samhain un bheadh breall ar dhuine éigint '.

D'fhéadfá a rá go mbeadh saol maith ag caoire cnoc go dtí teacht na Samhna. Níor airíos a thuille mar gheall orthu.

Ní dintar aon úsáid do sméara dú t'réis an naoú lá fichead do Mheán Fhôir. N'fhicfar éinne á mbailiú níos déanaí ná san sa mbliain, mar deiridís go mbíodh rud éigint déanta ag an bpúca leo agus ná beadh sé ceart iad a dh'ithe as san amach,–cé go bhfuil sméara le fiscint ar na sceacha i mí na Samhna.

(iii) Ní raibh aon bhia fé leith acu i gcóir na hoíche sin. Do bheadh ' oíche steaimpí ' acu. Is gnáthach gur um Shamhain a bhíodh so acu; ach ní raibh aon phaor acu ar Oíche Shamhna seochas aon oíche eile.

(iv) Níor airíos aon ní mar gheall ar dhá ré do theacht um Shamhain, ná aon tráth eile don bhliain, ná go mbeadh aon bhuint ag an dá ré leis an aimsir ná le haon rud eile.

(v) Ní chuirtí aon tsuím isna daoine sí an oíche sin níos mó ná aon oíche eile don bhliain.

(vi) Deireadh na daoine go mbíodh na mairbh nú na hanamnacha (más cóir a rá), anáirde ar frathacha an tí a' fithamh le paidir ón lín-tí Oíche Shamhna. Bhíodh dithanas a cholla an oíche sin chun caé a thúirt dóibh ar theacht isteach. Chreideadh na daoine go dtagaidís fé dhéin a dtithe féin an oíche áirithe seo. Ní dintí aon ullú 'na gcóir ach mar aon oíche eile.

Oíche Lae Samhna, sidí *Oíche na Marbh:* an chéad lá do Shamhain.

4. LIONN COILIG nú ANAIRTHE MÁRTA

Dhinidís *lionn coilig* fadó. Chathfadh an coileach bheith 'na choileach Márta. Thugaidís *anairthe Márta* air, leis. D'fhéadfí é dhéanamh aon tráth don bhliain, dá mbeadh an coileach Márta agat. Is mó dhinidís i gcóir daoine breoite é, is dó liom. An coileach a bheiriú agus an t-anairthe thúirt dò.

Níor airíos aon tagairt do ' Lionn Bríde '.

5. ' CHÚT A' PÚCA! '

(i) Ba ghnáthach duine éigint nú rud éigint a bhagairt ar leanaí:

(a) *The Boody Man, Bacach a' mhála, an t-Uncle Muar, Cailleach na dTaisteal.*

(b) ' Tá púca sa tobar, a' faire ar tu straca isteach '; ' Tá púca thuas sa lochta a' faire ar bhreith ort '; ' Fan amach ón dtine nú béarfaig Cailleach na Luatha ort '.

(c) Le leanaí bheadh a' crá ar éanlaithe: ' Béarfaig an fiolar leis tu '. Leanbh bheadh a' crá ar ghadhar nú ar chat: ' Nuair aireoig an madarua é béarfa sé leis tu '. Úirlisí faoir: ' Geárrfaig an té gur leis é an ceann díot '.

(d) Chun go mbeidís istig sa bhaile roim thitim oíche: ' Tá púca amù '; ' Béarfaig an púca leis tu '; ' Fan istig: tá an púca amù rôt '.

(ii) Is mó a meastí gur duine é bhíodh is gach aobhal.

(iii) Bacach a b'ea an t-Uncle Muar. Thagadh sé anois is arís. Ní raibh *Cailleach na Luatha* ann i n-aochor—mara dtúrfá an ainm sin ar an gcricket: is minic a tugamh. Chuirfeadh na rudaí sin eagla ar na leanaí.

(iv) Déarfadh seanduine an rud céanna anois le leanaí. Bagairt eile: ' Mara bhfana sibh macánta tiocfaig athach na dtrí gceann agus maró sé cuid agaibh mar shampla don chuid eile '.

B'é an t-Uncle Muar an bacach ba chalma ghlaodh chúinn. Ní raibh *Cailleach na dTaisteal* ann i n-aochor. Thúrfí 'Bacach a' mhála' ar aon saghas bacaig. 'Béarfaig an bacach leis tu 'na mhála'. 'Glaofa mé ar an Boody Man chút': le leanaí bheadh crostáltha. Shamhlaíodh na leanaí gur púca an Boody Man.

Déarfí 'Chút a' Púca!' le leanbh nuair ná fanfadh sé istig duit, nuair ná fanfadh sé socair, ⁊rl. '*Ó, bogha—ogha!*' adéarfá, agus thiocfadh saghas eagla ort féin, mar dhea.

'Sea, sea: tá Cailleach na dTaisteal a' teacht anois'. Nú dá mbeidís a' gol: 'Béarfa sí léi éinne bheig a' gol'.

Do dhá mhéir a chuir anáirde led shúilibh agus dhá shúil dhearga chuir ort féin, i bhfuirm, agus a rá:

> 'Duairt an púca liom do dhá shúil a chur ar bior
> agus duairt an madarua liom gan a chur!'

6. FEAR NA GEALAÍ

Éamon na Gealaí a thugadh na sean-daoine ar a' bhfear san—i bhfuirm duine ná beadh i n-aochor un. 'Níl un ach Éamon na Gealaí' adéarfaidís i dtaobh duine gan ao' mhaith, gan aon áird. Fiú amháin tagann sé isteach i n-amhrán éigin:

> 'Nách muar a' dícéille don chailín
> Bheith a' rith i ndiaig Éamon na Gealaí;
> Ní dhéanfadh sé gort di ná garraí
> Ach gabháil uirthi do mhaide mhaith daraí'.

Ní cuín liom gur airíos aon scéal mar gheall ar Éamon.

7. AINMNEACHA NA MÉIREANTA

(a) An órdóg, an mhéar thosaig, an mhéar láir nú an mhéar bhán, méar an fháinne agus an lúidín.

(b) Órdóg, méaróg, meánóg, fáinneog agus lúideog.

(c) Mar seo a bhídís againn a' dul ar scoil: méar mhuar, méar na leitean, méar í meaindí, Peigí liúidí agus liúidí bheag. An mhéar thosaig is mó a chuirfeadh leanbh 'na bhéal: is dócha go mbídís a' blaise na leitean léi sin. Is dócha ná raibh ao' bhrí leis a' gcuid eile acu.

An mhéar bhán: dá mbeadh fear ann a fhéatadh brí bhuint as a' gcuislinn déarfí—' Á, tá an mhéar bhán aige sin '. Caithfi sé ana-thuiscint a bheith aige. Déarfainn gur b'shiní an mhéar is mó úsáidfí 'na chóir sin: an mhéar bhán. Bhí fear ar an Ínse Muair fadó agus théadh sé i n-acharann i gcuislinn ga héinne: *Diarmaid na méire báine* a thugaidís air. Ach is gnáthaí ' an mhéar láir ' mar ainm uirthi sin.

Méaróg: tugathar méaróg uirthi seo do dheascaibh gur léi a chathann duine méaróg chloiche, nú gur léi a chasann sé méaróg nú súgán.

25b. AGUISÍN B

(Freagraí Amhlaoibh Í Luínse ar Cheistiúchán eile ón gCoimisiún Béaloideasa. Cáit Bean Í Liatháin, ó Chúil Ao, a thóg so síos. Tá litriú na míre seo curtha i n-oiriúint don chuid eile den téacs).

1. NAOMH BRÍDE

1. (a) *Naomh Bríde agus an Mhaighdean Mhuire:* b'sheo mar a bhí Naomh Bríde luaite leis an Maighdin Muire de réir mar adeireadh sean-daoine na háite:

Nuair a bhí an Mhaighdean Mhuire a' dul chun í choisireacan bhí náire uirthi gabháil amach os côir na ndaoine, ach duairt Naomh Bríde go dtógfadh sí féin aghaig na ndaoine di. Fuair sí roth túrainn agus do las coinneal amù ar cheann gach spóca dhe. Ansan do chuir anáirde ar mhullach a cínn é agus d'imigh roimis an Maighdin Muire. Is uirthi bhí na daoine go léir a' féachaint agus níor thug éinne fé ndeara an Mhaighdean Mhuire. Dá dheascaibh sin duairt an Mhaighdean Mhuire go dtúrfadh mar urraim do Naomh Bríde a lá a bheith roime n-a lá féin.
(b) *Rann Bhríde:* (*vide* lch. 282 *supra*).

2. (a) *Brídeog:* tráthnóna Oíche le Bríde d'imíodh aosóga ó thig go tig le Brídeog socair suas acu i bhfuirm bábáin. Bhídís a' brath ar airgead d'fháil díreach fé mar a bhíd lucht dreoilín Lá le Stiofán.
(b) *Brat Bríde:* do chuireadh muíntir gach tí—gach duine fé leith—amach Brat Bríde dho féin: ruibín, heaincisúir, nú aon tsaghas bruit. Choinneofí an Brat so i gcathamh na bliana agus bhí úntaoibh mhuar as. Dá mbeadh teinneas cínn nú aon tsaghas eile teinnis chasfí an Brat air, agus shamhlaídís go dtugadh so sos dóibh. Ní dintí aon chroiseanna.

Níor mhaith le muíntir na háite capall do ghléasa Lá le Bríde mar do bhíodh cosc acu ar rothaí do chasa, díreach fé mar a bhíonn ar tharaingí do chomáint Aoine an Chéasta. Ach níl trácht ar na nithe seo 'nár measc anois. Níl aon trácht ar an mBrídeoig sa cheanntar so le breis is caogaid bliain. 'Sé a bhfuil leanta dosna nósa ná an Brat Bríde do chur amach.

Deireadh na sean-daoine linn ná raibh ceadaithe do gharsúin ná d'fhearaibh caipín ná hata do chur amach mar Brat Bríde. 'Sé an brí a bhíodh acu leis sin: nuair is gur do mhnaoi a bhíodh an Brat á chur amach.

3. *Obair an earraig á thosnú:* deireadh na sean-daoine go mbeadh nithe a' cuíneamh ar bheith a' fás Lá le Bríde—go mbíodh cailleach a' cur aníos agus beirt chailleach a' cur síos; agus nuair a thagadh Lá le Pádraig bhíodh beirt chailleach a' cur aníos agus cailleach a' cur síos. Ach nuair a thagadh an chéad lá d'Abarán bhíodh an triúr cailleach d'aon bhuíon chun bheith a' cur nithe aníos.

Deir na feirmeoirithe gur mithid cuíneamh ar obair an earraig nuair a thagann Lá le Bríde, agus 'sé ceol na n-éan a chuireann so i n-úil dóibh. Dá dtagadh dro-rabhata le línn an lae seo is minic airínn na sean-daoine a' caint orthu:

' Rabhataí rua na hInide,
Rabhataí geala na Cásca,
Rabhataí Lae le Bríde agus
Rabhataí Lae le Pádraig '.

Deirtear 'nár measc fós go mbíonn an bainne dultha i n-adharca na mbó ón Nollaig go t'réis Lae le Bríde. Ciallaíonn so go mbíonn ganachúis bainne i gcathamh na haimsire seo.

4. Tá baile i n-aice Shráid a' Mhuilinn arna dtugaid *Cíll Bríde.* Is dócha go bhfuil cíll bheag éigin ann, ach ní heolach dom go bhfuil tobar beannaithe ná t'rus ann.

Tá muarchuid do chailíní na háite seo gur Bríde is ainm dóibh. *Bríde* isea fuaim na hainme 'nár measc.

2. DEIRE AN IÚIL AGUS TOSACH AN FHÔIR

'Sé ainm a bhíodh ag na sean-daoine ar mhí Iúil ná ' mí croití na mealabhóg ', mar gach mála nú saghas bíg a bhíodh iontu bheadh sé críochnaithe agus na málaí croite: iad a' fithamh le mí Lúnasa. Agus déarfadh duine acu: ' Is gairid go mbeam ar muin na muice, mar tá Oíche Lúnasa ar chois againn '. As san amach níor bh'aon náire dhóibh dul ins na garraithe mar bheadh prátaí acu le fáil iontu.

Níor airíos aon iúnaí eile a' buint le deire an Iúil nú le tosach an fhôir. Ba mhinic adeireadh mo sheana-mháthair, dá mbeinn a' toramas ar aon tsórd bíg a chuirfí rôm: ' B'fhéidir gur maith íosfá é sara dtiocfaig Oíche Lúnasa ! '

Ach b'é mí Iúil an mí ba ghanachúisí sa mbliain i dtaobh bíg. ' Aonach na spiúnán ' a thugaimís ar an aonach a bhíodh againn an mí seo mar do bheadh spiúnáin go leor le fáil ar an maraga. Agus nuair a thiocfadh aonach an fhôir ba ghnáthach go mbíodh daoine caéthúil agus muarán dá ngnó déanta. Deiridís:

' Má théann tú go dtí aonach gan gnó
téir go dtí aonach an fhôir '.

Bhíodh an féar i dtaisce acu agus gan an t-arúr aibig chun é bhuaint.

3. AN NOLLAIG

1. *Siopadóireacht na Nollag:* ba ghnáthach leis na daoine cuaird a thúirt ar sráidbhaile nú baile muar, fé mar a bheadh 'na gcóngar, chun nithe do cheannach agus ní chun a ndíoltha. Tosnód le fuiscí toisc go bhfuil dúil agam ann, agus 'na dhiaig seo a lán nithe eile a bheadh níba riachtanaí: feoil úr, iasc (colamóir), currants (cuiríní) agus réisíní, té agus siúicre, agus gan dearamad coínle beaga agus muara: coinneal phúint, arna dtugaidís ' an choinneal Nollag '. Bhí na coínle muara le fáil ar gach dath, ach ba ghnáthach gur bh'iad an chuid bhán ba mhó a bhíodh á ndíol. Thúrfaidís leo cístí mísle agus fíon i gcóir na n-aosóg, agus i dtaobh an fhuiscí do bhí buidéal acu le fáil gan piuc ins na tithe 'na mbídís a' deighleáil ar feag na bliana roimis sin. An mhuíntir a bhíodh amù a' soláthar na nithe seo thiocfaidís chút go súgach. Ní dhinidís aon iúna dhe mar b'í seo aimsir na Nollag. Slán beo leis an rud so, ach go dtaga sé arís !

2. *Trosca:* do dintí trosca. Ní bhíodh aon dínnéar acu chun go bhfaighidís an chéad shuipéar le titim oíche. Níor bhuin an trosca so le páistí ná le haosóga an tí, ach leis na daoine fásta agus aosta. B'sheo ullúchán i gcóir na féile.

3. *Béilí.* (a) *Oíche Nollag:* prátaí agus colamóir ullaithe i gcóir an chéad bhéile. Do bheadh an tarna béile tímpal a deich nú a

héinnéag a chlog: té agus cístí mísle, cuid acu déanta ag baile agus tuille acu ceannaithe ins na siopaithe, agus b'fhéidir a lán acu fáltha mar thabharthaistí Nollag. Do bheadh gach ní ba thaithneamhaí ná a chéile acu i gcóir na béile seo. Uim an am úd ní raibh subh le fiscint ar aon bhórd ná le díol ar fuid na háite seo, sidé tímpal trí fichid bliain ó shin. B'é an chéad áit 'na bhfeaca subh i siopa beag a bhí curtha ar bun ag bean a tháinig ó Mherice. Bhí so i mboscaí stáin: ' sioróip óir ' a thugadh sí air, agus *Golden Syrup* scríofa ar an mbosca. Bhíodh cuid dosna boscaí seo púnt meáchaint agus tuille acu dhá phúnt. I ndiaig ar ndiaig do bhí gach saghas suibh a' teacht.

T'réis an tsuipéir seo bheadh braon puins ag an muíntir chríonna agus fíon nú saghas éigin eile ag an aos óg.

(b) *Lá Nollag:* bhíodh frumhór na ndaoine ar céalacan an mhaidean so, agus nuair a tiocfí abhaile ón Aifreann isea íosfí bricfeast. Ansan do thosnódh dínnéar á chuir i dtreo. Bheadh gé le rósta nú le beiriú ins gach tig, ba chuma saibhir nú bocht, mar do bhíodh géanna fáltha mar thabharthaistí ag an muíntir ná bíodh géanna acu féin. Bheadh prátaí i gcóir an dínnéir seo, agus tímpal a cúig a chlog um thráthnóna a b'ea dhinidís an bhéile a chathamh.

Paidir: ní raibh aon phaidir a' buint leis an mbéile sin ach amháin go ndineadh gach duine iad féin a choisireacan le línn eirithe ón mbórd agus déarfaidís ós árd: ' An Té thug an bheatha so dhuinn go dtuga Sé an bheatha shíoraí dár n-anam '.

Do bheadh té agus na sóláistí eile acu gan moíll t'réis dínnéir, agus na nithe céanna tímpal a héinnéag a chlog istoíche. Uim an am úd ní raibh aon teacht ar phutóig Nollag, ná fiú amháin turcaí, ar fuid na tuatha.

Braon óil: D'áiríthí na nithe seo go léir i gcóir Nollag; ach do bheadh braon do shaghas éigint óil le déanamh pé tráth a ghlaodh na côrsain chun a chéile, peocu isló nú istoíche. Ba mhó an t-ól a dintí uim an am úd ná anois—b'fhéidir go ndineadh cuid acu an iomad de, chun na fírinne d'ínsint. Níor bh'iúna san, mar bhí sé le fáil go saor; agus pé beag muar a bheadh óltha acu is anamh a chaillfeadh éinne Aifreann Lae Nollag dá dheascaibh.

Do bhíodh canúinn ages na haosóga:

' Lá Nollag agus lá na móna,
'siad so na laethanta go n-íosfam ár ndóthain ! '

mar do bhíodh flúirse a' buint le lá mithile a' buint móna.

Cuaird: do bhí sé do nós ages na daoine imeacht ó thig go tig le chéile Oíche Nollag agus Oíche Lae Nollag, agus na haosóga go háirithe.

4. (a) *Coínle na Nollag:* do lastí coínle speisialtha Oíche Nollag ins gach tig fadó, agus maireann an nós so fós. Bheadh coinneal mhuar agus dhá choinneal bheaga, ceann ar gach taobh di, lasta ar fhinneoig na cistean. Do bheidís seo maisithe le cuileann dearg agus páipéir ioldathach. Ba ghnáthach gur b'é coínleoir a bhíodh acu so: tornap muar agus poll déanta ann oiriúnach don choinnil. Ní bheadh an tornap agat le fiscint: bheadh sé folachta uait ag maisiúcháin an chuilinn agus na bpáipéar.

Do lastí coinneal is gach finneoig ar an dtig, ach ní dintí aon mhaisiú orthu so. Coínle beaga bána—' coinneal phingine ' a thugaidís orthu—a bhíodh ins na finneoga so, mar an chuid a bhí ar gach taobh don choinnil mhuair. Coinneal phúint an choinneal mhuar arna dtugaithí ' an choinneal Nollag '. Bán ba dhath dhi.

Níl seanachas ná fáth leo ach i n-onóir do theacht an linbh Íosa, mola go deo leis. Do fágtí ar lasa iad go ham collata. Do sheasaíodh an choinneal mhuar i gcathamh aimsir na Nollag, agus ní buintí aon tarrac as na buin bheaga ach gnáth-úsáid an tí; agus t'réis na Nollag Beag, dá ráineodh bun nú blúire don choinnil mhuair a bheith fanta gan dó ní choinneofí i gcóir leighiseanna ná nithe dá shórd í.

'Sé fear an tí ba ghnáthach a lasadh na coínle Oíche Nollag, agus t'réis iad do lasa níor mhaith leo i n-aochor go raghadh ceann acu i n-éag. Nuair a bheadh na coínle lasta thiocfadh an lín-tí le chéile ar a glúinibh. Ní raibh aon phaidir áirithe acu le rá ach na héinne acu pé paidir nú paidireacha ba mhaith leo féin.

Do bheadh aon choinneal amháin le lasa oíche Lae le Stiofán. Oíche Choille, oíche Lae Coille, Oíche Nollag Beag agus Oíche Lae Nollag Beag: do bheadh an t-áireamh céanna coínle ar lasa na hoícheanta so fé mar a bhíodh Oíche Nollag agus Oíche Lae Nollag.

Do bheadh lampa ar lasa is gach tig fé mar a bhíodh gach oíche eile don bhliain. Lampaí beaga do b'ea iad. Ní rabhdar chó maith ná chó solasmhar leo so atá againn anois—dá bhfaighimís ár ndóthain íle dóibh!

(b) *An Bloc Nollag:* do bheadh smailc nú scolb éigint nár ghnáth curtha sa tine i gcóir na hoíche seo. ' Bloc Nollag ' a tugaithí air. Ba chuma cadé an mianach é. Do bheadh tine níos mó sa tínteán an oíche seo ná mar a bheadh aon oíche eile, i dtreo go ndeireadh na daoine dá bhficidís tine mhuar agat aon tráth eile: ' An í seo tine na Nollag agat ? ' Ní raibh paidir le rá le línn iad so do chur sa tine. Ní raibh leigheas ná aon bhua eile i leith an bhluic ná a chuid luatha. Do leogtí don Bhloc Nollag dó go deire.

5. *Téarmaíocht*

(a) *Oíche Nollag Muaire* = *Oíche Chínn Bhliana:* ní thosnaíodh an Nollaig go dtí oíche an cheathrú lae fichead don mhí—ní muar go mbeadh aon ní a bhuineadh léi déanta go dtí san, ach amháin go mbíodh na nithe go léir soláirce 'na cóir roim ré. B'í seo arna dtugaithí ' Oíche Nollag Muaire ', agus mar an gcéanna do thugaithí ' Oíche Chínn Bhliana ' uirthi seo.

(b) *An lá arna mbíodh Oíche Nollag* = Christmas Eve. Dhineadh daoine obair an lá arna mbeadh Oíche Nollag fé mar a dhinidís gach lá eile.

(c) *Lá Nollag Muaire:* Lá Nollag an cúigiú lá fichead don mhí, arna dtugaithí ' Lá Nollag Muaire '.

(d) *An Nollaig Mhuar:* ' Nollaig na bhfear ' a thugaithí uirthi ar feag Oíche Nollag agus Lae Nollag, agus b'í seo arna dtugaithí ' an Nollaig Mhuar '. Bhíodh so acu mar chanúinn:

' Nollaig na bhfear: an Nollaig mhuar mhaith, agus
Nollaig na mban: an Nollaig a mheath '.

Measaim gur b'sheo mar a fuair an Nollaig Mhuar an ainm ' Nollaig na bhfear ': mar ba ghnáthach go mbeadh fear as gach aon tig amù lá nú dhó roim ré a' soláthar nithe 'na cóir, agus dá mbeadh éinní i n-easnamh b'iad na fir a gheódh milleán 'na thaobh.

An Nollaig Mhuar: do dheascaibh an raidhse a bhíodh a' buint léi.

An Nollaig Bheag: níor ghnáthach an rabairne fé mar a bhíodh um [an] Nollaig eile.

(e) *Dhá lá déag na Nollag:* b'é rud a chiallaídís le ' dhá lá déag na Nollag ' na laethanta idir an Nollaig Mhuar agus an Nollaig Bheag. Chreididís éinne a gheódh bás ar feag dhá lá dhéag na Nollag go raibh san dultha go Flaithis Dé, mar go mbíd geataí na bhFlathas ar oscailt na laethanta so.

(f) *Oíche Lae Nollag* = oíche an cúigiú lae fichead.

(g) *Nollaig na mban* nú *an Nollaig Bheag:* 'sé a thuigithí le Nollaig na mban, Oíche Nollag Beag agus Lá Nollag Beag, i.e., oíche an cúigiú lae d'Eanair agus Lá Nollag Beag, an séú lá. Do thugaithí ' Oíche na dTrí Rithe ' ar Oíche Nollag Beag, leis.

Nollaig na mban: bhíodh fágtha 'na leith seo gach ní do sholáthar 'na cóir, agus mara mbeadh nithe raidhsiúil sidé nuair a déarfadh na fir: ' 'Sí seo an Nollaig a mheath! ' Nuair ná taithnfeadh leis na fir flúirse agus rabairne a bhuineadh leis an Nollaig Bhig déarfaidís:

' Mo ghraidhn tu, a Nollaig Mhuair,
mar is tu ná fágfadh gruaim '.

Agus nuair a thúrfí éinní fónta dhóibh dhineadh so atharú orthu agus déarfaidís: ' Is cuma í nú an tseana-Nollaig '. B'í an Nollaig Mhuar ba mhó a bhíodh i gceist, mar b'í seo tosach na féile agus na flúirse. B'í príomh-fhéile na bliana í, i dtuairim na ndaoine.

Uair na hAchuiní: Oíche Nollag Beag nú Oíche na dTrí Rithe—chreididís go mbíodh ' uair na hachuiní ' tráth éigin don oíche sin, ach ní fheadair éinne cadé an t-am d'oíche. Bhíodh scéaltha acu ar sheana-mhnaoi: d'fhan sí suas i n-aice na tine agus an achuiní aici á iarraig coitianta. B'é rud a bhí aici á rá: ' A Thiarna, din Iarla dom mhac '. Bhí an port so coinnithe ar siúl aici. Do léim cat a bhí ann anáirde ar a' ndriosúr, do leag anuas báisín agus dhin smidiríní dhe ar an úrláir. ' Go mbrisig an dial do chosa, mar chat! ' ar sise. B'shidé díreach nuair a bhí uair na hachuiní ann, agus thit an cat lena ceithre cosa briste! 'Sé seo bhí aici i n-inead Iarla bheith déanta don mhac.

Ach is dó liom ná raibh aon bhrí leis an rud, mar bhíodh seana-bhean eile—chuireadh sí dhá chorcán ar dhá thaobh na tine agus thosnódh an achuiní aici: ' Corcán óir anso agus corcán airgid ansúd '. Ach do ghealadh an lá anoir aneas uirthi gan ór ná airgead ins na corcáin!

Do bhíodh canúinn ag sean-daoine:

' Oíche na dTrí Rithe
dintar fíon don uisce,
síoda don bhiolar
agus líon geal don triopall ' (.i. don luachair).

6. *Réir na Nollag:* b'iad na mná a bhíodh a' maisiú agus a' ceartú an tí, iad féin agus an mhuíntir óg, agus ' réir na Nollag ' a thugaithí ar an gceartúchán so. Ba ghnáthach na tithe cónaig a mhaisiú laistig, agus fós tá beo 'nár measc. Lá nú dhó roim ré a dintí an maisiú so: glana agus aol-gheala laistig. B'sheo cuid do ' réir na

Nollag ', mar adeiridís. Ní raibh luíneacha le húsáid. Cuileann dearg ba mhó a bhíodh chun an mhaisiúcháin, agus páipéir éigint ioldathach, ach ní cuirtí an cuileann insa mhaisiúchán go dtí tráthnóna na Nollag: ní raibh aon mhíniú ag na daoine ar an bhfáth. Ba chuma cé sholáthraíodh iad ná a chuireadh suas iad.

Ní raibh paidir le línn na nithe seo. Ní raibh aon órnáidí eile ach a bhfuil ráite againn. D'fhágfí ann iad go dtí t'réis na Nollag Beag. B'fhéidir go gcuirfí cuid do pháipéir an mhaisiúcháin i gcimeád i gcóir na haith-bhliana; agus i dtaobh an chuilinn, dhóifí sa tine é: níor chreideadar go raibh leigheas ná piseoga a' buint leis.

Ní dintí aon mhaisiú ar chrúite, ar stáblaí ná ar chró mhuc.

7. (a) *Oíche Choille* = New Year's Night, oíche an t-ao'ú lae déag ar fhichid do mhí na Nollag. Nuair a oirfeadh aosóga chur a cholla an oíche seo déarfadh an mhuíntir chríonna: ' Is mithid díbh bheith a' dul a cholla mar is geárr eile go mbeig an tSeana-Chailleach a' teacht agus béarfa sí léi an mhuíntir ná beig dultha a cholla. Seo mar adéarfa sí:

" Oíche Choille: a cholla ón gCaillig !
a cholla libh, a dhaoine,
mar an méid ná beig 'n-úr gcolla agaibh
agamsa bhe' sibh choíche ! " '

Ní bheadh aosóga abhfad a' bailiú ón dtínteán, mar chreididís go dtagadh an ' Chailleach '.

(b) *Lá Coille* = New Year's Day, an chéad lá d'Eanair. Chuireadh sean-daoine suím sa mhaidin seo. Dá mbeadh uisce muar san abhainn, níos aoirde ná mar ba ghnáth, b'sheo cốrtha a bhíodh acu go mbeadh nithe ana-dhaor an bhliain sin. Nú dá mbeadh an ghaoth anoir deiridís go mbeadh an bhliain i bhfabhar an tSasanaig; agus ba chuma cadé an áit eile 'na mbeadh sí chreididís go mbeadh an bhliain fabhrúil leo féin.

(c) *Oíche Lae Coille* = New Year's Day Night, oíche an chéad lae d'Eanair.

8. *Cleamhnaistí:* Lá Nollag Beag bheadh daoine á fhiafraí dá chéile: ' Ar airís aon chleamhnas ? ' mar b'sheo nuair a bhíodh an Inid tosnaithe, agus go dtí san ní raibh aon phósa le déanamh.

9. *Nósanna eile:* (a) Ba ghnáthach ím agus bainne a chur a' triall ar an muíntir ná raibh ím ná bainne acu féin, agus go minic smut nú píosa feola.

(b) Do thúrfí cuaird ar cháirdibh tráth éigin ar feag aimsir na Nollag.
(c) Ní thugadh muíntir an tí bronntanaisí dá chéile. Ní fhaigheadh na leanaí féiríní.
(d) Dhá Aifreann anso: ní bhíodh níos mó ná dhá Aifreann ins na séipéil tuatha. Ní raibh Aifreann meán oíche san áit.
(e) Cuirtí glas ar an ndoras fé mar a dintí gach oíche eile.
(f) Caití an Nollaig sa bhaile. B'fhéidir go raghadh roint daoine a' fiach dreoilín chun é bheith acu i gcóir larnamháireach; agus mar an gcéanna dhéanfí fiach ar ghiorraithe, ach go mbíodh an iomad smaicht ag tiarnaí talúin. Ní imiríthí cluiche iománaíochta ná nithe dá shaghas.
(g) Bhíodh beannachtaí na féile ag daoine dá ghuí le chéile: ' Nollaig mheidhearach chúibh ' nú ' muarán do Nollaigí geala fé mhaise chúibh '; agus mar an gcéanna do ghuíodh an sagart chun an phobail é maidean Lae Nollag.

10. *Nósanna Nó:* tá cártaí Nollag scaipithe go flúirseach ar fuid na tuatha anois le tímpal triochad bliain. Ní bhíonn aon chrann Nollag anso. Bíonn caint ar Daidí na Nollag agus bíd na leanaí a' brath ar rud éigin uaig. Bíonn stoca curtha i n-áit éigint acu i dtómas an ruda so. Tá turcaithe á n-ithe um Nollaig, agus mar an gcéanna an phutóg Nollag. Tá na féiríní á gceannach ins na siopaithe agus dá dtúirt dá chéile. Tá glacaithe leo so mar chuid do chomóra na Nollag. Táid a' brú isteach orainn le deich mbliana fichead. Ach do mhaolaig an coga an rud so, mar ní féidir na nithe d'fháil.

11. Deiridís ' Nollaigí ceóch a dhineann reiligí méithe ', agus ní áirídís aon fhuacht tagaithe go Nollaig: ' soineann gach síon go Nollaig ' agus ' ní fuacht go hearrach '.

25c. AGUISÍN C

(Abhar a thóg SÓC síos ó Dhónal Ó Luínse, driotháir d'Amhlaoibh).

1. PÚCAÍ

Chreidfinn go maith go mbíodh na púcaí ann agus go mbíodh daoine á bhfiscint. Táid siad fós ann, leis, ach ná ficfá iad. D'aireofá seó scéaltha mar gheall orthu. B'fhéidir go mbídís a' cur leo agus ná rabhdar go léir fíor, ach ní chreidfinn ón saol ná go bhfuil a lithéidí ann—mar do chonac féin iad, agus do cuireag eagla orm.

2. SPRID

Nuair a bhí cairéaraithe ag imeacht le hualaí ó Chiarraí ar bhóthar Chorcaí bhí cairéaraí acu a' gabháil aniar ó Fhaill na nIomaireach (i gCúil Ao) i ndeire na hoíche agus ualach muar feircín ime aige. Chonaic sé bean a' siúl roimis amach. Nuair a tháini sé suas léi, agus ar línn gabháil thóirse amach—' A' dtógfá marcaíocht ? ' ar sisean. ' Tógfad ', ar sise. Tháini sí anáirde ar an ualach ime. Ní ró-fhada dheaghaig an capall nuair a stop sé. Duairt sé leis dul ar siúl arís agus do dheaghaig, agus ní ró-fhada dheaghaig nuair a stop arís. D'fhág sé an capall 'na stop. Capall tréan láidir a b'ea é.

' Tá rud éigint ar a' gcapall ', ar sisean leis a' mnaoi: ' a' dtiocfá anuas ? '

' Ní thiocfad go deimhin ', ar sise; ' canathaobh gur chuiris anáirde me ? '

Léim sé anuas don ualach. Scuir sé na tairric agus bhuail sé ar a sháil an t-ualach. Do léim sé ar dhrom an chapaill agus dheaghaig sé soir isteach go tig Artúir (tig táirne mhuíntir Laeire ar Carraig an Adhmaid). Ghlaoig sé orthu agus d'eiríodar. D'innis sé a scéal. Cuireag an capall isteach sa stábla agus d'ith sé féin greim bíg agus cuireag feiste air.

‘ Tá scéal diail greanúr agat ’, aduaradar.

D’fhan sé ann. D’eiri sé ar maidin. Fuair sé an capall marbh sa stábla.

Ō ’uise, go deimhin níl aon fhocal bréige ansan—agus is amhlaig a scar sé go maith leis a’ gcaillithín, pé saghas í. Is muar an iúna nár mhairbh sí é féin. Sprid do shaghas éigint a b’ea í, gan amhras.

Bhí an ‘ dochtúirín ’ Ō Luasa (Dónal Ō Luasa) ’na chairéaraí an uair sin. ’Sé a ghléas a chapall féin agus a dheaghaig siar ar maidin agus ghoibh fén ualach ime é, agus do riug an t-ualach go Corcaig.

3. COINNEAL AGUS COÍNLEOIR ANN

‘ Coinneal agus coínleoir ann
agus ca bhfuil a leath-rann san ? ’

Sprid adeireadh é sin. Thuaig tímpal Chuilinn Í Chaoimh a bhíodh sí. Bhídís a’ túirt freagraí uirthi.

‘ Capall agus carra ’na dheabhaig
a’ gabháil tríd an nGleann Cam soir ’.

B’shidé an freagra thug duine éigint uirthi. Ach mhairbh sí é.

4. SPRID NA NGAIBHLTHE

Bhíodh sprid i mullach na nGaibhlthe—the Galtee Mountains. Bhíodh sí a’ marú daoine. Chuireadh sí ceist éigint chútha. Ach duairt fear éigint léi sa deire thiar thall:

‘ B’fhearra dhuit bheith i bhFlaithis Dé i n-am
ná bheith i mullach na nGabhal at sprid ! ’

D’imi sí ar fad ansan, pé áit gur dheaghaig sí.

5. DONACHA AN GHABHA

Bhí gabha anso ar Cúil Ao: Donacha an Ghabha. Do mhuíntir Shúilleabháin a b’ea é. Bhí an bhean breoite, agus mar seo oíche duairt sí leo ná raibh aon scaifléir uirthi. ' Túrfadsa mo scaifléir duit anocht ', arsa Donacha. Do thug.

Maith go leor. Tig cínn tuí a bhí acu, agus anáirde ar an lochta a cholladh Donacha. Dheaghaig sé a cholla, agus amach san oíche do dhin an duine air agus rud éigin i bhfuirm putóige a bheadh oscailte amach aige, a' d'iarraig é chuir síos ar cheann Dhonacha.

D'eirig Donacha aniar agus do ghluais an bhruíon. Bhí sé a' dórnáil leis go tiubh. Níl sé túrtha síos ceocu fear nú bean a bhí ann; ach do scar sé leis—peocu is ar mhaithe leis a bhí sé a' d'iarraig na ' putóige ' chur ar a cheann nú nár bh'ea.

Ar maidin larnamháireach bhí an ghruaig bogaithe ar a cheann, agus lá i ndia' lae níor fhan ruibe ar a cheann. Peiribhic a chaith sé i ndeire bárra. Cnaist d'fhear luath láidir, agus fear macánta tríd sin. Bhí misneach agus croí aige agus neart dá réir.

Sin scéal fíor.

6. FEAR MARBH AGUS CAPALL IALLAITE AIGE

Bhí fear anso ar Cúil Ao agus gabha a b'ea é. Bhíodh sé ag obair sa cheártain istoíche mar a bhídís go léir an uair sin. Ach bhíodh an bhean sa bhaile 'na haonar agus í a' fithamh leis, agus bhí an cheárta tamall ón dtig.

Sea. Bhí a hathair curtha le tamall éigin; másea, ní fheadar cadé an fhaid a bhí sé curtha. Ach oíche éigin dá raibh sí istig a' fithamh lena fear d'airi sí an capall a' teacht. Do stad sé i dtaobh amù don doras. Cé thiocfadh isteach ná an t-athair. Is dó liom gur b'í sin a labhair ar dtúis; ach dhineadar roint éigin cainte. Ach bhí banncáinín fraoig i dtaobh amù do dhoras agus bhí an capall á dh'ithe, agus d'airíodh sí an bhéalbhach—díreach mar a bheadh aon chapall. Níor fhan sé abhfad. Duairt sé go gcathfadh sé bheith a' gluaiseacht arís. Do lean sí amach é.

' T'rom sop don fhraoch san ', ar sisean, ' go gcuire mé fúm ar an iallait é: tá an iallait ana-chruaig '.

Do thug. ' Airiú 'uise, ná tair a thuille ', ar sise.

' Airiú, a rud ghránna ', ar sisean, ' ní thiocfad! ' Is dócha nár thaithn san leis. Agus níor tháinig: ní fheaca sí as san amach é. Agus is olc a chuir sí chuige mar níor fhiafra sí dhe canathaobh go raibh sé ag imeacht mar sin, nú a' raibh éinní a' déanamh buartha dho. Ach d'fhiafra sí dhe cá mbíodh sé. 'Mhuise, tímpal an bhaile agus ins gach aobhal', ar sisean, 'mar a bhímís riamh'.

7. DHÁ CHÔRAINN

Bhíos theas i nÍnse Gíle ar shochraid, agus capall iallaite bhí agam. Agus an fear go rabhas ar a shochraid is amhlaig a cathag amach à turcail é, agus siné mhairbh é. Fear muar óil a b'ea é, leis.

Ach bhí fear eile am theannta: dhá chapall iallaite againn. Sea; dheaghamair go dtí an tig agus bhí an tsochraid imithe; ach ní rabhdar abhfad imithe. Do leanamair iad. Soir linn, agus bhí an bóthar a' casa—díreach mar athá sé ansan thíos—agus bhí radharc againn ar a' mbóthar tamall maith chun cínn. Chonaiceamair an chôra agus ceathrar fear fúithi. 'Brostaímís', aduartsa, 'nú imeoid siad uainn'.

Ba gheárr go bhfuaramair radharc ar na daoine agus an chôra rúmpa amach—agus bhí san ceathrú mhíle níosa chóngaraí dhúinn. D'fhéachamair ar a chéile—agus ní raibh ann ach aon tsochraid amháin!

Pé rud a thug an tarna côra ann bhí sí ann, agus na fir fúithi. Agus an áit go bhfeacamair an chôra san, ansan a thit an fear amach as a' dturcail.

8. AN BACACH AGUS FEAR A' TÍ

Bhí fear ann agus ghlaodh bacach chuige i gcóir na hoíche. Deabhraíonn an scéal go mbíodh an bacach ana-bhaoch de. 'Nuair a gheóir-se bás', arsan bacach, 'ní bheig aon mhoíll ort dul isteach go Flaithis Dé'.

'Ní fheadar mar gheall air sin', aduairt an seanduine; 'b'fhéidir nár bh'olc an rud gabháil isteach ann i gcionn sé nú seacht do bhlianaibh!'

Sea. Ana-mhaith. D'fhan an scéal mar sin. Cailleag an seanduine, agus tráth éigin 'na dhia' san tháinig an bacach go dtí an tig céanna arís, agus d'fhan sé i gcóir na hoíche. Sa chistin a bhíodh sé, agus sop tuí nú rud éigin fé, thuas cois na tine. Ach tráth éigin don oíche dhúisi sé as a cholla agus chonaic sé an seanduine os a chôir amach ar an *settle*.

Do labhair an bacach leis. ' Cad a thug anso tusa ', ar sisean, ' nú a' bhfuil aon bhuairt aigne ort ? '

' Tá mhuise go díreach ', ar sisean, ' agus me féin fé ndeár é. An cuín leat an chaint a bhí eadrainn mar gheall ar dhul go Flaithis Dé ? '

' Is cuín go maith ', arsan bacach.

' Bhuel ', ar sisean, ' mara mbeadh an rud san aduartsa—nár bh'olc an rud dul isteach ann i gcionn sé nú seacht do bhlianaibh—bheinn istig ann fadó. Ach anois cathfadsa fanúint amù go ceann seacht mblian '.

' Agus cá mbíonn tú ? ' arsan bacach.

' Tímpal an bhaile ', ar sisean, ' mar a bhíos riamh. Tá cead agam teacht anso i gcóir na hoíche. Agus anois, tá mo mhac-sa a' cuíneamh ar tig nó dhéanamh agus an tig seo a leaga. Abairse leis gan é seo leaga i n-aochor, nú má dhineann beig fotharach fuar folamh agamsa anso '.

' Airiú, déarfa sé gur ag ínsint bhréag atáim ', arsan bacach.

' Ní déarfaig ', ar sisean. ' Abair leis go nduartsa leat go raibh a lithéid seo do rún eadrainn (.i. idir é féin agus an mac), agus géillfi sé dhuit '.

D'innis an bacach a scéal don fhear eile agus níor leag sé an tig i n-aochor.

9. MAR A BUAG AR NA MNÁ SÍ

Bhí bean i gCíll na Martara agus baintreach a b'ea í. Bhí cailín beag d'inín aici a bhí a' dul ar scoil. Mar seo lá do casag an máistreás scoile agus an bhaintreach ar a chéile. ' A' bhfuil éinní ar a' leanbh san agat ', ar sise, ' nú canathaobh go bhfuileann tú á cimeád sa bhaile ? '

' Airiú nílim ', ar sise, ' ná fuil sí a' dul ar scoil gach aon lá ? '

' Níl ', aduairt an máistreás, ' ní fheacamair anois í le breis agus seachtain '.

Bhí san go maith. Abhaile léi, agus ní duairt sí piuc leis a' gcailín go dtí go rabhdar a' dul a cholla an oíche sin:

' Cá mbíonn tú i gcathamh an lae ? ' ar sise; ' airím ná bíonn tú ar scoil i n-aochor '.

' Ní bhím ', ar sise, ' bím istig sa lios a' luasca cliabháin '. Duairt sí go dtagadh beirt bhan amach à poll an leasa agus go mbeiridís leo isteach í, agus thugadh sí an lá acu san a' luasca cliabháin, agus leanbh istig ann.

'Tá go maith', aduairt an mháthair léi. 'Raghair soir arís ar maidin, ach bíodh ana-cheann-fé ort agus ana-ghruaim. Fiafróid siad díot cad fé ndeara dhuit bheith chó buartha san. Abairse leo go bhfuarais gamhain ód mháthair agus go bhfuil an gamhain breoite, féachaint cad déarfaidís'.

Do dhin sí díreach mar aduairt an mháthair léi. Dheaghaig sí isteach sa lios arís ar maidin: bhí an cosán a' gabháil tríd a' lios soir. Bhí sí a' luasca an chliabháin mar ba ghnáthach, ach ní raibh drud aisti. D'fhiafraíodar di a' raibh éinní a' déanamh buartha dhi. 'Tá', ar sise, 'a lithéid seo',—á ínsint dóibh.

'Ná bíodh aon bhuairt ort 'na thaobh', aduaradar. 'Nuair a raghair abhaile um thráthnóna faig buidéal d'uisce na dtrí dteorann agus cimil don ghamhain é'. Agus duaradar léi cloch éigin i bhfuirm cloch gréine fháil agus í sin a chimilt don ghamhain chó maith san. Dheaghaig sí abhaile um thráthnóna agus d'innis sí a scéal don mháthair.

Maith go leor. D'imig an mháthair agus buidéal aici, agus thug sí léi buidéal d'uisce na dtrí dteorann agus an chloch. Nuair a bhíodar a' dul a cholla chimil sí an t-uisce agus an chloch don chailín.

Ar maidin amáireach d'imig an cailín beag fé dhéin na scoile. Do léim an bheirt bhan chúithe amach as an lios agus cochall orthu. 'Á', aduaradar, 'tá buaite orainn an t'rus so, ach másea, beirse againn fós—nuair a phósfair!' Níor bhacadar léi. Dheaghaig sí ar scoil, agus ní fheaca sí as san amach iad.

Sea. D'imig na blianta, agus phós an cailín. Ní raibh aon mhuiríon uirthi, agus ní raibh sí pósta ach cúpla bliain nuair a cailleag í. Is dócha gur riugadar leo ansan í.

Ach i gcionn bliana nú dhó arís do cailleag driotháir léi; agus oíche an tórraimh do tháinig bean isteach agus clóca uirthi agus duairt sí a paidireacha. D'eiri sí chun gabháil amach arís. Sheasaimh sí ag an ndoras agus d'fhéach sí tímpal ó dhuine go duine, agus d'fhéachadar san uirthi. D'aithníodar go maith í: driofúr an fhir a bhí á thórramh. Chuir sí an doras amach di gan focal a rá le haon duine, agus ní fheacaig éinne as san amach í.

Ba chuín le sean-daoine an méid sin a thitim amach. Bhí aithne mhaith acu ar a' gcailín agus ar a muíntir.

10. ROGATION DAYS?

Bhí fear anso ná raibh aon Bhéarla aige. Dheaghaig sé go dtí an tAifreann Domhnach. San earrach a b'ea é, agus bhí an sagart a' caint mar gheall ar na *Rogation Days*. Bhí an seanduine ag éisteacht leis agus níor thuig sé cad a bhí ar siúl aige.

Dheaghaig sé amach ón Aifreann. ' Fiafraím díot ', ar sisean le fear eile, ' cad duairt an sagart mar gheall ar Laethanta na Riaithe ? '

NÓTAÍ

B'é príomhaidhm a bhí agam agus mé i mbun an leabhair seo a chur le chéile ná téacs a chur ar fáil a bheadh chomh slán-chruinn agus chomh so-léite is ab fhéidir, agus tá san déanta agam de réir mo chumais. Tá de nós ag eagarthóirí nótaí tagartha a chur lena leithéid seo de leabhar, agus níl dabht ach gur maith an naí nótaí an seanachas so. Ach an té thabharfadh fé nótaí ' iomlána ' a scríobh air is baolach go mbeadh an scéal aige mar a bhí ag Cian na mBeann Óir—go mba shia a lón ná a shaol! Ní mór go bhfuil sna nótaí seo agamsa ach nithe a bhí ag rith tríom cheann nó a ráinig fé raon mo shúl le linn dom bheith ag gabháil don eagarthóireacht, agus go dtáinig liom riar éigin a chur orthu an fhaid a bhí an téacs ag dul fé chló.

Tá *Leabhar Sheáin Í Chonaill* luaite go minic agam mar gheall ar a bhfuil de thagraí i bhfothain a chéile ansúd ag Séamus Ó Duilearga: *omnia ante* 1948 geall leis, chomh fada agus a bhaineann le foilseacháin. Formhór an abhair chlóbhuailte dá bhfuil tagartha agam, leis an ndúthaigh theas a bhaineann sé; agus formhór mór na LSS atá luaite agam bainid leis an mbailiú a dhein SÓC féin do Choimisiún Béaloideasa Éireann.

Tá clár tagarthaí agus nodanna le fáil ar l. 464.

1

l. 1. *Treabhchaisí agus Daoine*

Sarar dhírigh SÓC ar an seanachas so a bhreacadh ó AÓL bhí cúntas breá ar threabhchaisí na dútha agus a gcraobhacha ginealaigh tógtha síos aige ó sheanachaithe eile i mBaile Mhúirne agus i mBéal Átha an Ghaorthaigh (fic, m.sh., *Seanchas an Táilliúra*, 127-141). Uime sin, níor chaith sé puinn aimsire ar an sórt san le hAmhlaoibh, ar a shon gur mhaith ab fhiú é dhéanamh, dá mbeadh an t-am ann chuige.

Muíntir Iarlaithe

Tá insint mhaith tugtha ag Pádraig Ó Cruadhlaoich ar ar mhair de thuairisc an treabhchais seo i gcuimhne na ndaoine (*Cuimhne Sean-Leinbh*, 64-71). Ar a shon gur chum an duine deireanach acu, an tAth. Liam, dán fada seanachais ar a chine, ina dtéann sé siar leo go dtí Éireamhón, tá a dhealramh air gur mó is finnscéal filíochta é ná fíorstair. Bhí eolas maith ag Donncha Máistir Ó Loingsigh (1846-1935) ar stair na paróiste, agus sidé an tuairisc a thug sé orthu:

> ' Na Cárthaigh a thug go Baile Mhúirne iad. . . . Muintir Dhonnchadha a bhí ann rómpa ach bhídís ag troid leis na Cárthaigh agus chuir na Cárthaigh siar Ciarraí iad. Ón dtaobh theas den Laoi a tháinig muintir Iarfhlaithe. . . .' (RBÉ 173, 183).

B'iad a ceapadh mar airchinnigh ar thearmainn Ghobnatan. Bhí seilbh acu ar thuath Bhaile Mhúirne ar feadh na gcianta, ach amháin cúpla baile fearainn in oirthear na paróiste a choinnigh na Cárthaigh dóibh féin. Sa bhliain 1641 bhí an pharóiste roinnte idir cheathrar acu, agus bhí 20,000 acra gallda ag duine acu san, de réir áirimh Petty. Ach fuair John Colthurst seilbh an eastáit ó Chromwell, agus bhí rith a gcinn le fánaidh ar mhuintir Iarlaithe as san amach (cf. W. F. T. Butler, *Gleanings from Irish History*, 121, 253, 281).

Ach go dtí go dtáinig scaipeadh orthu, treabhchas mór foghlama agus filíochta ab ea iad. Tá sé raite go bhfuil seacht sagairt déag dá gcine curtha i dTuama an tSagairt i reilig Ghobnatan, agus ba dhíobh an tAth. Tomás Ó hIarlaithe, easpag Ruis, duine den triúr easpag ó Éirinn a bhí ar Chomhairle Threint.

I dTigh na Cille, mar a raibh príomháitreabh acu, a shuíodh an Chúirt Éigse san 18ú céad, agus ó dhuine de mhuintir Iarlaithe a chaitheadh gach file óg a 'phas' filíochta fháil. Níl ach beagán de dhéantúsaí na nIarlaitheach féin curtha i gcló, cé go bhfuil suas le cheithre fichid acu le fáil i LSS.

Muíntir Luínse

Pé bun atá le tuairim AÍL i dtaobh a mhuintire féin, is deimhin gur de bhunús áitiúil iad Loingsigh Chorcaí, de ghnáth, .i. de shliocht Fhlainn mhic Laoghaire d'Uíbh Eachach Mumhan (cf. *An Leabhar Muimhneach*, 174, 530).

l. 2. *Muíntir Shuínne*

Mar ghallóglaigh a thug na Cárthaigh iad so go Múscraí i dtreo dheireadh na 14ú haoise (fé mar a thug na Dálaigh go Tír Chonaill ó Inse Gall iad i lár na haoise roimhe sin). Chuireadar na préamhacha go maith i dtalamh Mhúscraí, agus um an bhliain 1641 bhíodar tagtha i seilbh chaisleán Mhá Seanaglais (cf. Butler, *op. cit.*, 121, 268). Ach le 'titim na gCarrathach gceannasach' chuaigh an saol ina gcoinnibh, agus um an am gcéanna go raibh an tAth. Liam Ó hIarlaithe ag caoineadh a athar agus a chine faighimíd Rughraoi mac Éamoinn mhic Eoghain a' Locha Mhic Shuibhne ó Mhá Seanaglais ag cásamh na broide a bhí á thiomáint chun siúil ón ngleann agus a raibh ann:

Broid Mhúscraí[1]

Mo léan, mo thubaist, mo thurraing, mo dhiomá croí—
An saol bocht gliogair lér cuireadh den chineál sinn
Ó thaobh an Iomaire mhilis na miothán righin
Mar a mbíodh éisc ag iomaidh le himeall an tSaileáin[2] síos.

[1] Téacs bunaithe ar RIA 23 N 32, 78 agus 23 E 15, 178.

[2] *tsileáin* N, *tsoilea*( )E. Is dócha gurb é seo bunús na hainme *an Sullán*, mar is gnáth a scríobh; cf. 'ye River Sillane', Irish MSS Commission, *Civil Survey*, 1654, vol. vi, 338: ed. Robert C. Simington, D.Litt.

Is é fá deara dhom grafadh na righin-ruaiteach
Bás na bhfearachon gcalma ón Laoi scuabaigh,
Chuir fán ar fhearaibh 's a dtarrang tar tuinn uainn-ne,
D'fhúig báire ag Gallaibh is talamh ár ndaoine uaisle.

A Mhúscraí an ghrinn, is fíor nach fágfainn thú
Dá múisclidís na saoithe atá san úir,
Nó anall tar tuinn dá dtíodh an garda chúinn
Do bhrúfadh puimp na ndaoithe atá os ár gcionn.

A Mhúscraí ghreanta, mheasta, mhínchraobhach,
Mo shlán beo feasta 'od bhailtibh mín-aolbhaigh—
Ba ghnáthach scata d'fhearaibh fírléannta
Go hálainn maiseach maidean bhuí gréine ann.

l. 3. '*do chine Ghórdail Í Néill*': Maighréad Ní N., 'de chine Dhórdain Í N.' (*Sg. mo Bheatha*, 18); ach cf. 'Cuisleán Ghórdail (Í Néill)' in Uíbh Ráthach (*Béal.* 28, 100); SÓC, *Sc. É.* 13.11.'51.

Çaitlín Shíomainn: (*Th-* LS, ach tá an litriú ceart ag SÓC i nóta in áit eile). Is ait é AÓL á rá nár thuig sé cad ba bhrí leis.

lgh. 4-7. *An Baile:* cf. *C. Sean-L.*, 22-30. Bhí aithne bhreá ag PÓC ar an ndúthaigh seo agus ar na líon tithe bhí ann, mar is beag tigh acu ná go raibh a shiúl ann i dtosach a shaoil agus é ag gabháil don táilliúireacht.

l. 5. *An Sullán:* tá amhrán a chum PÓC air seo agus ar a chraobhaibhní le fáil i *Saothar Dhámh-Sgoile Mhúsgraighe*, 46, agus tá aiste a scríobh SÓC air *c.* 1930 i m*Béal.* 32, 18.

Na Bailthíocha Fearainn: De bhreis ar liosta AÍL tá cheithre bhaile eile ar léarscáil 6″ na Suirbh. Ordanáis: *Flats, Glebe, Killeen* agus *Reanabobul.* Ach in áireamh na seandaoine bhí an Ghleidhb ag gabháil le Gort na Tiobratan, an Mhá Réidh leis na Ceapacha agus Cillín (na bhFiann) le Baile Mhic Íre. Ón dtagairt atá déanta ag AÓL do Ré na bPobal (l. 21) dhealródh sé nár fhéach sé air mar bhaile fearainn. An liosta a cuireadh i gcló ins *An Músgraigheach* 2, 18-20 (1943) tá sé ar aon dul leis an gceann atá anso, agus b'é SÓC a chuir le chéile é le cúnamh ó AÓL.

Cúil Ao: Cé ná fuil anso ach baile fearainn, dála aon cheann eile acu, is minic a thagarthar an ainm don chuid thiar go léir den pharóiste mar a bhfuil séipéal agus siopaithe chun freastail ar an bpobal san. Tá an nós san leanta ag SÓC sna nótaí atá aige ar fuaid an leabhair seo.

l. 6. *Cúm Í Chlúmháin:* B'fhéidir nach ón sloinne in aon chor dó, ach ón bhfocal *clúmhán* .i. saghas fionnáin; cf. *I can count the holes and the túrtógs and the bunches of clúmhán* in amhrán Béarla a cheap Maighréad Ní Laoire, driofúr don Ath. Peadar, ar a baile dúchais (Lios Carragáin), agus í thall i Meirice. Míthuiscint a dhéanfadh *Í* de *a*(*n*), dála *Loch Í Bhogaigh* (i gCúil Ao). ' Coumaclovane ' atá ar léarsc. na S. Ord.[1]

Gort na Tiobrait/Tiobratan: an tarna foirm is gnáthaí ag AÓL; ach *Tiobrad* atá sa LS (agus in N) mar ar luadh don chéad uair é (l. 5 thiar).

l. 7. *Na Ceapacha:* ' Ceapach na Mianaighe an ainm cheart ' (*C. Sean-L.*, 22).

Baile Mhic Íre: An seana-shloinne *Ua Meic Thíre* is bunús dó so, ní foláir (*Annála Inse Faithleann* s.a. 1189, etc.); cf. *Baile Uí Mhic Thíre* agus *Lios Mhic Thíre* i gCo. Luimnigh, agus an taighde ar bhunús na bhfoirmeacha san i n*Dinnseanchas* 6, uimh. 4.

l. 8. *Carraig Chinéide:* C. *Sh*inéide adeireadh daoine eile, agus is dócha gurb é is cirte (cf. *C. Sean-L.*, 69; RBÉ 253, 910).

lgh. 16-17. *Bóna:* ' ar *G*ort na T.', ' ar *S*liabh R.', ' ar *Ch*arraig an A.': ní shéimhítear an consan tosaigh d'ainm bhaile fearainn i ndiaidh *ar*; ní baile fearainn Carraig an A.

l. 19. ' *Mo bhólacht . . .*': líne as *Aisling Sheáin Aeraig*, amhrán a cumadh aimsir na ndeachún, *c.* tosach an 18ú céad. (Cf. *Ir. na G.* 6, 11 agus 126).

l. 23. *Tigh a dhéanamh crosta na críche:* cf. ' Ní dhéanfí aon tig treasna an tailimh fadó ach fan na n-iomairí críche: ní bheadh san eiritheach. Dá rithfeadh sé le duine an tig a *square*áil gan puínn dua déarfadh sé gur tig eiritheach é sin ' (BC).

l. 24. *Aistriú:* cf. an leathrann a bhíodh ag seandaoine:
Má bhíonn tú ag aistriú choíche, a mhic, fág at dhiaig an cat:
Buineann sé leis an dtig 'na mbíonn—ach beir an piscín leat.

l. 26. *An Gobán Saoir:* cf. *LSÍC*, 64-5; *Béal.* 28, 94.

l. 34. *faoilín* na lachan: failín (D).

l. 37. *Clog:* cf. *Sg. mo Bheatha*, Caib. xii; *Sean. an T.*, 47.

l. 43. *Gloinithe:* cf. *uisce coise ghluinithe* = dribs and drabs (*An Lóchrann*, Mí na Nollag 1908, 6: gan aon cheantar luaite leis).

l. 44. *Pic bó cínn:* p. bhóicín/phóicín *Cn. F.*; boicín, buicín = a small wooden vessel (D); cf. *bóicín maith leanna* san amhrán *An Seanduine Dóite* (RIA 23 H 32, 36).

[1] Fic an nóta atá ag gabháil le DÍNNSHEANACHAS, l.449 *infra*.

l. 51. *Leapacha ar a dtreasna:* cf. *LSÍC*, l. 374 (22).

l. 54. '*An leabaig is áisí acu*': b'é Séamus Mór Ó Muimhneacháin an file, de réir Ph. Í Chruadhlaoich, agus ar an gcuma so a bhí ll. 2-3 aige:

L. ná cnagfaig is nách eagal dom gabháil tríthe,
L. don easpag, don tsagart nú don ghnáth-mhuíntir (RBÉ 912,463).

l. 59. ' Seo paidir choigilthe na tine óm' mháthair:

Coigilím an tine seo mar a choigil Críost các.
Muire in uachtar an tí agus Bríde 'na lár;
An dá aspal déag agus Rí geal na nGrást
A' sábháilth an tí seo agus ár ndaoine go lá.

Deireadh seandaoine an phaidir seo i gcónaí nuair a bhíodh an tine á coigilt acu istoíche. Níl aon phaidir aici i gcóir adaithe na tine, ná níor airigh sí aon phaidir dá sórd '—SÓC. Cf. *Béal.* 3, 234; *Ár bPaidreacha Dúchais*, 244-46.

l. 61. *Gread-thine do bholcán: mholthachán* LS, *mholachán* N agus tagairt do *bolcán* D (' spirits made from black oats . . .'). Tá an chanúinn in D fén bhfocal *mulchán*, trí iomrall; cf. *Cn. F.*, 155.

l. 63. . . . *ó thosnaig coga* . . .: um Shamhain 1943 a scríobhadh so.

l. 66. *duíre:* fic l. 371 *infra* s.v. *duír(e)*, D s.v. *doighear*.

l. 67. *an stíobhard ó Albain:* Chisholm (Siséalach) ba shloinne dhó so, de réir chúntaisí eile (cf. *C. Sean-L.*, 11).

l. 70. *bia braimilleoige:* an dá abairt seo in N ach nílid sa LS; cf. *An Músgraigheach* 5, 13 agus 7, 15 (1944).

l. 71. '*Buinimse dhíotsa* . . .': cf. *LSÍC*, l. 390. Sa bhliain 1942 do bhuaigh Eibhlín (Amhlaoibh) Ní Loingsigh an chéad duais i gceann de chomórtaisí an Oireachtais—' Don té a dhéanfaidh an cnuasach is fearr de chluichí páistí sa Ghaedhealtacht. . . .' Óna muintir, agus go háirithe óna hathair, a fuair Eibhlín abhar an chnuasaigh sin—25 cluiche ar fad—agus cuireadh trí duais-iarrachtaí an chomórtais i gcló i m*Béaloideas* 12, 29-41 (agus ina leabhráinín ann féin). Dá chionn san níl aon trácht fé leith ar na cúrsaí seo le fáil sa mhéid a scríobh SÓC ó AÓL.

l. 73. *Bualthaí bó* (mar abhar tine): vide *Cn. F.* s.v. *buaithreán*; *Seana-Ch. na nDéise* 2 s.v. *bóithreán*.

2

l. 78. *Talamh agus téarmaíocht:* cf. *Ir. na G.* 16, 73-77 (liosta ó Bh. Mhúirne); *Béal.* 13, 5-39 (cúntas ó Chorca Dhuibhne). Ní hiontaoibh an cúntas ó Bhéal Átha an Gh. atá i m*Béal.* 14, 4-44 (cf. léirmheas air, *An Músgr.* 8, 13).

l. 86. *An gárnóir agus an t-eireabal caitín:* i gcló i bhfoirm scéilín ann féin (ó AÓL), ' Udhacht an Ghárnóra ', *An Músgr.* 6, 16.

l. 99. *Horseanna* Bána: cf. *Dá gcuirimís síos i gcroidhe na Carraige iad,/An criothán ba lugha aca do bhíodh púnt go talamh ann,/Óró, is nach iad na Horsanna a' seó!* (*Sean. Chléire,* 154).

l. 100. *geamhairí:* cf. *Íosfaimíd an geamaire a's díolfaimíd an cnaistire/is ceannōchaimídne faisionta dhon cheárdinel* (RIA 23 0 77, 61).

l. 102. ' *a Shiobhán níon Ao* ' : ' a Mháire Ní Mh'riain ' a bhí sa chanúinn seo agem mháthair (BC). D'airigh sí óna máthair féin (' Seana-Mheáig ' Ní Thuama) gur seanabhean ar a dtugtaí ' Máirín Phádraig ' adeireadh tar éis dínnéir é nuair a ghlaofadh sí chútha. (Tá scéal ar Shiobhán níon Ao ag AÓL ar l. 234).

l. 103. *smut d'umaire d'fhágaint gan buint:* ' Thugaithí "umaire na dtáilliúirí " air, mar is minic a bhíodh duine nú beirt acu ag obair i dtithibh na bhfeirmeoirí amach tímpal na Nollag '—TÓB (in N); cf. aiste ag SÓC, *Sc. É.* 27.1.'53.

l. 111. *An Ghlas Ghaibhnneach: LSÍC,* 61; *An Músgr.* 4, 19(= AÓL); *Celtica* 12, 182.

l. 112. *An Bullán Óg agus an Bullán Críonna:* cf. *Béal.* 1, 400; 3, 144; 28, 106.

l. 113. *Capaill:* cf. *Béal.* 45-47, 119-243.

l. 116. ' *b'é an dial a dhin an chéad ghabhar* ' *: LSÍC,* 2; *SC* 4119.

l. 119. *Duine símplí:* tá a leithéid chéanna de thagairt do Mhícheál na Buile (Ó Luasa) ag TÓB, *Sean. an T.*, 140; cf. *C. Sean-L.*, 43.

l. 121. *Mara-chat* (< marbh-ch.): cf. ' *An seana-thig seo thiar seanathig na bpian,/Bíonn ann seacht seana-chat, bíonn ann seacht mara-chat,/Bíonn ann seacht fia-chat, óg-cat, nó-chat, piscín bliana.*—Déarfainn gur cat éigin aduairt é sin. Bhíodh sé ag na seandaoine '. (RBÉ 849, 462 = C. Ó hÉalaithe, Béal Átha an Gh.). I LS a fuair SÓC ó Mhícheál Ó Cuileannáin i 1940 tá so (ó Phádraig Ó hUallacháin, Cairbre): ' Áit dob eadh Seannta na bhFiadhach mar a mbíodh na cait agus na hainmhithe go léir ag fiadhach fadó. Do bhíodh na seandaoine ag comhaireamh na gcat mar atá sa rang so: *Indé thar Seannta na bhFiadhach/Ná tibínseach seanachat/Ann seach seanachat/Ann seach geann seach/seannsach seanachat/Seachtmhadh seanachat/Marachat mórchat óchat piscín firéad agus soiléad* (= weasel)/*Is iad a' soiléar siar amach* '.

SOTOR, ORAPO, etc.: tá na chúig focail seo, nó a samhail, le fáil i dtrácht-aisí Gaeilge ar an míochaine chomh fada siar leis an 15ú céad, ar a bheag, e.g. RIA 24 B 3, 77 agus 23 F 19, 88. Fic aiste Rhóda Ní Chiaráin, ' Materia

Medica ', *Nua Aois* 1974, mar a bhfaighfear tagairtí don staidéar atá déanta ag údair bhéaloidis ar na ' foirmlí draíochta ' so i gcúrsaí leighis. SOTOS atá sa LS don chéad shraith cé go bhfuil SOTOR in N, mar a bhfuil chúig nó sé amas ar an bhfoirmle a dhéanamh amach cruinn. Dealraíonn sé gur thóg sé tamall ar bheirt acu an crosfhocal a réiteach. Ach is éachtach go mbeadh a leithéid seo ina cheann ag seanachaí i lár na fichiú haoise.

l. 123. *Giorraithe:* cf. *Sg. mo Bheatha,* Caib. xiv.

3

l. 134. *Fear Siúil ná raibh mall:* insint eile é seo ar *Pláta na Leitean* (l. 228), agus níl sé le fáil ach amháin in N; ach mheasas nár mhiste an dá insint a chur i gcló mar sholaoid ar bhreachtnú AÍL i gcúrsaí scéalaíochta. (Níl an focal ' lumpa ' le fáil in aon áit eile sa leabhar!)

Pádraig Ó Broin = *FS* 672a. (Fic nótaí ar Caib. 17, *Tôiseanna,* l. 434). Níor chuireas é seo i gCaib. 17 mar ná fuil gné an tomhais air (ní lú ná mar atá ar an insint eile ó Bhaile Mhúirne atá ins *An Sean. Muimhneach,* 129). Cf. deireadh na hinsinte ó Dhún Chaoin, *Béal.* 13, 87: ' Innis dom cad é an mhéid práta bhí 'ge Pádraig Ó Broin '. Fr. ' Ní raibh aon phráta aige: is age n-a chloinn a bhí na prátaí go léir! '

l. 135. ' *Cár ghabhais chúinn?* ': *An Músgr.* 6, 17 (= AÓL).

Prampoc: cf. ' Bean agus *prampa* faoina seáil (*sic*) aici ', Focail ó Bhaile Mhúirne, *AGUS* 2, uimh. 4 (= ' *hampar* féna nuid aici ', Mícheál Ó Donachú); ' Bhí *prampuc* ar a drom aici/féna huscaill aici/ sa bhoscaod aici = rud éigin a bhí déanta suas nú casta ar a chéile '—Máire Ní Mhurachú (bean Í Chionaoi).

Aistear na bhfíorbhocht: An Músgr. 2, 20; 3, 15 (= AÓL). Cf. ' Bean a ghlaoig isteach i dtig a' lorg gráinnín salainn. Do heitíog í. Duairt sí: *Gráinnín salainn, brise na saoire, uisce na díge agus trosca na hAoine d'fhág mise ar an slí seo!* Dhineadar amach gur iníon fear tí táirne í '. (Nóta in N = T. Ó Ceallacháin, Cill Chóirne).

l. 136. *Seacht n-umaire críche: SC* 2509; cf. l. 93 thiar.

l. 138. *Faill a' Deamhain:* ' Tá pluais tamall maith suas ar thaobh na fuelle seo agus *Poll a' Deamhain* a ghlaotar air. Deirtear gur ann a bhí cónaí ar an nGadaí Dubh, agus ar ghadaithe nách é: *Aghaig gach uilc ar Domhnach Muar agus aghaig gach gadaí ar Gleann Fleisce,* .i. daoine a chailleadh a meabhair gur ar an nDomhnach Muar a thugaidís a n-aghaig, agus daoine a chleachtadh an ghadaíocht gur ar Gleann Fleisce a thugaidís a n-aghaig ' (RBÉ 1527, 44 = D. 'ac Coitir). Cf. Aoir Liam na Buile ar Ghleann Fleisce, l. 306, agus seanfhocal eile, l. 341, uimh. 17.

4

l. 139. *Cúrsaí gaoil: An Músgr.* 1, 9 (= Máire Chanaí, driofúr do AÓL).

l. 140. *Teampall Acha'n Dúin:* in insint air seo a fuarthas i gCairbre, mar a bhfuil Acha (an) Dúin, tá sé ráite gur ' sclábhaí ó Acha Dúin a chuaig síos amach a' déanamh a' saosúir ' an té seo fuair bás. Driofúr dó ab ea an bhean chaointe, de réir an chúntais seo, agus is mar seo atá an véarsaíocht ann:

Ná bagair orm do shúil/Mar is fada orm siúl,
Tá am na gcoileach chúm/Agus is mithid dom bheith sa tsiúl;
Níl bád agam ná lúng/Ná capaillín fionn
Do bhéarfadh mo dhriotháir go Teampall Acha Dúin.

(LS Mhichíl Í Chuileannáin: fic an nóta ar *mara-chat,* l. 424 thiar.)

l. 144. ' *Dia línn is Muire* ': *línn* adeireadh AÓL i gcónaí sa ghuí seo (cf. l. 153 (2), l. 355, uimh. 161). Drochtheist atá tugtha ar an leasmháthair san insint atá i *Sean. an T.*, 150, agus tá líne bhreise sa chaint atá curtha i mbéal na máthar: *Ní binn é do ghol agus ní geal é do gháire.*

l. 146. *An Mac Mí-ábharach:* i *Scéal. A. Í L.* ba chórta dhó so bheith, ach fágadh ar lár é toisc é bheith ró-ghairid i ngaol do Scéal 5 an leabhair sin, *An Ruathaire Mic* (= Aa-Th. 326). Ach d'ainneoin na cosúlachta, dealraíonn sé gur fhéach AÓL orthu mar dhá scéal difriúla. Tímpal ráiche a bhí idir an dá insint.

l. 150. ' *Gach gealach mar a treas* ': tá so níos iomláine ag SÓC ó dhaoine eile, m.sh. D. ' ac Coitir agus Pádraig Ó Liatháin (ón Sliabh Riach): *Gach ré ar a treas ar a cúig nú ar a seacht/agus mar a thagann an Dardaoin déanach don tseann-ré/isea is gnáthach don ré nó teacht.* (RBÉ 1527, 44 agus 93). Ach *ar a treas* = ' ar a treasna ' dar le PÓL, .i. ' ar a béal anáirde—go bhféadfá do chasóg a chrocha ar a' ré: dob olc a' córtha é '.

Tá cúpla rann ar an abhar so i LS a cuireadh le chéile i gCorcaigh *c.* 1830 (RIA 23 D 39, 126–7).

5

l. 151. ' *Seacht cnó ar gach craoibh* ': cf. *SC* 567; *SU* 663; *Béal.* 3, 123 agus 131.

7

l. 155. ' *Coirce na bhFaoids* ': *faoide* nó *mí na bhf.* ba ghnáthaí ag seandaoine i mB. Mhúirne ar an gcéad mhí d'earrach (*faoillig* i gCairbre), agus dheineadh cuid acu dhá leath dhe—*coicíos faoide agus c. fáide* (nó *fuada,* Béal Átha an Gh.); cf. *Cn. F.* s.vv.; *DRIA* s.vv. *faílech, fuidlech* (b). Níor casadh aon tsampla eile den fhoirm *faoids* orm.

l. 157. '. . . *do chion do mhulth Pharathais*': an rud céanna i *Sg. mo Bheatha*, 70; ach cf. 'Éinne a thitfeadh a cholla Lá Nollag ní bheadh a chion *d'Oll-*Pharathais le fáil aige' (BC).

Lá Sun Pól: tá insintí air seo le fáil i LSS na 18ú-19ú haoise fén dteideal *Tarangrocht Phóil, An Bhárdscológ adubhairt*, etc. Ocht líne is gnáth iontu so (cf. *B.Bh.* 130 agus an nóta air). Tá an dá fhoirm *Pól/Póil* ag SÓC, agus tá rogha níos leithne sna seana-LSS: *Lá San P(h)óil, Lá St. Pól, Lá le Pó(i)l*, etc. An 15ú lá nó an 25ú lá d'Eanair atá luaite iontu so, agus isé an dáta deireanach acu a fhreagródh don rud atá ag AÓL, de réir an tsean-áirimh. De réir an *Missale Romanum*, is é Pól Díthreabhach na hÉigipte atá le cuimhniú ar an 15ú lá, agus Iompó Phóil (Saul) ar an 25ú lá. Dhealródh sé gur chuaigh den tseanamhuintir a dhéanamh amach cé acu den bheirt ab fhearr faisnéis ar an aimsir! Fuair SÓC na hocht líne, geall leis mar atáid in *B. Bh.*, ó Phádraig Ó Murachú, i mBéal Átha an Gh. (RBÉ 864, 464).

8

l. 159. *Uisce Trí Teorann*: fic *Mar a buag ar na Mná Sí*, l. 416.

l. 160. *Sluasad chun iarlis a ruagairt*: cf. *An Músgr.* 5, 13.

l. 162. *Bás bíogach*: cf. *bás bíogtha*, 'a sudden or startling death', *Dánta A. Uí Rathaille*, ITS 3, 96.

'*Fuíoll coda gan althú*': *An Músgr.* 2, 21; 3, 15.

l. 163. *Loma an Luain*: ba throm an pionós a cuireadh ar Sheán Bráthair 'a' Crothúir i dtaobh é féin a bhearradh ar an Luan! *LSÍC*, 26; *Béal.* 28, 107.

Éadach a thriomú Dé Domhnaig: cf. 'Aoinneach do bhádhfaidhe agus a mbeadh aon phioc de nigheachán an Domhnaigh air, ní bhfaghfaidhe go deóidh é' (*Cn. Trágha*, 47).

l. 164. *Fuil a stop*: tá so de bhreis in N: 'Rud eile a stopfadh fuil: cúpla brobh don fhéar ghlas a bhuala anuas ar a' ngearra crosta ar a chéile'.

l. 166. *Lá loma an luin*: cf. *SU* 1405n, mar a bhfuil sé ráite gur dócha gur 'cineál caorach' an lon so ('a wether' D, 674).

Ínse an Usaig: in Íbh Laoire (= Í. an Fhosaidh ?). Ba dheacair géilleadh don mhíniú 'fosadh .i. longphort' (*An Músgr.* 1, 28).

9

l. 168. *Dónal na nGíleach: LSÍC,* 71, *Scéal A. Í L.,* 123.
Loch Léin (gan ann ach tobar fadó): cf. l. 209; *LSÍC,* 135.

l. 172. *An Buachaill Bó agus an Púca: LSÍC,* 111, 112.

l. 173. *Púca na Mine Coirce:* cf. *Handbook of Ir. Folklore,* 614 (12); *Béal.* 3, 143.

l. 178. *Sprid i gCíll Gharbháin:* ' Sprid Dhrom a' Chláraig ' a tugtaí uirthi seo, agus de mhuintir Bhuachalla an fear go mbíodh sí ar a thí. B'éigin dó dul go Meirice uaithi sa deireadh. (Cf. RBÉ 841, 242 = Tadhg Ó Críodáin, Béal Átha an Gh.)

l. 182. *Diarmaid Tory:* cf. *C. Sean-L.,* 34. Is dócha gur dhriotháir do Dhiarmaid an Seán *Tory* atá luaite sa scéal ' Seán *Tory* agus an Reithe ' (l. 263): bhí cáil na gadaíochta ar na *Tories!*

l. 183. *Caillithín na Glaoití:* cf. *Sg. mo Bheatha,* 144.

An Ghníomhingineach: An Músgr. 1, 31 (= AÓL); 2, 23. Cf. *Eachtra an Phacaire agus na Caillí,* Seán Ó Cuill, *An Gaedheal,* Nollaig 1, 1934. Nuair a dhiúltaigh an Chailleach éinní a thabhairt don Phacaire do dhírigh sé ar an véarsaíocht: *Is measa tu ná an ghríobh ingneach,* etc.

l. 184. *Donacha an Chúil:* insint eile é seo ar an scéal fén ainm chéanna atá i *Scéal A. Í L.,* Uimh. 34a (l. 208). Leis an bpeann luaidhe a tógadh síos é seo (13.10.'43) agus ar an eideafón a tógadh síos an insint eile (18.2.'44). Ach níor mhar a chéile aon dá insint ar scéal ag AÓL agus tá a bhua féin ag an insint seo: is iomláine agus is drámatúla an críochnú atá anso air.

l. 185. *Na Cailleacha Dearga:* tá an nóta so ag SÓC sa LS ag tagairt dóibh seo: ' Do mhuíntir Luínse a b'ea na Cailleacha Dearga so, de réir ÁIL. I n-áit éigin i n-iarthar Bhaile Mhúirne a b'ea bhíodar '.

Sa dá alt tosaigh anso, agus sa chéad alt de Uimh. 16, tá stagarnáil éigin neamhghnáthach ag baint leis an insint; ach ar a shon san tá an brí soiléir go leor.

10

l. 189. *Naomh Gobnait agus na hIascairí:* is mó insint atá air seo; cf. dhá cheann eile ó Chúil Ao, *Béal.* 3, 230.

' Is cuma cad deir fionnóg . . .': *LSÍC,* 157; *SC* 184; *Dánfh.* 141.

l. 190. *Trí mhallacht a chuir N. Pádraig: Béal.* 3, 471.

l. 191. *Táilliúir na Samhna:* cf. *Béal.* 4, 32; *Sean. an T.*, 77-9. D'fhéadfaí casadh beag a bhaint as abairt atá anso ag AÓL agus a rá ná raibh aon bheirt eile i mBaile Mhúirne uim an am san gurbh fhiú labhairt orthu ach Micil na Pinse agus Táilliúir na Samhna. Is dócha gur beag táilliúir riamh ba chruinne a thóg tuise duine ná mar atá déanta anso ag AÓL le T. na Samhna.

l. 192. *Dónal Chrothúirín* = athair Chrothúir Í Dheasúna; *Dónal Phronnséis* (Ó Cróinín) = athair m'athar; *Séamus Dhónail Bhig:* de mhuintir Luínse, ní foláir (cf. Dónal Beag na gCeapach, l. 2 thiar).

l. 193. '*báinín*'*:* géilleadh é seo ag AÓL don fhocal coitianta in ionad an téarma áitiúil d'úsáid, .i. *rapar.*

An Tig Dóite: Sg. mo Bheatha, 82; *C. Sean-L.*, 18; *Scéalta Triúir,* 38; RBÉ 283, 12; SÓC, *Sc. É.* 27.10.'50.

l. 198. '*Cónaos do Pheig Ní Chealla*'*:* 'cónaos do Mháire Dheabhaic', RBÉ 1527, 83 (= D. 'ac Coitir).

l. 201. *Bó Liam na Buile:* cf. *Sg. mo Bheatha,* 146.

l. 202. *An tÁrrachtach Sean:* fic *Amhráin Eoghain Ruaidh Uí Shúilleabháin* (eag. Ua Duinnín, 1901), 67. Is é atá anso ag AÓL, cuid den dán cáinte a chum Maitias Ó hÉigeartaigh Ghleanna Fleisce ar a chomharsain, Tadhg Críonna Ó Scanaill, toisc gur thaobhaigh sé leis na fir óga. Mar a dúirt an Duinníneach: 'By a judicious use of *uisce beathadh* they managed to gain to their side Tadhg Críonna O'Scannell, who, though old, composed some verses of scathing satire on old men.[1] He was answered by Mathew Hegarty of Glenflesk, who accused him of being a traitor to his class, and unworthy of being admitted to the meeting of the bards . . .' (*op. cit.*, Introd. xv).

Más dearmad an 'Fínín' atá sa líne thosaigh ag AÓL féach go bhfuil dearmad dá shamhail déanta ag Fiachra Éilgeach nuair a thugann sé 'Diarmuid' air (*Eoghan Ruadh Ó Súilleabháin,* 15). Ach níl aon dearúd ar AÓL nuair adeir sé ná déarfadh Eón Rua 'léannta' le Liam na Buile: a mhalairt de thuairisc atá air in amhrán Eóin—'trú Bhaile Mhúirne', agus duine go raibh 'tocht buile agus éada' air. An aoir úd a chum Liam ar mhuintir Ghleanna Fleisce (l. 306 thiar) ní foláir nó chuir sé tocht buile ar Eón is a rá gur thug sé fén údar trí huaire san 'Árrachtach Sean', cé nár luaigh sé a ainm aon uair.

l. 203. '*Túir aire cruínn*' (*sic* LS)[2]: le dhá dhán difriúla a bhaineann an dá rann so le ceart. Tá r.1 le fáil i gcúig LSS san RIA, agus rann breise i dhá

[1] RIA 23 A 50, 64: 'Arachtach Sean', incip. *Go cuantaibh an Daingin dá dtagadh chúinn Laoiseach* (5 r.).

[2] Cf. 'Ná hiarr a' ghuí gann dos na mairibh . . .', *Seana-Ch. na nDéise* 2, s.v. *gann.*

cheann acu, mar a bhfuil sé ráite gur sa bhliain 1766 a chum Liam iad ' do dhuine bhí ag imirt air ⁊ a maga fé, an tan bhí sé ar buile '. (Cf. *An Músgr.* 8, 7; *B. Bh.* 193).

Bronnaimse mh'anam: aistriúchán (sa Deibhidhe) ar rann Laidne is bunús dó so, agus tá an dá cheann le fáil le hais a chéile i Leabhar Leasa Mhóir. Cuireadh foirm an amhráin air níos déanaí, agus tá sé le fáil i sé LSS san RIA, gan ainm údair leis ach in aon chás amháin mar a luaitear le Conchubhar Ó Ríordáin é. (Trí dhearmad atá Pádraig mac Dáith Í Iarlaithe luaite leis in Innéacs na gcéadlínte, 169.) Ní heol dom aon údarás a bheith ag Fiachra Éilgeach le hé chur i gcnuasach d'fhilíocht an Ath. Conchubhar Ó Briain (*Carn Tighearnaigh*, 24). Tá sé le fáil i gcúpla LS mar rann críche sa dán dár tosach *A Mhuire na gcomhacht ngeal nglórmhar* atá luaite le C. Ó Ríordáin i dtrí LS. (Cf. *B. Bh.* 124; *Dánfh.* 129 (nótaí lgh. 75, 114); *An Músgr.* 8, 7.)

' Seó leó, a thoil ': cé go n-áirítear an rann so uaireanta ar véarsaí Eóin don leanbh (e.g. eagrán Fhiachra Éilgeach, 90), bhí scéal AÍL le fáil go fairsing imeasc na seandaoine. Tá an rann le fáil, leis, i ndeireadh an *Seó hó leó* a luaitear le Diarmuid na Bolgaighe (eag. S. Ó Súilleabháin, 42).

l. 204. *Eón Rua agus Cearúll Ó Dála:* is mó insint atá air seo, agus malairt phearsan i gcuid acu (Aogán Ó R., An Giolla Dubh, amadán, etc.). ' Beirt mháistrí scoile agus sclábhaí ' atá in insint Dhónail Bháin Í Chéileachair (3½ r.), *Béal.* 3, 220; cf. *LSÍC*, 139.

Aogán Ó Raithille agus an Leite: LSÍC, 140.

l. 205. *Tadhg an Dúin:* bhí beirt de Chárthaigh Ghleanna an Chroim go dtugtaí ' Tadhg an Dúna ' orthu, agus is é an tarna duine acu (*ob.* 1696) go bhfuil tagairt dó ag Aogán Ó R. sa dán úd ' An file i gCaisleán an Tóchair ' (ITS 3, 38). Ach d'ainneoin na hainme agus an tsuímh, ní foláir nó is duine eile an ' Tadhg an Dúin ' seo AÍL.

Iníon an Iarla Ruaig: SÓC, *Sc. É.* 1.11.'49.

l. 206. *Mác Amhlaoibh:* dream mór le rá ina lá féin ab ea Clann Amhlaoibh. Géag de na Cárthaigh ab ea iad, agus bhí an chuid thiar thuaidh de Dhúiche Ealla fén gcomonndracht go dtí tosach na 17ú haoise. Cé nach fios cad é an bunús fírinne atá le tuairisc an bhéaloidis ar ' Mhac Amhlaoibh an Fheasa ' tá fianaise na nginealach againn ar dhuine dá cháil a bheith ann: ' Geinealach Mhic Amhlaoibh annso: Seán, mac Fínghin (do-chuaidh maraon lena chloinn don Fhraingc A.D. 1691), mic Diarmada, mic Maoilsheachlainn (Mleachlainn) Riabhaigh (.i. an Fáidh) . . .' (*An Leabhar Muimhneach*, 214).

I LSS an RIA, mar a bhfuil dosaen éigin dánta agus véarsaí luaite leis (ar a bhfuil an dá cheann atá anso againn), is é teideal is gnáthaí leo: ' Maoil-seachlainn (Maol-Sheachlainn) Óg na Fáistine mac Amhlaoibh (Óig) '. Ní heol dom cad é an fhianaise a bhí ag Cormac Ó Fithchiolla lena rá ' gur baineag a fhonn is [a] fhearann de ansa c[h]earthú bliaghain déag do fhlathas an chéad rígh Cormac'. (RIA 24 L 22, 138). Mar a dúirt Butler, 'the history of Duhallow is obscure' (*Gleanings*, 80).

l. 208. '*Lucht taiscithe an airgid . . .*': *B. Bh.* 3 (agus nóta l. 45); *Sean. an T.*, 165 (agus nóta); SÓC, *Sc. É.* 20.3.'50.

l. 209. *Na hAonta: B. Bh.* 95; *Sean. an T.*, 164 (agus nóta). Tá breis agus fiche cóip de na h*Aonta* le fáil i LSS an RIA amháin.

l. 210. *Na hOllthaig: LSÍC*, 107-8. Tá sinsearacht na foirme *Oll-* le fáil i bhfad siar sa litríocht scríofa, leis; agus dá mb'áil liom *Cúig Ola* a scríobh sa téacs b'é ba chruinne ó thaobh na foghraíochta dhe.

l. 212. *i gcuíreann an Ollthaig:* cf. 'It was common some fifty or sixty years ago for two people to share the one plate: so the narrator tells me'—nóta ag G. Ó Murchú leis an insint air seo a thóg sé síos ó Dhónal Bhán Ó Céileachair sa bhl. 1932 (*Béal.* 3, 461). Cf. 'Ní raibh ach aon phláta amháin 'dir é féin agus an táilliúir' (lgh. 191-2 thiar).

l. 212. *An Bhean Ollthaig:* cf. *Seana-Ch. na nDéise* 2 s.v. *teach.*

l. 213. *Paidir an Ollthaig: Béal.* 3, 228; *SU* 1110.

11

l. 215. *Eachtra ar León Óg:* leis an *Scéalaíocht* a bhaineann so ó cheart = Aa-Th. 38.

12

l. 218. *Goile na Mná:* cf. *SM* 120.

l. 221. (*e*)*alún* (?); d'airíos an focal ag seanachaí eile, leis (DK); ach cf. *allsún mo bhean*, etc., san insint ar an scéal so atá sa *Lóchrann*, Iúil 1908, 2.

l. 224. *Scríob Liath an Earraig* (Aa-Th. 1541): cf. *SC* 4593; *Béal.* 3, 144.

l. 225. *Iasacht bríste: An Músgr.* 4, 20 (= AÓL).

l. 226. *Fear fuara na dTráithre:* cf. *Measgán Músgraighe*, 90. ('Fear Fuartha na dT.' sa téacs san, 93.)

l. 227. *Cleas an Táilliúra:* cf. *SC* 3443.

l. 228. *Pláta na Leitean:* malairt insinte é seo ar 'Fear Siúil ná raibh mall' (l. 134 thiar).

l. 231. *Garsún na gCaereach:* Aa-Th.1832N*

l. 233. '*Cad a mharódh m'fhear?*': cf. *Sean. Chléire,* 179. (Le Ciarán féin a cheadaigh an bhean a scéal, agus b'é a chuir comhairle uirthi, de réir an chúntais atá sa leabhar san!) Cf. Aa-Th.1380.

l. 234. *Siobhán níon Ao:* Aa-Th.1354. *Feoil an Mhadaruaig:* cuid den scéal úd 'An Fear Feasa', *Scéal A.Í L.*, 271. (Cf.Aa-Th.1641).

l. 236. *Peaidí Bán agus an Reithe:* cf. *Measgán Músgraighe,* 87. ('Paidí Bán, i.e. Pádraig Ó Céileachair, a native of Coolea, in Ballyvourney Parish; he was a great story-teller and one who had done many feats in his time'—*ibid.*, 160.)

13

l. 240. *Aighneas ar sheanóir . . .:* cf. *Dánfh.* 177-8; *SC* 539; *SU* l. 178.

'*Nuair a gheóir amach fén sráid . . .*': cf. *Dánfh.* 178.

l. 241. *Na ba sa ghort: SC* 1340.

An seanduine agus bean a mhic: LSÍC, 156.

l. 242. *Donacha Muar an chroí bhig: An Músgr.* 4, 20 (= AÓL); *Béal.* 2, 245; 3, 86.

An Cruachán: fic an nóta ar *Murainn Ní Chnáimhín agus Donacha Ó Briain* (l.286)

l. 243. *Trí leabhair a thug an t-airgead: An Músgr.* 4, 20 (= AÓL); *SM* 1075; *SC* 3519; *MIP* 260.

Trí leabhair a thug an spealadóir: An Músgr. 4, 20 (= AÓL).

l. 244. *Triúr a thóg airgead ar iasacht:* is dócha gurb é parabal na dtalant is bunús dó so (*Maitiú* 25, 14-30); cf. parabal na bpúnt (*Lúcás* 19, 12-27).

14

l. 246. *Úlla Ghárdín na mBerines:* leis an *Scéalaíocht* a bhaineann so ó cheart (= Aa-Th. 551), ach fágadh ar lár é toisc gur braitheadh ar an insint ná raibh an scéalaí os cionn a bhuille ar an ócáid sin. Mar le 'promhadh na geanmnaíochta', fic *LSÍC,* lgh. 52, 417; *Duan. Finn* 3, 154.

Is dócha gur claochlú ar *Hesperides* an fhoirm *Berines.*

15

l. 251. *Oisín agus Naomh Pádraig:* blúire de *Agallamh Oisín agus Phádraig*; cf. *Duan. Finn* 2, 212.

Éaló isteach isna Flaithis: blúire de *Aighneas Oisín agus Phádraig*; cf. *Laoithe na Féinne* (eag. An Seabhac), 19, 87.

l. 252. *Goile Oisín:* cf. *Laoithe na Féinne*, 71, agus an t*Agallamh* passim.

Mar a baisteag Oisín: an eachtra a hinstear sa litríocht mar gheall ar Phádraig agus Aonghus mac Natfraoich, Rí Chaisil, tá sé curtha i leith Phádraig agus Oisín anso—nó i leith an ' chailín '. Cf. *Foras Feasa ar Éirinn*, ITS 9, 24.

An Bhachall Bhreac: blúire eile den *Agallamh*; cf. *Laoithe na Féinne*, 23.

16

l. 253. *' Siar léi, a bhuachaillí!':* tá nua-insint air seo ag Donncha Ó Céileachair, *Bullaí Mhártain*, 36.

l. 257. *Fear na bó brice: An Músgr.* 6, 16 (= AÓL).

l. 258. *Seán Crón:* cf. *Beirt Fhear ó'n dTuaith*, 14.

l. 259. *Seán Ó Cuíll a' Droichid:* ' Bhailíodh so cíos don Rudaire, agus bhí comhacht cúnstábla aige. Níor bh'aon dolaíoch fónta é, de réir na sean-daoine. Níl éinne dá mhuíntir fanta i mBaile Mhúirne. Bhí tig aige mar a bhfuil an seanadhroichead, a' gabháil suas chun na reilige '. (Nóta sa LS ag SÓC.)

l. 260. *Peaidí Ó Duinnín agus Father Mathew:* An té léifeadh na tuairiscí atá scríofa ar an Ath. Tiobóid Maitiú (1790-1856) thuigfeadh sé go bhféadfadh bunús maith fírinne bheith leis an eachtra so. Ní raibh san obair i gcoinnibh an ólacháin ach cuid de shaothar an tsagairt seo gurbh é meas Dhónail Í Chonaill air—' the most useful man Ireland ever produced '. Dúirt Seán Ua Ceallaigh sa bheathaisnéis a scríobh sé air: ' Saoileadh i nAimeirce, leis, go dtagadh leis taomanna agus aicíd do leaghas, agus tháinig mairtínigh agus othraigh ag triall air amhail is mar dheinidís i nÉirinn is i nAlbain is i Sasana na nGall '. (*Beatha an Athar Tiobóid Maitiú*, 59).

l. 262. *Leigheas do dhathachaibh:* aon scéal amháin é seo agus Uimh. 51 sa *Scéalaíocht* (= Aa-Th. 1791) ach gur giorra de bheagán an insint seo. Níl éinní ráite anso i dtaobh na máthar a bheith ag cuimhneamh ar phósadh arís. I mí Deireadh Fómhair 1943 a thóg SÓC síos é seo sa leabhar nótaí, agus leath-bhliain ina dhiaidh sin a thóg sé síos an insint eile ar an eideafón.

l. 265. *Goile muar:* cf. *Béal.* 7, 119.

l. 267. *Fiolar agus ganndal:* cf. *Béal.* 4, 28.

l. 270. *Eachtra gadaí:* cf. *IWM*, l. 92, mar a bhfuil an insint ar an scéal so a thóg an Dr. Doegen síos ar cheirnín ó AÓL sa bhliain 1928. Ní hamháin ná raibh éinní imithe i ndíchuimhne ar Amhlaoibh tar éis sé bliana déag ach is amhlaidh a bhí breis aige le cur leis, go háirithe leis an gcuid tosaigh de. Sa chéad insint tá beirthe ar an mbeirt sa 4ú líne, ach níl beirthe anso orthu go dtí an 18ú líne! Ach bhí teora an taifeadta leis an gcéad insint úd.

17

l. 280. (FS = Vernam Hull and Archer Taylor, *Folklore Studies* 6. Gheofar tagraí iomlána sa leabhar san fén uimhir atá ag gabháil leis an dtomhas.)

1. FS 592 2. FS 522 3. FS 306-7 4. FS 671 5. FS 128 (cf. 129) 6. FS 93 7. FS 681 8. FS 657 9: *An Músgr.* 4, 21 (= AÓL); 5, 16; 6, 19.

l. 281. 10: Níl so sa LS ach tá in N (gan aon mhíniú). B'shidé míniú mo mháthar air: Buachaill a bhí ag cúirtéireacht agus a tháinig go doras tí an chailín; do raghadh sé isteach mara mbeadh an mháthair (= 'sí') istigh—ach dúirt an cailín leis go raibh . . .! (Focal sobhríoch isea 'deoch' anso.) '. . . . mara mbeadh "Tá" gheófá' a bhí agem mháthair, agus ag Peadar Ó hAnnracháin—agus d'fhágadh seisean an 'sí' ar lár tríd síos.

11. FS 380-2. In N atá so, leis, gan aon mhíniú. Is é réiteach is gnáthaí air: Fiolar a thug cat léi go dtí n-a geárrcaigh.

l. 282. *I n-am an chatha nár tháinig: Mo Shlighe chun Dé*, l. 164; *Paidreacha na nDaoine* 131. I gcnuasach de sheana-phaidreacha a chuir Mícheál Máistir Ó Briain le chéile i mBaile Mhúirne (*c.* 1912) tá an phaidir seo fé mar a bhí sí ag máthair Chrothúir Í Dheasúna (agus *An Spailpín Fánach* luaite mar fhonn léi). Is cóngaraí í seo d'insint an Ath. Peadar ná d'insint AÍL. Thóg Liam de Noraidh an phaidir seo síos ó AÓL sa bhliain 1941. (RBÉ 1038, 7).

2. *Rann Bhríde:* cf. *Ár bPaidreacha Dúchais* 533; *P. na nDaoine* 192. Tá blas ársa ar chaint na paidre seo, agus dála a leithéid i gcónaí tá sí doiléir in áiteanna. Murab ionann agus 'An Mhairneamh' níl an bhunfhoirm le fáil in aon LS, chomh fada lem eolas. Ní miste a lua gur mó de shinsearacht Bhríde atá anso againn ná mar atá le fáil i Leabhar Leasa Mhóir, áit ná fuil ainmnithe ach triúr. I *Naemsenchus Naemh nÉrenn* tá dhá rann ag Cú Choigcríche Ó Cléirigh ina n-áiríonn sé dáréag dá sinsir, siar go dtí Tuathal Teachtmhar. Sidé an chéad rann acu:

Bricchitt ingen Duptaigh duinn/mic Dreimhre mic Bresail buirr
mic Dein mic Connla mic Airt/mic Cairpri Niadh mic Corbmaic
(*Irish Texts* 3, 57)

Ar é seo a chur i gcomparáid leis an nginealach lom (e.g. *ibid.*, 99) is léir gur ar rannaíocht éigin den tsórt so a bunaíodh an phaidir.

Seo mar a thóg Liam de Noraidh síos í ó Mhícheál Ó Luasaigh i mBaile Mhúirne sa bhliain 1941:

Mise Brighid Ní Dotha Daga/Inghean a' Dotha Déasaig;
Slán go rabham fé mhaise/Ar theacht do'n aga céadna;
Mise Brighid Ní Dotha Duinn,/Inghean Iarfhlath' ó Theamhrach Trím
Mhic Airt Mhic Cormaic Mhic Cais Mhic Caoin (Cuinn ?),
Mise Brighid Ní Dotha Dé,/Do sheolas long go réidh,
Ó phort go port ar do choimirc-se 'seadh théighim,
Ó's leat féin an oidhche anocht,/Ó anocht go bliadhain ó anocht,
Agus anocht amháin le Dia. (RBÉ 1038, 4).

Sa chnuasach úd an Bhrianaigh is mar seo atá an *Rann*, ó bhéalaithris Chrothúir Í Dheasúna:

AN RANN BRÍGHDE, nó PAIDIR OIDHCHE LE BRÍGHDE

Anocht a labharfaidh an cuachán[1] le sonas agus le tabharthas i gceann gach rátha.

Is maith an rátha dh'fhágamair/Ní feárr ná an ráth n-a dtángamair
Rath an rátha dh'fhágamair/Theacht línn sa ráth n-a dtángamair.

Mise Bríghde ó bhun an bhaile inghean an doiche désaig cuirim long go réidh ó phort go port. ar do choimirc is eadh théighim óir is leat féin an oidhche anocht.

Mise Bríghid ní Doiche Doínn/Inghean Aodha ó thamhair an truím
Mac Uaithrne[2] *mhac Cormaic mhac Airt mhac Cuínn*

An té adeurfadh an rann Bríghde seo agus í rá gan aon mhearathal budh leis túis gacha sluagh agus buadh gacha báire.

l. 283. 3. *Althú le pins snaois:* cf. *P. na nDaoine* 82-3; *Béal.* 3, 238.

4. *Crios na gCeithre gCros:* blúire de *Phaidir an Bhruit* (*Scaifiléara*). Cf. *Béal.* 3, 237; 37-38, 110; *An Sean. Muimhneach,* 222.

5. (a): *MIP* 169; *SC* 325; *SM* 2009.

l. 284. (b): *Ár bP. Dúchais* 282, 306; *P. na nDaoine* 20. Tá cóip i LS an Bhrianaigh ina bhfuil 18 líne.

(c): cf. *Ortha an Uaignis, Béal.* 37-38, 120.

6. *Ortha an Éagruais: Ár bP. Dúchais* 215 (cf. 73, 75).

[1] .i. gabhairín a' rótha LS [2] nó, Uainthe LS
(Ní miste a lua go bhfuil comhartha béime ar an gcéad shiolla agus ar an tríú siolla de na briathra *dh'fhágamair* agus *dtángamair*).

19

l. 285. *An Garsún Bó:* tá an rann le fáil i LSS Thorna 97, (138), (152). Chúig líne atá ansúd, agus seo mar atá ll.4–5: *Dá mbeinn i gcogadh Rí Séamus an lá is tréine 7 is truime bhí ann/Ní bhainfeadh aon phléar liom agus níor bhaol dom faid do bheadh sí ar mo dhrom.*

An fear imig síos amach: déarfainn gur Cárthach agus Iarlaitheach a bhí páirteach sa rud so; cf. *Eoghan an Mhéirín Mac Carrthaigh* (F. Éilgeach), 17-18.

l. 286. *Cóirle: MIP* 208.

Murainn Ní Chnáimhín agus Donacha Ó Briain: cf. *An Músgr.* 8, 9, mar a bhfuil dán cheithre rann n-a bhfuil so mar rann tosaigh ann. *Móra Ruisne cct* an teideal atá air, agus Doncha Ó Suibhne ó Chúil Ao a airigh óna sheanamháthair é. Tá sé ráite ansúd go raibh an dán ar eolas ag AÓL, agus tá dhá líne uaidh tugtha mar mhalairt insinte.

In RIA 24 L 22, 138, tá dán cheithre rann 'a dubhairt an óinmhid do Ó Mhathamhna' curtha síos 'a béalaibh na sean' ag Cormac O Fithchiolla (i gCorcaigh *c.* 1820). Sidé an chéad rann:

> *Do shiúlas Éire go léir agus Oileán Spic,*
> *Barraig is Paoraig, Déisig, cois Tráilí,*
> *Dútha Uí Néill go léir ba ró-bhreá í,*
> *Is ní fheaca do scéimh ar aon, 'Uí Mhathúna an ghrinn.*

As san amach, tá ranna 2-4 ar aon dul le ranna 2-4 de dhán *Mhóra Ruisne*, ach amháin ranna 3 agus 4 a mhalartú ar a chéile. (*Ó Chill Chuinne go Guagán* atá anso in ionad *Cill Choinnig na suainseán*, r.2). Cé gur dhual duine de mhuintir Mhathúna fháil sa Chruachán (r.2, .i. Crookhaven ?), tá *-í* deiridh r.1 bunoscionn leis an gcuid eile den dán, agus b'fhéidir gur trí iomrall aithne a cuireadh an Brianach as seilbh!

Murainn Ní Chnáimhín: 'Ní cuimhin le hAmhlaoibh gur airigh sé "Murainn an Amhaluaidh" mar ainm ar Mh. Ní Ch. B'shiné a thug "Gaedheal na nGaedheal" uirthi. "Murainn an Amharuaidh", is dóigh liom, a thug Diarmuid Ó Duinnín (Sráid a' Mhuilinn) uirthi. Níor thug aoinne den bheirt seo "M. Ní Chnáimhín" uirthi'.—SÓC.

Is dócha gurb í seo go dtugtaí 'M. na snáthaide' uirthi, leis, an té a chuireadh an t-aighneas fileata ar Chearúll Ó Dála agus ar Liam na mBó Muar. (Cf. RBÉ 1527, 267, etc.).

i n-iarthar cláir: cf. *gach aicme bhíodh leamh lér bh'ait a riar ar chách/beid feasta gan mheas a' teacht chum iarthair cláir*—Donacha Caoch Ó Mathúna (RIA 23 G 23, 178).

l. 288. '*Is mairg ná cruinníonn ciall . . .*': *SC* 815; *SM* 460; *Béal.* 3,86. (San insint seo, ó Cho. an Chláir, deirtear gurbh é 'Donacha Mór a 'Chruí Bhig' a dúirt an rann; cf. l. 242 thiar).

l. 289 '*Is beag orm Domhnach gan dinnéar . . .*': *An Músgr.*2,21; 3,15 (=AÓL).

An Fear Simplí: Béal. 3, 457; *IWM*, l. 86 (= AÓL).

l. 290. *Aneas ósna Ceanntair* (cf. Aa-Th. 1544): *Béal.* 1, 399; 3, 144; *Beirt Fhear*, 180; *Sean. an T.*, 151.

Athair miúlach: An Lóchrann, Iúil 1908, 3 (= *Racaireacht ghrinn na tuaithe*, 21).

l. 291. *An Máistir agus a Bhuachaill: Béal.* 3, 461 (= AÓL); cf. *Beirt Fhear* 14, 72.

An Buachaill Aimsire: in insint air seo a thóg SÓC síos ó Dhiarmaid Ó Duinnín, i Sráid a' Mhuilinn, tá sé ráite gur Luínseach eile (' Guildy ') gurbh ea an té chum an rann, agus gur ag fear desna Cárthaigh ar Claedigh a bhí sé ag obair nuair a chum sé é, lá meithile.
Malairtí: ón míntir] *ón mbuín sin*; Aoine lá P.] *A. nú lá P.* (RBÉ 737, 233).

l. 292. *Bainne na gClog: LSÍC*, 89; *An Músgr.* 4, 21 (= AÓL); LSS Dhúglais de Híde (UCG) 14, 71. Blúire é seo de ' Eachtra an Phacaire agus na Caillí ' (*An Gaedheal*, Samhain 24, 1934), nó ' Paidir an Bhacaigh ' (*An Sean. Muimhneach*, 135-6).

l. 293. *Bacach Ó Gráda agus an Sagart: IWM*, l. 84 (= AÓL). Ar na hinsintí air seo a thóg SÓC síos ó dhaoine eile tá ceann a fuair sé ó Dhiarmaid 'ac Coitir atá difriúil go maith leis an gceann atá anso. ' Bacach na Gráige ' a bhí ag Diarmaid mar gur ar an nGráig (in Íbh Laoire) a casadh ar a chéile an bacach so agus sagart óg dárbh ainm Diarmaid Ó hUallacháin, gur tharla an comhrá so eatarthu !

l. 294. *Teistiméireacht don bhuachaill: IWM*, l. 82 (= AÓL); *Béal.* 3, 457.

Althú Mhaighréad Ní Mhóra (N): *Béal.* 3, 463; *An Sean. Muimhneach*, 235; *Cn. Trágha*, 28. San insint a scríobh SÓC óna mháthair (RBÉ 1038, 34) tá so i ndiaidh l. 1: *Gabhar Sheáin i ngarraí Thaidhg, an bhó bhán isteach 'na dhiaig!* Tá insint ghairid ó Dhiarmaid 'ac Coitir fén dteideal *Althú Bhriain agus Mhór* in RBÉ 1527, 41, mar a ndeirtear gur ' fear agus bean a bhí a' siúl rúmpa ' iad so.

l. 295. *Risteárd agus é go ceann-árd: LSÍC*, 147. Ar an gcuma so atá an teistiméireacht i LS a scríobhadh i gCorcaigh *c.* 1847 (RIA 24 C 26, 402):

" Marriage Certificate "

Seo chút Risteárd, go héadrom ceannárd/Ar muin gearráin is é gan díol as.
Níl aige corcán, tig ná bothán/'S ar gach cnocán bíonn sé bruíonach.
Chuir sé Siobhán, an dara leannán,/'S ní sos don bhochtán do bhí aige roimpi:
Do bhíodh rian an liomháin 'dir a dhá slinneán/'S ba mhinic í ar féarán go dtí n-a muíntir.
Seo Certificate, *gan chóir gan cheart/Agus pós iad, a shagairt, más maith leat.*

Tá insint níos iomláine fós i LS ón Ath. Peadar, agus so mar réamhnóta leis: ' Seo páipéar pósta a thug an tAthair Labhrás Ua Maghamhna do Risteárd sa bhliain A.C. 1820 '. Ina ranna ceathair-líneacha atá an véarsaíocht aige agus níl puinn idir í agus insint AÍL, ach gur san ord 5, 8, 7, 6 atá na línte sa tarna leath dhe (mar atá i m*Béal.* 3, 225). San áit seo sa LS tá an nóta so: ' Misi Peadair Ua Laog[h]aire a sgríbh an méid seo shuas sa m-bliain A.C. 1894. Sa bhliain cheadna do chuireas a sham[h]ail chum Michil Ciosóig go Baile at[h]a Cliath '. Tráth éigin níos déanaí do scríobh sé an dá rann breise seo isteach i ndiaidh an nóta san:
Air maidin de Máirt/Do mhairbh sé Cáit/Le tuaig ⁊ tá/Sé 'nois sgaoilte
Pós é, a dhearb[h]ráthair./Ól do chranán, (*cornán ?*) (sic)/*'S bain, gan diombágh,/ Do dhíol as.*

Dro-bhean: ó oirthear Mumhan dó so, ar an gcaint atá ann. Ach cf. *Ní fheaca-sa riamh aon diabhal ba mheasa ná Cáit* in amhrán dár tosach *Mo chreach is mo léan mar a éag mo sheanabhean liath* a fuair Proinséas Ó Ceallaigh ó Nóra Ní Uidhir (RBÉ 47, 250). Níl éinní san amhrán so, áfach, atá in aon chóngar don chuid eile den rann.

milltheach] *míll.* LS, ach *meill.* is gá chun na meadarachta.

l. 296. *An ghaoth aduaig go fírinneach: Béal.* 3, 460. (' Bhí feirimeoir muar táchtmhar de mhuíntir Loingsi ' na chomhnuidhe ar Baile Mhic Íre fad ó ' an tosnú atá ag Tadhg Ó Duinnín ar an insint sin).

Coire i nIfreann: LSÍC, 143. I ngnáthinsint eile air seo deirtear gur sagart agus ministir a thug prioc dá chéile mar seo:

Sagart: *Inis-se don mhinistir, ós tusa bhíonn a' labhairt leis,*
Go bhfuil coire muar i nIfreann agus ministrí a' damhas ann.
Ministir: *Inis-se don duine sin, ós duitse is usa labhairt leis,*
Nách é an t-ithe théann go hIfreann ach na crathacha bheith fallsa.

l. 298. *Caoine Dhónail Í Cheárna: An Músgr.* 4, 20 (= AÓL).

l. 299. *' Có-uasal gach fear ar muir ': LSÍC,* 52; *SC* 3344; *Cn. Trágha,* 44. *Giolabanach:* cf. *Béal.* 31, 11, mar a n-áiríonn Alan Bruford *Giolabunach* ar cheann d'fhoirmeacha truaillithe na hainme (Conall) *Gulban.*

'*An formad t'réis me shlad*': *Béal.* 3, 224, mar a bhfuil dhá líne bhreise ag Tadhg Ó Duinnín ina lár:
Táid a' cuir na móna ar srath/Agus mo mhóin-se féin sa cheap.

l. 300. *Saor saor ó shaoirseacht*: in N atá so le fáil.

20

l. 301. *1. Donacha Bán agus an Rudaire*

Timpeall na bliana 1843, tráth n-a raibh Máire Bhuí Ní Laoire 'críona, támhach-lag, brúite', do bhronn sí craobh na filíochta ar Dhonacha Bhán Ó Luínse: *Bronnaim láithreach an chraobh id láimh duit, a bun, a bárr 's a húlla.* I gcomhar le chéile is ea chumadar an t-amhrán úd *A Mháire Ní Laoire ó bhéal an Chéama* (An tAth. D. Ó Donnchú, *Filíocht Mháire Bhuidhe Ní Laoghaire*, 61).

Ní heol dom gur cuireadh an t-amhrán so i gcló cheana, ach bhí blúiríocha dhe in aiste ag SÓC ar *Sc. É.* 12.1.'51. Tá na cheithre líne thosaigh de r.3 tugtha, gan ainm údair, i *Saothar Dhámh-Sgoile Mhúsgraighe*, Réamh-rádh xvii.

Leis an bhfonn *An Craoibhín Aoibhinn Álainn Ó* a ghabhadh 'Gael na nGael' (Pádraig Ó Cruadhlaoich) an t-amhrán so.

l. 302. *Seán Máistir Ó hIarlaithe*: b'shin é athair mo mháthar. Bhíodh sé ag múineadh i scoil Chúil Ao agus ina dhiaidh sin i scoil Bharr Duínse, agus bhí feirm ar na Foithire aige. (Cf. *Sg. mo Bheatha*, 21, 32, 100).

2. Micil Píobaire

I gcló in aiste ag SÓC ar *Sc. É.* 11.10.'51, mar a bhfuil malairt chainte sa dara leath de ranna 4 agus 5. Tá sé ráite ansúd gur fhill Micil agus a bhean aniar laistigh de bhliain agus gur chuireadar fúthu arís ag Droichidín Bhéalaithe Fionáin (in iarthar na paróiste).

Cf. *Amhráin na nGleann* (F. Mac Coluim), 62, mar a bhfuil r.6 den *Táilliúir Aerach* = r.5 den amhrán so, geall leis. Ní hionadh go mbeadh meascán i gcás dhá amhrán atá ar aon déanamh agus atá gairid i ngaol i dtaobh abhair de.

l. 304 *3. Amhrán na Scine*

Níl aon tuairisc eile agam ar an amhrán so.

l. 305 *4. Fínín Ó Scanaill agus Liam na Buile*

Níl amhrán Fhínín ar aon cheann de na hamhráin atá le fáil féna ainm sna seana-LSS, ní lú ná mar atá freagra Liam na Buile iontu. Tá an chéad véarsa d'amhrán Liam i gceann de LSS Thorna (97, [105]), ach LS dhéanach í seo (cf. Pádraig de Brún, *LSS Gaeilge: Cnuasach Thorna* 1, 251). Tá an véarsa céanna so i gcló ins *An Músgraigheach* 2, 11 (SÓC ó 'Ghael na nGael'). Is don cháineadh seo Liam a bhí Eón Rua ag tagairt nuair a dúirt sé san *Árrachtach Sean* go raibh 'cuisle na dáimhe tráite' i nGleann Fleisce

An tráth úmpraid gan cúntas gach cúilghearradh tarcaisneach
Thug trú Bhaile Mhúirne dá ndúthaigh go maslaitheach. . . .
(Fic l. 202 thiar, agus an nóta atá ag gabháil leis.)

l. 308 5. *An Leastar Beag*

Amhrán é seo a bhí coitianta imeasc na seanamhuintire. Bhí 5 véarsa dhe i gcló ag SÓC in aiste ar *Sc. É.* 17.12.'51 (i, ii, iv agus dhá véarsa eile ó BC, déarfainn). Tá trí véarsa truaillithe dhe i LSS Thorna 97 (1).

l. 309 6. *Diarmaid 'ac Séamuis agus Seán a' Reótha*

Ó Conchubhair an sloinne atá tugtha síos do Dhiarmaid 'ac Séamuis in aon áit dá bhfeaca tagairt dó i gcló, e.g. *Fil. Mháire Bhuidhe,* 77; *Jour. of the Ir. Folk Song Soc.* xxi, 12; *Séamus Mór Ó Muimhneacháin,* 8; *Sean. an T.*, 17. (Bhí aithne ag an dTáilliúir ar mhac le Diarmaid, Seán Ó Conchúir: duine muinteartha dhó ab ea é, adeir sé). Ach níorbh é AÓL an t-aon duine amháin adúirt gur de mhuintir Chéileachair gurbh ea é.

Ar l. 508 den LS RIA 24 B 33 tá caoine ar Chonchubhar Ó Ríordáin (*ob.* 1810) agus *Diarmuid mac Séamuis m̄ Con[ch]abhair* tugtha mar údar leis (rud a bheir do lucht réitithe an Chláir a mheas gur mac mic do Chonchubhar a chum é: *Index* 1, 512; 2, 1183). I gCorcaigh, *c.* 1826, a scríobhadh an chuid den LS ina bhfuil an chaoine, agus dhealródh sé nach ' Ó Conchubhair ' a bhí á thabhairt air ina lá féin. (Fic l. 444).

l. 311 7. *Dónal Bacach Ó Luasa agus Diarmaid 'ac Séamuis*

Dónal Bacach Ó Luasa: ar an Leicinín, i bpar. Chluan Droichead, a chónaigh so. Tuairisc air: *An Músgr.* 2, 12; aiste ag SÓC, *Sc. É.* 3.1.'51. Cf. *Jour. of the Folk-Song Soc.* vi, 232, mar a bhfuil véarsaí iv-viii den amhrán so i gcló. San *Jour. of the Ir. Folk Song Soc.* xxi, 12, tá amhrán eile ó Dhiarmaid ar an abhar céanna, *An Fearr Leogaint d'Ól?* In RBÉ 47, 221, tá 4 véarsa (= i, iii, vi, vii) a tógadh síos ó Nóra Ní Uidhir, agus táid ar aon dul le téacs AÍL.

l. 314 8. *Bacchus 'na Réim*

Tá níos mó de bhalaithe an lampa ón ndán so ná mar atá ó fhormhór na coda eile, agus is deacair lochtaí an téacsa a thógaint ar AÓL mar ní hé seo an saghas dáin is éasca do dhaoine a thabhairt leo ina gceann. Go hábharach, tá insint ' liteartha ' a mhair, agus cé ná fuil so féin gan locht taispeánann sé cadé mar thruailliú a ghabhann an fhilíocht go minic, fiú amháin ages na daoine is fearr. Tá an téacs so thíos bunaithe ar an gcóip atá i LSS Thorna 13, 20 (athchóip l. 119, gan an rann tosaigh), mar a bhfuil aistriú fileata Béarla le fáil chomh maith.[1] Tá 4 rann acu (agus aistriúchán) in RIA 12 E 15, 40 (44). Le tosach an 19ú céad a bhaineann an dá LS. I dteannta crot na haimsire seo a chur ar an litriú tá roinnt eile athraithe déanta agam ar scáth na céille agus na meadarachta. Tá lúibíní timpeall ar nithe atá ró-fhada ó chaint na LSS.

[1] Táim fé chomaoine ag an Dr. Seán Ó Coileáin as ucht cóip díobh so a sholáthar dom agus taighde a dhéanamh ar nithe eile dhom i LSS Choláiste na hOllscoile i gCorcaigh.

An Buidéal

i

Is dóigh liom go maireann ceart Bacchus 'na réim is go gcaithfidh gach n-aon
dó súd stríocadh,
Go deo ná fuil gairm air feasta as an saol is aicme na ndéithe go cloíte.
Seolann don racaireacht aigne shaor, dá eolgaisí pearsa bheir sealad gan
chéill,
Is mó dhuit gach aimid ná Daphin ann féin agus déanann fear tréitheach den
daoistin.

ii

Bheir éifeacht don scraiste agus meanmain chléibh agus déanann den éifid
fear claímh maith,
Do bhéarfadh an leabhar go rachadh ar faobhar le Hector na Trae 'dul chun
coimheascair.
An té a bhíos ceangailte i gceasnaibh an tsaoil, go tréithlag faoi mhairg,
gan talamh ná tréad,
An tan ghlaonn sé ar chnagaire is bhlaiseann de braon ní bhíonn spéis aige
i réiteach an chíosa.

iii

Eolaí deighmheasta bhí sealad sa nGréig—Homer tar éigse mar maítear,
Eolach mac Flacuis ná maithfeadh dó i gcéill, is Virgil dá dtréithe ná stríocfadh:
Ar dtúis sula gcanadh aon phearsa acu laoi do ghlaoidís 'na n-aice ar
channa maith dí,
Nó go ndéanadh deoch bhlasta na ranna a chur síos, le méid measa ar éifeacht
an fhíona.

iv

An Régent is a athair is gach pearsa dhá mhéid glaoid siúd buidéal blasta fíona
Roimh théacht dóibh ar maidin faoi sparainn na bpiléar go ndéineadh iad
faobhrach 'na n-intinn.
Féach Alexander ba chalma i gcéill, an saol tar a bharra an tan smachtaigh
dó féin,
Gur traochadh ar maidin leis Persia go léir agus é ar meisce faonlag thar oíche.

v

(Lucht léinn is oideachais)[1] ba thaitneamhach leo é is an éigse 'na dhéidh sin
a' síor-rith,
Is léir dhom na sagairt an tAifreann féin dá éagmais[2] ná déarfaid siúd choíche.
Lucht réiteach gach ceasna agus aicme na plé, an fear céachta is an caile
is na ceannaithe féin,
Bíd siad dá chaitheamh go gcaillid a gcéill—is cad fáth lena dtréigfinnse
fíon maith ?

[1] *Na triaghsi so daichis* LS. [2] *easpa* LS.

vi

Mar an mnaoi liom do shnamaigh ba thaitneamhach liom féin[1] beathuisce aosta agus fíon maith,
Cé stríocas-sa sealad le geallamhain bhaoth faoi scamall mo shaogal go sníomhfad.
Och! Cá mar a mhairfead dá easpa lem ré? Tá mo sprid caite is do chailleas mo ghné,
A' cásamh mo cheasna ní aithnid[2] mé thar aon ó thréigean buidéal dom óm intinn.

vii

An cníopaire mheasas a thaisceadh dhó féin airgead tréadta tar cuimse
An tan chífidh an scafaire ó bheathuisce tréith [3]beannachadh dhó[3] ar aon chor ní cuí dhó;
Ach (ríomhaim ar a)[4] imeacht gur amadán é: gur millteach an aimid dá chlannaibh é féin—
A' scríobadh go lag is dá mhealladh ag an saol, is an té bheas tar a éis ag ól fhíona!

l. 315 *9. Leogaim slán le ceapa dán*

Le hUileog Ó Céirín is gnáth é seo a lua, file a mhair i gCiarraí Luachra i dtosach an 19ú céad; cf. *LSÍC*, lgh. 379, 450.

Sampla neamhghnáthach den ainm bhriathartha sa tuis. gairmeach, *a cheapadh dánta*, atá i gcuid de na hinsintí. ' Mo mhíle slán chúghat a Cheapach Dáinig ' atá ag Petrie, *Music of Ireland* (1882), 5, agus féach gur ' Cuirim slán chughat a cheapa dánaig ' a bhí ag Nóra Ní Uidhir (RBÉ 173, 129).

Mhalartaíos dhá leathrann ar a chéile (vi-vii) mar a rabhdar bunoscionn sa LS.

l. 317 *10. Caoine*

D'fhéadfaí dul níos sia ná mar a chuaigh AÓL agus a rá gur Fínín Ó Donnchú éigin ó Ghleann Fleisce atá á chaoineadh anso, ach thairis sin ní féidir dul, mar is mó duine den ainm sin a bhí sa Ghleann chéanna. Tá blas ársa go maith ar an gcaint, agus cá bhfios ná gurb é an Fínín é gur chum Aogán Ó Rathaille dán adhmholta dhó sa chéad cheathrú den 18ú céad (ITS 3, 42).

Éire Bheag: Tá an ainm chéanna so ar Éirinn ag Conchubhar Máistir Ó Ríordáin i ndán a chum sé (*c.* 1770) tráth dá bhfeaca sé ' íomhá na hÉireann ' crochta anáirde in áit éigin i Lúndain.

11. Amhrán an Mhadaruaig

Tá mórán insintí dhe seo ann agus mórchuid difríochtaí eatarthu. Is dócha gurb é an ceann is iomláine an ceann a chuir Micheál Ua Foghludha i gcló sa *Lóchrann*, Bealtaine 1909, fén dteideal ' Seaghan Paor agus an Maidrín Ruadh ' (incip. *Astoidhche dia Luain 's mé im' mhearbhthall suain*, 9 r.).

[1] *féin* om. LS. [2] *thaithnid* LS. [3-3] *dho b.* LS. [4] *rim̄ agus ar* LS.

Ar a shon go bhfuil tagairt do Chill Áirne agus do Mochromtha ann, dhealródh sé gur in oirthear Mumhan a ceapadh é. Ach bhí véarsaí dhe ag mórchuid seandaoine i mBaile Mhúirne, agus fuair Proinséas Ó Ceallaigh insint mhaith (8 r.) ó Dhiarmaid Ó Duinnín Cheann Droma, par. Thuath na Dromann. (RBÉ 73, 357).

l. 319 *12. Caoine Mhuíntir Chuíll*

Bhí an chaoine seo agus an eachtra ba bhun léi ag mórchuid seandaoine. Seo achoimre ar an gcúntas a fuair SÓC i mBéal Átha an Ghaorthaigh i dtaobh an scéil: Ó Bhaile Mhúirne ab ea muintir Chuíll. Chuadar chun cónaig go Drom a' Chláraigh, i bpar. Chill Gharbháin (*al.* cóngarach do Bhéal Átha Lice). Dheineadar bád dóibh féin chun iascaireacht. Ach ní raibh aon taithí acu ar an bhfarraige: d'iompaigh an bád orthu lá dá rabhdar amuigh agus bádh iad. . . . Iníon do dhuine acu (a phós fear de mhuintir Shúilleabháin) b'shin í a chum an chaoine eile úd: *Na Cuíllthig bhána áluinn ghléigeal/ó Dhrom a' Chláraig a bádh sa daormhuir* . . . (RBÉ 841, 243; 849, 467).

I leabhar Béarla a cuireadh i gcló sa bhliain 1844 tá aistriúchán (7 r.) ar an gcaoine seo, mar aon leis an nóta so: ' The following caoine or deathsong was composed by a man named Donoghue, of Boaringloater or Affadoion, in the western part of the county of Cork, whose three sons and son-in-law were lost at sea more than sixty years since '.[1]

Sa bhliain 1959 fuair SÓC an insint seo ar an gcaoine eile ó Chonchúr Ó Buachalla Chúil a' Mhuthair:

CAOINE NA GCUÍLLTHEACH Ó DHROM A' CHLÁRAIG

i

Ó 's a' luí dhom ar mo leabaig le taithneamh ó Phoébus
A's gan suím i gcleasaibh ná i gcúrsaí an tsaogail
'Sea chualag an fhuaim agus an t-éirleach
Ag gol ban sí agus ní 'na n-aonar.

ii

Do bhí luisne na mainne le taithneamh ó Phoébus
A's do dhrideas le hainnir ba gheanamhail scéimh cruth:
Do thugas mo hata chun tailimh go réig liom
Agus d'ûlaíos dom búirnín go béasach.

iii

' Cad tá uait ? ' aduairt an spéirbhean
Go soineanta shuairc do stuam a bréithre.
'Tuairisc úr mbuartha agus úr ngéarbhroid
Do thúirt i dtráth dhom fáth ', dá mb'é a toil.

[1] Cf. Tomás Ó Concheanainn, *Nua-Dhuanaire* 3, 74.

iv

' Neósfad duit, mar is docht a' scéal é—
Cad as duit nár chlois tu féin é ?—
Gur b'iad muíntir Chuíll, na caoinfhir mhaorga
Ó Dhrom a' Chláraig, do bág sa déarlinn'.

v

' Innis a n-ainm dom, a ainnir na gcraobhfholt,
Cé gur geairid ó bhaile mo ghaol leo '.
Is cruínn 's is tapaig a thug freagra nár thaodach:
Gur b'iad Séamus agus Diarmaid na séimhfhir.

vi

Do stopas is do thochtas is do chritheas i n-éineacht,
Do thit óm roscaibh sruthanna déara,
Do tháinig smúit, cû agus éiclips
As mo chionn ar ghnúis na spéarach.

vii

Do tháinig doiritheacht obann agus écó:
Cnuic ag boga agus ag oscailt ó chéile
Ó Ghúgán Barra go hAbhainn na gClaedeach
Agus ó Chúm na nÉag go Béal a' Chéama.

viii

Greada ar a' nimh sin do dhin a' t-éirleach,
Nár leog dóibh ar fharsinge Théitis!
Duairt Aeólus nár chóir a dhéanamh,
Ag úmpáil agus ag súncáil gan faeseamh.

ix

Lá chruinnithe an chatha 'na seasamh ar ao'chnoc
I gcoinnibh a namhaid níor bh'eagal go staonfadh;
Bhí fuinneamh a's tapa thar beartaibh 'na ngéagaibh
Cé gur dineag a leabaig sa bhfarraige bhréidig.

x

Is oth liom a máithrín go cráite céasta,
A linbh 's a mná go brách 'na n-éamais;
A ndriotháir óg isé is mó is léan liom
Ag siúl a' bhóthair ar seol go Béarra.

Ag tagairt don chaoine sin, dúirt Conchúr: ' Ní fheadar ná gurbh é Diarmaid 'ac Séamuis a dhein é: is dóigh liom gurbh é—agus chuir sé go maith chuige. Do mhuíntir Chéileachair a b'ea Diarmaid. Is dóigh liom gur thiar ar Cuimín a' Bhruic a bhí sé '. (RBÉ 1541, 484).

l. 320 *13. An Gréasaí agus an Feirmeoir*

Cheithre rann atá san agallamh so idir 'An Talmhaidhe' agus 'An Gréasaidhe' san insint ó Áth Cinn a cuireadh i gcló ins *An Stoc*, Bealtaine 1924.

l. 321 *14. A chara mo chléibh*

Cuid é seo d'aisling 8 r. a chum Conchubhar Máistir Ó Ríordáin, agus atá le fáil i LSS san RIA, i Má Nuat, etc. Is iontach a chóngaraí atá insint AÍL, chomh fada agus a théann sí, don insint liteartha, agus ní mór ná gur fearr í in áiteanna! Cumasc is ea r. iii anso de ranna iv-v na LSS; r. iv = r. viii na LSS.

l. 322 *15. An Búrcach Buí ón gCéim*

Cf. *Filíocht Mháire Bhuidhe Ní Laoghaire* (An tAth. Donncha Ó Donnchú), 49. Tá r. iii an eagráin sin in easnamh anso, ach tá rann ag AÓL ná fuil ag an Ath. Ó Donnchú (r.v), agus i measc na nótaí (l. 72) atá r. vi aige. Is mó insint atá ar an ndán so, agus is dealraitheach go rabhthas ag cur leis.

Bramhar (r.v) = *Bun Robhair*, in aice Chill Áirne (?); cf. Joyce, *Irish Names of Places* 3, 155.

l. 323 *16. Báb na gCraobh*

Trí rann atá anso de dhíospóireacht fhileata idir an tAth. Dónal Ó Nia agus a dhriotháir, an tAth. Párthalán. Theas cois Banndan a rugadh agus a tógadh iad so, timpeall lár an 18ú céad, agus ní miste a rá ná go raibh Gaeilge sa dúthaigh sin an uair úd, más aon chomhartha déantúsaí na beirte driothár so. Bhí cuimhne go dtí n-ár lá féin ar an amhrán a cheap an tAth. Dónal nuair a fuair sé a chéad radharc ar ramhar-chnoic Íbh Laoire agus é ag triall ar an áit ar ordú an easpaig:

Do thriallas na cianta is na háird anoir a' triall ar an iarthar is gráinne cruth:
Is mó riabhach-chnoc 'na shliasaid ó bhárr go bun, is dom briathar ná hiarrfainnse m'áitreabh ion. . . .

Ach níorbh fhada go dtáinig ana-chion aige féin agus ag pobal na paróiste sin ar a chéile, agus dhein sé leorghníomh leo san amhrán a cheap sé nuair a bhí sé ag imeacht uathu.

Fear aerach ab ea an tAth. Dónal, de réir gach cúntais, ach ar a mhalairt de chuma a bhí an driotháir: é lán de dhiagasúlacht agus de dhúthracht chun gnó Dé. Dúirt duine éigin leis an Ath. Dónal, lá: 'Is mór an ionadh tusa bheith chomh mór d'fhear scléipe agus chomh haerach agus atánn tú, agus an tAthair Párthalán chomh naofa'. 'Ach, airiú', do fhreagair an tAthair Dónal, 'níl Dia leath chomh dian agus deir Párthalán!'

Is maith an tsolaoid ar mheon na beirte an t-agallamh so, agus b'fhéidir nár mhiste é go léir a chur síos anso. Trí véarsa déag atá san insint atá le fáil in RIA 23 D 42 [74], agus Corcaíoch dárbh ainm Pádraig Ó Mathghamhna a scríobh síos é *c.* 1830. (Tá cúpla véarsa le fáil go fánach i dhá LS eile san RIA). Tá sé véarsa ó Nóra Ní Uidhir in RBÉ 173, 95. Is fiú a lua go bhfuil véarsa ag AÓL (= iii anso) agus ceann eile ag N. Ní Uidhir ná fuil in aon chor san insint fhada. Mar le i agus ii anso, is éachtach a chóngaraí a bhí AÓL don bhun-chaint tar éis céad go leith blian.

Cé go bhfuil caighdeánú áirithe déanta agam ar an rud atá sa LS d'fhágas roint den litriú mar a fuaras é; go deimhin, d'oiriúnódh litriú téacsa an leabhair seo an gnó ar áilleacht.

Gealbháb na gCraobh

'na c[h]omhagallamh idir Dhomhnall Ó Nēadh agus a dhearbhrāthair, an tAthair Pārthalān cct.

Domhnall i

Faon is me sínte ar mo leabaidh tríom aisling san oíche aréir
is me ag smaoineamh ar aoibhneas na nGalla is mo charaid faoi dhraoib an tsaoil,
síos gur shuigh taoibh liom an ainnir ba dheise cruth, gnaoi agus scéimh
ná an spéirbhean ón nGréig gur dá deascaibh do cailleadh sliocht Prím sa Trae.

ii

Do bhí a hórfholt go mómharach 'na mbeartaibh a' taisteal léi síos go féar,
a héadan nár aontaigh bheith casta 's a mala deas cumtha caol,
a claonrosc breá néamhrach ag taithneamh gan fearg ná cáim le fraoch,
a béal tana déadshnoite 's a teanga ba bhlasta le fonn gach scéil.

iii

Is néata lena caolchrobh do ritheann sí foirm an cholúir 's a' cháig,
éin bheaga, naoscaigh is druide, agus loingeas faoi shiúl sa tsnámh;
béagles ar taobh cnoic is sionnaigh trí chnocaibh is *troop* 'na ndeáidh,
géaga agus craobhacha na coille a' filleadh 's a' lúbadh a mbarr.

iv

Atá mise pósta le sealad 's is atharach dúch liom é,
's is dóigh liom nach móide mo ghradam bheith ceangailthe aon tslí ag an gcléir;
déanfa mé comhairle mo leasa agus rachad ar m'ábhar féin
a' pógadh na mban is dá mealladh ar maidin le fáinne an lae.

Párthalán: v

'Óigfhir, glac comhairle agus teagasc, is feasta bí umhal don chléir;
diúlthaigh don drúis is don pheaca is do mhealladh gach cúileann tséimh;
abair Coróinn Mhuire ghlórmhar is paidir is a' tsailm le hintinn Dé
tu sheoladh faoi ghlóire ins na Flaithis ar maidin le fáinne an lae.

D: vi

Ní chreidfinn ó ráite na sagart, an easpaig, ná a dtáine 'en chléir
ná go réifeadh Mac Dé dhom caontaithneamh thabhairt tamall do bháb na gcraobh;
cé d'fhéadfadh a thréithe 's a mhaitheas do chaitheamh, is bláth a shaoil,
gan a béilín tais craorac tana meala do bhlaiseadh le fáinne an lae?

P: vii

Féachsa *Homer* do mealladh cé gasta bhí a lámh sa léann
agus *Nero* do chlaon chun an pheacaidh tug masla dá mháithrín féin,
Priamus tug *Paris* chun baile i ngradam, i stát 's i réim,
tug léirscrios na Trae insa lasair de dheascaibh ghealbháb na gcraobh.

D: viii

Slán agus céad 'sea do chuirim chun bruinneall na leabhair-chrobh réidh
do léigfeadh mo lámhsa go socair 'na brollach 's í ag insint scéil;
nár scarad le grása na bhFlaitheas ná an t-anam so i lár mo chléibh
gur súgach do phógfainnse an ainnir ar maidin le fáinne an lae!

P: ix

Léigse dod ráite[achais] buile, a dhuine atá ar fán ód chéill,
agus iarrsa na grása ar an Leanbh fuair peannaid is páis 'nár dtaobh;
saothraigh féin áras do leapa i bhFlaitheas ró-ard na naomh
is gur fearr súd ná áitreabh damanta ar thamall de bháb na gcraobh.

D: x

Ná trácht liom ar ifreann damanta trí aitheantas bháb na gcraobh,
is féachsa cad d'ordaigh an tAthair sular ceapadh leis pápa ná cléir:
' Síolraig is líonaig na Flaithis '—gan peaca ná ábhar baoil
ag seoladh gach ógbhruinneall chailce chun leapa le fáinne an lae!

P: xi

Créad é an fáth lena dtáinig an tuile ón soininn do bháigh an saol,
nár dhíon dúinn ó Rí geal na cruinne talamh ná ardach sléibhe?
Ó, a Íosa, tóg sinn insna Flaithis gonuig an Athar síoraí go séimh
dá thiomna go mbeadh díolthas an pheaca de dheascaibh ghealbháb na gcraobh.

xii

Féachsa ar Mhaois mar do cailleadh é ar fhasach glan rianta réidh,
dá choimhdeacht bhí an Naoimhsprid ó Fhlaitheas do cheangail ris páirt go séimh,
do shín chuige scríofa deich n-aitheanta tarraingthe ar clár go caol—
an uair a dlíodh dhuit gan luí leis an ainnir nár shealbh go brách duit féin.

D: xiii

Ó, 'Íosa, tóg dhíomsa na scamaill—an peaca—agus táthaigh féin,
scaoilse mo chroí atá 'na charraig is mo dhearca nár thál riamh braon;
craobhscaoilfead mo ghníomhartha go fairsing don Mhac d'fhulaing an Pháis am thaobh,
's a Dhia dhílis, ná smaoinigh me dhamaint trí aitheantas bháb na gcraobh.

Tá véarsa ag Nóra Ní Uidhir ná fuil ag freagairt d'aon cheann acu san thuas, agus toisc go dtiocfadh sé isteach go hoiriúnach i ndiaidh na coda eile b'fhéidir gur chuí anso é:

Sagart:
Tá t'aithrí ró-dhéanach, a dhuine! Nuair a thiocfaidh a' bás ort féin
caillfir do lúth a's do mhire agus imeoidh do mheabhair go léir.
Is mairg a luíonn insa pheaca ná do scarann le grásta Dé,
a's is mó ógánach gleoite fé ghradam ná mairfidh go fáinne an lae.

l. 324 *17. Maidean Shamhraig roim eirí gréine*

Tá an chéad véarsa dhe seo i LSS Thorna 97 (193). Tá amhrán eile, *Maidin tsamhraidh nuair d'eirigh Phœbus* (*An Cl. Soluis*, Meitheamh 4, 1904), agus cé go bhfuil dealramh áirithe aige leis an gceann so ní hé an t-amhrán céanna é.

l. 325 *18. Beannacht an Scoláirthe*

Scoláire Bocht ón nGaillimh gur bhuail easláinte é i gCiarraí. An fhóirithint a dhein Nóra Ní Mhathúna air (bean Í Fháilbhe ?) ar an ócáid sin do dhein seisean é chúiteamh léi ar shlí gur mhair a tásc ó shin. Tá an téacs is iomláine le fáil ag Mrs. M. J. O'Connell, *The Last Colonel of the Irish Brigade* 2, 341 (12 rann = 52 líne). Sé rann atá san insint atá in RIA 23 D 42, [32] fén dteideal *Beanacht an sgolāire b[h]oicht do Nōra Ní M[h]athamhna* (fic an nóta ar Amhrán 16). Tá insint eile ó Chúil Ao san *Jour. of the Ir. Folk Song Soc.*, xxi. Ach tá gach aon téacs acu lochtach ina shlí féin.

Bealach Béime: seanabhóthar treasna na sléibhte ón Neidín go Cill Orglann. (*Mholaig Bhéimis*<*Mhullaig Bh.*<*Bhealaig Bhéime*: cf. ' an cnuimh ó mhullach Béimis ', Wagner, *Ling. Atlas* 2, 154, s.v. *meadhbhán*).

l. 326 *19. Sa ghaortha thit an oíche orainn*

Cf. *Jour. of the Ir. Folk Song Soc.*, xx. Bhí daoine a chreid gur do Ghaortha Anach Sháile a bhí tagairt san amhrán so, ach cf. *I ngaortha thit, I gcaoth gur thit*, etc., in insintí eile.

l. 327 *20. Tá mo scórnach síoraí tachtaithe*

Tá na cheithre véarsa so in aiste ar an ól ag SÓC ar *Sc. É.* 18.10.'51, ach níl aon eolas breise ina dtaobh le fáil ansúd.

l. 328 *21. An tSeann-Bhean Bhocht*

Cf. Seán Ó Súilleabháin, *Diarmuid na Bolgaighe*, 32; *Jour. of the Folk-Song Soc.*, vi: *Jour. of the Ir. Folk Song Soc.*, xx.

l. 329 *22. Eala an Charainn Chíoruibh*

Cf. S. Ó Súilleabháin, *Diarmuid na Bolgaighe*, 34, 172 (' Olann Chairn Chíordhuibh '—' Amhrán é seo de sna ceannaibh a dheineadh Diarmuid mar gheall ar a mhnaoi '). In aiste ag SÓC ar *Sc. É.* 3.10.'52, tá 8 véarsa mar a fuair sé i gCairbre iad, dar liom; tá an líne úd *Mise Eala an Charainn Dhuibh atá le seal óm mhuintir* le fáil ansúd. Tá so ráite i *Seanchas Chléire* (l. 156) i dtaobh Charraig Aonach (= C. Aonair): ' is é ainm a bhí an uair sin uirthi ná " Eala an Chairn Chiardhuibh, go raibh easba solais uirthi san oidhche " '.

l. 330 *23. Cailleach mhór chrón na Gaibhle*

Cf. *Diarmuid na Bolgaighe,* 43. Tá dhá rann ag AÓL ná fuil sa téacs san (ii agus iv).

Téacs iva: ar] *as* LS, ach *ar* in N agus '(balaithe)' ina dhiaidh. Tá an míniú beagáinín ró-shéimh, cé gur dócha gur ó AÓL dó.

24. Tadhg Dubh na Cluaise agus Diarmaid na Bolagaí

Cf. *Diarmuid na Bolgaighe,* 47. Tá tagairt ag AÓL do dhá véarsa ná fuil le fáil sa téacs san.

l. 332 *25. An Drúncaeir*

Níl éinní ráite i dtaobh an amhráin seo in N (mar a bhfuaras é), agus táim miocáchta nó is é AÓL féin a cheap é.

l. 333 *26. An Seanduine*

Is beag amhrán is minicí a cuireadh i gcló ná é seo. Is dócha gurb iad na mná fé ndeár é bheith leata chomh forleitheadúil ar fuaid Éireann!

l. 334 *27. Órdú chun bróga dhéanamh*

Ní fheadar cad is cóir a mheas don té go raibh na mílte líne de shaothar daoine eile ina cheann aige agus ná féadfadh cuimhneamh ar leathrann áirithe dá dhéantús féin!

28. Raghadsa go Cill Áirne

Déarfainn gur sa bhliain 1940 a tharla an eachtra ba bhun leis an ndán so a chumadh. B'shin í an bhliain a nochtadh dealbh na Spéirmhná i gCill Áirne i gcuimhne Filí Móra Chiarraí. Do bhí Dómhnall Ó Ceocháin, an Suibhneach Meann agus scata eile ó Chúil Ao láithreach ar an ócáid sin.[1] Cúpla míle ar an dtaobh thoir de Chill Áirne, ar an slí abhaile dhóibh, is ea theip an gluaisteán ar an ngasra, agus dúirt an tiománaí (= 'an stráille') leo fanúint mar a bhí acu go bhfilleadh sé chútha le gluaisteán eile. Ach níor fhill: d'fhág sé i ndíg an bhóthair iad go maidean!

l. 335 *29. Bríde Ní Scannláin*

Baineann an dán so leis an saol ar a bhfuil trácht ag Dómhnall Ó Ceocháin sa Réamhrá atá le *Saothar Dhámh-Sgoile Mhúsgraighe* (1933).

l. 337 21

Mar leis na logainmneacha atá le fáil ar fuaid an leabhair seo, tá cloíte i gcónaí leis na foirmeacha dhíobh a bhí ag AÓL, ós gné den bhéaloideas é sin, leis, gan trácht ar stair na teangan. Ní cúram dom anso aon taighde a dhéanamh ar bhunús na logainmneacha, cé gur ghéilleas don chathú i gcás abha an tSulláin agus Bhaile Mhic Íre, mo bhaile dúchais féin. Ní miste liom an gnó

[1] Cf. Seamus Fenton, *Kerry Tradition: The Peerless Poets of The Kingdom,* 32 *seq.*

san a fhágaint fé dhaoine is fearr cóir chuige—agus is áthas liom a chlos go bhfuil taighde ar siúl fé láthair ar logainmneacha Bhaile Mhúirne ag Brainse na Logainmneacha den tSuirbhéireacht Ordanáis.[1]

Cé gur minic ná bíonn an ceart ag seandaoine sa réiteach a thugaid ar bhunús logainmneacha, is anamh ná go mbíonn rud éigin spreagúil san *volksetymologie* féin; agus rud bunaidh in aon taighde ar na hainmneacha is ea an deilbh atá orthu i mbéal na ndaoine.

Túnláin: ' D'airínn Conchúr Ó Deasúna Bhaile Mhic Íre á rá gurbh é sin *Tuath* nú *Tuar na nUlán* sa tseanashaol. Baile eile isea Na hUláin, ar a' dtaobh thuaidh arís. Ach ar an dtaobh eile den scéal, cré nú ithir isea *tonn*, leis, agus b'fhéidir gur *Tonn Uláin* é '—nóta sa LS ag SÓC.

Clais na nGártha: An Músgr. 4, 19 (= AÓL).

Faill na gCórdraiz (gCórdreys LS): deirtí *F. na gCórdaile, F. na gCórnairí*, etc., leis; cf. *F. na gCórdruíos, Sg. mo Bheatha*, 52.

l. 338. *Roideog:* is dócha gurb é seo ' pale or small sally ' an Duinnínigh, (mar a bhfuil deich bhfoirmeacha den fhocal tugtha s.v.); cf. *Béal.* 3, 127.

l. 339. *Cops:* cf. ' Féach na gáirdíní fíona do bhí in Ísrael fí chops ', *Diarmuid na Bolgaighe*, 34.

l. 340 22

Is sia ó bhaile a chuas leis na tagarthaí sa chaibidil seo ná mar a dheineas in aon chaibidil eile mar is gnáth go mbíonn na seanfhocail beag beann ar theoranta, dá mb'iad teoranta tíortha féin iad. Is baolach go bhfuil seanfhocail na Gaeilge imithe ó chion againn le tamall agus is dúinn is measa san, mar is breá an t-abhar staidéir i gcónaí iad. Is spreagúil an rud do dhuine a rian a chur agus a gcúrsa a leanúint ó áit go háit agus ó aois go haois.

(Fic clár tagarthaí agus nodanna, l. 464.)

(3) *SC* 3891, 466; *SM* 384; *SU* 1205, 665; *Béal.* 7, 117. An Gárlach Coileánach: *LSÍC*, 32. (5) Cf. *SC* 3892. (7) Cf. *SC* 4232-3; *SU* 960. (8) *Sean. an T.*, 156-7. Dúirt an Táilliúir go raibh aithne aige ar mhac le Tadhg na Cuaiche. (16) Cf. ' Cill Orglann gan ghreann . . .' etc., *Beirt Fhear*, 96. (17) *SM* 907-8. (19) *SC* 1572. (20) *SC* 1411, 2811. (23) Cf. '. . . mo bhasa ar mo shúile ag préachaireacht féachaint an bhfeicinn chugham sibh ', *Sean. Chléire*, 162. (30) *MIP* 54; *SC* 2593. (31) Cf. *SM* 1728. (32) *SC* 4021; *SU* 792. (34) Cf. *SC* 731, 4347. (37) *MIP* 170; *SC* 920. (40) Fic an nóta ar *Murainn Ní Chnáimhín*, l. 436 thiar. (42) *SM* 719. (43) *LSÍC*, 68; *SC* 1180; *SM* 720;

[1] Gabhaim buíochas le hArt Ó Maolfabhail agus le hAlan Mac an Bhaird as ucht a gcomhairle agus a gcúnta dhom sna cúrsaí seo, agus le lucht riartha na Suirbhéireachta i dtaobh a cheadú dhom úsáid a dhéanamh dá léarscáileanna.

Timthiridh Chroidhe N. Íosa 1912, 17 agus 67. (44) Cf. *SC* 4349, 4585. (49) Cf. *SC* 4050. (59) ' B'shiné côirle an tseanduine ' (BC); *IWM*, l. 80 (= AÓL); *SM* 1372; *SU* 952. (60) Ar ócáid eile dúirt AÓL: ' Din macánta é, *má fhéadann tú . . .*' (62) Cf. *SC* 1011. (63) *SM* 329. (66) *SC* 3218; *SU* 689. Blúiríocha den amhrán *Dónal na Gréine* is ea 65-6. (68) ' Lá le Cros an lá is giorra sa mbliain ', .i. an 21ú lá de Mhí na Nollag (Diarmaid Ó Duinnín, Sráid a' Mhuilinn). Cf. *Cinnlae A. Uí Shúileabháin*, 4, xxxiii (ITS 33). (69) *An Sean. Muimhneach*, 122. (70) *SC* 23. (72) *SC* 600. (73) SC 2496. (75) *SC* 271; *SM* 904. (78) *MIP* 95. (79-80) *SC* 1257. (81) *SC* 3611; *SM* 148 (= féar !). (82) Sic LS, cé go bhfuil *gcine>geine* in N, agus tagairt do D s.v. *Aifreann*. (83) Cf. *SC* 4032. (84) *MIP* 141; *SC* 1924; cf. *SM* 2130. (85) *SC* 4205; *SM* 1588; *SU* 828. (86) *SC* 1816; *SM* 1404.
(87) *MIP* 3; *SC* 2385. (88) *MIP* 209; *SM* 153-4, 1313. (89) *SC* 3917. (90) Blúire den *Draighneán Donn; SC* 1425. (91) *MIP* 54, 184; *SM* 2093-4. (92) Thug Mícheál Ó Briain míniú an mháistir scoile air mar seo: ' Good for n-l blows ' (*Cn. F.* s.v. *bloc*). (93) Cf. *SC* 1216. (94) *MIP* 61-2; *SC* 2503 (cf. 1346); *LSÍC*, l. 369. (96) *SC* 1114; *SM* 1215, 1242; *Dánfh.* 109. (98) *SC* 2261; *SU* 22.
(102) Á thagairt don tslí ná bíonn cóir ná ceart le fáil ag an nduine bocht ón nduine saibhir atá an seanfhocal in úsáid i mBarántas a scríobh Seán Máistir Ó Conaill sa bhliain 1791: *scoilthean an bhreab an chloch, agus faghan an ceart bás idir lámhaibh an nanbhfannaig*, RIA 24 B 33, 231 (cf. Pádraig Ó Fiannachta, *An Barántas* I, 134). (103) Cf. ' D'imig leagha dhúin Mhóir air ', *LSÍC*, 30. (107) *SM* 712. (109) '. . . . aduaig ón Muineanaig mBáin ' (D. Ó Duinnín, Sr. a' Mhuilinn). B'fhéidir gur rann cumaisc é seo, agus nár bhain an dá líne thosaigh leis an gcuid eile ó thosach: cf. *Dánfh.* 57; *SM* 490.
(110) *SC* 1604; *SM* 500. (111) *SC* 3557, 4105; *SM* 1812-3. (113) *SC* 3452; *SM* 263. (114) *SU* 980. (115) *B. Bh.* 65; *SU* 1. 182. Thóg P. Ó Ceallaigh an rann so síos ó Mhícheál Ó Murachú, Baile Í Bhuaidh, sa bhl. 1933 (RBÉ 47, 127):

> *Is dubh í an sméar lá gréine agus is milis í*
> *Is searbh géar iad caora an chuilinn chaoin*
> *Méinn mhaith péarla gach uile nídh*
> *Agus bíodh an scéimh ar an té ar a* (sic) *cuireadh í.*

Leis ' An Teagasg Ríoghdha ' nó ' Comhairle na Bárrsgolóige dá Mhac ' a bhaineann so (cf. *Dánfh.*, lgh. 83-8).
(120) *SC* 1060; cf. *SU* 936. (121) *SC* 3740. (123) *SC* 4092; *SM* 1865. (127) *SC* 1661; *SM* 2134. (129) *SC* 3656, 4896; *SM* 1369.
(131) *MIP* 219; *SC* 2488; *SM* 1302. (136) Cf. *Sean. Chléire*, 69, mar a dtagarthar do shaol suaite an iascaire é. (137) *SM* 1002. (139) *SC* 1127; *SM* 1783. (144) Cf. *MIP* 350; *SC* 1640, 1663, 1690. (146) *Dánfh.* 59; *SC* 1034; *SU* 42. (147) *SC* 91; *SM* 1521. (151) *MIP* 350; *SC* 1703; *SM* 1690. *Seán Buí á phósa: MIP* 152 (cf. Add. Notes, l. 171); *SC* 1713. (152) Cf. ' a cholla ón gCaillig ' *supra* l. 410. (154) Thuig SÓC go raibh fadhb anso, agus tá tagairt in N aige do *claoine an tsóisir* Phiarais Feirtéir; ach cf. *p. an tomhais*, the sin of false-weighing, D s.v. *peacadh*.

l. 395 25a

Naomh Gobnait: cf. *Sg. mo Bheatha,* Caib. vii. An tuairisc is iomláine agus is údarásaí ar N. Gobnait an ceann atá ag D. Ó hÉaluighthe san *JCHAS* lvii, 43-61 (1952), cé go bhfuil státa ansúd (l. 47) nár mhiste a cheartú: ' Peregrine O Clery, while admitting Abban in his catalogue [*Naemsenchus Naemh nÉrenn*], omits Gobnait '. Níorbh é dearúd an Chléirigh gan Gobnait d'áireamh ar chomhluadar na naomh: tá *Gobnat co mbloidh* ann (*Irish Texts* 3, 61).

l. 397. *Féile Shain Seáin: LSÍC,* l. 361. *Na Ráithíocha: LSÍC,* l. 353; *SC* 2273.

l. 401. *Éamon na Gealaí:* ' Stad airiú, a rógaire! Stad! Stad! ' an t-amhrán lena mbaineann an rann.

l. 403 25b

Naomh Bríde agus an Mhaighdean Mhuire: LSÍC, l. 357.

Obair an earraig: ' an triúr cailleach ', cf. Dómhnall Bán Ó Céileachair, *An Músgr.* 3, 14.

l. 405. ' *Má théann tú go dtí aonach gan gnó . . .*': *SC* 1839.

An Nollaig: LSÍC, lgh. 353-5; *Sg. mo Bheatha,* Caib. ix.

25c

l. 413. *Coinneal agus coinleoir ann: LSÍC,* 154.

l. 416. *Mar a buag ar na mná sí:* cf. *Cn. Trágha,* 49-50.

l. 417. *Uisce na dtrí dteorann:* cf. l. 159 thiar.

PEARSANRA

Ní ' daoine ' an libhré go léir atá san innéacs so, ach ós rud é go mairid agus go bhfuil pearsanacht acu sa tseanachas so AÍL, shíleas nár mhiste iad go léir a chur sa liosta, mar áis do lucht taighde go speisialta. Sa tseanashaol, bhí sprideanna agus púcaí chomh mór ina mbeathaidh agus a bhí aon daoine saolta—mar a fuair Donacha an Ghabha amach!

Tá leasainmneacha agus ceartainmneacha tugtha agam chomh maith le chéile; ach cé gur áiríos ' Bacach an Tóchair ' agus ' Seán Crón ', ' Donacha an Chúil ' agus ' Tadhg Bán ', etc., dheineas neamhshuim d'ainmneacha loma, e.g. ' Seán '. I gcás na sloinnte, tá tagairtí le fáil fé *Muíntir* nuair is mar sin atá sa téacs.

Tá lúibíní cearnacha timpeall ar aon ní ná fuil ag AÓL féin, agus tá réiltín le roinnt ainmneacha go bhfuil rud éigin ráite ina dtaobh sna Nótaí.

LOGAINMNEACHA

An fhoirm is gnáth a úsáid san ainmneach atá tugtha san innéacs so. Tá lúibíní cearnacha curtha timpeall ar an ainm sa bhfo-chás nach deimhin dom gurb í sin foirm a bheadh ag AÓL féin. Tá réiltín le haon ainm go bhfuil rud le rá ina thaobh sna Nótaí.

TAGARTHAÍ AGUS NODANNA

N: Leabhair nótaí Sheáin Í Chróinín.
RBÉ: LSS i Roinn Bhéaloideas Éireann, Coláiste na hOllscoile, BÁC.

Foilseacháin

Is beag leabhar ná foilseachán dá bhfuil tagairt déanta sna Nótaí ná go mbeidh cur amach maith ag léitheoirí an leabhair seo orthu, agus uime sin ní gá iad a liostáil ar leithligh anso, go háirithe ó tá an teideal tugtha ina iomláine (nó geall leis dó), sa chéad luachtaint.

Tá roinnt nodanna, áfach, nár mhiste a scaoileadh:

B.Bh.: *Búrdúin Bheaga* (Thomas F. O'Rahilly), BÁC, 1925.
Cn.F.: *Cnósach Focal ó Bhaile Bhúirne* (Brian Ó Cuív), BÁC, 1947.
D: *Foclóir Gaedhilge agus Béarla* (An tAth. Pádraig Ua Duinnín), BÁC, 1927.
Dánfh.: *Dánfhocail* (Thomas F. O'Rahilly), BÁC, 1921.
DRIA: *Dictionary of the Irish Language* (RIA), BÁC, 1913-76.
IWM: *The Irish of West Muskerry, Co. Cork* (Brian Ó Cuív), BÁC, 1944.
JCHAS: *Journal of the Cork Historical and Archæological Society.*
LSÍC: *Leabhar Sheáin Í Chonaill* (Séamus Ó Duilearga), BÁC, 1948.
MIP: *A Miscellany of Irish Proverbs* (Thomas F. O'Rahilly), BÁC, 1922.
Sc.É.: *Scéala Éireann.*
SC: *Sean-fhocla Chonnacht* (Tomás S. Ó Máille), BÁC, (i) 1948, (ii) 1952.
SM: *Seanfhocail na Muimhneach* (' An Seabhac '), BÁC, 1926.
SU: *Seanfhocla Uladh* (Énrí Ó Muirgheasa), BÁC, 1931.

I gcás búrdún, dánfhocal, seanfhocal agus paidreacha, is í uimhir thagartha an bhúrdúin, an tseanfhocail, etc., atá tugtha, ach mar a bhfuil a mhalairt ráite. D'uimhreacha na míreanna atá tagairt i gcás *LSÍC*, ach go bhfuil cúpla ócáid gur don leathanach é.

Daoine

Thall is abhus trísna Nótaí tá daoine luaite le heolas áirithe éigin a thugadar uathu (do Sheán nó dhomhsa). Le paróiste Bhaile Mhúirne a bhain a bhfor-mhór, agus ina gcás san níl tugtha ach ainm an bhaile fearainn. In aon chás eile, is í an pharóiste nó an ceanntar coiteann atá curtha síos, e.g. Cill Chóirne, Cuan Dor, Béal Átha an Ghaorthaigh. Tá ainm agus sloinne tugtha de ghnáth agus níl de nodanna le míniú ach iad so:

BC: Eilís (Ní Iarlaithe), Bean Sheáin Í Chróinín, Tuath na Dromann agus Baile Mhúirne.
DK: Dónal Ó Céileachair, Cill Gharbháin agus Baile Mhúirne.
DÓB: Donacha Máistir Ó Buachalla, Baile Mhúirne.
TÓB: Tadhg Ó Buachalla (An Táilliúir), Cill Gharbháin agus Íbh Laoire.

An uile dhuine dá bhfuil luaite agam táid imithe ar an síoraíocht, cuid acu le tamall maith de bhlianta. ' Go dtuga Dia solas na síorghlóire dá n-anam: b'fhéidir gur chuige sin a thairrigíomair chúinn iad ! '—mar a deireadh an té acu is fearr go raibh aithne agam uirthi.

LÍNTE TOSAIGH NA N-AMHRÁN

(Caib. 20)